Елена Лаврентьева

Светский этикет пушкинской поры

МОСКВА
«ОЛМА-ПРЕСС»
1999

УДК 17
ББК 87.717.7
Л 13

Разработка художественного оформления книги
ТАТЬЯНЫ ХРЫЧЕВОЙ

Дизайн внешнего художественного оформления
ТАТЬЯНЫ ДМИТРАКОВОЙ

Иллюстрации воспроизведены по книге:
Гоголевское время. Оригинальные рисунки
графа Я.П. де БАЛЬМЕНА (1838 — 1839). М., 1909

Серия подготовлена совместно
с ООО «СКЦ НОРД»

ISBN 5-224-00412-8

Светский этикет пушкинской поры

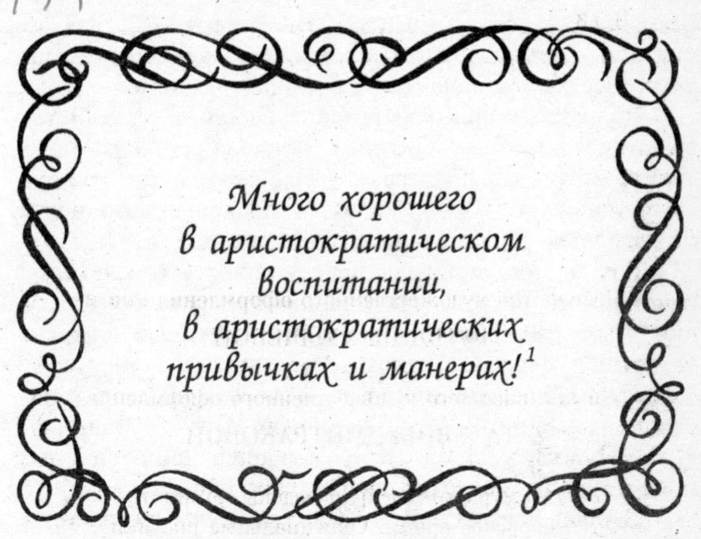

Много хорошего в аристократическом воспитании, в аристократических привычках и манерах![1]

Предлагаемая книга знакомит читателей с дворянским этикетом пушкинского времени, в том числе с правилами, которые были забыты уже в середине прошлого века. Чтобы восстановить их, автор обращается к документальным источникам: мемуарам, путевым заметкам, переписке современников, поскольку большинство книг по этикету, выходивших в начале XIX века, не содержали конкретных сведений, а носили нравственно-этический характер, в отличие от многочисленных изданий конца столетия.

В Музее книги Российской государственной библиотеки нам все же удалось отыскать несколько уникальных руководств по этикету, изданных в конце XVIII — начале XIX века, в которых содержатся конкретные рекомендации, как, например, вести себя на

---

[1] Дмитриев М. Главы из воспоминаний моей жизни. — М., 1998, с. 280.

балу, когда делать визиты, что дарить на свадьбу, именины и т. д. Читатели имеют возможность познакомиться с материалами этих редких изданий.

Для того чтобы восстановить некоторые, забытые во второй половине XIX века, правила светского поведения, автор обращается к руководствам по этикету, выходившим в 40 — 50 годы, поскольку это время максимально приближено к пушкинской эпохе.

Разумеется, понимая невозможность рассказать в одной книге о всех существовавших правилах приличия, мы хотим обратить внимание читателей на малоизвестные факты. Театральному этикету, «искусству одеваться», воспитанию детей в дворянских семьях посвящены работы Р.М. Кирсановой, О.С. Муравьевой, Н.Л. Пушкаревой, поэтому в нашей книге данным предметам не уделяется специальное внимание.

Вторая часть книги посвящена культуре застолья пушкинской поры. В ней пойдет речь о правилах застольного этикета. Читатели узнают о том, как в начале XIX века сервировался стол, как располагались за столом хозяева и гости, о чем они беседовали, когда полагалось вставать из-за стола, каким образом гости выражали свою признательность за хороший обед.

Цель, которую ставил перед собой автор, — «расписать» обеденный ритуал поэтапно, начиная с приветствий гостей и хозяев и заканчивая послеобеденной прогулкой в сад.

Книга познакомит читателей со знаменитыми гастрономами, известными обжорами, гостеприимными хозяевами и их искусными поварами.

В последние годы интерес к дворянскому застолью резко возрос. Любознательному читателю наверняка известна книга Н.И. Ковалева «Блюда русского стола. История и названия». Книга В.В. Похлебкина «Кушать подано!» — серьезное исследование и в то же время увлекательный рассказ о репертуаре кушаний и напитков в русской классической драматургии.

Несколько статей разных авторов под общим заголовком «Еда и питье в литературе» помещены в журнале «Новое литературное обозрение» (№ 21) за 1996 год. В том же году вышла книга Ю.М. Лотмана и Е.А. Погосян «Великосветские обеды» о гастрономических нравах русской аристократии середины XIX века. В основе книги — семейный архив Дурново с сохранившимися программами обедов.

Мы же хотим обратить ваше внимание на мемуарные источники, путевые записки и письма современников, содержащие богатейший материал по истории русской кухни, по культуре застолья пушкинского времени, интерес к которому не иссякает вот уже два столетия.

О переписке братьев Булгаковых следует, пожалуй, сказать отдельно. Судьба распорядилась так, что старший брат, Александр Яковлевич, был московским почтдиректором, а младший, Константин Яковлевич, занимал такую же должность в Петербурге. Их переписка является на редкость яркой и полной летописью жизни столичного дворянства первой половины XIX века.

В книге приводятся свидетельства как наших соотечественников, так и иностранных путешественников. Особого внимания заслуживают письма англичанок, сестер Марты и Кэтрин Вильмот, гостивших в начале XIX века у княгини Е.Р. Дашковой. Их письма дают ценный материал о жизни российского общества, в том числе содержат любопытные подробности о гастрономических нравах русского дворянства.

Читатели не без интереса прочтут письма графа Жозефа де Местра, который с 1802 по 1807 годы был посланником сардинского короля в Петербурге и имел возможность наблюдать нравы в аристократических гостиных.

По мнению автора, нет необходимости указывать «точные координаты» всех приводимых в книге цитат, достаточно представить список основных мемуарных источников. Когда мы ссылаемся на современные исследования, сноски к цитатам даются обязательно. В некоторых случаях тексты приводятся с сохранением старой орфографии и синтаксических особенностей источника.

В книге также широко представлены материалы из поваренных руководств и периодических изданий первой трети прошлого века.

Что касается иногда встречающихся небольших разночтений, в основном, в титулах — например, *государь* и *Государь*, — то автором решено оставить их как есть, ибо правила орфографии в прошлом веке допускали вариантность правописания.

Правила приличия и светские манеры

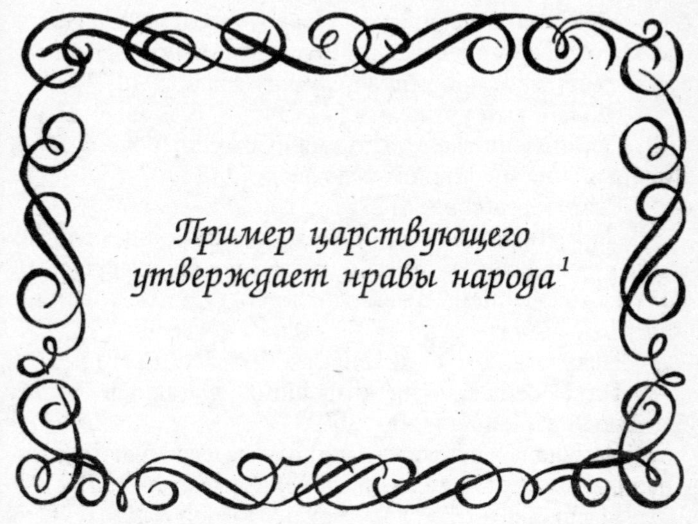

Пример царствующего утверждает нравы народа[1]

Особенность российского этикета состоит в своеобразном соединении старых допетровских обычаев с европейскими традициями. Петр I и его ближайшее окружение были первыми создателями российского дворянского этикета. По настоянию Петра в России трижды была переиздана книга «Юности честное зерцало, или Показание к житейскому обхождению, собранное от разных авторов», содержавшая конкретные наставления дворянским отпрыскам, как вести себя в обществе. Долгое время книга была единственным печатным руководством по поведению.

Со второй половине XVIII века начинают активно печатать пособия по этикету. Вот названия некоторых из них:

«Светская школа, или Отеческое наставление сыну о обхождении в свете» (1763 — 1764);

---

[1] Булгарин Ф.В. Воспоминания. Ч. 1. — Спб., 1846, с. 411.

«Женская школа, или Нравоучительные правила для наставления прекрасного пола, как оному в свете разумно себя вести при всяких случаях должно» (1773);

«Наука быть учтивым» (1774);

«Наставление знатному молодому господину, или Воображение о светском человеке» (1778);

«Разговор о свете» (1781);

«Карманная, или памятная, книжка для молодых девиц, содержащая в себе наставления прекрасному полу с показанием, в чем должны состоять упражнения их» (1784);

«Искусство быть забавным в беседах» (1791);

«Наука общежития нынешних времян в пользу благородного юношества» (1793);

«Карманная книжка честного человека, или Нужные правила во всяком месте и во всякое время» (1794).

В основном руководства по этикету XVIII века были переводные (чаще всего с французского или немецкого языков). К концу века стали появляться и книги русских авторов.

Огромную роль в развитии российского этикета сыграла Екатерина II. Вторая половина XVIII века является эпохой расцвета русско-французских культурных связей, чему немало способствовала деятельность императрицы, покровительствовавшей французским просветителям. С особым радушием принимаются в России бежавшие от революции французские эмигранты, значительная часть которых осела здесь, оставив заметный след в русской дворянской культуре.

Господствовавший в XVIII веке французский идеал модного поведения в свете культивировал, по словам Ф. Булгарина, «любезничество с дамами, утонченное волокитство, угодничество, легкомыслие, остроумие и острословие, и изысканную вежливость». Истинно «версальский» тон, уже не существовавший на его родине, в 1790-е годы царил в кругах высшей российской аристократии.

«Двор Екатерины и Павла, заимствовавший тон и манеры у Версальского <...>, — пишет Ф.Ф. Вигель, — сделался убежищем вкуса и пристойности и начинал служить образцом другим дворам Европы».

В то же время этикет, насаждаемый Павлом I, становился ненавистен дворянству.

«Ни один офицер, — вспоминает Н. А. Саблуков в «Записках о времени императора Павла и его кончине», — ни под каким предлогом не имел права являться куда бы то ни было иначе, как в мундире <...> офицерам вообще воспрещалось ездить в закрытых экипажах, а дозволяется только ездить верхом или в санях, или в дрожках. Кроме того, был издан ряд полицейских распоряжений, предписывавших всем обывателям носить пудру, косичку или гарбейтель и запрещавших ношение круглых шляп, сапог с отворотами, длинных панталон, а также завязок на башмаках и чулках, вместо которых предписывалось носить пряжки. Волосы должны были зачесываться назад, а отнюдь не на лоб; экипажам и пешеходам велено было останавливаться при встрече с высочайшими особами, и те, кто сидел в экипажах, должны были выходить из оных, дабы отдать поклон августейшим лицам».

Мужчины, встретив на улице императора, должны были сбрасывать на землю верхнее платье, снимать шляпу и, поклонившись, стоять, пока государь не пройдет. Дамы, не исключая и государыни, должны были выходить из экипажа и также, спуская верхнее платье, приседать на подножках.

«Император ежедневно объезжал город в санях или в коляске, в сопровождении флигель-адъютанта, — читаем в мемуарах А. Чарторыйского. — Каждый повстречавшийся с императором экипаж должен был остановиться: кучер, форейтор, лакей были обязаны снять шапки, владельцы экипажа должны были немедленно выйти и сделать глубокий реверанс императору, наблюдавшему, достаточно ли почтительно был он выполнен. Можно было видеть женщин с детьми, похолодевшими от страха, выходящих на снег, во время сильного мороза, или в грязь, во время распутицы, и с дрожью приветствующих государя глубоким поклоном. Императору все казалось, что им пренебрегают, как в то время, когда он был великим князем. Он любил всегда и всюду видеть знаки подчинения и страха, и ему казалось, что никогда не удастся внушить этих чувств в достаточной степени. Поэтому, гуляя по улицам пешком или выезжая в экипаже, все очень заботились о том, чтобы избежать страшной встречи с государем. При его приближении или убегали в смежные улицы, или прятались за подворотни. <...>

Император хотел установить при дворе такие же порядки, как и на парадах, в отношении строгого соблюдения церемониала при определении, как должны были подходить к нему и к императрице, сколько раз и каким образом должны были кланяться. <...> При церемонии целования руки, повторявшейся постоянно при всяком удобном случае, по воскресеньям и по всем праздникам нужно было, сделав глубокий поклон, стать на одно колено и в этом положении приложиться к руке императора долгим и, главное, отчетливым поцелуем, причем император целовал вас в щеку. Затем надлежало подойти с таким же коленопреклонением к императрице и потом удалиться, пятясь задом, благодаря чему приходилось наступать на ноги тем, кто подвигался вперед. Это вносило беспорядок, несмотря на усилия обер-церемониймейстера, пока Двор лучше не изучил этот маневр и пока император, довольный выражением подчинения и страха, которое он видел на всех лицах, сам не смягчился в своей строгости».

О придворном этикете, учрежденном Павлом I, рассказывает и швейцарец Массон, в течение 8 лет проживший в России и имевший возможность наблюдать высший круг русского общества: «Внутри дворца был введен столь же строгий и страшный этикет. Горе тому, кто при целовании жесткой руки Павла не стукался коленом об пол с такой силой, как солдат ударяет ружейным прикладом. Губами при этом полагалось чмокать так, чтобы звук, как и коленопреклонение, подтверждал поцелуй. За слишком небрежный поклон и целование камергер князь Георгий Голицын был немедленно послан под арест самим Его Величеством».

Аресты следовали один за другим.

«Было запрещено, — свидетельствует француз Этьен Дюмон, — показываться раздетым даже у окна. Не полагалось видеть мужчину в халате. Упущение такого рода было неоднократно наказано заключением в исправительном доме».

«Необходимо было получить дозволение на танцевальный или другой увеселительный вечер, и полиция входила в дома, где замечала сильное освещение». На придворные балы приглашенные должны были являться обязательно. Тот, кто игнорировал указание, «заносился на особый лист и, таким образом, об этом доходило до сведения Государя». Не позволялось также опаздывать на балы, где присутствовал император.

О.А. Пржецлавский в своих воспоминаниях приводит любопытный анекдот: «Шишков был флигель-адъютантом императора Павла. Однажды, в дежурство Александра Семеновича, государь принял бал у князей Гагариных, данный в известном, подаренном императором княжне Гагариной, великолепном доме, в Большой Миллионной. Обязанность дежурного флигель-адъютанта была следовать нога в ногу за государем на случай каких-нибудь приказаний. Бал продолжался уже несколько времени; Павел Петрович был весел и разговорчив. Вдруг отворяется дверь, и в ней показывается граф К***. Государь, видимо, признал неуместным, что, зная о присутствии его на бале, один из званных позволил себе явиться позже высочайшего гостя. Едва граф успел переступить порог, как государь, обращаясь к Шишкову, говорит: «Флигель-адъютант, ступай к графу К*** и скажи ему, что он дурак». Александр Семенович говорил, что никогда в жизни не был в таком затруднительном положении, как в эту минуту, тем более, что тот, кому велено было сказать такую любезность, был знатная особа. Но делать было нечего. Он подходит к этой особе и с низким поклоном начинает: «Государь император приказать...» Но государь, пошедший вслед за ним, перебивает и вскрикивает: «Не так, говори, как приказано и больше ничего». После того молодой офицер, снова раскланявшись, во всеуслышание произнес: «Ваше сиятельство, вы дурак». «Хорошо», — похвалил государь и отошел. На другой день Шишков ездил к графу извиняться в невольной дерзости; это, кажется, было лишнее и только напомнило пациенту о вчерашней невзгоде».

На придворных балах танцевавшие должны были всячески изворачиваться, чтобы, танцуя, быть всегда лицом к Павлу, где бы он ни стоял.

Особым указом император Павел предписал, чтобы зрители не смели рукоплескать актерам в тех случаях, когда он сам находился в театре и не аплодировал.

Вместе с тем, по словам Этьена Дюмона, «Павлу часто приходилось при виде дам бросаться к их карете, подходить самому к дверцам и вежливо предлагать им не выходить из экипажа. Его вежливость составляла странный контраст с его приказаниями».

Александр I пытается сгладить мрачное впечатление, произведенное недолгим правлением его отца, многими мероприятиями. В первую очередь он упростил придворный церемониал, отменил торжественные императорские выезды, предоставил дворянству большую свободу в выборе покроя одежды и форм головных уборов.

В «Исторических мемуарах об императоре Александре и его дворе» графиня Шаузель-Гуффье пишет: «Александр уничтожил при дворе чрезвычайные строгости этикета, введенные в предшествующее царствование, между прочим, обычай выходить из экипажа при встрече с экипажем императора».

«В то время все в России принимало характер благости, милосердия, снисходительности и вежливости, — вспоминал Ф. Булгарин. — Приближенные к государю особы перенимали его нежные формы обращения и старались угождать его чувствованиям — и это благое направление распространялось на все сословия».

Манера светского поведения уже не насаждалась указами царя. Верховным судьей нравов стало общественное мнение. А личный пример Александра, который, по словам современника, «знанием приличий превосходил всех современных государей», служил эталоном светского поведения.

«У него нет свиты, — сообщает в одном из «петербургских писем» граф Жозеф де Местр. — Если он встречает кого-либо на набережной, он не хочет, чтобы выходили из экипажа, и довольствуется поклоном».

«Хотя я и знал государя по тому, что он сделал великого и благородного <...>, но, сознаюсь, я был поражен его манерой беседовать, ясностью его мыслей и выбором выражений. Это был чистокровный француз со всей его элегантностью и со всей его энергией», — так отзывался об Александре другой французский эмигрант, граф Мориолль.

Не менее лестные характеристики давали императору и наши соотечественники. В записках Ю.Н. Бартенева приводятся слова А.Н. Голицына об Александре: «<...> доселе я знал аристократию рода, умел подмечать иногда аристократию ума и таланта, но вижу, что есть еще третья аристократия — сердца».

«Старики всю жизнь помнили про обаяние его

улыбки, — писал П. Бартенев, — а Сперанский отзывался про него: «Сущий прельститель!».»

Многие мемуаристы отмечают рыцарское отношение императора к дамам. По словам графини Эделинг, «Государь любил общество женщин, вообще он занимался ими и выражал им рыцарское почтение, исполненное изящества и милости...»

Император Николай I был не менее любезен в обращении с дамами. «Разговаривая с женщинами, он имел тот тон утонченной вежливости и учтивости, который был традиционным в хорошем обществе старой Франции и которому старалось подражать русское общество...»

«Тон утонченной вежливости» не мешал однако Николаю I требовать от своих подданных строгого соблюдения правил придворного этикета.

«Следующий пример доказывает, как смотрит император на этикет вообще и в особенности там, где дело касается его дочери[1], — читаем в записках Гагерна «Россия и русский двор в 1839 году». — На одном балу он разговаривал с австрийским посланником Фикельмон, как его прервал новый камергер великой княгини Марии и сказал графу Фикельмон: «Madame la duchesse de Leuchtenherg vous prie, Monsieur l'ambassadeur, de lui faire l'honneur de danser la polonaise avec elle»[2]. Император, выйдя из себя, запальчиво сказал ему: «dourac! — apprenez que je n'entends pas qu'on parle de M-me la duchesse de Leuchtenberg, mais bien de S. A. Imperiale Madame la Grande-duchesse Marie Nicolajewna; et quand Madame la Grande-duchesse Marie engage quelqu'un a danser

---

[1] Великая княжна Мария, дочь Николая I, в 1839 г. вступила в брак с герцогом Лейхтенбергским.

[2] «Госпожа герцогиня Лейхтенбергская просит Вас, господин посол, оказать ей честь танцевать с ней полонез» *(фр.)*.

avec elle, c'est une politesse quelle fait, et non honneur qu'elle demande[1]». Камергер был отставлен и удален, а обер-камергер Головкин получил выговор, что такого дурака представил в камергеры».

«Придворная жизнь по существу жизнь условная, и этикет необходим для того, чтобы поддержать ее престиж, — отмечает в своих воспоминаниях А.Ф. Тютчева. — Это не только преграда, отделяющая государя от его подданных, это в то же время защита подданных от произвола государя».

Иностранцев поражало рабское преклонение многих дворян перед монархом. Однако неверно думать, что отношение дворян к монарху сводилось только к беспрекословному подчинению его воле. «Чувство привязанности к горячо любимому монарху, — писала графиня В. Головина, — несравненно ни с каким другим, чтобы понимать, его надо испытать». Монарха воспринимали не только как символ государства, но и дворянской чести. Именно через связь с верховной властью каждый дворянин ощущал свою принадлежность к избранному сословию.

В мемуарах первой половины XIX века описание придворных церемоний занимает значительное место. Как свидетельствуют многие современники, после смерти императора Николая I их престиж стал падать. «А зло происходит от того, что при дворе не соблюдается больше этикета...» «К несчастью, этот дурной тон распущенности и излишней непринужденности все больше и больше распространяется со времени смерти императора Николая, строгий взгляд которого внушал уважение к дисциплине и выдержке дамам и кавале-

---

[1] «Дурак! Знайте, что я не желаю, чтобы вы говорили госпожа герцогиня Лейхтенбергская, надо говорить Ее Высочество великая княгиня Мария Николаевна; а когда великая княгиня приглашает кого-либо танцевать, это любезность, которую она оказывает, а не честь, которую просит ей оказать» *(фр.)*.

рам свиты не менее, чем солдатам его полков». Эти замечания принадлежат А. Ф. Тютчевой, фрейлине двора двух российских императоров Николая I и Александра II.

Фрейлины императорского двора были посвящены во все тонкости придворного этикета. «В то время при представлении во дворце к их императорским величествам фрейлины соблюдали придворный этикет, — рассказывает основоположник русского балета А.П. Глушковский, — следовало знать, сколько шагов надо было сделать, чтоб подойти к их императорским величествам, как держать при этом голову, глаза и руки, как низко сделать реверанс и как отойти от их императорских величеств; этому этикету прежде обучали балетмейстеры или танцовальные учители».

Несмотря на всю сложность и изощренность придворного этикета, он, по мнению многих современников, был крайне необходим. «Там, где царит этикет, — отмечает А.Ф. Тютчева, — придворные — вельможи и дамы света, там же, где этикет отсутствует, они спускаются на уровень лакеев и горничных, ибо интимность без близости и без равенства всегда унизительна, равно для тех, кто ее навязывает, как и для тех, кому ее навязывают».

Важность придворного этикета осознавал и А.С. Пушкин. «Где нет этикета, — писал он, — там придворные в поминутном опасении сделать что-нибудь неприличное. Нехорошо прослыть невежею; неприятно казаться и подслужливым выскочкою».

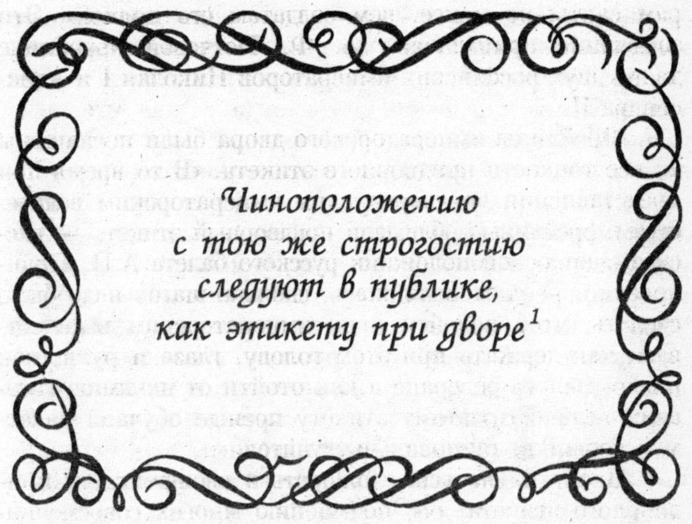

Чиноположению с тою же строгостию следуют в публике, как этикету при дворе[1]

«Когда приходится иметь дело с этой страной, тем паче в случаях особливой важности, надобно постоянно повторять одно и то же: *чин, чин, чин* и ни на минуту о сем не забывать. Мы постоянно обманываемся из-за наших понятий о благородном происхождении, которые здесь почти ничего не значат. Не хочу сказать, будто знатное имя совсем уж ничто, но оно все-таки на втором месте, чин важнее. Дворянское звание лишь помогает достичь чина, но ни один человек не занимает выдающегося положения благодаря одному лишь рождению; это и отличает сию страну от всех прочих», — писал в 1817 году граф Жозеф де Местр графу де Валезу.

Действительно, российский дворянин обязан был

[1] Правила светского обхождения о вежливости. — М., 1829, с. 35. (Возможно, в названии книги пропущена запятая: Правила светского обхождения, о вежливости.)

служить «Отечеству и Государю». Военная служба считалась более престижной по сравнению с гражданской. На профессиональное же творчество смотрели как на унизительное для дворянина занятие. Творчество воспринималось только как «благородный досуг». В мемуарной литературе находим немало тому подтверждений.

«Обвинения на меня сыпались отовсюду, — вспоминает граф Ф.П. Толстой. — Не только все родные, кроме моих родителей, но даже большая часть посторонних упрекали меня за то, что я первый из дворян, имея самые короткие связи со многими вельможами, могущими мне доставить хорошую протекцию, наконец, носяя титул графа, избрал путь художника[1], на котором необходимо самому достигать известности. Все говорили, будто я унизил себя до такой степени, что наношу бесчестие не только своей фамилии, но и всему дворянскому сословию».

Научная эрудиция также считалась делом не дворянским. «И родственники мои (только не матушка), и бывшие товарищи, — пишет Н.И. Греч, — досадовали на то, что я избрал несовместное с дворянским звание учителя».

Поступая же на сцену, дворяне утрачивали свои права. Известный писатель С.Т. Аксаков был в молодости страстным театралом и актером-любителем. В начале века, будучи мелким чиновником, он был принят в доме адмирала А.С. Шишкова. «Старики-посетители, почетные гости Шишковых, заметили меня, — вспоминал он много лет спустя, — а более всех жена Кутузова <...> изъявила мне искреннее сожаление, что я дворянин, что такой талант, уже мною обработанный, не получит дальнейшего развития на сцене публичной».

«По понятиям того времени, — отмечает в своих

---

[1] С 1828 по 1859 годы Ф.П. Толстой был вице-президентом Академии художеств.

записках Д.Н. Свербеев, — каждому дворянину, каким бы великим поэтом он ни был, необходимо было служить или, по крайней мере, выслужить себе хоть какой-нибудь чинишко, чтобы не подписываться недорослем». Известно, что князь Голицын, приятель А.С. Пушкина, никогда не служивший и поэтому не имевший чина, до старости писал в официальных бумагах: «недоросль».

Принцип сословной иерархии, зависимость нижестоящего от вышестоящего определяли нормы поведения дворянина как на службе, так и в повседневной жизни. Непременной обязанностью чиновного дворянства были визиты к начальству в праздники и «высокоторжественные» дни.

«Чиновный люд не мог и думать, под страхом административных взысканий, не явиться в Новый год или царские дни с поздравлением к своему начальству, начиная с низшего до высшего — губернатора, — пишет М. Назимов. — Чтобы поспеть туда и сюда чиновники с раннего утра были на ногах, а побогаче в экипажах, в мундирах и треугольных шляпах, несмотря ни на какой дождь или мороз».

Новогодние визиты чиновников к начальству подробнее описаны в повести А. Плохово «Сумский, или Нечто в роде были»: «Наступил шумный день Нового года, обыкновение скучное развозить визиты не было еще выведено из моды! Это была безусловная необходимость! Самое хлопотливое время для жителей столицы, особенно служащих, везде суэта суэт! Чиновники, натянув мундир, прицепив шпагу и надев шляпу, кто на паре собственных лошадей, кто на лихом извозчичьем иноходце или бойком рысаке, кто на смиренном коньке Ваньки, мчатся и тащатся с поздравлениями к начальникам и знакомым, военные в полной форме, военные в облитых золотом мундирах, в великолепных эполетах».

О пасхальных визитах рассказывает бывший

французский пленный де Серанг, вспоминая свое пребывание в Петербурге после войны: «Существует обычай делать в Пасху визиты по всем начальствующим лицам, причем и здесь говорят друг другу: «Христос воскресе!» и целуются без различий ранга и звания».

Если чиновник приглашал начальника к себе в гости, он непременно должен был заранее оповестить его о других приглашенных лицах. Об этом читаем в записках А. Кочубея:

«Генерал-губернатор был со мною в хороших отношениях, несмотря на то, что он имел весьма неприятный вспыльчивый характер, многим без всякой причины наделал неприятностей, после чего перестал приглашать их к себе и не желал с ними видеться.

Я с своей стороны находил, что многие из этих лиц соединяли в себе все качества порядочных людей, а потому продолжал с ними знакомство и постоянно приглашал их к себе в дом. Будучи обязан приглашать к себе и генерал-губернатора, я должен был каждый раз предупреждать его, что такие-то лица будут у меня, не будет ли это ему неприятно. На это он постоянно отвечал: «Пожалуйста, не беспокойтесь, мне так приятно бывать у вас, что я никогда не позволю себе выразить какую-нибудь неприязнь или нерасположение к тем лицам, которые у вас будут приняты». И он, действительно, сдержал свое обещание».

Англичанка Кэтрин Вильмот, гостившая у княгини Дашковой, сообщала в письме: «Только что я поднялась к себе, оставив нескольких обычных визитеров. Чувства уже несколько притупились, потому меня в настоящее время не так поражают здешние манеры, во многом отличающиеся от тех, к которым я привыкла. Например, ни один человек не осмеливается сесть без приглашения в присутствии высокопоставленной особы. Княгиня в эту минуту, сидя на диване, ведет беседу, а полдюжины князей стоят перед ней со шляпами в руках. Визитеры в небольших чинах редко проходят в комнаты, а чаще стоят за дверями, переминаясь с ноги на ногу».

Нельзя было сидеть, если присутствующий в том же помещении старший по чину или положению стоял. Современникам была известна, например, привычка Ф.Ф. Вигеля, не терпевшего, чтобы его подчиненные сидели в его присутствии даже в светской гостиной. Характеристику, которую он дал М.С. Воронцову, можно вполне отнести и к самому Ф.Ф. Вигелю: от «подчиненных своих он требует знаков нижайшей покорности».

В театре, например, до начала спектакля офицеры не садились, чтобы не вскакивать со своих мест при появлении в ложах того или иного старшего офицера или генерала.

Д.Г. Колокольцов, офицер лейб-гвардии Преображенского полка, вспоминает о «существовавшем тогда воинском постановлении по отношению поступков нижних чинов в смысле строжайшей тогда субординации и чинопочитания, как например, что младший никогда не мог обсуждать действий старшего. Младший пред старшим в чине стоял, погруженный в молчание, а старший, опираясь на свою власть, иной раз, быть может, этим и пользовался и в гневе своем не стеснялся ни перед чем и ни перед кем...»

Военные должны были строго соблюдать этикет и в неофициальной сфере общения. Г.А. Римский-Корсаков был исключен из гвардии за то, что позволил себе за ужином после бала расстегнуть мундир. «Этого было достаточно: Васильчиков послал сказать ему, что он показывает дурной пример офицерам, осмеливаясь забыться до такой степени, что расстегивается в присутствии своих начальников, и что поэтому он просит его — оставить корпус! Корсаков тотчас подал в отставку совсем».

Ни один чиновник, ни один офицер не имели права жениться без разрешения начальства. В апреле

1822 года П.А. Вяземский писал из Москвы А.И. Тургеневу: «Целая Москва исполнена Павлом Бобринским, который живет здесь за ремонтом. На днях, тайком от матери и всех, женился он на вдове старого Собакина, польке, урожденной Белинской. Он проказил здесь на все руки, а теперь довершил бурную молодость свою последнею проказою. <...> Сейчас иду к нему на гауб-вахту[1], куда его посадили за то ли, что женился без позволения начальства, или за другое, не знаю».

На прогулке «лицо, занимающее низшую должность, должно находиться по левую руку своего спутника».

В «Старой записной книжке» П.А. Вяземского приводится немало анекдотов о взаимоотношениях начальников и подчиненных. Предлагаем вниманию читателей некоторые из них:

«Доклады и представления военных лиц происходили у Аракчеева очень рано, чуть ли не в шестом или седьмом часу утра. Однажды представляется ему молодой офицер, приехавший из армии и мертвопьяный, так что едва держится на ногах и слова выговорить не может. Аракчеев приказал арестовать его и свести на гауптвахту. В течение дня Аракчеев призывает к себе адъютанта своего князя Илью Долгорукого и говорит ему: «Знаешь ли, у меня не выходит из головы этот молодой пьяный офицер: как он мог напиться так рано и еще пред тем, чтобы явиться ко мне! Тут что-нибудь да кроется. Потрудись съездить на гауптвахту и постарайся разведать, что это значит». Молодой офицер, немного отрезвившись, признается Долгорукову: «Меня в полку напугали страхом, который граф Аракчеев наводит, когда представляются к нему; уверяли, что при малейшей оплошности могу

[1] Правильнее — гауптвахта.

погубить карьеру свою на всю жизнь, и я, который никогда водки не пью, для придачи себе бодрости, выпил залпом несколько рюмок водки. На воздухе меня разобрало, и я к графу явился в этом несчастном положении. Спасите меня, если можно!» Долгоруков возвратился к Аракчееву и все ему рассказал. Офицера приказано было тотчас выпустить из гауптвахты и пригласить на обед к графу на завтрашний день. Понимается, что офицер явился в назначенный час совершенно в трезвом виде. За обедом Аракчеев обращается с ним очень ласково. После обеда, отпуская его, сказал ему: «Возвратись в свой полк и скажи товарищам своим, что Аракчеев не так страшен, как они думают».

В следующем анекдоте речь идет о графе А.И. Остермане-Толстом. «Однажды явился к нему по службе молодой офицер. Граф спросил его о чем-то по-русски. Тот отвечал на французском языке. Граф вспылил и начал выговаривать ему довольно жестко, как смеет забываться он пред старшим и отвечать ему по-французски, когда начальник обращается к нему с русскою речью. Запуганный юноша смущается, извиняется, оправдывается, но не преклоняет графа на милость. Наконец, отпускает он его; но офицер едва вышел за двери, граф отворяет их и говорит ему очень вежливо по-французски: «У меня танцуют по пятницам; надеюсь, что вы сделаете мне честь посещать мои вечеринки».

А вот еще один анекдот: «Великий Князь Константин Павлович до переселения своего в Варшаву живал обыкновенно по летам в Стрельне своей. Там квартировали и некоторые гвардейские полки. Одним из них, кажется, конногвардейским, начальствовал Раевский (не из фамилии, известной по 1812 году). Он был краснобай и балагур <...>. Великий Князь забавлялся шутками его. Часто, во время пребывания в Стрельне, заходил он к нему в прогулках своих. Однажды застал он его в халате. Разумеется, Раевский бросился бежать, чтобы одеться. Великий Князь остановил его, усадил и разговаривал с ним с полчаса. В продолжение лета несколько раз заставал он его в халате, и мало-помалу попытки облечь себя в мундирную форму и извинения, что он застигнут врасплох, выражались все слабее и слабее. Наконец, стал он в халате принимать Великого Князя, уже запросто, без всяких оговорок и околичностей. Однажды, когда он сидел с Великим Князем в своем утреннем наряде, Константин Павлович сказал: «Давно не видал я лошадей. Отправимся в конюшни!» — «Сейчас, — отвечал Раевский, — позвольте мне одеться!» — «Какой вздор! Лошади не взыщут, можешь и так явиться к ним. Поедем! Коляска моя у подъезда».

Раевский просил еще позволения одеться, но Великий Князь так твердо стоял на своем, что делать было нечего. Только что уселись они в коляске, как Великий Князь закричал кучеру: «В Петербург!» Коляска помчалась. Доехав до Невского проспекта, Константин Павлович приказал кучеру остановиться, а Раевскому сказал: «Теперь милости просим, изволь выходить!» Можно представить себе картину: Раевский в халате, пробирающийся пешком сквозь толпу многолюдного Невского проспекта.

Какую мораль вывести из этого рассказа? А вот какую: не должно никогда забываться пред высшими и следует строго держаться этого правила вовсе не из порабощения и низкопоклонства, а, напротив, из уважения к себе и из личного достоинства».

Не случайно 23-летний Пушкин дает в письме младшему брату Льву следующее наставление: «Будь холоден со всеми, фамильярность всегда вредит; особенно же остерегайся ее в обращении с начальниками, как бы они ни были любезны с тобой...»

В эпоху царствования Александра I, по словам Ф. Булгарина, «наступил перелом в нравах административных и частных, и мало-помалу начала исчезать грубость, неприступность и самоуправство». Начальники были вынуждены говорить своим подчиненным вместо привычного *ты* — *вы*».

Примечателен рассказ А.И. Дельвига, двоюродного брата известного поэта Антона Дельвига: «В III-м отделении бывший шеф жандармов граф Бенкендорф дал строгий выговор Дельвигу за означенные заметки и предупреждал, что он вперед за все, что ему не понравится в «Литературной газете»[1] в цензурном отношении, будет строго взыскивать. <...> В ноябре Бенкендорф снова потребовал к себе Дельвига, который введен был к нему в кабинет в присутствии жандармов. Бенкендорф самым грубым образом обратился к Дельвигу с вопросом: «Что ты опять печатаешь недозволенное?» Выражение *ты* вместо общеупотребительного *вы* не могло с самого начала этой сцены не подействовать весьма неприятно на Дельвига».

Начальники, которые живо помнили век Екатерины, по привычке говорили своим подчиненным «ты». Одним из них был А.Н. Соковнин. «Андрей Николаевич, — писал о нем современник, — был членом Московского Человеколюбивого Общества и впоследствии был избран в вице-президенты этого общества. Имел на шее Владимира и в петлице Анну, держал себя с достоинством, как подобает истинному президенту. С чиновниками обращался гордо, говорил им: «Ты, братец, сударь...» — и все это так величественно».

Подчиненные же обращались к своим начальникам в соответствии с установленными формами обращения к особам разных чинов. Введенная в конце царствования Петра I «табель о рангах» устанавливала 14 ступеней или классов чинов как в военной, так и в гражданской службе. К лицам I и II класса обраща-

---

[1] С 1830 года Антон Дельвиг издавал «Литературную газету».

лись «ваше превосходительство», к особам III и IV класса — «превосходительство». «Вашим высокородием» именовались представители V класса. Обращение «ваше высокоблагородие» относилось к особам VI — VIII классов. К лицам IX — XIV классов обращались «ваше благородие». Правда, последнее обращение было применимо в быту к любому дворянину, независимо от его чина.

На аудиенции не положено было «заговаривать первому» с начальником, «но терпеливо ждать предложенного вопроса и тогда лишь ответить». К вышестоящему следовало обращаться «в третьем лице, всегда добавляя должный титул <...>. Значит, не просто с обращением на *вы*, но, например, «Ваше Сиятельство желали».»

С особой точностью должен был соблюдаться этикет в письмах к старшему по чину. «В письмах к равным себе число ставится вверху листа, к старшим же внизу. Замечание сие гораздо важнее, нежели думают: не одному отказано от места, которое бы его обогатило за то только, что он ошибся в такой безделице.

Белое место между словом Милостивый Государь и первою строкою письма должно быть соразмерно достоинству того человека, к которому пишешь», — гласят «Правила светского обхождения о вежливости», изданные в 1829 году.

«Когда старший пишет к младшему, то обыкновенно при означении звания, чина и фамилии он подписывает собственноручно только свою фамилию; когда младший пишет к старшему, то сам подписывает звание, чин и фамилию», — читаем в трактате Якова Толмачева «Военное красноречие, основанное на общих началах словесности», вышедшем в 1825 году.

Заслуживает внимания рассуждение П.А. Вяземского: «В обществе нужна некоторая подчиненность чему-нибудь и кому-нибудь. Многие толкуют о равенстве, которого нет ни в природе, ни в человеческой натуре. Ничего нет скучней томительней плоских равнин: глаз непременно требует, чтобы что-нибудь, пригорок, дерево, отделялось от видимого однообразия и несколько возвышалось над ним. Равенство перед законом дело другое. Но равенство на общественных ступенях — нелепость».

А слова князя Ф.Н. Голицына о пользе чинопочитания и о вреде корысти звучат как никогда актуально: «Некоторая строгость с русскими подчиненными от начальствующего весьма нужна: кто заслуживает штраф или наказание, без упущения да наказан будет. Сие непременно нужно к сохранению порядка. Строгость же вознаграждается одобрением к повышениям, знаками за усердие и т. под. Но отчего же столь трудно и мудрено все сие целое, составляющее все части государственного правления, содержать в некотором постоянном порядке? От начальствующих вельмож. У них изглаживается в сердцах истинная любовь к Отечеству, возрождается же на место оной корысть и собственные выгоды. Нравы портятся, и хотя бы за ними было особое наблюдение невозможно, кажется, им в продолжительности одинаковыми быть».

Что молодой человек должен наблюдать, касательно особ высшаго состояния[1]

Естьли должно быть у человека почтеннаго в его доме, или где он находиться будет, то осведомясь в передних комнатах, где он присутствует, итти туда тихо, и, войдя в комнату, сделать ему учтивый поклон; не спрашивать его: «все ли вы в

[1] Искусство обращаться в свете, или Правила благопристойности и учтивости в пользу молодых людей, в свет вступающих. – М., 1797, с. 19 – 33.

добром здоровье», но свидетельствовать свое глубочайшее почтение. Естьли же он занимается чтением, письмом, или каким упражнением, так что не приметит вошедшаго, то должно ожидать, пока он кончит то, или пока он сам приметит вошедшаго и обратится к нему для разговора.

Когда он пригласит сесть, то должно тому повиноваться; но избирая последнее место, которое всегда у дверей почитается, в кои мы вошли. Но естьли той особе угодно будет указать нам другое место; то, по некоторой учтивой отговорке, сему повиноваться должно, и не утруждать ее, чтоб она о том раза три напоминала.

Когда же, входя в комнату, увидим, что в ней много других особ, и когда они сделают честь, при входе нашем встанут с своих мест; то, по приглашении нас сесть, стараться, чтоб не занять чье чужое место.

Естьли знатная особа просит нас оставить учтивости и в ея присутствии более смелости взять; то мы, поблагодаря за то учтивым поклоном, не должны дерзнуть исполнить того в самом деле; ибо с знатными вольное с лишком обращение легко их оскорбить может.

Надобно в поступках своих благородную иметь непринужденность; но чрезмерно свободное обхождение с знатными покажет нашу наглость, или глупое тщеславие, показать другим, что мы обходимся с знатными, как с ровными себе.

Разговор начать всегда особе почтенной предоставить должно, и когда она говорит, то должно внимательно ее слушать; чтоб того, что она уже сказала, себе повторить ее не заставить; но не должно ея словам и удивляться, розиня рот, как говорится. Глупее еще делают те, кои видя знатную особу смеющуюся, сами — часто не зная чему — во все горло хохочут.

Il y a un an.—

Особа естьли говоря медлит что произнести, не надобно ей подсказывать, разве она нас о том попросит. Естьли особа всех вообще о чем спрашивает, не пристойно соваться первому отвечать.

Разговор особы знаменитой прерывать и приплетать свои к тому речи есть дерзость; но когда спросят нашего о чем нибудь мнения, то кратко и ясно должны мы оное сказать, не давая однакож в речах своих знать, что мы умнее той особы, или лучше ее о том знаем; ибо не приятно самолюбию человеческому, когда люди, будучи ниже нас, хотят казаться умнее нас. Когда же непременно должно сказать нечто такое, о чем мы имеем большее сведение, нежели та особа; то стараться так то ей пересказать, чтоб не показалось, что мы хотим ту особу учить.

Когда должно будет сказать некоторое похвальное приветствие знатной особе, то очень осторожно то делать надобно, чтоб не показалось оно лестью, но казалось бы совершенно от сердца происходящим; при похвалах знатной особе не должно и себя унижать, дабы не явить в себе подлаго духа.

Знатные особы привыкши уже быть во всем похваляемы, не терпят себе противоречия; а по тому, естьли иногда что нужно отрицать знатной особе, то весьма искусно в том поступать надобно, чтобы их не раздражить. «Нет, это не правда», сказать таким образом было бы грубо; надобно умягчить отрицание свое так, чтоб оно даже и не казалось отрицанием; но будьто мы из их же слов о том так заключаем.

Грубо будет так же, естьли мы особу какую о чем либо прямо спрашиваем; но надобно искусным образом в словах сделать оборот, чтоб то не казалось прямым вопросом, а нам бы сказали, о чем мы знать хотим.

Весьма непристойно, разговаривая с знатною особою, сравнивать что нибудь с нею, говоря, что он с вас будет ростом, у него такия же ноги, как у вас и проч.

Естьли почтенная особа, говоря про отсутствующаго кого, спрашивает о нем нас, какого он поведения, или о чем другом, сему подобном; то, естьли мы знаем его с хорошей стороны, отозваться об нем столько хорошо, сколько мы знаем; а естьли мы ведаем его с худой стороны, с учтивостью отказаться о том незнанием; естьли же мы уверены, что особа, нас спрашивающая, знает все, и нам уже не льзя о том молчать, то должно весьма не много о нем говорить; и, естьли можно, извинить его постараться, дабы не показать в себе клеветливаго духа.

Во время разговора, как в речах, так и в движении телесном, должно показывать глубокое почтение к особе, с которою разговариваем: не забывать также употреблять в разговоре и титул той особы. Голос в разговоре должен быть тихой, и возвышаться, или унижаться, по мере разстояния от нас той особы, с которою говорим.

Естьли почтенная особа со стула встанет, тогда и мы встать должны; естьли бы случилось, что такая особа уронила что нибудь не нарочно, учтивость требует, чтоб немедленно то ей поднять; но отнюдь не допустить ее до того, чтоб она, естьли мы что уроним, подняла.

По приглашении нас к столу, должны мы дать время, всем сесть, стараясь занять последнее место; естьли же сам хозяин, или другой кто, по его приказанию, управляющий местами в столе, пригласит нас сесть на какое либо место; то мы должны тому повиноваться.

Когда мы бываем на вольном воздухе с особою, которую мы почитаем, то не должны накрывать голову шляпою, а естьли она и прикажет это сделать, то учтиво от того отказаться; естьли же в другой раз о том напомянет, то должно уже тому повиноваться. Но есть особы, кои сколько бы нас не просили о том, почтение наше должно быть столь велико, что мы никогда осмелиться не должны, в их присутствии быть с покрытою головою. Естьли же погода сурова, и состояние нашего здоровья требует, чтоб голова была накрыта, то искусным образом, говоря, что «на дворе холодно», или «ветрено», или иначе как, довести до того, чтоб пригласили нас накрыться. Нет ничего глупее и смешнее, ежели бы кто из обыкновенных людей сказал знатной особе: «пожалуйте накройтесь».

Посылать поклоны, кому бы то ни было, чрез особу почтенную, не пристойно.

При выходе от человека почтеннаго и особливо, естьли еще он занят чем, стараться тихо выйти, чтоб его не заставить для нас вставать; не обезпокоить так же и прочих, кои с ним находятся.

Естьли почтенная особа не здорова, а нужда требует быть у ней; то самому не обезпокоивать ее своим приходом; но велеть ей доложить, и ожидать, когда она позволит к себе войти; в таком случае весьма кратко и тихо должно с нею разговаривать, стараясь не утомить ее длинным разговором; и, как можно скорее, окончить посещение.

И как много случаев быть может, где молодому человеку с особами знатными обращение иметь будет нужно, которыя все описать не возможно, а тем менее их в правила приводить; то замечать надобно, как в таких случаях умные люди поступают».[1]

---

[1] Орфография и синтаксические особенности источника сохранены.

Об обращении с низшими[1]

Надобно поступать вежливо и ласково с такими людьми, коих судьба не столь щедро одарила счастием, как нас. Надобно уважать действительные заслуги и истинное достоинство человека и в самом низком состоянии. Не должно, подобно большей части знатных и богатых, оказывать снисхождение свое к низшему состоянию только тогда, когда имеем в них нужду, а напротив того, вовсе их оставлять или обходиться высокомерно, когда можем и без них обойтись. Не надобно в присутствии какого-нибудь знатнейшего чуждаться того человека, с которым наедине обращаемся ласково и искренно; не должно стыдиться оказывать почтение человеку, действительно оное заслуживающему, явно в большом свете, несмотря на то, что он без чинов и денег. Впрочем, не надобно из одного только корыстолюбия и тщеславия отдавать предпочтение низшим классам, чтобы тем самым склонить мнение публики на свою сторону, и чрез то прослыть любезным и ласковым господином и выиграть предпочтение пред другими. Не должно преимущественно избирать для себя обращение с людьми без воспитания, в намерении найти в кругу их больше к себе почтения и ласкательства. Равным образом, не надобно думать, что мы поступаем естественно, подражая обыкновениям простого народа. Не должно также потому только обращаться ласково с низшими единственно, чтобы чрез сие самое унизить кого-нибудь из высших; или оказывать снисхождение из одной только гордости, чтобы

[1] А. Книгге. Об обращении с людьми. Ч. III. – Спб., 1823, с. 32 – 37.

тем заслужить большее почтение; но исключая все случайные отношения, по одному только благонамерению, истинным понятиям о благородстве и по прямому чувству справедливости, ценить в человеке токмо то достоинство, которое он имеет, яко человек.

Но и сию вежливость надобно располагать по правилам благоразумия; она не должна выходить из определенных границ. Коль скоро низший чувствует, что честь, которую мы ему оказываем, для него не может приличествовать; в таком случае он сочтет сие или безрассудностью, или насмешкою, или даже обманом, опасаясь притом, не скрывается ли под сими оказываемыми ему знаками чести чего-нибудь для него опасного и вредного. Есть также некоторый род снисхождения, который действительно оскорбителен, и тот, кому оказывают оное, явно чувствует, что сии вежливости ничто другое суть, как один только милостивый вид, который в глазах самых низших, впрочем, чувствующих внутренее свое достоинство, может сделать нас смешными. Наконец, есть еще самый отвратительный род вежливости, а именно, когда с людьми низшего состояния говорят языком, вовсе для них непонятным; когда в разговорах своих употребляют слова: покорность, милость, честь, восторг, и проч., к которым вовсе не привыкло ухо. Сия погрешность весьма обыкновенна между придворными. Они собственное свое наречие считают единственным, всеобщим языком, и чрез то самое, при всем своем благонамерении, делаются презрительными, или навлекают на себя подозрение. Величайшее искусство обращения, как я при самом начале сей книги уже заметил, состоит в том, чтобы уметь приме-

няться к тону всякого общества, и быть в состоянии, смотря по обстоятельствам, сообразоваться с оным.

Остерегайся иметь излишнюю доверенность к людям без воспитания. Они легко могут ко вреду нашему воспользоваться нашим добросердечием; всегда требуют от нас слишком много и бывают нескромны. На всякого возлагать должно столько, сколько сообразно с его силами.

Не надобно мстить низшему в счастливую эпоху жизни за то, что он оставил нас в неблагоприятных нам обстоятельствах, раболепствовал врагам нашим, и когда он, подобно солнечнику, обращается по солнцу. Не должно забывать, что такие люди часто бывают в необходимости угождать другим, чтобы только иметь пропитание. К тому ж немногие из них воспитаны так, чтобы могли ценить некоторые утонченные ощущения и пожертвования! Не забывай, говорю, что все люди поступают более или менее по видам корыстолюбия, которое образованные умеют только скрывать.

Не проводи низшего, просящего у тебя покровительства, защиты или помощи, ложными обнадеживаниями, пустыми обещаниями и тщетными утешениями, как обыкновенно поступает большая часть знатных, которые, чтобы избавиться от докучливых бедняков или прослыть великодушными, либо по одной слабости, непостоянству, осыпают всякого просителя лестными словами и обещаниями; но коль скоро он от них уходит, то вовсе об нем забывают. Между тем, бедный идет домой в полной уверенности, что поручил судьбу свою надежному человеку; оставляет все другие способы, которыми бы он мог воспользоваться к достижению своих намерений, и впоследствии сугубое чувствует несчастие, увидя сколь он обманулся.

Оказывай помощь тому, кто имеет в ней нужду! Благодетельствуй и покровительствуй, сколько позволяет справедливость, тем, кто просят у тебя пособия, благодеяния и защиты! От сего происходят два вредные последствия; во-первых: низкомыслящие люди могут к собственному твоему вреду воспользоваться твоею слабостию, и возложить на тебя бремя обязанностей, трудов и забот; бремя, весьма несносное для твоего сердца, сил или кошелька; чрез что принужден будешь оказать какую-нибудь несправедливость противу других, не столь навязчивых людей; во-вторых: кто слишком много обещает, тот нередко принужден бывает противу собственной воли нарушать свое обещание. Основательный человек должен также уметь и отказывать; и если он сие делает благородно, без всякого оскорбления, по каким-либо важным причинам, и между тем известно, что он поступает справедливо, и помогает охотно, то чрез сие не может не снискать себе врагов. Всем людям, конечно, угодить невозможно, но если поступки наши всегда будут основательны и благоразумны, то по крайней мере добрейшие люди не откажут нам в своей признательности. Слабость не есть добродушие, и отказывать в том, что противно правилам благоразумия, не значит быть жестокосердым.

Не требуй излишней образованности и просвещения от людей низкого состояния! Не способствуй также к непомерному напряжению умственных их способностей и к обогащению оных такими познаниями, которые могут сделать неприятным для них настоящее их состояние, и поселить в них презрение к тем занятиям, к которым определила их судьба. В наши времена слово «просвещение» весьма часто употребляется во зло, и не столько значит облагородствование ума, сколько стремление его к пустым и фантастическим мечтам. Истинное просвещение ума есть то, которое научает нас довольствоваться своим состоянием; быть способным ко всем отношениям, и по всем оным быть полезным, и действовать сообразно благонамеренной цели. Все прочее одна только безрассудность и всегда ведет к разврату.

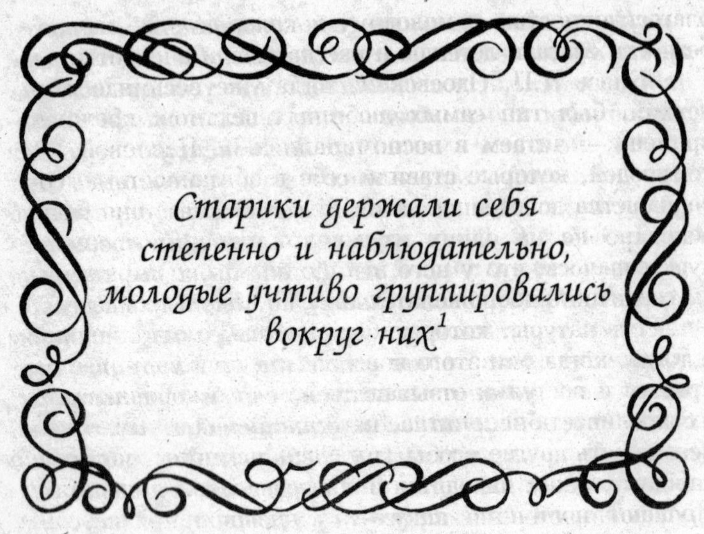

«Субординация имеет неограниченную силу в Москве: слово *дворянин* не уравнивает людей в правах, так как благосклонность властей и награды имеют решающее значение для положения в обществе любого человека. Поэтому сморщенные старики и дряхлые старухи всемогущи, так как у них больше наград и знаков отличия, чем у молодежи».

В этом замечании англичанки Кэтрин Вильмот содержится немалая доля предвзятости, и все же точно подмечена одна важная сторона дворянского быта — почтительное отношение к старикам, «живым памятникам екатерининской эпохи», о которых писал современник: «Старики эти как-то особенно выдавались вперед; в них была отменная сановитость, умение держать себя, и сановитость эту они невыразимо приятно соединяли с утонченною учтивостью и крайнею

[1] Сабанеева Е.А. Воспоминания о былом. — Спб., 1914, с. 106.

благосклонностью к молодому поколению». Об их любезности слагали легенды и рассказывали анекдоты.

«Князь П.П. Одоевский, тогда уже восьмидесятилетний, был тип самых любезных вельмож прежних времен, — читаем в воспоминаниях К. Павловой, — тех людей, которые ставили себе в обязанность до совершенства доведенное savoir vivre[1]. В князе оно было основано не на одних изученных условных формах: чувствовалось, что у него эти формы были выражением сердечного доброжелательства ко всем и каждому.

Есть натуры, которые бессознательно отталкивают и тогда, когда они этого вовсе не имеют в виду: все их приемы и поступки отзываются чем-то оскорбляющим, их вежливость неприятна, как сахар, в который попал песок. Есть другие особы (их очень немного), которые каждому, с кем находятся в общественных сношениях, внушают постоянно какую-то душевную признательность, не имеющую никакой определенной причины. Князь П.П. Одоевский был из небольшого числа этих последних людей.<...>

Я не встречала аристократа более симпатического. Он был grand seigneur[2] в лучшем значении этого слова. Как он всегда и во всяком случае оказывался таким, мне домашние его часто рассказывали. Помещаю здесь один анекдот.

Многочисленное общество было в один вечер созвано у князя на бал. Праздник шел своим порядком и был очень оживлен. Когда наступило время ужина, князь повел своих гостей в столовую, выражая им свое сожаление, что принужден усадить их довольно тесно потому, что большая зала, где стол был накрыт, случайно загорелась, часа два тому назад, и что от нее остались одни голые стены. Тут только гости узнали,

---

[1] Знание света *(фр.)*.

[2] Вельможа, барин *(фр.)*.

что они беззаботно танцевали и забавлялись в дому, в котором, в немногих шагах от них, распространялся пожар».

О любезности Н.Б. Юсупова писали многие мемуаристы, в том числе и М. Дмитриев. «Так, никогда не забуду я одну приятную поездку в Архангельское. Князь Николай Борисович Юсупов, его владелец, был последний вельможа Екатерининского века, последний образец вежливости, сопровождаемой осанкою знатности, но вместе и обязательною улыбкою, и тою предупредительностью прекрасного тона, которые ныне исчезли совершенно! Повторяю, князь Юсупов был последний образец этой породы. Пушкин в стихах своих «К Вельможе» описал его прекрасно и верно. Пушкин, человек хорошей фамилии и прекрасного воспитания, умел вполне чувствовать все достоинства аристократических обычаев и привычек. <...>

Он (Н.Б. Юсупов — *Е. Л.*) видел в жизнь свою много; путешествовал и один, и с великим князем Павлом Петровичем, был и во Франции, и в Италии, и в Испании; бывал при многих дворах; был знаком с лучшими и первыми людьми своего времени, приятель с философами своего века, был гостем у Вольтера, знал Альфьери и курносого Касти: можно себе вообразить, как занимательны были его рассказы и замечания! Наконец, его вежливость прошедшего века сказалась даже и при прощании. Сажая наших дам в их экипажи, он указал им на полную луну и промолвил с улыбкою: «Vous voyez, mesdames, j'ai pourvu à tout!».»[1]

«Последние» вельможи, как их называли современники, благоговели перед прекрасным полом.

«Князь Юсупов был <...> с дамами отменно и изысканно вежлив, — вспоминает Е.П. Янькова. —

---

[1] «Вот видите, сударыни, я позаботился обо всем!» *(фр.)*.

Когда, бывало, в знакомом ему доме встретится ему на лестнице какая-нибудь дама, знает ли он ее или нет, всегда низко поклонится и посторонится, чтобы дать ей пройти. Когда летом он живал у себя в Архангельском и гулял в саду, куда допускались все желающие гулять, он при встрече непременно раскланяется с дамами, а ежели увидит по имени ему известных, подойдет и скажет приветливое слово».

«Был он великий женолюбец: у него в деревенском его доме была одна комната, где находилось, говорят, собрание *трехсот* портретов всех тех красавиц, благорасположением которых он пользовался».

Любил «приволачиваться» за дамами и старик Я.И. Булгаков, отец легендарных почтдиректоров. В одном из писем Александр Яковлевич сообщает брату об отце: «Вчера все утро пробыл я с ним в кабинете; он мне свои шашни рассказывал. Дай Бог тебе, прибавил он, не только дожить до моих лет, но пережить оные; а пуще всего желаю тебе в 64 года приволачиваться, как я; а это от того, что я себя в молодости не изнурял etc».

Оставаться до глубокой старости поклонником прекрасного пола, по словам В.А. Соллогуба, «чуть ли не относилось к обязательствам аристократизма». «Во всем он соблюдал обычаи прошлого и даже волочился за женщинами, вероятно, впрочем, безобидно, так как в ту пору (в 1837 г.) ему уже минуло за семьдесят, — вспоминает В.А. Соллогуб графа Головкина. — Во время моего пребывания в Харькове предметом его старческой страсти была жена губернского архитектора, хорошенькая г-жа Меновская. Ежедневно она перед обедом держалась с прочими гостями в приемной в ожидании выхода хозяина; когда в дверях показывалась высокая фигура Головкина, Меновская первая подходила к нему и, грациозно перед ним приседая, подавала ему табакерку, наполненную тончайшим испанским табаком; старик нежно принимал из прекрасных рук свою табакерку. Щеголевато, как истый маркиз двора Людовика XV-го, концами пальцев подносил к своему благородному носу щепотку табака, с наслаждением ее втягивал, ногтями стряхивал пылинки табаку, упавшие на кружева жабо, потом обращался к красивой польке и, влюбленно на нее глядя, ежедневно произносил одну и ту же фразу: «Trop gracieuse chère Madame, et de plus en plus jolie!»[1]

«Последние наши вельможи: Строгановы, Юсуповы и еще немногие — были все из века Екатерины и сохраняли остатки этого типа в царствование Александра». Удивительно, как похожи портреты этих вельмож, написанные разными мемуаристами!

«В разговорах и рассказах он (И.И. Шувалов — *Е. Л.*) имел речь, светлую, быструю, без всяких приголосков. Русский язык его, с красивою отделкою в тонкостях и тонах. Французский он употреблял, где его вводили, и когда по предмету хотел что-то сильное выразить. Лице его всегда было спокойно поднятое, обращение со всеми упредительное, веселовидное, добродушное».

«Обедал у молодого графа Строганова. <...> Старый граф отнесся ко мне со всею вежливостью русского вельможи. <...> Старый граф Строганов большой весельчак; он умеет украшать свой разговор разными забавными мелочами».

«Князю Юрию Владимировичу (Долгорукову — *Е. Л.*) в 1809 году было лет под семьдесят; он был ростом не очень велик, но, впрочем, и не мал; довольно полный, лицо имел приятное, хотя черты не были правильны и были не особенно красивы. Что-то спокойное было в выражении и много добродушия и вместе с тем и величавости; с первого взгляда можно было

[1] Чрезвычайно любезная, милая госпожа и в придачу красивая *(фр.)*.

угадать, что это настоящий вельможа, ласковый и внимательный».

«Князь был русский хлебосол: стол у него всегда был русской кухни, сытный, с хорошим вином; у него ежедневно обедало до 12 человек и более».

«Особенно, говорят, был примечателен Лев Александрович (Нарышкин — *Е. Л.*) <...> у того, говорят, все подавай на стол и всех давай за стол, и сколько бедных дворян, возвращаясь в свою провинцию, хвалились тем, что у него обедали: они могли думать, что были при дворе».

«Князь Юсупов был очень приветливый и милый человек безо всякой напыщенности и глупого чванства, по которому тотчас узнаешь полувельможу, опасающегося уронить свое достоинство...»

«Знатные старики» были похожи друг на друга не только «аристократическими привычками», но и манерой одеваться. По словам Е.П. Яньковой, «многие знатные старики гнушались новою модой и до тридцатых еще годов продолжали пудриться и носили французские кафтаны. Так, я помню, некоторые до смерти оставались верны своим привычкам: князь Куракин, князь Николай Борисович Юсупов, князь Лобанов, Лунин и еще другие, умершие в тридцатых годах, являлись на балы и ко двору одетые по моде екатерининских времен: в пудре, в чулках и башмаках, а которые с *красными каблуками*».

О стариках-вельможах в обществе ходило немало анекдотов, однако это не мешало относиться к ним с должным почтением. Общество снисходительно смотрело на их слабости.

«В 1816 году в Москве жил на Большой Никитской улице, в собственном доме, генерал от инфантерии, андреевский кавалер Ю.В. Долгорукий, — читаем в записках А. Глушковского. — Ему было слишком девяносто лет, но и в эти годы его умственные способности и энергия нисколько еще не ослабли; он сам управлял всеми делами своего огромного имения; у всех он был в большом уважении за свое добродушие и преклонные лета. В большие праздники он по старости ни к кому не ездил с визитами, но, несмотря на это, московские власти всегда к нему приезжали в высокоторжественные дни с поздравлением. В своих действиях он не отдавал никому отчета. Когда он делал какие-нибудь незаконные пристройки к своему дому, то Комиссия строений смотрела на это сквозь пальцы, а полиция избегала всякого случая, могшего обеспокоить его чем-нибудь».

Слабость стариков к прекрасному полу вызывала улыбку, но не подвергалась злым насмешкам. Интересное свидетельство находим в воспоминаниях В.В. Селиванова:

«Не помню, по какому случаю, чуть ли не в Николин день, Гояринов в зале казарм <...> давал бал, на который было приглашено все лучшее общество Могилева, весь генералитет, состоящий при штабе 1-й армии и сам главнокомандующий барон Остен-Сакен. <...> Фельдмаршал Сакен шел в 1-й паре, за ним генерал от артиллерии князь Яшвель, и эти оба едва волочившие ноги старикашки наперерыв любезничали с красавицами. Обращение их с девицами было бесцеремонно: когда какая девица им нравилась, они позволяли себе взять ее за подбородок и приласкать словом: «какая миленькая!», или что-нибудь в этом роде, на что, конечно, в глазах всех давали им право их мафусаиловские лета и положение общественное, упроченное заслугами. Своими глазами я этого не видал, но помню, что когда Сакен в продолжение польского хотел отбить у Яшвеля его даму, молоденькую хорошенькую девицу, беззубый Яшвель взял ее за руку обеими своими руками, заспорил, говоря: «Не уступлю, Ваше сиятельство! Ни за что не уступлю!..»»

Любимым увлечением и времяпровождением старых вельмож были карты. Отсюда и советы молодым людям в духе тех, которые дает один из героев романа Булгарина «Иван Выжигин»: «Потакай старшим, играй в бостон и вист со старухами, никогда не гневайся за картами и не спрашивай карточного долга...»

Забавную историю по этому поводу рассказывает А. Кочубей: «Приехав 1 июля, я явился к генерал-губернатору, который, увидя меня, очень обрадовался и просил, чтоб я занял старика Депрерадовича (командовавшего гвардией). «Он такой любитель игры в бостон, — сказал мне генерал-губернатор, что может играть почти ночи напролет, а у меня уж сил больше нет».

Таким образом, чтобы утешить старика, я принужден был провести без сна еще четыре ночи кряду, играя с ним в бостон. В течение этого времени было несколько балов, я ни на одном из них не был, не успел даже познакомиться ни с кем, потому что, как только я входил в залу, меня сейчас ловили и сажали играть в карты с Депрерадовичем. Наконец, уже в последний день пребывания гвардии в Киеве, я сам дал маленький танцевальный вечер в саду и просил одну даму быть хозяйкою этого вечера, но и тут все-таки я принужден был продолжать игру с Депрерадовичем и не мог даже познакомиться с приглашенными мною дамами. Только 5 июля, при восходе солнца, когда Депрерадович сел в коляску, чтобы ехать дальше, я пошел домой с тем, чтобы отдохнуть немножко».

«В обращении с стариками, следует оказывать им непременно самым приятным образом уважение, — гласит одно из правил «светского обхождения», — хотя часто они взыскательны, иногда несправедливы, но имеют во всяком случае священное право на почтение наше к ним; впрочем, мы щедро вознаграждаемся, когда по благосклонности их, забывают они в обращении с нами лета и немощи свои; старик любит памятования о молодости своей и, смотря на молодого человека с завистью, припоминает себе, как он сам вступал в свет».

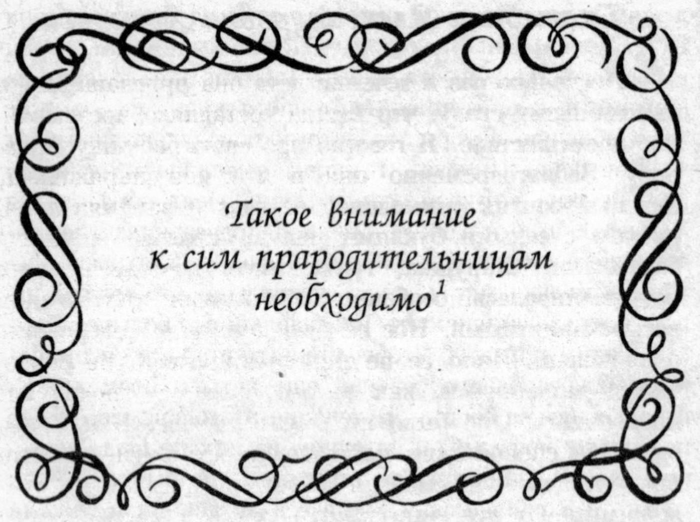

Такое внимание к сим прародительницам необходимо[1]

«Кто не знал этих барынь минувшего столетия, тот не может иметь понятия об обольстительном владычестве, которое присвоивали они себе в обществе и на которое общество отвечало сознательным и благодарным покорством. Иных бар старого времени можно предать на суд демократической истории, которая с каждым днем все выше и выше подымает голос свой; но не трогайте старых барынь! Ваш демократизм не понимает их. Вам чужды их утонченные свойства; их язык, их добродетели, самые слабости их недоступны вашей грубой оценке».

Читатели наверняка согласятся с П.А. Вяземским, автором приведенных выше строк, когда познакомятся с портретами старых барынь, написанными его современниками.

---

[1] Муханов П.А. Визитные билеты. — В кн.: Сочинения, письма. — Иркутск, 1991, с. 141.

Екатерина Александровна Архарова

Несколько раз в течение лета она приглашалась к высочайшему столу, что всегда составляло чрезвычайное происшествие. Я говорю про свою бабушку Архарову. Заблаговременно она в эти дни наряжалась. Зеленый зонтик снимался с ее глаз и заменялся паричком с седыми буклями под кружевным чепцом с бантиками. Старушка, греха таить нечего, немного подрумянивалась, особенно под глазами, голубыми и весьма приятными. Нос ее был прямой и совершенно правильный. Лицо ее не перекрещивалось, не бороздилось морщинами, как зауряд бывает у людей лет преклонных. Оно было гладкое и свежее. В нем выражалось спокойствие, непоколебимость воли, совести, ничем не возмущаемой, и убеждений, ничем не тревожимых. От нее, так сказать, сияло приветливостью и добросердечием, и лишь изредка промелькивали по ее ласковым чертам мгновенные вспышки, свидетельствовавшие, что кровь в ней еще далеко не застыла и что она принимала действительное участие во всем, что около нее творилось. Изукрасив свой головной убор, она облекалась в шелковый, особой доброты халат или капот, к которому на левом плече пришпиливалась кокарда Екатерининского ордена. Через правое плечо перекидывалась старая желтоватая турецкая шаль, чуть ли не наследственная. Затем ей подавали золотую табакерку, в виде моськи, и костыль. Снарядившись ко двору, она шествовала по открытому коридору к карете. <...>

Бабушка садилась в карету. Но, Боже мой, что за карета! Ее знал весь Петербург. Если я не ошибаюсь, она спаслась от московского пожара. Четыре клячи, в упряжи простоты первобытной, тащили ее с трудом. Форейтором сидел Федотка... Но Федотка давно уже сделался Федотом. Из ловкого мальчика он обратился в исполина и к тому же любил выпить. Но должность его при нем осталась навсегда, так как старые люди вообще перемен не любят. Кучер Абрам был более приличен, хотя весьма худ. Ливреи и армяки были сшиты на удачу из самого грубого сукна. На улицах, когда показывался бабушкин рыдван, прохожие останавливались с удивлением, или весело улыбались, или снимали шапки и набожно крестились, воображая, что едет прибывший из провинции архиерей. Впрочем, бабушка этим нисколько не смущалась. Как ее ни уговаривали, она не соглашалась увеличить ничтожного оброка, получаемого ею с крестьян. «Оброк назначен, — отговаривалась она, — по воле покойного Ивана Петровича. Я его не изменю. После меня делайте, как знаете. С меня довольно! А пустых затей я заводить не намерена!»

Вся жизнь незабвенной старушки заключалась в разумном согласовании ее доходов с природною щедростью. Долгов у нее не было, напротив того, у нее всегда в запасе хранились деньги. Бюджет соблюдался строго, согласно званию и чину, но в обрез, без всяких прихотей и непредвиденностей. Все оставшееся шло на подарки и добрые дела. Порядок в доме был изумительный благодаря уму, твердости и расчетливости хозяйки. Когда она говела, мы подслушивали ее исповедь. К ней приезжал престарелый отец Григорий, священник домовой церкви князя Александра Николаевича Голицына. Оба были глухи и говорили так громко, что из соседней комнаты все было слышно.

— Грешна я, батюшка, — каялась бабушка, — в том, что покушать люблю...

— И, матушка, ваше высокопревосходительство, — возражал духовник, — в наши-то годы оно и извинительно.

— Еще каюсь, батюшка, — продолжала грешница, — что я иногда сержусь на людей, да и выбраню их порядком.

— Да как же и не бранить-то их, — извинял снова отец Григорий, — они ведь неряхи, пьяницы, негодяи... Нельзя же потакать им в самом деле.

— В картишки люблю поиграть, батюшка.

— Лучше, чем злословить, — довершал отец Григорий.

Этим исповедь и кончалась. Других грехов у бабушки не было.

Но великая ее добродетель была в ней та, что она никого не умела ненавидеть и всех умела любить.

Когда, как я рассказывал выше, она ездила в Павловск на придворный обед, весь дом ожидал нетерпеливо ее возвращения. Наконец грузный рыдван вкатывался на двор. Старушка, несколько колыхаясь от утомления, шла, упираясь на костыль. Впереди выступал Дмитрий Степанович, но уже не суетливо, а важно и благоговейно. В каждой руке держал он тарелку, наложенную фруктами, конфектами, пирожками — все с царского стола. Когда во время обеда обносили десерт, старушка не церемонилась и, при помощи соседей, наполняла две тарелки лакомою добычею. Гоффурьер знал, для чего это делалось, и препровождал тарелки в пресловутый рыдван. Возвратившись домой, бабушка разоблачалась, надевала на глаза свой привычный зонтик, нарядный капот заменялся другим, более поношенным, но всегда шелковым, и садилась в свое широкое кресло, перед которым ставился стол с бронзовым колокольчиком. На этот раз к колокольчику приставлялись и привезенные тарелки. Начиналась раздача в порядке родовом и иерархическом. Мы получали плоды отборные, персики, абрикосы и фиги, и ели почтительно и жадно. И никто в доме не был забыт, так что и Аннушка кривая получала конфекту, и Тулем удостоивался кисточкою винограда, и даже карлик Василий Тимофеич откладывал чулок и взыскивался сахарным сухариком. <...>

Павловск представлял, впрочем, для Архаровой некоторые неудобства. Во-первых, столовая была слишком мала. Широкому хлебосольству ставился по необходимости предел. Дача была просторная; боковые одноэтажные флигеля, в виде покоя, вмещали с одной стороны покои бабушки, с другой стороны семейство Александры Ивановны Васильчиковой, нашей тетки. Поперек флигелей стояла большая теплица, но ее пришлось изменить на общую приемную, между двух комнат, и с надстройкою в виде мезонина. Численность населения в доме была изумительная. Тут копошились штат архаровский и штат васильчиковский, и разные приезжие, и даже постоянные гости, особенно из молодых людей.

Я уже говорил, что Архарова своей родне и счет потеряла. Бывало, приедет из захолустья помещик и прямо к ней.

— Я к вам, матушка Катерина Александровна, с просьбой.

— Чем, батюшка, могу служить? Мы с тобой не чужие. Твой дед был внучатым моему покойному Ивану Петровичу по первой его жене. Стало быть, свои. Чем могу тебе угодить?

— А вот что, Катерина Александровна. Детки подросли. Воспитание в губернии сами знаете какое. Вот я столько наслышался о ваших милостях, что деток с собой привез, авось Бог поможет пристроить в казенное заведение.

— На казенный счет? — спрашивала бабушка.

— Конечно, хорошо бы. Урожаи стали уж очень плохи.

— Родня, точно родня, близкая родня, — шептала между тем бабушка. — Я и бабку твою помню, когда она была в девках. Они жили в Москве. Да скажи на милость, правду ли я слышала, что будто Петруше Толстому пожалована андреевская лента? А вот еще вчера, кажется, он ползал по полу без штанишек. Что ж, похлопать можно. А там ты уж не беспокойся. Да вот что... приезжай-ка завтра откушать. Не побрезгай

Noël. 1837.

моей кулебяки... да деток с собой привези. Мы и познакомимся.

И на другой день помещик приезжал с детками, и через несколько дней деток уже звали Сашей, Катей, Дуней и журили их, если они тыкали себе пальцы в нос, и похваливали их умницами, если они вели себя добропорядочно. Затем они рассовывались по разным воспитательным заведениям, и помещик уезжал восвояси, благодарный и твердо уверенный, что Архарова не морочила его пустыми словами и светскими любезностями и что она действительно будет наблюдать за его детьми.

Так и было. Мальчики обязывались к ней являться по воскресеньям и по праздничным дням и в вакантные времена, чтоб не дать им возможности избаловаться на свободе. Замечательно, что такая обязанность исполнялась аккуратно и многих спасла от возможных сумасбродств. Архарова относилась весьма серьезно к своим заботам добровольного попечительства.

И в Павловске они не забывались, но в Петербурге принимали еще большие размеры, и сплошь да рядом происходили визиты по учебным заведениям. Подъедет рыдван к кадетскому корпусу, и Ананий отправляется отыскивать начальство. «Доложите, что старуха Архарова сама приехала и просит пожаловать к ее карете». Начальник тотчас же является охотно и почтительно. Бабушка сажала его в карету и начинала расспросы. Это называла она — делать визиты. Речь шла, разумеется, о родственнике или родственниках, об их успехах в науках, об их поведении, об их здоровье, а затем призывались и родственники и в карету, и на дом. <...>

Старуха не любила отпускать нас без обеда. Эти обеды мне хорошо памятны. За стол садились в пять часов, по старшинству. Кушанья подавались по преимуществу русские, нехитрые и жирные, но в изобилии. Кваса потреблялось много. Вино, из рук вон плохое, ставилось как редкость. За стол никто не садился, не перекрестившись. Блюда подавались от бабушки вперепрыжку, смотря по званию и возрасту. За десертом хозяйка сама наливала несколько рюмочек малаги или люнеля и потчевала ими гостей и тех из домашних, которых хотела отличить. Затем Дмитрий Степанович подавал костыль. Она подымалась, крестилась и кланялась на обе стороны, приговаривая неизменно: «Сыто, не сыто... а за обед почтите. Чем Бог послал». Не любила она, чтоб кто-нибудь уходил тотчас после обеда. «Что это, — замечала она, несколько вспылив, — только и видели. Точно пообедал в трактире...» Но потом тотчас же смягчала свой выговор. «Ну, уже Бог тебя простит на сегодня. Да смотри не забудь в воскресенье. Потроха будут». После обеда она иногда каталась в придворной линейке, предоставленной в ее распоряжение, но большею частью на линейку сажали молодежь, а сама раскрывала гран-пасьянс, посадив подле себя на кресла злую моську, отличавшуюся висевшим от старости языком. <...>

День бабушкин неизменно заключался игрою в карты. Недаром каялась она отцу духовному. Картишки она действительно любила, и на каждый вечер партия была обеспечена. Только партия летняя отличалась от партии зимней. Зимой избирались бостон, риверсы, ломбер, а впоследствии преферанс. Летом игра шла летняя, дачная, легкая: мушка, брелак, куда и нас допускали по пятачку за ставку, что нас сильно волновало.

В одиннадцать часов вечер кончался. Старушка шла в спальню, долго молилась перед киотом. Ее раздевали, и она засыпала сном ребенка.

В постели она оставалась долго. Утром диктовала письма своему секретарю Анне Николаевне и обыкновенно в них кое-что приписывала под титлами своей рукою. Потом она принимала доклады, сводила аккуратно счеты, выдавала из разных пакетов деньги, заказывала обед и, по приведении всего в порядок, одевалась, молилась и выходила в гостиную и в сад любоваться своими розами.

И день шел, как вчера и как должен был идти завтра. Являлись и труфиньон, и грибы, и визиты, и гости, и угощение, и брелак. В этой несколько затхлой старческой атмосфере все дышало чем-то сердечно-невозмутимым, убежденно спокойным. Жизнь казалась доживающим отрывком прошедших времен, прошедших нравов, испарявшейся идиллией быта патриархального, исчезавшего навсегда. Архарова ни в ком не заискивала, никого не ослепляла, жила, так сказать, в стороне от общественной жизни, а между тем пользовалась общим уважением, общим сочувствием. И старый, и малый, и богатый, и бедный, и сильный, и темный являлись к ней, и дом ее никогда не оставался без посетителей.

Особенно выдавались два дня в году: зимой в Петербурге, 24 ноября, в Екатеринин день, а летом в Павловске, 12 июля, в день рождения старушки... Тут, по недостатку помещения в комнатах, гости собирались в саду и толпились по дорожкам, обсаженным розами разных цветов и оттенков. Вдруг в саду происходило смятение. К бабушке летел стрелой Дмитрий Степанович. Старушка, как будто пораженная событием, повторявшимся, впрочем, каждый год, поспешно подзывала к себе все свое семейство и направлялась целою группою к дверям сада, в то время как снаружи приближалась к ней другая группа. Впереди шествовала императрица Мария Федоровна, несколько дородная, но высокая, прямая, величественная, в шляпе с перьями, оттенявшими ее круглое и, несмотря на годы, свежее, румяное и красивое лицо. Царственная поступью, приветливая улыбкою, она, как мне казалось, сияла, хотя я не знал, что Россия была ей обязана колоссальными учреждениями воспитательных домов, ломбардов и женских институтов. Она держала за руку красивого мальчика в гусарской курточке, старшего сына великого князя Николая Павловича, поздравляла бабушку и ласково разговаривала с присутствующими. Бабушка была тронута до слез, благодарила за милость почтительно, даже благоговейно, но никогда не доходила до низкопоклонства и до забвения самодостоинства. Говорила она прямо, открыто, откровенно. Честь была для нее, конечно, великая, но совесть в ней была чистая, и бояться ей было нечего. Посещение продолжалось, разумеется, недолго. Императрице подносили букет наскоро сорванных лучших роз, и она удалялась, сопровождаемая собравшеюся толпою. На другой день бабушка ездила во дворец благодарить снова, но долго затем рассказывала поочередно всем своим гостям о чрезвычайном отличии, коего она удостоилась. Этим я обязана, — заключала она, — памяти моего покойного Ивана Петровича».[1]

Наталья Кирилловна Загряжская

Наталья Кирилловна, вдова обер-шенка Николая Александровича Загряжского, была дочь фельдмаршала графа Кирилла Григорьевича Разумовского, дама умная, добродетельная и всеми уважаемая, несмотря на то, что в характере ее было много оригинального, собственно ей принадлежащего. Узнал я ее в преклонных уже ее летах, что было в 1825 году, вскоре по восшествии императора Николая Павловича на престол. <...>

Наталья Кирилловна приняла меня очень ласково и просила чаще ее посещать, чем я и воспользовался. По вечерам садилась она играть в любимый ею бостон

[1] Петербургские страницы воспоминаний графа Соллогуба. — Спб., 1993, с. 70 — 91.

по 25 коп. и за всякую сыгранную игру собирала марки в стоящую возле нее коробочку; деньги сии поступали в пользу бедных, которых у ней было много. <...>

Однажды Наталья Кирилловна говорит мне: «У меня до тебя, голубчик, есть просьба». Я отвечал ей, что всякое ее приказание готов исполнить. «Вот видишь ли что; не знаешь ли, где бы можно было достать мне самого крепкого табаку Русского?» Я сказал, что это очень легко исполнить, только позвольте спросить, для какого употребления; я знаю, что вы всегда изволите нюхать Французский. На сие она отвечала: «Я-то всегда нюхаю Французский; но мне нужен самый крепкий Русский: ты сам знаешь, какое теперь опасное время! Беспрестанно привозят заговорщиков в крепость, а кто их знает, может, их много шатается и по улицам; вот я часто прогуливаюсь, и когда замечу какое подозрительное лицо, я тотчас и насыплю ему в глаза». Я на сие сказал, что можно ослепить и невинного. «Нет я тотчас узнаю подозрительное лицо и никак не ошибусь».

Рассказывала она однажды, в каком она находилась затруднительном положении. «Каждый Вторник привыкла я делать свои счеты и не успела их еще докончить, как докладывают, что императрица Мария Федоровна пожаловала; нечего делать, надобно было идти встречать ее. Спустя несколько времени, входит императрица Елизавета Алексеевна, посидев у меня немного, встает и говорит мне: «Как мне жаль, Наталья Кирилловна, что я не могу долее у вас пробыть; спешу в Патриотический Инсититут, где нынче назначен экзамен». Тогда я сказала ей: «Государыня, я думаю никто никогда в таком затруднительном положении не находился, как я теперь. Ваше Величество осчастливили меня Вашим посещением, и я обязанностью считаю Вас провожать; каким же образом могу я это сделать тогда, как Императрица Ваша матушка у меня находится?» Императрица ее успокаивала, что провожать ее никак не следует, потому что нельзя же ей оставить императрицу Марию Федоровну.

Наталья Кирилловна по доброте своего сердца имела обыкновение всегда о ком-нибудь хлопотать и просить, не разбирая того, возможно ли то сделать или нет. Вот она однажды говорит князю Сергею Михайловичу, с которым была очень дружна: «Я знаю,что ты очень коротко знаком с Филаретом; не можешь ли ты к нему написать письмо об одной хорошо мне знакомой игуменье; близ ее монастыря протекает река, то нельзя ль от этой реки провести воду, чтобы она протекала ближе к монастырю?» Князь отвечал ей: «Помилуй, Наталья Кирилловна, можно ли мне писать к нему о подобных делах? Он подумает, что я помешался». «Я наперед знала, что ты мне откажешь; ты никогда для меня ничего не хочешь сделать. Ну хорошо, по крайней мере вот что сделай: скажи ему, чтобы он сам ко мне приехал; я сама буду его просить». Князь ей сказал: «Ну вот это другое дело, я его попрошу приехать». Князь, увидевши митрополита, говорит ему: «Вы бы когда заехали к Наталье Кирилловне». Тот отвечал ему: «Кто такая Наталья Кирилловна? Я ее совсем не знаю». Князь сказал ему, что это весьма почтенная и всеми уважаемая дама, которую и императрицы посещают. Тогда митрополит сказал: «Хорошо, как-нибудь, возвращаясь из Синода, к ней зайду». Через несколько времени он это исполнил. Она, встречая его, говорит ему: «У меня, батюшка, есть до вас просьба», рассказывает ему всю историю об игуменье и о протекающей воде. Митрополит только и мог отговориться от ее просьбы, что так как этот монастырь не в его эпархии находится, то он ничего не может сделать. Не знаю, чем эта история кончилась.

У князя Виктора Павловича Кочубея, с которым она жила в одном доме, был бал, на котором находилась царская фамилия; тут же был и князь Сергей Михайлович. Наталья Кирилловна махнула ему рукою, чтобы он подошел к ней и сказала ему: «Это, кажется, стоит Михаил Павлович (т.е. Великий Князь); скажи ты ему, чтобы он ко мне подошел». Когда князь передал это Великому Князю, тот, пожав плечами, сказал: «Верно опять какая-нибудь новая просьба!» Отказывать ей было трудно.

Из записки князя Кочубея к Михаилу Павловичу Миклашевскому можно судить о характере Натальи Кирилловны. Он пишет к нему: «Хотя я ласкал себя удовольствием видеть вас сегодня у себя на постном обеде, но Наталья Кирилловна, с которой трудно спорить, хочет, чтобы я у ней ел, для середы, какое-то кушанье даже и без масла. Посему не сделаете ли мне одолжение завтра пожаловать к нам откушать, а сегодня по вечеру в свободный час на беседу дружескую!»

И князь Потемкин не умел отказывать Наталье Кирилловне. У нее жила мамзель, которая давала уроки ее племяннице; в один день говорит она Наталье Кирилловне, что она хочет уехать из Петербурга, потому что летом все петербургские жители разъезжаются по дачам; не имея своего экипажа, она не может к ним ездить и не желает оставаться в праздности. Наталья Кирилловна возражает ей, что этого нельзя сделать; тем или другим образом она должна у ней оставаться.

В это время приезжает к ней Потемкин, и она говорит ему: «Как ты хочешь, Потемкин, а мамзель мою пристрой куда-нибудь». «Ах, моя голубушка, сердечно рад; да что для нее сделать, право, не знаю». Что же, через несколько дней приписали эту мамзель к какому-то полку и дали ей жалованье.[1]

[1] Из воспоминаний М.М. Евреинова. — Русский архив, 1875, № 3, с. 335 — 338.

В Петербурге имела тогда еще большое влияние одна весьма оригинальная и остроумная старушка, Наталья Кирилловна Загряжская. Пушкин был от нее в восторге и рассказывал об ней в печати несколько анекдотов. Она жила в нынешнем доме шефа жандармов, в комнатах, занимаемых Третьим отделением. В доме помещался председатель Государственного совета, князь Виктор Павлович Кочубей, жена коего, княгиня Мария Васильевна, была воспитана и выдана замуж ее теткою Натальею Кирилловною; княгиня же была сестрою сенатора Алексея Васильевича Васильчикова, женатого на Архаровой, сестре моей матери. По поводу близких родственных сношений, нас часто водили — большею частью по утрам — к Загряжской, и мы обыкновенно присутствовали при ее туалете, так как она сохранила обычай прошедшего столетия принимать визиты во время одевания. Для нас, детей, она не церемонилась вовсе.

Ничего фантастичнее я не видывал. Она была маленького роста, кривобокая, с одним плечом выше другого. Глаза у нее были большие, серо-голубые, с необыкновенным выражением проницательности и остроумия; нос прямой, толстый и большой, с огромною бородавкой у щеки. На нее надевали сперва рыжие букли; потом, сверх буклей, чепчик с оборкой; потом, сверх чепчика, навязывали пестрый платок с торчащими на темени концами, как носят креолки. Потом ее румянили и напяливали на ее уродливое туловище капот, с бока проколотый, шею обвязывали широким галстухом. Тогда она выходила в гостиную, ковыляя и опираясь на костыль. Впереди бежал ее любимый казачок, Каркачок, а сзади шла, угрюмо насупившись, ее неизменная спутница-приживалка, Авдотья Петровна, постоянно вязавшая чулок и изредка огрызавшаяся.

Старушка чудила и рассказывала про себя всякие диковинки. Тогда построили мост у Летнего сада. «Теперь и возят меня около леса, — говорила она. — Я смерть боюсь, особенно вечером. Ну, как из леса выскочат разбойники и на меня бросятся! На Авдотью Петровну плоха надежда. Я вот что придумала; когда еду около леса, я сейчас кладу пальцы в табакерку, на всякий случай. Если разбойник на меня кинется, я ему глаза табаком засыплю».

Однажды она слышала, что воры влезли ночью к кому-то в окно. Начал ее разбирать страх, что и к ней такие гости пожалуют. Ныне, конечно, никому в голову не придет опасаться, чтобы какой-нибудь мошенник влез в окно Третьего отделения, но Наталья Кирилловна была одна, с Авдотьей Петровной и с горничными. Вот она и приказала купить балалайку и отдать дворнику, с тем чтобы он всю ночь ходил по тротуару, играл и пел. Так и сделали. Мороз был трескучий. Дворник побренчал и ушел спать. Ночью Наталья Кирилловна просыпается. Кругом все тихо. Звон, крик. Авдотья Петровна вбегает в рубашке испуганная и взбешенная. «Что случилось?» — «Скажи, матушка, чтобы Каркачок побежал на улицу и спросил, отчего дворник не веселится. Я хочу, чтобы он веселился...»

Она сама смеялась над своими капризами и рассказывала, что даже покойный муж потерял однажды терпение и принес ей лист бумаги с карандашом: «Нарисуй мне, матушка, как мне лежать на кровати, а то всего ногами затолкала».

При мне повторяли ее рассказ, что она мужа всегда уважала, но что добродетель ее однажды была на волоске. На этот раз старушка была в особом ударе, и присутствующие катались со смеху.

Хроника времен Екатерины II, приятельница Потемкина и графа Сегюра, она была живыми и оригинальными мемуарами интересной эпохи. В ее гостиной усердно появлялись Блудов, Сперанский, Нессельроде, Жуковский, Пушкин и вообще главные представители тогдашней интеллигенции. Самый способ ее приема был оригинальный. Когда вошедший гость добирался до кресел, на которых она сидела у карточного стола, она откидывалась боком к спине кресел, подымала голову и спрашивала: «Каркачок, кто это такой?» Каркачок называл гостя по имени, и прием был обыкновенно весьма радушный. Но однажды явился к ней вечером сановник, на которого Наталья Кирилловна была сердита. Услыхав его имя, старушка крикнула, несмотря на толпу гостей: «Каркачок, ступай к швейцару и скажи ему, что он дурак. Ему велено не пускать ко мне этого господина». Сановник помялся и вышел.

Наталья Кирилловна была положительно силою и по благоволению двора, и по значению князя Кочубея, и, наконец, по собственным достоинствам. Время было, так сказать, авторитетное. Ныне, когда подрастающие дети считаются визитами с родителями, странно вымолвить, что князь Голицын, бывши уже андреевским кавалером, стоял перед своей матерью, как несовершеннолетний. Еще страннее вообразить теперь, когда старухи исчезли из общества, чтобы старухи могли быть когда-либо властью и орудовать общественным мнением.[1]

Наталья Петровна Голицына

Она была матерью московского генерал-губернатора светлейшего князя Дмитрия Владимировича, баронессы Софьи Владимировны Строгановой и Екатерины Владимировны Апраксиной. Дети ее, несмотря на преклонные уже лета и высокое положение в свете, относились к ней не только с крайнею почтительностью, но чуть ли не подобострастно. В городе она властвовала какою-то всеми признанною безусловною властью. После представления ко двору каждую моло-

---

[1] Петербургские страницы воспоминаний графа Соллогуба. — Спб., 1993, с. 266 — 270.

дую девушку везли к ней на поклон; гвардейский офицер, только надевший эполеты, являлся к ней, как к главнокомандующему. Один только шалун, прелестно рисовавший карикатуры на все общество, ее родственник граф St.-Priest, окончивший свою жизнь самоубийством, как и товарищ его граф Лаваль, выходил из повиновения и даже послал ей, как говорили тогда, на новый год пару бритв, намекая на ее усы.[1]

«Княгиня Наталья Петровна <...> была женщина очень умная, любимая императрицами Екатериною и Мариею Федоровною, с которою была весьма коротка, и уважаемая всем Петербургом, где большею частью всегда жила при дворе, потому что была статс-дамою и чуть ли не имела Екатерининской ленты первой степени.

Она много путешествовала и была в Париже при Людовике XVI, была очень хорошо принята несчастною королевой Мариею-Антуанеттой и выехала из Парижа незадолго до начала революции. Она была собою очень нехороша; с большими усами и с бородой, отчего ее называли la princesse Moustache[2]. Хотя она и была довольно надменна с людьми знатными, равными ей по положению, но вообще она была приветлива. <...>

Вообще вся семья перед княгиней трепетала, и она до конца жизни детей своих называла уменьшительными именами: Апраксину — Катенькой, а Катеньке было далеко за шестьдесят лет; сын был для нее все Митенькой. Привыкнув их считать детьми и будучи сама уже очень стара, она никак себе представить не могла, что и они уже не молоды. Рассказывают, что когда князь Дмитрий Владимирович, бывая в Петербурге, останав-

---

[1] Ibid, с. 264 — 266.

[2] Княгиня Усатая *(фр.)*.

ливался у матери в доме, ему отводили комнаты в антресолях, и княгиня всегда призывала своего дворецкого и приказывала ему «позаботиться, чтобы все нужное было у Митеньки, а пуще всего смотреть за ним, чтобы он не упал, сходя с лестницы». Он был очень близорук, очков не носил, но употреблял лорнет.

Родившись в начале царствования Елизаветы Петровны, при которой она была фрейлиной, княгиня Наталья Петровна видела царский двор при пяти императрицах и, будучи старожилкой, не мудрено, что считала всех молодежью. Все знатные вельможи и их жены оказывали ей особое уважение и высоко ценили малейшее ее внимание.[1]

Грибоедов воскликнул в «Горе от ума»: «Что за тузы в Москве живут и умирают!» Про покойницу princesse Moustache можно по справедливости сказать, что она была также туз, да и какой еще! В Петербурге (она жила, если я не ошибаюсь, на Малой Морской) к ней ездил на поклонение в известные дни весь город, а в день ее именин ее удостаивала посещением вся царская фамилия. Княгиня принимала всех, за исключением государя императора, сидя и не трогаясь с места. Возле ее кресел стоял кто-нибудь из близких родственников и называл гостей, так как в последнее время княгиня плохо видела. Смотря по чину и знатности гостя, княгиня или наклоняла только голову, или произносила несколько более или менее приветливых слов; и все посетители оставались, по-видимому, весьма довольны. Вот каким влиянием и авторитетом пользовалась княгиня в тогдашнем Петербургском обществе.[2]

---

[1] Благово Д. Рассказы бабушки. — Л., 1989, с. 86, 178 — 179.

[2] Воспоминания Ф.М. Толстого. — Русская старина, 1871, т. III, с. 427.

Настасья Дмитриевна Офросимова

Вторая из барынь крупной бесспорно величины была Настасья Дмитриевна Офросимова, переехавшая после своего вдовства из Москвы в Петербург для бдительного надзора за гвардейской службой своих двух или трех сыновей, из коих младшему, капитану гвардии, было уже гораздо за 30 лет. Обращаясь нахально со всеми членами высшего московского и петербургского общества, детей своих держала она в страхе Божием и в порядке и говорила с любовию о их беспрекословном к ней повиновении: «У меня есть руки, а у них щеки». На этих основаниях, как уверяли, обходилась она и с дочерью.

Кажется, я уже говорил о ней по случаю кончины моего отца в 1814 году и о том, как она сама вызвалась снабдить нас с теткой в это время деньгами. Она любила мою мать, которая ее страшно боялась, а отец, хотя и уважал, но избегал, сострадая угнетенному ею добродушному и кроткому ее мужу, которого она, как сама признавалась, тайно похитила из отцовского дома к венцу. Павел Дмитриевич Офросимов был, однако, боевой генерал времен Потемкина и с георгиевским крестом, носил парик, и однажды подвергся за какое-то слово публичному оскорблению от жены, которая, ехавшая с ним по улице в открытой коляске, сняла с него этот парик, бросила на мостовую и велела кучеру прибавить ходу.

Бойкость характера Настасьи Дмитриевны известна была обществу обеих столиц и самому Императору. Надо сказать, что она всегда стояла за правду и везде громогласно поражала порок. Еще в 1809 году, когда Государь Александр вместе со своей сестрой, В. К. Екатериной Павловной, посещал Москву, Офросимовой удалось одним словом с выразительной жестикуляцией уничтожить взяточника, сенатора С. Вот как это было: Государь сидел в своей маленькой ложе над сценой небольшого московского на Арбатской площади театра; Офросимова, не подчинявшаяся никоим обычаям, была в первом ряду кресел и в антракте, привстав, стала к рампе, отделяющей партер от оркестра, судорожно засучивая рукава своего платья. Увидев в 3 или 4 № бенуара сенатора, она (заметьте, что театр был очень небольшой <...>), в виду всех пальцем погрозила сенатору и, указав движением руки на ложу Государя, громогласно во всеуслышание партера произнесла: «С., берегись!» Затем она преспокойно села в свои кресла, а С., кажется, вышел из ложи. Очень понятно, что Государь начал расспросы, что бы все это могло значить. Ему были вынуждены объяснить, что действительный тайный советник М.Г.С., хотя и почитается в обществе самым дельным из всех московских сенаторов, но в то же время многими, и не без вероятности, признается взяточником. Через несколько времени сенатор С. был отставлен.

Любя покровительствовать молодым людям и зная меня с моего детства, она и меня однажды сильно огорошила. Возвратившись в Россию из-за границы в 1822 году и не успев еще сделать в Москве никаких визитов, я отправился на бал в Благородное собрание; туда по вторникам съезжалось иногда до двух тысяч человек. Издали заметил я сидевшую с дочерью на одной из скамеек между колоннами Настасью Дмитриевну Офросимову и, предвидя бурю, всячески старался держать себя от нее вдали, притворившись, будто ничего не слыхал, когда она на ползалы закричала мне: «Свербеев, поди сюда!» Бросившись в противоположный угол огромной залы, надеялся я, что обойдусь без грозной с нею встречи, но не прошло и четверти часа, дежурный на этот вечер старшина, мне незнакомый, с учтивой улыбкой пригласил меня идти к Настасье Дмитриевне. Я отвечал: «Сейчас». Старшина, повторяя приглашение, объявил, что ему приказано меня к ней привести. «Что это ты с собой делаешь? Небось давно здесь, а у меня еще не был! Видно, таскаешься по трактирам, по кабакам, да где-нибудь еще хуже, — сказала она, — оттого и порядочных людей бегаешь. Ты знаешь, я любила твою мать, уважала твоего отца»... и пошла, и пошла! Я стоял перед ней, как осужденный к торговой казни, но как всему бывает конец, то и она успокоилась: «Ну, Бог тебя простит; завтра ко мне обедать, а теперь давай руку, пойдем ходить!»

Дочь ее, стройная и строгая двадцатипятилетняя девица Елена (кажется, впервые в московском обществе начала она называться этим облагороженным именем вместо Алены) пошла с нами. Тут новая беда: вместо того, чтобы ходить, как это делали все, по краям огромнейшей залы, Настасье Дмитриевне угодно было гулять зигзагами и перекрещивать всю эту громаднейшую площадку из конца в конец. Напрасно дочь и я робко заметили было ей, что таким образом мы мешаем всем танцующим, а в это время танцевали несколько кадрилей, она отвечала громко: «Мне, мои милые, везде дорога!» И, действительно, сотни пляшущих от нас сторонились и уготовляли нам путь, широкий и высокоторжественный.[1]

Офросимова Настастья Дмитриевна была старуха пресамонравная и пресумасбродная: требовала, чтобы все, и знакомые, и незнакомые, ей оказывали особый почет. Бывало, сидит она в собрании, и Боже избави, если какой-нибудь молодой человек и барышня пройдут мимо нее и ей не поклонятся: «Молодой человек, поди-ка сюда, скажи мне кто ты такой, как твоя фамилия?» — «Такой-то».

«Я твоего отца знала и бабушку знала, а ты идешь

---

[1] Свербеев Д.Н. Записки (1799 — 1826). Т. 1. — М., 1899, с. 260 — 263.

мимо меня и головой мне не кивнешь; видишь, сидит старуха, ну, и поклонись, голова не отвалится; мало тебя драли за уши, а то бы повежливее был».

И так при всех ошельмует, что от стыда сгоришь.

И молодые девушки тоже непременно подойди к старухе и присядь пред ней, а не то разбранит:

— Я и отца твоего, и мать детьми знавала, и с дедушкой и с бабушкой была дружна, а ты, глупая девчонка, ко мне и не подойдешь; ну, плохо же тебя воспитали, что не внушили уважения к старшим.

Все трепетали перед этой старухой — такой она умела на всех нагнать страх, и никому и в голову не приходило, чтобы возможно было ей сгрубить и ее огорошить. Мало ли в то время было еще в Москве почтенных и почетных старух? Были и поважнее и починовнее: ее муж был генерал-майор в отставке, мало ли было генеральских жен, так нет же: никого так не боялись, как ее.

Бывало, как едут матери со своими дочерьми на бал или в собрание, и твердят им:

— Смотрите же, ежели увидите старуху Офросимову, подойдите к ней, да присядьте пониже.

И мы все, немолодые уже женщины, обходились с нею уважительно.

Говорят, она и в своей семье была пресердитая: чуть что не по ней, так и сыновьям своим, уже взрослым, не задумается и надает пощечин. Она имела трех сыновей: Андрея, Владимира и Константина.

Не могу теперь припомнить, какая она была урожденная, а ведь знала; но только из известной фамилии, оттого так и дурила.

Не всем, однако удавалось своевольничать, как старухе Офросимовой; другим за дерзость бывал и отпор и даром с рук не сходило.[1]

---

[1] Благово Д. Рассказы бабушки. — Л., 1989, с. 141 — 142.

Марья Саввишна Перекусихина

Когда я приехал в Петербург в 1818 г. Марье Саввишне было уже под 80 лет; десятки годов пробыла она в звании камер-фрау при Екатерине II и, как известно, пользовалась особенным милостивым расположением императрицы. Сказывают, что Марья Саввишна, будучи ее другом и не выставляясь никогда слишком вперед и на вид своего Двора, жила вблизи от внутренних покоев государыни скромно в небольшом отведенном ей помещении. Сказывают также, что она была постоянной посредницей с ее фаворитами и что она никогда не имела никакого значительного влияния ни на первую, ни на последних; что она всеми вообще была любима и уважаема, держала себя в стороне от всех интриг и никогда ни в каких случаях не выставлялась вперед. Из всех лиц, окружавших Екатерину, она одна умела не вооружить против себя императора Павла, который, не любя мать, ненавидел почти всех к ней близких. По восшествии своем на престол он тотчас же отличил ее своим благоволением и вскоре пожаловал ей лично 5 000 десятин земли в Рязанской губернии из казенных дач, близких к имению ее дочери Тарсуковой.

Старушка Перекусихина замечательна была во многом, можно сказать, во всех отношениях. Она не знала ни одного иностранного языка и, вероятно, именно потому государыня, желавшая выучиться совершенно по-русски (чего она почти и достигла), ее к себе приблизила. Я, впрочем, застал еще двух дам, бывших при Екатерине ее комнатными камер-фрау, или камер-медхенами, которые также, кроме русского языка, никакого не знали.

Происходила Марья Саввишна из дворянского небогатого дома Перекусихиных в Рязанской губернии; брат ее был при Екатерине сенатором. Как теперь гляжу я на эту милую старушку, скромную, но всегда опрятно одетую, низенькую ростом, худенькую, в белом, как снег, накрахмаленном чепчике, из-под которого виднелись слегка напудренные волосы, сидящую за своим столом с книжкою или за гран-пасьянсом и ежедневно до обеда или ранним вечером радушно принимавшую в своей гостиной, возле самой прихожей, обычных посетителей различных лет и различного положения в петербургском обществе. Прием у нее был не по чинам; знатных и незнатных встречала она одинаково, меня же с первого моего появления в этом ее небольшом и незатейливом доме всегда принимала с особенным добродушием <...>.

Она, приученная, привыкшая к фижмам и робронам, к высоким головным уборам Екатерининских и Павловских времен, к французским кафтанам и разным мундирам совсем другой формы, а всего более к пудре у мужчин и женщин, в последние годы своей жизни, т.е. в начале 20-х годов, часто повторяла: «Все вы, как посмотрю я на вас, какие-то общипанные, как будто сейчас вышли из бани». Однажды, опоздав несколько к обеду (по тогдашнему обычаю приходили за полчаса и ранее), вошел я в гостиную, широкие двери коей были как раз против небольшого у противоположной стены столика, за которым с двумя-тремя дамами сидела в своих креслах всегда тщательно разодетая Марья Саввишна. Взглянув на меня ласково, когда я ей почтительно поклонился, она вдруг строго и очень громко спросила: «Что ты, батюшка? Что с тобой?» Я подумал, что это был упрек за то, что явился поздно к обеду и стал извиняться. «Не то, совсем не то, а ты посмотри на себя, каков ты сам!» Я осмотрелся и угадал сейчас же, что ей коробят глаза мои летние сверх сапог, белые, как снег, панталоны, которые более уже месяца принято было носить в первых петербургских домах. «Ну, голубчик, что же ты молчишь?» Я начал было робко объяснять историю нововведения белых панталон, она не дала мне договорить.

«Не у меня только, не у меня! Ко мне, слава Богу, никто еще в портках не входит. Отправляйся домой, переоденься и непременно приезжай к обеду; я буду ждать». Нечего было делать, уезжать было не хотелось, а возвращаться еще меньше, однако я к обеду приехал. Она похвалила за послушание, племянницы и внучка извинялись в строгости бабушки, хозяин и прочие гости надо мной посмеивались. Марья Саввишна сама всем рассказывала как бы для общего урока, что она со мной проделала.[1]

Екатерина Петровна Строганова

На большой шелковой постели сидела, поддержанная подушками, маленькая, скорченная, нарядная старушка; из кружевного чепца ее, украшенного лентами яркого цвета, выдавалось иссохлое до крайности, чрезвычайно живое лицо. Графиня была уже много лет в параличе и почти вовсе не могла двигаться; но ум ее сохранил все свои способности. Она говорила много и с живостью, любила упоминать о своем пребывании в Париже, прежде революции, и с особенным удовольствием рассказывала, как она посетила Вольтера в Ферне, и как он, уже больной, возвратившись во время ее приезда к нему, с небольшой прогулки, после долгого заключения в дому, встретил ее словами: «Ah! Madame quel beau jour pour moi: j'ai vu le soleil et vous»[2]. <...>

Графиня Строганова, возвратившись из Ярославля в одно время с нами, уехала на лето, по своему обык-

---

[1] Свербеев Д.Н. Записки (1799 — 1826). Т. 1. — М., 1899, с. 242 — 243; 265 — 266.

[2] «Ах, милостивая государыня! Какой прекрасный для меня день: я видел солнце и вас» *(фр.)*.

новению, в свое прекрасное Братцово, взяв с матери моей непременное обещание провести там у ней хоть несколько недель. Звать мать мою значило звать и детей ее, с которыми она никогда не расставалась. <...>

Графиня Строганова не понимала возможности вести жизнь хоть отчасти уединенную. Насущный хлеб был для нее не столько нужен, сколько насущное общество. В Братцове всегда гостили несколько ее знакомых. Из тех, которые там были в одно время с нами, помню одну старую княжну Хованскую, которую я называла la grosse princesse[1] и находила вовсе непривлекательной. Приезжали и многие гости к обеду или на вечер. С особенной предупредительностью со стороны графини и с особым почетом со стороны ее домашних был всегда принят Иван Николаевич Корсаков, важный вид которого меня поражал. Услыша, что он когда-то славился своей красотой, я получила очень дурное мнение о вкусе людей того времени. Эта иссохшая фигура казалась мне вовсе некрасивой.

Вскоре, после моего прибытия в Братцово, я была крайне изумлена тем, что произошло в одну ночь. Меня с матерью, возле которой я спала, разбудил стук в дверь. На вопрос матери, кто стучится? послышался голос Александры Евграфовны, la demoiselle de compagnie[2] графини: «Извините, что я вас беспокою. Графиня просит вас пожаловать к ней как можно скорее!» — «Что же случилось?» — спросила испуганная мать моя. — «Начинается гроза; графиня очень опасается! Сделайте милость, пожалуйте скорей!»

Мать моя, отправив Александру Евграфовну с ответом, что тотчас сойдет и не понимая, каким образом она могла быть для графини защитой от грозы, начала поспешно одеваться. «Maman, возьми меня с собой!» —

---

[1] Ужасная княгиня *(фр.)*.

[2] Компаньонка *(фр.)*.

закричала я, соскочив с постели. Мать согласилась. Это было обыкновенное последствие просьб моих. В спальне графини мы нашли всех дам, пребывающих тогда в Братцове. В канделябрах горели все свечи, ставни окон были крепко затворены. Среди комнаты, обитой штофом, устланной шелковым ковром, стояла, на стеклянных ножках, кровать, тяжелая шелковая занавесь которой была продета у потолка в толстое стеклянное кольцо. На этой, таким образом, по возможности изолированной, кровати лежала графиня, на шелковом одеяле, в шелковом платье, с шелковой повязкой на глазах, вскрикивала при каждом громовом ударе и в промежутках повторяла умоляющим голосом: «Говорите, говорите, что вам угодно; только ради Бога говорите!»

Это была для меня сцена вовсе неожиданная и странная до невероятности. Приученная отцом не бояться грозы и смотреть на нее, как на великолепное зрелище, я сидела возле матери в невыразимом удивлении и в самодовольном тайном сознании моей безбоязненности. Я глядела то на графиню, полубезумную от ужаса, то на окружающих ее. Княжна Хованская, прижавшись в угол, была также в незавидном сотоянии духа. Ей тоже хотелось кричать при раскатах грома; но, из почтения к графине, она позволяла себе только слабый визг. При каждой грозе вся эта история повторялась. Возможность какой-нибудь опасности ужасала графиню до степени неимоверной. Она сама называла себя величайшей трусихой в мире и казалась очень довольна этим превосходством.[1]

---

[1] Павлова К.К. Мои воспоминания. — Собрание сочинения. Т. 2. — М., 1915, с. 272 — 273; 286 — 289.

Наталья Андреевна Карпова

Более и яснее всего помнится мне хозяйка дома, Наталья Андреевна Карпова.

Она, так же, как графиня Строганова, была женщина 18-го столетия; но графиня походила более на версальскую графиню двора Марии-Антуанетты, напротив, не выехавшая ни разу из России, осталась вполне и без всякой примеси заграничного элемента русскою барынею прошлого века. Видную, рослую эту фигуру я и теперь могла бы нарисовать. Она всегда была одета в шелковое платье каштанового цвета и старинного покроя; на голову надевала разные мудреные куафюры екатерининских времен; румянилась, как в царствование великой императрицы было принято румяниться, накладывая румяны на щеки яркими, неестественными пятнами, и прилепляла одну мушку вблизи левого глаза, не решаясь покинуть вполне прежнее украшение своего лица.

В доме своем она имела все, что следовало и что, по ее мнению, иметь в доме было необходимо: свою церковь, своих певчих, своих швей, своего портного, своего башмачника, своего обойщика, своего столяра. Все прочее домашнее устройство было так же, как следовало. Челядь бесчисленная, толпа горничных под начальством барской барыни, особая комната для болонок и для приставленных к ним девушек; у каждой двери господских покоев огромный малый.

Понятия Натальи Андреевны были большей частью для меня совершенно новы. Встать с кресел и сделать несколько шагов для того, чтобы взять потребную ей вещь, она почитала действием неприличным и обращалась к малому у дверей с приказаниями, как то, которое раз было отдано при мне: «Человек! скажи рябой Анне, чтобы она прислала русую Анну подать мне веер». Веер лежал на столе в той же комнате. Не знаю, старалась ли она когда-нибудь объяснить себе, каким образом можно существовать, не имея, по крайней мере, полдюжины слуг. Я слышала, как разговаривая с матерью моей о двенадцатом годе, она ей свою тогдашнюю напасть рассказала следующими словами: «Вообразите, что со мной было! Я наскоро уехала из Москвы в свое поместье и принуждена была там остаться, а в доме не было у меня людей, кроме тех, которых я привезла с собой: два человека и три горничные. Представьте себе мое положение!»

Меня Наталья Андреевна очень полюбила и почти каждый день посылала за мной. Она мало выезжала и мало имела знакомых, а родни никого, кроме одного племянника, который жил в Петербурге и навещал ее изредка. Я для нее была развлечением. Дети легко мирятся со всем, что для них непривычно, и ничему долго не удивляются; я вскоре, своей ребяческой логикой, заключила, что у Натальи Андреевны должно быть так, а у нас должно быть иначе. Но все-таки тем, что мне у нее случалось видеть и слышать, я нередко смущалась. Так я однажды была свидетельницей одного intermezzo[1] в гостиной Натальи Андреевны.

Слуга, подавая чай, стоял перед ней с подносом в руках. Наливая сливки в чашку, она обратилась к нему с вопросом: «Скажи, пожалуйста, зачем ты так трясешь подносом?» — «Фиделька больно ноги кусает, ваше превосходительство». — «Великая беда, мой милый, что Фиделька тебе ноги кусает! Должно ли из этого трясти подносом, когда ты подаешь мне чай?» Это было сказано так простодушно, что я от удивления осталась недвижна, смотря на Наталью Андреевну.

При всем том она была женщина добрая. Можно ли было ставить ей в вину, что она родилась и осталась в среде, в которую не проникли иные понятия? <...>

Прожив так почти четыре года жильцом старой

[1] Интермеццо *(фр.)*.

знакомки своей, отец мой, который до тех пор говорил, смеясь, что он согласился быть врачом одной больной только потому, что она совершенно здорова, стал несколько сомневаться в здоровье Натальи Андреевны и более за ней примечать, часто повторяя при мне: «Не понимаю, что с ней! Организм чем-то расстроен, пульс ускорен и неправилен, выражение лица изменилось, а между тем, она ни на что не жалуется, и нет признаков какой бы то ни было болезни». Через некоторое время он решился сказать Наталье Андреевне о своем желании посоветоваться с другим медиком насчет ее здоровья. Она отвечала, что об этом и слышать не хочет, что где нет болезни, не о чем и советоваться. «Мне, батюшка, шестьдесят пять лет, вот и все; а от этого меня никто не вылечит». Другого не было ответа на все просьбы и увещания. Месяца три позднее она слегла, также упорно отказываясь от всякого врачевания и утверждая, что вовсе не больна.

В одно утро с ней сделался обморок, и тут только суетившиеся вокруг нее горничные увидели, что левая грудь ее была совершенно истреблена страшным раком. С этим известием вбежали к отцу моему; он поспешно сошел к больной, а возвратился к нам в изумлении, убедившись в том, чему верить не хотел. Оно было действительно так. Эта избалованная барыня, которой малейшее неудобство было в тягость, вынесла, в продолжение годов, терзающую боль, не позволяя себе ни единого вопля. Эта женщина, которая сама не брала веера со стола, которая ни за что бы не дотронулась до паука, мыла украдкой, запершись в своей спальне, перевязки, покрытые отвратительными следами ее раны и сумела утаить от всех своих горничных эту смертельную язву.

Видаясь ежедневно с медиком, в искусство которого верила вполне, она имела силу духа не изменить себе ни разу, не просить помощи и облегчения боли, убивающей ее! И все это из стыдливости, для того, чтобы не подвергнуться необходимости обнажить грудь свою перед врачом — грудь шестидесятилетней старухи! Можно это назвать безумием, но нельзя признать героизма своего рода в женщине, которая, ожидая неминуемую близкую и мучительную смерть, до самого конца не позволяет себе малейшего несоблюдения приличий, самого незначительного отступления от привычного порядка, ни разу не забывает украсить свою одежду надлежащей лентой, нарумянить щеки и прилепить на лицо мушку.

О медицинской помощи тут нечего было и думать. Через несколько дней Наталья Андреевна умерла.[1]

Настасья Николаевна Хитрово

Дом Хитровой в Москве был один из самых известных и уважаемых в течение, может быть, сорока лет, и хотя Настасья Николаевна была не особенно богата, знатна и чиновна, не было в московском дворянском кружке от мала до велика никого, кто бы не знал Настасьи Николоевны Хитровой. Кого она не обласкала или приняла неприветливо? Дом Хитровой был всегда открыт для всех и утром, и вечером, и каждый приехавший был принят так, что можно было подумать, что именно он то и есть самый дорогой и желанный гость. Я прожила на Пречистенке около двадцати пяти лет, и у меня остались в памяти о Хитровой только одни самые приятные воспоминания. <...>

Хитрову все знали в Москве, и все знавшие ее любили, потому что она была одна из самых милых и ласковых старушек, живших в Москве, и долго ее память не умрет, пока еще живы знавшие ее в своем детстве. Вот почти две современницы, Офросимова и

---

[1] Ibid, с. 295 — 303.

Хитрова, подобных которым не было и не будет более: одной все боялись за ее грубое и дерзкое обращение, и хотя ей оказывали уважение, но более из страха, а другую все любили, уважали чистосердечно и непритворно. Много странностей имела Хитрова, но и все эти особенности и прихоти были так милы, что — смешные, может быть, в другой — в ней нравились и были ей к лицу.

Одевалась она на свой лад: и платье, и чепец у ней были по особому фасону. Чепец тюлевый, с широким рюшем и с превысокою тульей, которая торчала на маковке: на висках по пучку буклей мелкими колечками (boucles en grappes de raisin)[1], платье капотом, с поясом и маленьким шлейфом, и высокие каблуки, чтобы казаться как можно выше. Лицо ее и в преклонных летах было очень миловидно, и живые глазки так и бегали. Она была очень мнительна и при малейшем нездоровье тотчас ложилась в постель, клала себе компрессы на голову и привязывала уксусные тряпички к пульсу и так лежала в постели, пока не приедет к ней кто-нибудь в гости. Поутру она принимала у себя в спальной, лежа в постели часов до трех; потом она вставала и иногда кушала за общим столом, а то и одна у себя в спальной. Вечером она выходила в гостиную и любила играть в карты, и чем больше было гостей, тем она была веселее и чувствовала себя лучше. А когда вечером никого не было гостей, что, впрочем, случалось очень редко, она скучала, хандрила, ей нездоровилось, она лежала в постели, обкладывалась разными компрессами, посылала за своею карлицей или Натальей Захаровной, которая пользовалась ее особою милостью и с ее плеча носила обносочки и донашивала старые чепцы.

— Ну, садись, — скажет она ей, — рассказывай.

---

[1] Букли в виде виноградных кистей *(фр.)*.

И Захаровна начинает высыпать все, что она слышала и что может интересовать ее госпожу.

Если Захаровна расскажет незанятное что-нибудь, Хитрова только лежит и слушает и скажет: «Ну, хорошо, довольно, пошли ко мне... такого-то»; иногда позовет карлика, не помню, как его звали. Если же Захаровна затронет какую-нибудь живую струну и потрафит барыне, та вскочит и усядется на постели ножки крендельком, и станет расспрашивать: «Кто же тебе сказал? от кого ты узнала?.. ты мне только скажи, а другим не сказывай, а я никому не скажу...»

Она была любопытна, любила все знать, но была очень скромна и умела хранить тайну, так что никто и не догадается, знает ли она или нет.

Она не любила слышать о покойниках и о том, что кто-нибудь болен, и потому домашние от нее всегда скрывали, ежели кто из родных и знакомых заболеет, и молчат, когда кто умрет. Захаровна прослышит, что умер кто-нибудь, и придет в спальню к ней и шепчет ей: «Сударыня, от вас скрывают, что вот такая-то или такой-то умер: боятся вас расстроить».

Хитрова значительно мигнет, кивнет головой и скажет шепотом Захаровне: «Молчи, что я знаю; ты мне не говорила, слышишь...»

Пройдет ден десять, недели две, Хитрова и скажет кому-нибудь из своих: «Что это я давно не вижу такого-то, уж здоров ли он?»

Вот тут-то обыкновенно ей и ответят:

— Да разве вы не слыхали, что его уже давно и в живых нет...

— Ах, ах... да давно ли же это? — спросит она

— Недели две или три, должно быть.

— А мне-то и не скажет никто, — говорит она.

И тем дело и кончится, и об умершем больше нет и помину. <...>

Пока не была еще замужем княжна Урусова, у

Хитровой бывали балы и танцевальные вечера; роскоши в доме не было: зала была невелика, однако для пол-Москвы доставало места, и все веселились больше, может быть, чем теперь веселится молодежь, потому что и гости менее требовали от хозяек, и хозяйки были так приветливы и внимательно радушны, как теперь, я думаю, немногие умеют быть со своими гостями.

Вот еще особенность в характере Настасьи Николаевны Хитровой. Она была не то, что малодушна, а очень вещелюбива, любила, когда ей привозят в именины и в рожденье или в новый год какую-нибудь вещицу или безделушку. Она не смотрела, дорогая ли вещь или безделка, и трудно было угадать, что ей больше понравится. Для всех этих вещей у ней было несколько шкапов в ее второй гостиной, и там за стеклом были расставлены тысячи разных мелочей, дорогих и грошовых. Она любила и сама смотреть на них и показывать другим, и ей это доставляло большое удовольствие, когда хвалили ее вещицы. <...>

Все только и помышляли о том, чтобы угодить почтенной старушке, умевшей заслужить всеобщее уважение московского общества, которая родилась, жила весь век в Москве, умерла, будучи почти 80 лет, и никого никогда не обидела, никому не казала жесткого слова, и потому никто не помянет ее лихом, но все с сожалением вздохнут о ней и помянут добром.[1]

Марья Степановна Татищева

В семи верстах от нас, в селе Грибанове, жила известная тогда в Москве своими балами и обедами почтенная и добрейшая старуха Марья Степановна Татищева, владетельница большого дома в Москве на

[1] Благово Д. Рассказы бабушки. — Л., 1989, с. 232 — 237.

Моховой, рядом с домом Пашкова, ныне Румянцевским музеем.

Она была знатного рода, любила говорить о своем родстве в Петербурге с Нарышкиными, Строгановыми и проч. и славилась своим гостеприимством как в Москве, так и в деревне. Это был настояший тип Русской барыни (grande-dame) XVIII столетия. Держа огромную дворню, имея массу приживалок в своем доме и живя постоянно выше своих средств, она все проживала на балы, на обеды и всевозможные удовольствия, а вместе с тем у нее проявлялись несомненные признаки такого скряжничества и скупости, которые служили предметом нескончаемых толков во всем Московском обществе. Все шутили над этим, но все к ней ездили, потому что к ней весь свет собирался, что все привыкли к необыкновенному ее гостеприимству и что у нее всем всегда было весело. И надо было удивляться, как она, будучи несомненно умной женщиной, могла думать, что никто не замечает ее странностей и не подозревает, что она служит предметом насмешек и добродушного злословия. Она, между прочим, со всех вечеров и балов, на которые была приглашаема почти каждый день, неукоснительно всякий раз привозила домой в своем большом черном бархатном ридикюле, всюду ее сопровождавшем, пропасть конфект и фруктов, которые, как гласила молва, распущенная Московскими сплетницами, впоследствии появлялись в числе угощений на ее собственных балах. Затем для того, чтобы на те средства, которыми она располагала, ей было возможно чаще принимать у себя гостей и давать балы, а вовсе не в видах благоразумной экономии, в ее двух огромных бальных залах во время приема горели сальные свечи и довольно плохенькие масляные лампы. Прислуга при этом, довольно собой видная, была, разумеется, в парадных ливреях донельзя изношенных. Оригинальнее всего было то, что несмотря на постоянный у нее прием гостей, в будни ее швейцар не надевал ливреи и не находился внизу у входной двери, а постоянно сидел в передней в бельэтаже, занимаясь на большом рабочем столе преусердно портняжным своим искусством, причем, при появлении каждого посетителя, он бросал свои большие ножницы, утюг, свою кройку или шитье, чтобы докладывать о госте или гостье ее превосходительству. Все это, разумеется, служило в обществе неистощимым предметом шуток и злословия, которые не помешали, однако, почтенной старушке умереть в Москве в своем доме, окруженной любовью и уважением.[1]

Авдотья Осиповна Зуева

А.О. Зуева, о молодости которой, как я узнал впоследствии, имелись не очень благоприятные предания, была чрезвычайно строга к обеим своим уже старым дочерям и сыновьям. Все перед ней ходило по струнке и с чрезвычайным к ней уважением. В старости она пользовалась им и от посторонних, в том числе и от моей матери, которая называла ее тетушкою. Пятидесятилетние ее дочери не имели права от нее отлучаться без ее позволения; она неохотно их отпускала из дома и не иначе как с дамами, ей хорошо известными, например, с моею матерью, которую она очень любила и уважала.

Во время праздников коронации императора Николая, мать моя старалась доставить им некоторое развлечение и каждый раз с трудом выпрашивала у А.О. Зуевой отпустить ее дочерей на бывшие народные праздники. Когда мать моя просила отпустить их на какой-то большой парад или ученье, бывшее в Хамовниках, то А.О. Зуева нашла не только то, что они

[1] Мещерский А.В. Из моей старины. Воспоминания. — М., 1901, с. 7 — 8.

слишком часто пользуются развлечениями по милости моей матери, но что и не совсем прилично ехать смотреть на маршировку множества мужчин, а младшей ее дочери-девице было тогда за 50 лет.[1]

Варвара Петровна Усманская

На одной из красивых улиц Москвы, в глубине обширного двора, несколько лет тому назад стояли барские палаты XVIII века со всеми фантазиями и затеями минувшего времени — даже во внутреннем устройстве, хотя поток новых обычаев давно уже преобразовал Белокаменную. Эти палаты принадлежали княгине Варваре Петровне Усманской, имевшей семь тысяч душ, сотни две родных, несколько тысяч знакомых, необъятную дворню, десятки попугаев, огромное количество мосек, приживалок, воспитанниц, арапа и седого калмыка. С утра до вечера дом княгини Усманской был набит посетителями; Варвара Петровна была, во-первых, очень богата, во-вторых, бездетна и стара, в-третьих, тщеславилась благотворительностью. Что же касается княгини, ей были нужны только новые вести и приличная партия бостона, а под конец преферанса, который один из всех нововведений как-то понравился старухе.

Играла она обыкновенно по три копейки, играла чрезвычайно дурно, пропасть проигрывала; но с шести часов вечера и до глубокой ночи регулярно сидела за карточным столом, не играя в году только неделю, когда говела, и то неделю неполную, а начиная со среды. Несмотря на необыкновенную набожность, старушка, однако ж, тяготилась этими днями, потому что не входила в свою пышную гостиную, обитую голубой

[1] Дельвиг А.И. Полвека русской жизни. — М. — Л., 1930, с. 44 — 45.

шелковой материей, с золочеными карнизами, где привыкла сидеть у полукруглой выгнутой печки, на каком-то фантастическом диване, за любимым ломберным столиком. Старушка ездила тогда аккуратно в церковь, молилась долго, заставляла читать себе священные книги, но в семь часов вечера чувствовала такую грусть, что впадала в совершенное уныние и, кажется, считала минуты до того вожделенного времени, когда совесть и приличие позволят ей составить партию. Княгиня до того привыкла у себя к преферансу, что, не играя сама во время говения, уже с середы принимала своих обычных посетителей и просила их играть в карты, а сама, сидя комнат за восемь, посылала кого-нибудь осведомиться о ходе игры, потешалась, если кто-нибудь ставил большой ремиз и обыкновенно приговаривала: «Я ему всегда сказывала, матушка, что он играть не умеет: вот же ухитрился поставить ремиз, когда можно было выиграть».

Княгиня была худощавая, среднего роста старушка, всегда в темном капоте и остроконечном чепце, который завязывала широкой лентой под бородою. По поводу этого обстоятельства знакомые, и больше приживалки, трубили по всей Москве, что у матушки княгини росли на бороде порядочные волосы, которых она брить не решалась, подстригать не имела охоты, и потому прикрывала бантом эту маленькую игру природы. Княгиня Усманская принадлежала к числу дам высшего общества того времени, когда еще высшее общество смотрело на остальное человечество не с тем вежливым презрением, с каким оно смотрит теперь, но с истиным высокомерием, с настоящею гордостью, без маски, без натянутой холодности.

В то время, когда княгиня была еще молода, вельможи обходились с низшими приветливо, но требовали себе открыто уважения и подобострастия; а если кому и отдавали справедливость в душевных качествах, уме или таланте, то тем не менее не прощали, когда даже такие люди забывались перед ними в каком бы то ни было случае. Княгиня принадлежала к обломкам этого общества, уже несуществующего, которое не могло пережить своих разрушенных убеждений и распалось само собою, подобно рыцарскому замку, который развалился для того, чтобы уступить место какому-нибудь красивому дому или фабрике. Она сохранила в своем старинном доме все старинное великолепие, конечно, полинялое, обветшалое, но гордое, подавлявшее вас и своим богатством, и тяжестью вкуса.

Выговаривала она тем из своих знакомых, кто не приезжал поздравить ее с праздником, и презрительно отзывалась о князьях и графах, которых роды были моложе ее рода. Вообще она не любила грузинских княжеских фамилий, и знакомые, если не хотели заслужить ее нерасположения, никогда не называли князьями членов этих фамилий: иначе старушка выходила из себя до того, что нижняя челюсть ее начинала трястись, губы суживались, и два единственные ее зуба непременно бы стучали, если бы только могли коснуться друг друга.

Больше всего княгиня тщеславилась тем, что ни один из членов почтенного рода князей Усманских не запятнал себя неравным браком, и с гордостью рассказывала, что она в семнадцать лет, будучи влюблена в прекрасного молодого человека, пожертвовала всем — и, единственная наследница одной отрасли своего рода, вышла за шестидесятилетнего старика, последнего потомка другой славной отрасли князей Усманских. «Я терпеть не могла князя, — говорила она родным, близким знакомым и наконец приживалкам, — но, если бывало вспомню, что с ним угасает слава нашего рода, невольно чувствовала к нему уважение».

Но она была бездетна. При этой любви к славному имени предков, казалось бы, старушка должна была прийти в отчаяние от того, что род Усманских угасал без потомства; но напротив, она торжественно, с гордостью говорила, что, видно, Богу угодно было, чтобы знаменитый род Усманских угас сам собою в эту эпоху, когда Игнашка Буинский — князь, Ванька Славин — князь, Сережка Вельский — князь, тогда как Буинские, Славины и Вельские недавно, не больше как лет триста назад, были люди самого темного происхождения... «Велика важность,— говорила она, — что тот спас армию, этот зажег неприятельские корабли, тот прогнал татар; это, батюшка, все заслуги, кто и говорит: да Усманские, почитай, при Андрее Боголюбском были князьями, да не простыми, а удельными. Теперь же князей не перечтешь! Брось камень в голубя на площади, а попадешь в князя или графа. Оттого-то теперь ни одно сиятельство служит где-нибудь в палате писцом, а грузинские князья... да эти, говорят, в Тифлисе метут мостовые! А как женятся, то нынешние князья да графы, или за кого княжны и графини выходят замуж! Просто ужас! Как подумаешь, право, лучше умирать без потомства: по крайней мере будешь знать, что к благородному гербу твоему не прибавятся ножницы портного или аршин гостинодворца».

Княгиня Усманская слыла, однако же, доброй женщиной. И в самом деле, у нее было доброе сердце, только доброта эта проявлялась иногда в очень странных формах, и ни одно благодеяние ее не обходилось без долгих наставлений и обычного заключения, что люди за добро обыкновенно платят неблагодарностью. А между тем дом ее был наполнен приживалками и множеством воспитанниц, из которых большая часть оставалась в девушках, потому что, по мнению княгини, не встречались приличные партии, а выдавать воспитанницу за кого-нибудь старушка не хотела; приданое же назначала самое ничтожное.[1]

---

[1] Чужбинский А. Очерки прошлого. Город Смуров. — Заря, 1871, № 6, с. 236 — 239.

Иульяна Константиновна Веселицкая

Представительницей прежнего, согласного, благополучного киевского общества оставалась одна почтенная, умная, добрая и даже еще красивая старушка <...> Иульяна Константиновна Веселицкая, по первому мужу Белуха-Кохановская, имела решительно пристрастие к Киеву; не только власть Поляков, нашествие Татар не могло бы заставить ее из него выехать, тем более, что она жила долго с ними. Второй муж ее был последним русским посланником при предпоследнем хане крымском; но он дани ему не платил, а по состоянию вдовы его, по драгоценным вещам, коими она владела, заметно было, что дань он сам от него принимал.

От обоих браков госпожа Веселицкая имела по нескольку сыновей и по нескольку дочерей: одни были давно женаты, другие замужем. Посреди нежно-подобострастного, многочисленного потомства, коим она кротко повелевала, казалась она в доме своем какою-то царицей. В это время выдавала она замуж одну из своих внучек, и в день свадьбы нарумянилась, принарядилась, право, хоть бы самой к венцу. Когда я к ней явился, по старой привычке, погладила она меня по голове, взяла за подбородок и поцеловала в уста, называя своим гарным хлопцем. Вообще постоянное ее веселонравие, приличная ее летам шутливость и украинский ее язык делали ее для всех приятно-оригинальною.

Дом госпожи Веселицкой был столь же веселый, как название ее и она сама. Хлебосольство в старину имело свою худую сторону: неучтиво было не потчевать, неучтиво было не есть, а кушанье было прескверное. У Иульяны Константиновны была другая крайность; потчевание шло своим порядком, но и без него можно было объесться: все было свежее, хорошее, хотя и не весьма затейливое. В изящных художествах, как и в поваренном деле, конечно, вкус должен образоваться, но иногда бывает он и врожденный, как у моей милой старушки. Ее советам и приказаниям повара ее были обязаны своим искусством; она заимствовала у Москалей блины, ватрушки и кулебяки, усвоила их себе, усовершенствовала их приготовление и умела сочетать их с малороссийскими блюдами, варениками и галушками. За ее столом сливались обычаи и нравы обеих Россий, восточной и западной, великой и малой. В детстве меня редко брали к ней, никто не осмеливался препятствовать ей меня кормить, а аппетит у меня был преужасный.

Нельзя себе представить, как эта женщина была любима и уважаема своими знакомыми. Родственники ее зятей и невесток и ее собственные, Иваненки, Гудимы, Масюковы и другие, да и просто знакомые, беспрестанно приезжали из-за Днепра, единственно за тем, чтобы с нею видеться; одни останавливались у нее, другие занимали квартирки, они никуда не выезжали, в ее доме видели весь Киев и, пробыв некоторое время, возвращались к себе. Ни одного Поляка нельзя было у нее встретить, зато Русские бывали всякий, кто хотел.[1]

Старушка нашего времени и молодость всех времен[2]

Не знаю, надо ли жалеть о старине, но как, скажите, не пожалеть о наших прежних маститых стариках, составлявших во время оно лучшую опору нашей народной патриархальности? Как не пожалеть о добрых наших старушках, которые берегли семейственность и долговечным

[1] Вигель Ф.Ф. Воспоминания. Ч. 1. — М., 1864 — 1865, с. 207 — 209.

[2] Сочинения графа В.А. Соллогуба. Т. 2.– Спб., 1855, с. 306 – 309.

примером, благочестивой жизнью охраняли в обществе спасительные начала нравственности?

Роль старушки исчезает у нас с каждым днем. <...> Давно ли, кажется, жили у нас в Петербурге добрые, незабвенные, настоящие старушки, которые владычествовали над общественным мнением, которых внимание почиталось за честь, которых слово дорого ценилось?

Мы помним еще ту высокую сановницу, которая любила окружать себя живой беседой и, среди волнений жизни, умела сохранить мирное доброжелательство, неизменное добродушие и тихое спокойствие ничем невзволнованной совести.

А та, у которой сам Пушкин учился уму, та, которой каждое слово поражало невольно оригинальностью и глубоким знанием человеческого сердца... Кто, видевший ее хоть раз, не оставил навек в памяти своей воспоминания от этой встречи? Когда незабвенная старушка начинала живописными красками изображать времена своей молодости и славы Екатерины — любо было и весело вслушиваться в ее колкую, звонкую речь, и юноши, слушая ее, забывали, что есть молодые женщины на свете. С этим необыкновенным умом сливалось нежное, любящее сердце, молодое и в самых преклонных летах, жаждущее всякого теплого чувства, готовое на всякое доброе и благородное дело. Оттого ей и не нужно было молодиться, чтоб привлечь к себе внимание.

Пишущий эти строки сам долго имел счастье видеть в своей семье такой пример общего уважения. Никогда не забудет он, и многие, верно, не забудут с ним ту нероскошную комнату, где за ширмами, в больших креслах, с зеленым зонтиком на глазах, сидела, согнувшись, восьмидесятилетняя старушка, доживающая остаток исчезающего быта. Всякому был готов дружеский и радушный прием; для всякого был прибор накрыт за сытным, хотя неизысканным столом: чем Бог послал, сыты не сыты, а за обед почтите. Всякое родство, как бы отдаленно оно ни было, почиталось святыней, и добрая старушка дорожила им, несмотря ни на знатность, ни на значение родственников. Бывало, приедет из губернии какой-нибудь помещик с сыновьями и, не думая долго, идет к старушке. Едва он успел назвать себя, старушка расскажет уж сама всю родню его, кто на ком был женат, кто кому тетка, кто племянник, и, наконец, отыщет-таки какое-нибудь родство и с собой. Вследствие этого, старушка хлопочет за родню, определяет сыновей в корпус и берет их на свое попечение, а помещик, утешенный и довольный, возвращается в деревню.

И это было не пустое обещание — слово исполнялось свято: несмотря на слабость преклонных лет, она действительно следила за воспитанием молодых людей, в праздники и воскресные дни требовала, чтобы они непременно являлись к ней, журила их за шалости, ласкала за хорошее поведение, даже заезжала к ним в корпус, когда они были больны, и просила о них, в случае надобности, наставников и старших. Многие, ныне возмужалые и рассыпанные по России, вспомянут свою молодость, читая эти строки, и от души почтят благословением прах незабвенной старушки.

О старухах[1]

Рассуждение наше о старухах относится к соблазнам, которые ожидают человека, вступающего в свет, но не подумайте, однако же, чтоб

[1] Правила светского обхождения о вежливости. – М., 1829, с. 115 – 118.

женщина, от того, что она стара, была соблазном, которого избегать должно. Мы не того мнения; совершенно напротив. Обращение только с женщинами внушает ту вежливость, ту ловкость в обхождении, наконец, то благородное честолюбие, которые одни могут дать человеку тень совершенства, к которой позволяется ему достигнуть. Но молодые женщины, по непосредственному влиянию их на сердца наши, поучая нас, неприметным для нас образом, приятным привычкам, соделывающим человека любезным, воспользуются впоследствии любезностию, которую мы у них заняли.

Женщины исполнены добротою, прелестями, умом и снисхождением; добродетели сии свойственны всему полу их без исключения, следственно, уважение и старание наше служить им должны относиться ко всем. Сколько пользы извлекается из обращения с женщиною, у которой старость ничего не похитила, кроме красоты! Как приятны тогда советы опытности! Они не выговоры и нарекания брюзгливого старика, выведенного из заблуждения, но мнения любезной женщины, делающей нам кроткие наставления, почерпнутые ею из приятнейших воспоминаний, нравоучения, знающие путь к сердцу нашему; она не неприятельница удовольствий, внушенных нам полом ее, имеющим столько влияния на чувства наши. Я говорю здесь о старухах вообще. Встречаются иногда неопрятные и даже злые, отомщевающие молодым за потерю красоты своей. Но это исключения, на которых останавливаться не должно; и можно смело сказать, что мужчина, который насмехается над старухами, не достоин, чтобы его любили молодые.

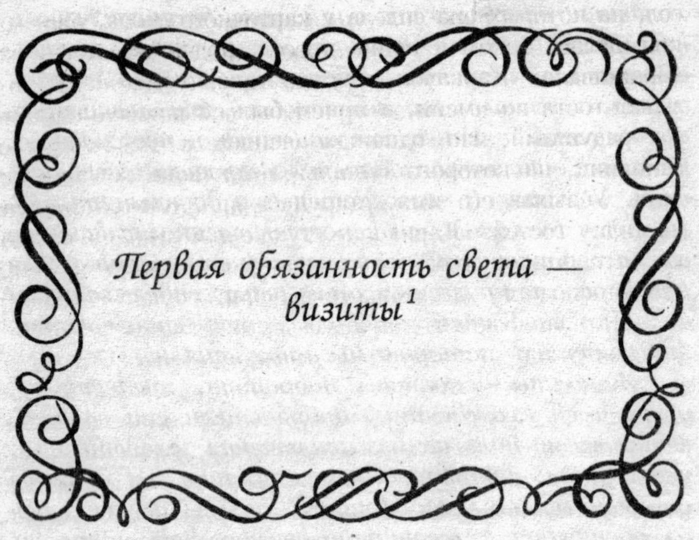

Первая обязанность света — визиты[1]

Ф. Булгарин, сравнивая в романе «Иван Выжигин» быт московского и петербургского дворянства, отмечает: «Здесь не просят так, как в Москве, с первого знакомства каждый день к обеду и на вечер, но зовут из милости, и в Петербурге, где все люди заняты делом или бездельем, нельзя посещать знакомых иначе, как только в известные дни, часы и на известное время».

В гостеприимной и хлебосольной Москве приемный день раз в неделю считался нелепым, хотя и модным, обычаем. Привычными для москвичей оставались ежедневные визиты. «С интимными визитами нередко являлись в 10 уже часов, — вспоминает Ю. Арнольд, — а «штатс-визиты» отдавались, начиная с полудня, и не позже двух часов, потому что во многих домах обед в обыкновенные дни сервировался в три часа».

---

[1] Булгарин Ф.В. Иван Иванович Выжигин. — В кн.: Сочинения. — М., 1990, с. 240.

Комедия «Горе от ума» на сцене Московского Драматического театра (Ф. А. Корша). Фототипия. 80-е гг. XIX в.

Комедия «Горе от ума» на сцене Московского Драматического театра (Ф. А. Корша). Фототипия. 80-е гг. XIX в.

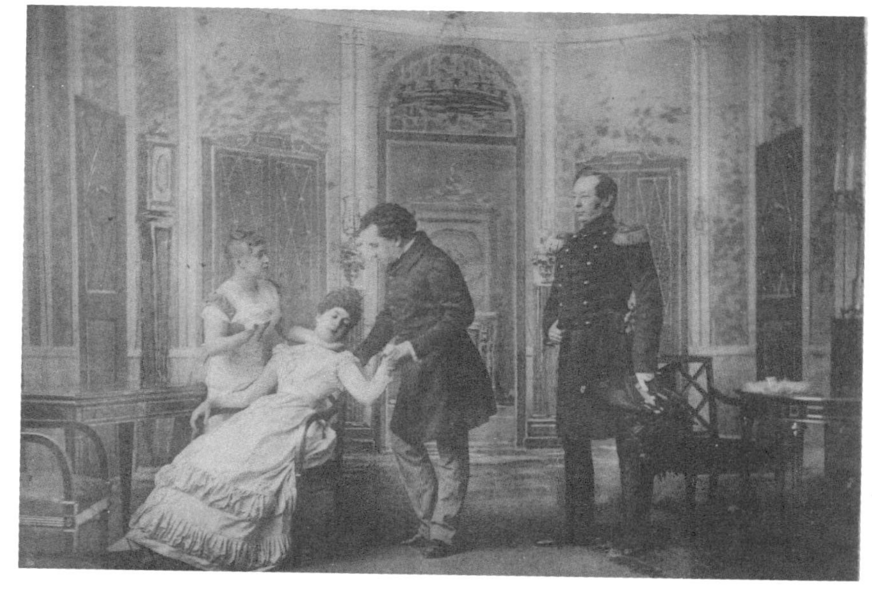

Комедия «Горе от ума» на сцене Московского Драматического театра (Ф. А. Корша). Фототипия. 80-е гг. XIX в.

Комедия «Горе́ от ума» на сцене Московского Драматического театра (Ф. А. Корша). Фототипия. 80-е гг. XIX в.

Комедия «Горе от ума» на сцене Московского Драматического театра (Ф. А. Корша). Фототипия. 80-е гг. XIX в.

Комедия «Горе от ума» на сцене Московского Драматического театра (Ф. А. Корша). Фототипия. 80-е гг. XIX в.

Комедия «Горе от ума» на сцене Московского Драматического театра (Ф. А. Корша). Фототипия. 80-е гг. XIX в.

*Комедия «Ревизор» на сцене
Малого театра.
Фотография. Конец XIX в.*

*Опера «Евгений Онегин» на сцене Мариинского театра.
Н. Н. Фигнер в роли Ленского.
Фотография. Конец XIX в.*

Опера «Пиковая дама» на сцене Мариинского театра. Фотография. Конец XIX в.

Опера «Пиковая дама» на сцене Мариинского театра. Фотография. Конец XIX в.

Д. Н. Кардовский. Иллюстрация к комедии А. С. Грибоедова «Горе от ума». 1912

П. П. Соколов. Иллюстрация к роману А. С. Пушкина «Евгений Онегин». 1855–1860-е гг.

*Иллюстрация к роману А. С. Пушкина «Евгений Онегин».
Гравюра Е. И. Гейтмана с оригинала А. В. Нотбека. 1828*

Иллюстрация к роману А. С. Пушкина «Евгений Онегин». Гравюра М. А. Иванова с оригинала А. В. Нотбека. 1828

Хвощинский. Сцена у рояля.
Стекло, тушь. 1834

Интересную подробность сообщает в «Автобиографических записках» Е.Ф. Фон-Брадке: если гость являлся с визитом пешком, а не в экипаже, «тогда в передней прислуга не подымалась с места, и вы сами должны снимать с себя верхнее платье. Мужчина еще мог ездить в открытом экипаже в две лошади, но даму непременно должна была везти четверня».

«Публичных экипажей или омнибусов не было ни одного, — отмечает О.А. Пржецлавский, — наемные кареты были в малом числе и до крайности неисправные и грязные. Самый обыкновенный локомотив составляли некрытые дрожки, прозванные гитарами, на которые надо было садиться верхом, как на лошадь, и где возница сидел у вас почти на коленах. Зато высший и средний классы щеголяли экипажами и лошадьми. Только доктора, купцы и мелкая буржуазия ездили на паре, — все что было аристократия или претендовало на аристократию, ездило в каретах и колясках четвернею, цугом, с форейтором».

Светский, или «интимный», визит требовал оплаты ответным визитом. Особы преклонных лет были вправе не отдавать визита младшим; начальники не отдавали визита подчиненным, а дамы — мужчинам. В Новый год, Рождество, Пасху, именины, после свадьбы являлись с поздравительными визитами.

После свадьбы молодые обязаны нанести визиты своим знакомым и родственникам. Для новобрачных они были нелегким испытанием. «Ради соблюдения стародавнего глупейшего московского этикета, коего придерживалась моя теща, — вспоминает М.Д. Бутурлин, — на следующий день нашей женитьбы посадили нас, молодых, в карету, в которой мы целые три дня объезжали с визитами всех возможных и невозможных тетушек, дядюшек, кузенов и кузин до теряющейся в генеалогических архивах степени родства, а затем всех с обеих (т. е. супружеских сторон) <...>. О, как я проклинал этот варварский обычай и как завидовал англичанам, у которых новобрачная чета по выходе из церкви уезжает вдвоем куда-нибудь на несколько дней и сразу взаимно свыкается».

В.И. Сафонович тоже без особой радости вспоминает визиты после свадьбы: «Через несколько дней мы потащились с визитами. У нас обоих было множество знакомых. Сколько я не хлопотал о том, чтоб не распространять знакомств, а ограничиться небольшим кругом людей, приятных и необходимых, но должен был уступить просьбам новых моих родных и жены, чтоб не обидеть того или другого. Меня убеждали тем, что после ответного визита можно вновь не ездить к тем лицам, с которыми не желаешь продолжать знакомства».

Обязательными были и визиты по случаю приезда. «Хотя родитель мой и терпеть не мог выездов и визитов, — читаем в воспоминаниях Н.Г. Левшина, — но тут надобно было объездить всех родных и знакомых, по существующему обычаю, что кто на житье в Москву (приехал), обязан первый все визиты сделать, отдохнув несколько от путешествия. На Святках и к Новому году покатились из нашего дома две кареты, и как у нас много родных, то все улицы объездили».

Перед отъездом являлись к родным и знакомым с прощальными визитами. «Марья Ивановна с дочерьми, Сашей и Катей, должна была лето провести в Карлсбаде, а на зиму перебраться в Вену <...>, — пишет о М.И. Римской-Корсаковой М. Гершензон в книге «Грибоедовская Москва». — Выбраться из Москвы надолго было для Марьи Ивановны, при ее обширном знакомстве, не шуточное дело: надо было проститься со всеми, чтобы никого не обидеть. В четверг в 6 часов дня Марья Ивановна села в карету и пустилась по визитам, с реестром в руке; в этот день она сделала 11 визитов, в пятницу до обеда — 10, после обеда — 32, в субботу — 10, всего 63, а «кровных с десяток, — пишет она после этого, — остались на закуску». А два дня спустя начались ответные визиты: в одно послеобеда перебывали у нее кн. Голицына, Шаховская, Татищева, Гагарин, Николева. На нее напал страх: «ну, если всей сотне вздумается со мной прощаться!» — и приказала отвечать, что ее дома нет».

«Неутомительна в исправлении визитов», по словам П.А. Вяземского, была и графиня Марья Григорьевна Разумовская. «Рассказывали в городе, что у нее была соперница по этой части, и когда кучера той или другой съезжались где-нибудь, то они, один пред другим, высчитывали и хвастались, сколько в течение утра сделали они визитов с своими барынями».

«Для изъявления участия» делали визиты к больным. «Однажды отец мой как-то заболел в одно время с Дмитриевым, — рассказывает И.А. Арсеньев, — и, не имея возможности выехать, послал меня и брата с гувернером к Ивану Ивановичу, чтобы узнать о его здоровье. Дмитриев принял нас очень ласково, подарил нам по экземпляру своих басен, напоил шоколадом и на прощанье, передавая нам по фунту конфект, очень благодарил за доставленное ему удовольствие нашим визитом. Недели две спустя, находясь в классной комнате, выходящей окнами во двор, мы увидели въезжавшую карету, запряженную четверкою цугом, подъезжающую к малому нашему подъезду. Это был Иван Иванович Дмитриев, который приехал отдать нам, 12-тилетним детям, визит. Отец, войдя в это время в нашу комнату и увидя Дмитриева, очень смеялся над его церемонностью, но тот чрезвычайно серьезно сказал ему: «Не смейся, друг мой, что я отдаю визит твоим детям; я раб приличий и советую юношам придерживаться всегда тех же правил».»

Заболевшие хозяин или хозяйка дома были вправе не принимать гостей. Если швейцар отказывал визитеру в приеме, не объясняя причин, это означало, что отказывают от дома вообще.

«Если вам объявят, что хозяина нет дома, то хотя

бы вы и были убеждены в противном, отнюдь не должно подавать вида, что вы знаете, что он дома, и не настаивать, чтобы вас впустили...»

Однажды в подобной ситуации оказался шведский посланник при русском дворе барон Пальмшерна. Играя в карты в доме графини Гурьевой «при постоянно дурных картах и по проигрыше нескольких робертов виста, он поэтически воскликнул, во всеуслышание: «Да этот дом был наверно построен на кладбище бешеных собак!» Можно представить себе действие подобного лирического порыва на салонных слушателей. В другой раз заезжает он к той же графине Гурьевой с визитом. Швейцар докладывает ему, что графиня очень извиняется, но принять его не может, потому что нездорова. Между тем, несколько карет стояло у подъезда. Пальменштерн[1] отправляется в Английский клуб, а оттуда в разные знакомые дома и всюду разглашает, что графиня Гурьева больна и, вероятно, опасно больна, потому что у нее консилиум докторов, которых кареты видел он перед домом ее. Весть разнеслась по городу. Со всех сторон съезжаются к подъезду наведаться о здоровье графини, пишут ей и приближенным ее записочки с тем же вопросом. Половина города лично или посланными перебывала у нее в течение суток. Графиня понять не может, каким образом и совершенно напрасно подняла она такую тревогу в городе. Наконец, узнали, что это была отплата Пальменштерна за отказ принять его».

Если даже хозяин или хозяйка дома не принимали лично гостей, их знакомые, родные обязаны были являться с визитами, чтобы справиться о здоровье больного или больной.

Интересное свидетельство содержится в письме А.Я. Булгакова к его брату: «У Настасьи Дм. Офроси-

---

[1] Правильнее — Пальмшерна.

мовой был удар на этих днях, а она все не теряет военной дисциплины в доме: велит детям около себя дежурить по ночам и записывать исправно и ей рапортовать по вечерам, кто сам приезжал, а кто только присылал спрашивать о ее здоровье».

«Родственным визитам» придавалось особое значение. «В те годы весьма строго следили за соблюдением выражений чувств уважения, любви и почтения не только к родителям, но даже и к дальним родственникам, — читаем в воспоминаниях В.Н. Карпова «Харьковская старина». — Забыть поздравить с именинами крестную мать или крестного отца, не прийти во время отъезда кого-либо из них проводить их с пожеланием благополучного пути, в воскресенье, перед началом великого поста, не прийти к крестному отцу и матери *«проститься»* на великий пост, обменявшись хлебом-солью, — считалось верхом невежества».

А вот еще одно свидетельство: «В те годы родственные связи были крепче теперешних, — пишет Н.В. Давыдов, — и младшее поколение обязательно являлось на поклон к старшим родственникам. Помню, что в большие праздники обязательно было являться с поздравлением не только к дедушке (grand onele) князю Сергею Петровичу Оболенскому, но и ко всем родным и двоюродным дядям и теткам, а их имелось у меня именно в Москве очень много (припоминаю двенадцать безусловно обязательных родственных визитов) и, бывало, жестоко прозябнешь в Рождество и Новый год, делая визиты...»

По словам П.А. Вяземского, «в Москве <...> долго патриархально и свято сохранялись родственные связи, и соблюдалось родственное чинопочитание. Разумеется, во всех странах, во всех городах есть и бабушки, и дядюшки, и троюродные тетушки, и внучатые братья и сестры; но везде эти дядюшки и тетушки более или менее имена нарицательные, в одной Москве уцелело их существенное значение. Это не умозрительные числа, а плоть и кровь. Уж если тетушка, то настоящая тетушка; уж если дядя, то дядя с ног до головы; племянник, за версту его узнаешь. Круг родства не ограничивается ближайшими родственниками; В Москве родство простирается до едва заметных отростков, уж не до десятой, а разве до двадцатой воды на киселе. <...> В тридцатых годах приехал в Москву один барин, уже за несколько лет из нее выехавший. На вечеринке он встречается нечаянно с одним из многочисленных дядюшек своих. Тот, обиженный, что племянник еще не был у него с визитом, начинает длинную нотацию и рацею против ослабления семейных связей и упадка семейной дисциплины. Племянник кидается ему на шею и говорит: «Ах, дядюшка, как я рад видеть вас. А мне сказали, что вы уже давно умерли». Дядюшка был несколько суеверен и не рад был, что накликал на себя такое приветствие».

Об обычае принимать визиты соболезнования сообщает в письме англичанка Марта Вильмот: «Надо рассказать об одном здешнем обычае, меня возмутившем. Две недели назад княгине, как и всей московской знати, принесли траурное извещение с сообщением о смерти господина Небольсина. Текст был окаймлен черепами, скрещенными костями и прочими эмблемами смерти. На следующий день пол-Москвы, мужчины и женщины, побывали у несчастной госпожи Небольсиной. Страдая от неподдельного горя, едва держась на ногах, она с 12 дня до 10 часов вечера должна была терпеть разговоры и взгляды каждого, кто пришел поглазеть на нее. По правде говоря, я была так удивлена и поражена, что многим задавала вопрос, почему они придерживаются столь жестокого обычая. Мне объяснили, что, если бы она не разослала извещения и не приняла бы визитеров, свет обвинил бы ее в неуважении к памяти мужа, в равнодушии, не поверил бы в искренность ее горя, она приобрела бы множество врагов, толки о скандале никогда бы не

Scènes de Pologne.

прекратились, и никто не стал бы ездить к ней в дом. Несколько дней назад я, совершенно чужой человек, сопровождая княгиню к Небольсиной, видела эту даму в состоянии, которое лучше всего можно определить как «торжественная скорбь». Убитая горем вдова лежала на софе, свет был затенен; все визитеры в глубоком трауре, разговоры шепотом etc. Когда мы с княгиней Дашковой подошли, Небольсина, поцеловав меня, выразила сожаление по поводу того, что несчастье лишает ее возможности оказать мне гостеприимство etc; в то же время она слушала посторонние разговоры и даже принимала в них участие. Подобной обстановки мне прежде никогда не приходилось видеть. После того что я рассказала, вы можете предположить, что печаль ее притворна, но это не так. Женщина, глубоко и тонко чувствующая, обожавшая своего мужа и бывшая с ним по-настоящему счастливой, она имеет все основания оплакивать супруга».

Приведем образец траурного визитного билета: «Действительный камергер князь Италийский граф Суворов-Рымникский с прискорбием духа сообщает о кончине родителя своего генералиссимуса князя Италийского графа Суворова-Рымникского, последовавшей сего мая 6-го дня во втором часу по полудни, и просит сего мая 12-го дня, в субботу, в 9 часов утра на вынос тела его и на погребение того же дня в Александро-Невский монастырь».

Таким образом, «визиты бывают нескольких родов: поздравительные, благодарственные, прощальные и, наконец, визиты для изъявления участия (visite de condoléance), правда, есть еще визиты для свидания и визиты деловые <...>.

Визиты поздравительные делаются: в новый год, на пасхе, в день именин или рожденья, после свадьбы молодым знакомыми и родственниками.

Визиты благодарственные: после бала, после званого обеда (visite de digestion), после свадьбы, молодыми своим знакомым и родственникам, после домашнего концерта или спектакля и т. п.

Визиты прощальные делаются перед отъездом отъезжающих.

Визиты для изъявления участия делаются больным и после похорон».

Обычай принимать визиты был подвластен моде. Во времена Екатерины II было модно принимать гостей во время одевания. В начале XIX века этого обычая придерживались пожилые дамы.

Не менее распространенным был заимствованный из Франции обычай принимать посетителей в спальне. «Возвратившись в Москву в первые годы текущего века, Дивовы продолжали держаться парижских модных привычек, — сообщает в записках М.Д. Бутурлин, — и, между прочим, принимали утренних посетителей, лежа на двуспальной кровати, и муж, и жена в высоких ночных чепцах с розовыми лентами и с блондами».

В.А. Соллогуб приводит следующий анекдот о хозяйке знаменитого салона в Петербурге Е.М. Хитрово: «Елисавета Михайловна поздно просыпалась, долго лежала в кровати и принимала избранных посетителей у себя в спальне; когда гость допускался к ней, то, поздоровавшись с хозяйкой, он, разумеется, намеревался сесть; госпожа Хитрова останавливала его: «Нет, не садитесь на то кресло, это Пушкина, — говорила она, — нет, не на диван — это место Жуковского, нет, не на этот стул — это стул Гоголя, — садитесь ко мне на кровать: это место для всех!..»

Русские вельможи принимали гостей, подражая французской знати.

В «Памятных записках» М.М. Евреинов рассказывает о своем визите к князю А.Б. Куракину: «Он тогда помещался в Морской улице, в доме Александра Львовича Нарышкина. <...> Подъезжая к его дому, вижу, что много уже собралось гостей. При входе в официантскую комнату один из официантов приближается ко мне и просит меня сказать ему, кто я, потом просит меня следовать за ним и возглашает мое имя, отчество и фамилию во услышание всем гостям, чтобы все могли узнать, как это водится в Париже. Продолжая передо мною идти, он приводил меня перед самого князя, все повторяя мое имя. Князь в это время играл, не помню с кем, в карты. Увидев меня, он поднимается с своих кресел, благодарит меня за честь, которую я ему доставил своим посещением и что ему весьма приятно меня у себя видеть».

«К сожалению, высший свет во всем пытается подражать французам. И хотя французские манеры сами по себе неплохи, все же это похоже на *обезьянничанье»*, — сообщает в письме К. Вильмот. Далее она рассказывает о том, как приветствуют друг друга дамы: «Вместо бывшего ранее в употреблении приветствия — величавого *взаимного поклона* — вас с восторженным видом целуют в обе щеки, механически бормочут, как рады с вами познакомиться etc». Дамские поцелуи в обе щеки — мода, пришедшая из Франции.

Однако неверно думать, что только французские манеры господствовали в дворянском обществе. Дамы, например, приветствовали мужчин по старинной русской традиции целованием в лоб или в щеку. «Приехавший мужчина после поклона хозяину отправлялся к его супруге и здесь, в гостиной, должен был подходить к ручке ко все дамам, начиная с хозяйки. Мужчина, целуя ручку, получал поцелуй в голову или щеку; и так продолжалось со всяким вновь приходящим. Сколько тут нужно было терпения с обеих сторон, но никто не решался нарушить этого гостиного правила». Некоторые аристократы могли позволить себе «крепко по-русски» пожать даме руку.

Теперь поговорим о том, как приветствовали старых родственников. И.А. Раевский, вспоминая свои детские годы, писал: «В Москве, где мы останавливались проездом, нас немного утешал большой двор нашего дома на Воздвиженке и горячие калачи, которые мы очень любили. Но что составляло истинное мучение, это визиты к старым родственникам, к которым нас водили на показ ради каких-то неизвестных замыслов. У этих дорогих родственников всегда были грязные руки и из носу тек табак. Матушка считала своим долгом нас, детей, им представлять. Тут мы должны были целовать неопрятные руки, покрытые дорогими перстнями, или щеку, пропитанную запахом нюхательного табака».

Молодые люди, вышедшие из детского возраста, чаще всего целовали старых родственников в плечо или руку. Примечательна история, рассказанная дочерью знаменитого Ю. Голицына, Е. Хвощинской: «Живши в Харькове, отец мой часто повесничал и прибавлял себе недоброжелателей даже между родственниками своей невесты, которым иногда позволял себе грубить, в виде шутки для себя и серьезной обиды для стариков. Дядя матери, генерал граф Сиверс не любил, чтобы его целовали в лицо, а «допускал молодежь к плечу и руке». Отец же усердно чмокал его в обе щеки...»

Немногим женщинам в то время казался неприличным обычай «подходить к руке» какой-нибудь знатной дамы. Об этом читаем в записках Ф.Ф. Вигеля: «Всего памятнее мне одна вельможная дама, которая почти каждый год посещала Киев и коей приезд приводил в движение, можно сказать, в волнение, весь дом наш. Это была графиня Браницкая, любимая племянница князя Потемкина и жена польского коронного гетмана. <...> По всем сим причинам знаки уважения, ей оказываемые, были преувеличены, и чтобы посудить об обычаях тогдашнего времени, чему ныне с трудом поверят, все почетнейшие дамы и даже генеральши подходили к ней к руке, а она умная, добрая и совсем не гордая женщина, без всякого затруднения и преспокойно ее подавала им. Мать моя смотрела на то без удивления, нимало не осуждала сего, но, вероятно, чувствуя все неприличие такого раболепства, сама от него воздерживалась».

Существовали и «индивидуальные» формы приветствий. Рассказывая о посещении дома своей двоюродной бабки Т.Б. Потемкиной, Е.Ю. Хвощинская отмечает: «Бабушка с той же ласковой улыбкой встретила нас и подвела к своему мужу, Александру Михайловичу, который также приветливо улыбнулся, что-то тихо сказал — я в смущении не расслышала — и подал мне руку. Впоследствии я узнала, что это знак особенного расположения, так как когда он бывал недоволен или равнодушен, то подавал два пальца, а когда совсем недоволен, то и один».

Большое значение придавалось визитному костюму. В журнале «Московский телеграф» регулярно сообщалось о новых визитных костюмах для мужчин и женщин. Неизменным же оставалось одно требование: костюм для визитов не должен быть излишне парадным для мужчин и чересчур нарядным для женщин. В подтверждение приведем диалог из романа прошлого века, события которого происходят в 30-е годы, и свидетельство Е.П. Яньковой.

«На другой день в час пополудни Летнев оделся во фрак и готовился идти к Лидии Александровне. В эту самую минуту к нему входит земляк, доктор.

— Здравствуйте, Летнев! — сказал он, протягивая ему руку. — Ба! Да вы во всей парадной форме! Куда это собрались вы так рано?

— С визитом к одной даме.

— Зачем же так парадно, во фраке?

— Да как же иначе: с визитом и к даме.

— В Париже простые утренние визиты делают в сюртуках; фрак же надевают, отправляясь на обед или на вечер».

«Благочестивая и добрая была женщина Елизавета Николаевна, но не имевшая ни малейшего понятия о столичных обычаях, а спросить-то, верно, не хотела, что ли, или не умела, но только все как-то делала по-своему, а не по-нашему, как было вообще принято. Так, например, приедет осенью в Москву, разрядит свою дочь в бальное платье, очень дорогое, хорошее и богатое, и в бриллиантах, в жемчугах возит девочку с собою и делает визиты поутру. Очень бывало мне жаль бедняжки, что мать по простоте своей и по незнанию, что принято, так ее конфузит...»

О посещениях[1]

Цель посещений — сблизить людей и установить между ними дружественнейшие сношения, нежели те, которые родятся от временных взаимных выгод или дел.

Посещения бывают двадцати родов: церемонные, тягостные и от нечего делать; каждое имеет особенный свой порядок.

Визит платится всегда с точностью.

Отправляясь для делания визитов, припомните себе о домашних занятиях того, кого намереваетесь посетить. Для церемонного приезжайте в такое время, когда дела требуют беспрестанного его занятия; для дружеского же, напротив: избирайте время, когда он свободен, и вам будут рады.

Войти без докладу невежливо. Когда не найдете слуги в передней, то постучите тихонько в дверь и потерпите несколько минут отпирать, пока не услышите из комнаты приглашения: средством сим избегают иногда затруднительного положения.

---

[1] Правила светского обхождения о вежливости. – М., 1829, с. 38 – 43.

Когда посетивший вас говорит о погоде или спрашивает, что нового в ведомостях, то вынимайте часы ваши как можно чаще с беспокойством. Ничего нет драгоценнее времени, написано в Латынском алфавите; а посетитель такой похищает оное.

Тон и разговоры должны согласоваться с обстоятельствами, для которых учинено посещение. Есть люди, которые, посетив для утешения в несчастии, рассказывают о созвездии медведицы, о Турецком Паше; негодуют о убийствах, случающихся на улице Saint-Denis; в посещениях же по делам рассказывают о положении родильницы, предсказывают падение Министра и тому самому должностному, у которого ищут покровительства.

Поздравительные визиты чем короче, тем лучше.

Предложить руку посетившей вас даме — вежливость весьма приятная: проводите ее до кареты.

Сделавшего вам визит проводите до дверей передней, не запирая и держа оную в руке, следуйте за гостем вашим глазами до тех пор, пока, оборотясь, не простится он с вами. Вежливость сия несколько беспокойна особенно зимою; но должно ей следовать.

Несколько затруднительно, когда из многих посещений, сделанных в одно время, кто-нибудь из посетителей отъезжает: в случае сем следует тотчас сделать умственное сравнение между отношением, которое имеют к вам остающиеся в гостиной и отъезжающий, и по заключению сему провожать или остаться.

Визиты после бала, обеда или концерта платятся через неделю; отсрочка оных соображается с мерою удовольствия, которым наслаждались у Амфитриона.

Возвратившемуся с дороги другу делают первый визит.

О поздравительных визитах на новый год не знаем мы никаких правил; вообще побуждаются они большею или меньшею пользою.

Изъявление желаний на новом годе следует согласовать с сердечными чувствами и с состоянием кошелька...

О приветствиях[1]

Приветствие обнаруживает познание светского обращения.

Есть множество разного рода приветствий, они должны сообразовываться с лицем, к которому относитесь; почтительное приветствие, дружеское, учтивое, благосклонное или коротко знакомое.

Мода, занятая от соседей наших, живущих за морем, начинает вводиться у нас в Париже; мы объясним ее как единственную утонченную вежливость, которой они следуют (il est dandy). Разгильдяевато, встретясь с женщиной в другом каком месте, кроме гостиной, не поклониться ей, ожидая, пока не подаст какого-нибудь знака, что заметила вас.

На поклон отвечается всегда тем же; явное требование, которое выполнить должно.

После поклона, когда вступите в разговор с старшим или с благородною женщиною, следует стоять с обнаженной головой до тех пор, пока, по крайней мере, пригласят один раз накрыться.

Дамы приветствуют знакомых склонением головы, друзей же движением руки, счастлив тот,

---

[1] Правила светского обхождения о вежливости. – М., 1829, с. 32 – 35.

которого вместо всех церемонных обрядов встречают приятным взглядом.

Приветствия должностным людям должны различаться по уважениям к ним, независимо от правил вежливости, и по мере гибкости шеи того, кто вам кланяется. Есть, однако же, правило без исключения: просителю множество поклонов то же, что отказ; почтенные предки наши называли то придворными пустыми обещаниями.

Люди, вышедшие из низкого состояния, невежи, дворянчики, занимающие места, кланяются только высокомерно; человек, умеющий себя ценить, отвечает на первый поклон тою же вежливостью, повторяемого же не замечает.

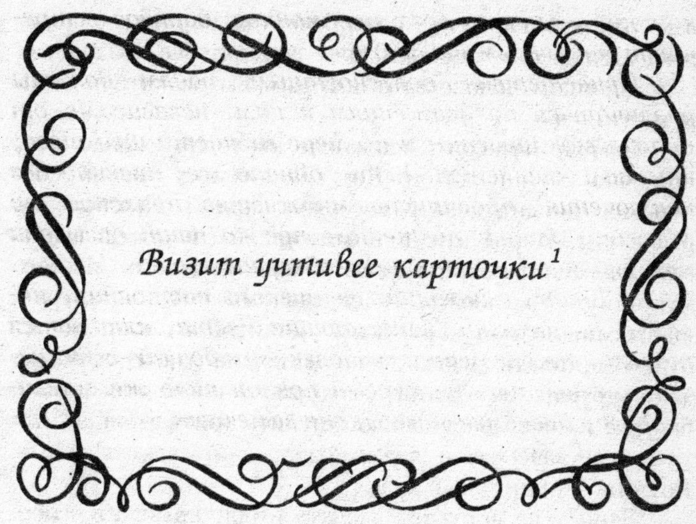

Визит учтивее карточки[1]

Широкое распространение визитные карточки получили в Европе в конце 80-х годов XVIII века. Вскоре они вошли в моду и в России. Отпала необходимость объезжать с визитами всех родственников и знакомых, достаточно было вручить швейцару карточку, или визитный билет, как тогда говорили.

«В Новый год и на Святой, — рассказывает современник, — самый большой расход визитным карточкам. Лакеи на извозчиках, верхом и пешком рыскают по всему городу. Москва так велика, что эта развозка билетов бывает иногда весьма затруднительна и тягостна <...>. Впрочем, разносчики билетов находят средство облегчать свои труды: у них есть сборные места, главные из них в Охотном ряду; там они сличают свои списки и меняются визитными карточками. Разумеется, это не всегда бывает без ошибок. Иногда

[1] Модный магазин. — 1876, № 36, с. 288.

вам отдадут карточку какого-нибудь барина, с которым вы вовсе не знакомы или заставят вас поздравить с праздником человека, с которым вы не хотели бы и встретиться».

О моде развозить визитные карточки ходило в ту пору немало анекдотов. Вот один из них: «Одна московская барыня делала все свои визиты обыкновенно раз в год. Перед этими визитами ей случилось выписать себе из деревни нового лакея, взрослого, видного мужчину. «Мы поедем, — сказала она ему, — завтра с визитами, возьми карточки и оставляй их там, где не будем заставать хозяев дома». Поехали назавтра. Ездят день, другой, на третий, в одном из последних домов, барыня приказывает лакею оставить три карточки. «Да у меня осталась всего-навсего одна, — отвечает лакей. — Вот она — винновый туз».»

Этикет не допускал «делать вторично визит особе, которую не застали».

«Если не принимают, то должно оставить карточку, загнуть у ней угол, это значит, что она привезена лично, а у начальников расписываются, если они не принимают, на особом, для этого приготовленном, листе». В каждом доме была визитерная книга, куда швейцар записывал имена посетителей на тот случай, если визитер не оставлял карточку. И здесь не обходилось без курьезов.

«Надобно хотя немного познакомить читателя с Бенкендорфом, о котором ходило много рассказов по поводу его забывчивости. Граф Бенкендорф жил в Большой Морской, в той же улице остановился французский посланник дома через четыре. Граф пошел пешком отдать визит посланнику, но его не было дома, — читаем в «Записках» Э.И. Стогова. — Граф хотел отдать визитную карточку, но не нашел ее в кармане. Тогда граф говорит швейцару: «Запиши меня, ты меня знаешь?» Швейцар был новый, отвечал: «Не могу знать, как прикажете записать?» Граф вспоминал, вспоминал и никак не мог вспомнить своей фамилии. Досадуя на себя, пошел домой, обещая прислать карточку. По дороге встретил его граф Орлов и, сидя на дрожках, закричал: «Граф Бенкендорф!» Последний обрадовался, будто что-то нашел, махнул рукой Орлову и, повторяя про себя «граф Бенкендорф», вернулся к посланнику и записался. Этот анекдот повторял весь Питер, и знал о нем государь».

Следующий анекдот сообщает П.А. Вяземский: «Когда Карамзин был назначен историографом, он отправился к кому-то с визитом и сказал слуге: «Если меня не примут, то запиши меня. Когда слуга возвратился и сказал, что хозяина дома нет, Карамзин спросил его: «А записал ли ты меня?» — «Записал». — «Что же ты записал?» — «Карамзин, граф истории».»

Форма карточки зависела от моды. «Карточки в начале XIX века были цветные, тисненые, с гирляндами, каймами, с рисунками — амуры и цветы, нимфы, даже просто герб владельца. Но с 20 — 30-х годов визитные карточки стали делать простые белые «лакированные» без всяких украшений».

«В нашей столице столько разнообразия, столько оригиналов, столько предрассудков; будь лишь охота, а за материалами дело не станет, — пишет автор рассказа «Визитные билеты», помещенного в одном из номеров «Дамского журнала» за 1827 год. — Едва успел я написать сии строки, как вдруг приятель мой Р... входит ко мне. После обыкновенных приветствий он рассказал мне кучу городских новостей, сочиняемых <...> праздными пересказчиками. «Поедем со мною в типографию, — сказал приятель мой, — мне нужно к празднику заказать себе сотню визитных билетов, и ты поможешь мне выбрать, которые получше». Я согласился, и мы поехали. Приехавши в типографию, нашли в ней множество народу; содержатель суетился, кланялся, кривился пред своими покупщиками, уверял, что его типография отличнейшая, что визитные билеты выписаны им прямо из Парижа; словом, употреблял все обыкновенные уловки и уверения модных торговок и торговцев.

Некто А.., чиновник 14 класса, заказывал себе новомодные билеты с гербами и был очень доволен, что содержатель типографии предложил к его гербу прибавить княжескую мантию, и за это смешное тщеславие согласился заплатить за 100 билетов 150 рублей. Титулярный советник И.., низенький ростом и душою, известный театральный рыцарь, также заказывал себе билеты. Это меня крайне удивило. «Пусть, — думал я, — наша *знать*, подражая иностранцам, рассылает визитные карточки к своим знакомым: этот обычай (впрочем, довольно странный) несколько извинителен между людьми *большого света*, но к чему сии *мелкие* сошки хотят также подражать знатным?

К кому, например, этот И.., пошлет билет? К начальнику не посмеет, знатные с ним не знакомы, а его братия, приказные, верно, не потребуют от него цветного лоскутка с его незначащим именем. Этот усатый герой, одетый по последним картинкам модного журнала, известный храбростию на словах и трусостию в делах, для чего заказывает билеты? Известно всем и каждому, что вход в порядочные домы ему воспрещен; уже ли он тратит 15 руб. пред каждым праздником для того, чтобы другие думали, будто бы и он имеет знакомых с тоном?

Но пусть отставные гоняются за модой — им извинительно. Кто же в силах описать мое удивление, когда я увидел доктора философии, заказывающего себе билеты, вероятно, для того, чтобы иметь удовольствие видеть свое имя напечатанным. O tempora! O mores!..[1] Но мало ли странных людей на свете: иные посылают визитные билеты к таким особам, которые о

---

[1] О времена! О, нравы! *(лат.)*.

них отроду не слыхивали, с тем только намерением, чтобы и их имя валялось в числе других на столике вельможи; есть и такие чудаки, которые платят швейцарам и камердинерам в знатных домах деньги за то, чтобы они доставляли им билеты, присланные к их господам от разных лиц, желая заткнуть сии несомненные доказательства блестящих знакомств у себя за зеркало и тем показать своим не блестящим знакомцам, будто бы имеют связи с людьми большого света.

Но нет худа без добра. Изобретение визитных билетов освобождает от тягостной обязанности ездить самому с поздравлениями и за пустую сумму избавляет от многих неприятностей...»

Однако строгие ревнители хорошего тона с предубеждением относились к «обычаю напоминать о себе визитными карточками».

Да и в «Правилах светского обхождения о вежливости» сказано: «Развозку визитных билетов считаем мы за самое простонародное обыкновение».

Визитные билеты[1]

Обычай напоминать о себе в большие праздники именными визитными карточками давно существует в Петербурге. Московские жители долго сохраняли свое на этот случай приличие: лично объезжать с поздравлением в торжественные дни всех родственников и людей случайных; это приличие с населением отдаленных частей Москвы почти что вывелось. Небольшие его неудобства заключались в следующем: в новый год, например,

---

[1] Муханов П. А. Сочинения, письма. – Иркутск, 1991, с. 141 – 143.

всякий благовоспитанный человек обязывался поздравить свою тетушку на Разгуляе (у кого бы их и не было, то в Москве сыщутся), от нее по дороге желать нового счастья какому-нибудь внучатому дяде на Ордынке; побывать у полдюжины рассказчиц-старушек, у которых итог годов равняется числу дней високосного года: такое внимание к сим прародительницам необходимо, ибо они составляют репутацию молодых людей в свете; крестят, женят, хоронят, жалуют чинами и лентами кого рассудят, и все это, не сходя с софы, за гран-пасьянсом. Да и живут все по соседству: одна на Покровке, две в Кудрине и остальные за Калужскими воротами.

Сначала развозили визитные билеты в Москве ливрейные лакеи, которые обыкновенно посылались в карете; они со всею важностью исполняли поручение своих господ по регистру. Тут целые коллекции пожилых дам, подобно стае птиц, испуганных приближением стрелка, зашумели, заспорили и возражениями огласили общество: «Это ни на что не похоже: привезут холопа четверкою под окошко, и он выбросит карточку столбовой русской дворянке», — говорит старая бригадирша, поправляя свой ровесник, тюлевый чепец. «До чего мы дожили! Нет уважения ни к летам, ни к достоинству!» — продолжает жеманная чиновница десятого класса, рыцарша ломберного стола. «C'est affreux! C'est indigne!»[1] *— жалобно взывает молодая смиренница, привыкшая встречать и провожать своих угодников.*

Как бы то ни было, обряд рассылки визитных билетов принят в белокаменной столице, принят, говорю, теми, которые не любят каретной жиз-

---

[1] «Это ужасно! Это оскорбительно!» *(фр.)*

ни. Все граверы и литографы завалены работою: около рождества и святой недели это время у них и в типографиях, печатаются разноцветные билеты готическим, прописным и курсивным шрифтами. Современники моды и вкуса стараются один перед другим возвышать достоинство своих карточек; некоторые передают свои фамилии рукам швейцаров и темным ящикам, куда все почти билеты переходят серебряными и золотыми литерами. Сказывают, что один бесклассный дворянин, желая казаться интересным в публике, изобразил на визитном билете герб своих предков красками; другой, подражая иностранцам, которых честолюбие нередко исчисляют ученые общества на визитных билетах, поставил на своем: такой-то член Московского английского клуба. И, наконец, весьма достоверно, что некто, аккредитованный адвокат или забавник, на розовой карте, прописав весь свой титул и жительство, на обороте поместил следующее четверостишие:

Любя меня, ты сей билет
Запрешь в свою конторку
И в час, когда мне дела нет,
Зайдешь в мою каморку.

Ныне разносчики визитных билетов не так, как бывало, от знатных гостей ездят по Москве верхом, от не весьма богатых путешествуют по улицам, на собственной паре. Есть условленные места в городе, где эти посланники сходятся и размениваются билетами, чем они сокращают себе время ходьбы. Но от сего размена происходит иногда чувствительное зло: тут того и смотри, что какая-нибудь превосходительная, урожденная княжна или графиня с дочерью попадет к смотрителю тюремного замка на Бутырках.

Многим еще памятен следующий анекдот. Г-жа, назовем ее хоть Прокуратовой, уезжая ко всенощной в день Пасхи, говорит своей горничной девушке: «Возьми визитные карточки со стола в гостиной и отдай Семену, чтоб он их разнес, как сказано...»

Обрадованная служанка отбытием госпожи, спеша выпроводить старого аргуса, в ожидании тайного свидания схватила второпях вместо визитных билетов лежавшие с ними гадательные карточки, которые маленькая внучка Прокуратовой раскладывала накануне, и отдала слуге. Усердный Семен, не жалея ног, в два-три часа времени измерил Тверскую, Арбат и Остоженку. Все билеты разнесены, но каково было удивление их получивших? Даме почетной и уважаемой подают фальшивую женщину. На стол председателя кладут бестолкового волокиту. Ханжеством и злоречием приветствуют набожную тетку Прокуратовой, за минуту до того углубившуюся в чтение благочестия. Ложные вести досталися одной барыне, любившей их рассказывать. Печальная дорога — Степаниде Павловне Мотыльковой, которая только что свою дочь помолвила. Подозрительная кокетка явилась в будуар княжны Ф., и старые погудки на новый лад, грустная пословица для пожилых щеголих, очутилась подле шотландской табакерки самой княгини и т. д.

Г-жа Прокуратова скоро сведала о грубой ошибке; ее знакомые до сих пор не могут равнодушно вспомнить ее визитов. Уверяют, что с тех пор, как в Мосве это случилось, исчезли у конфетчиков прежде печатанные маленькие гадальные карты; они больше не продаются, но остались многим памятны по г-же Прокуратовой, которая до сих пор еще извиняется в обществе, особенно председатель никак не может ей простить неосторожного применения.

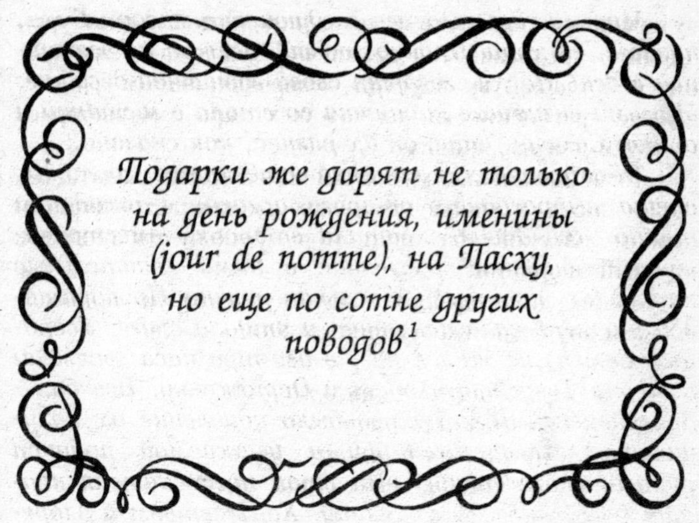

«У вас нет права выбора — дарить либо не дарить, по определенным дням вы вынуждены делать и получать подарки, в противном случае вы нарушите обычаи страны и нанесете всем оскорбление», — писала Кэтрин Вильмот. Щедрость русских дворян, их желание и умение делать подарки поражали многих иностранных путешественников. Не отличались скупостью и российские императоры, во дворцах которых целые комнаты отводились для подарков как иностранным гостям, так и своим подданным.

Обер-гофмейстрина Прусского двора, графиня Фосс, побывавшая в Петербурге в 1808 году, отмечает в своем дневнике: «Мы по-семейному обедали у Царицы-матери. Пред обедом я осматривала комнату, в которой для подарков находится целое собрание

---

[1] Письма сестер М. и К. Вильмот из России. — М., 1987, с. 256.

чудеснейших шуб. Одна, из великолепной чернобурой лисицы, предназначена нашей королеве; здесь же хранятся бриллианты, перстни, ожерелья, одним словом, всякие драгоценности, из которых царь сам выбирает подарки для избранных».

Если начальникам подчиненные могли делать подарки лишь в исключительных случаях, то царю и особам царской фамилии мог преподнести подарок каждый дворянин.

«Одна дама вышила подушку, которую поднесла Александру I при следующих стихах:

Российскому отцу
Вышила овцу,
Сих ради причин,
Чтобы мужу дали чин.

Резолюция министра Державина:

Российский отец
Не дает чинов за овец».

А вот еще один анекдот о подарке, преподнесенном царю его подданным: «Император Александр I желал иметь у себя попугая и получил его в подарок от Нарышкина, к которому часто и запросто хаживал некто Гавриков, младший директор заемного банка, которому хлебосольный хозяин всегда приказывал подавать пуншу, любимый напиток гостя. Однажды, пред Пасхой, докладчик явился к государю со списком награждаемых и при слове: «статскому советнику Гаврикову»...

«Гаврикову пуншу, Гаврикову пуншу!» — заорал смышленый попугай, и в наградных ведомостях государь собственноручно написал против награждаемого чиновника: «Гаврикову пуншу!».»

Автору этой книги посчастливилось в Российской

государственной библиотеке держать в руках сочинение Александры Зражевской «Картины дружеских связей», изданное в Санкт-Петербурге в 1839 году, с дарственной надписью: «Ея Императорскому Величеству Государыне Императрице Александре Феодоровне от сочинительницы всеподданейшее приношение»[1].

«Всеподданнейшие приношения» метроман Д.И. Хвостов писал регулярно. Каждый раз в конце посвящения он ставил подпись: «Вашего Императорского Величества Верноподданнейший Граф Дмитрий Хвостов».

В 1791 году был издан его перевод трагедии Расина «Андромаха»», который Хвостов посвятил Екатерине II. Второе издание в 1811 году было посвящено королеве Виртембергской Екатерине Павловне:

Я прежде посвящал Второй Екатерине
Расина славный труд; его исправя ныне,
Тебе я подношу, Екатерина, вновь...

Достойно внимания, что эти вирши заключены такой подписью: «Вашего королевского величества Всемилостивейшия Государыни Верноподданнейший Граф Дмитрий Хвостов».

Автор книги «Наши чудодеи» пишет: «Почтенный граф Дмитрий Иванович, бывший, как известно, сенатором, не знал по-видимому, что «верноподданным» следует подписываться только в письменных обращениях к своему царствующему Государю или Государыне, для всех же других особ царской фамилии существуют и приняты правилами и обычаями иные формы. В этом же случае, называя себя «верноподданным» королевы виртембергской, граф Хвостов нечаянно из русского подданного делался по собственному сознанию подданным виртембергским».

---

[1] Орфография сохранена.

О «съестных» подарках, посылаемых императору его подданными, речь пойдет в разделе «Культура застолья пушкинской поры».

В большой моде, свидетельствуют сестры Вильмот, были в начале века хозяйственные подарки: «<...> когда мы приехали, княгиня прислала пару серебряных подсвечников и восковых свечей впрок! Затем я ожидала получить в дар заступ или рашпер, но не угадала, так как на следующий день нам подарили по сковороде». «Когда кто-либо переезжает в другой дом, он получает от друзей и знакомых полезные вещи: что-нибудь из мебели, продовольствия и другие подарки, бриллианты, например».

Чаще других в мемуарной литературе упоминаются свадебные подарки.

«Жених привез мне жемчужные браслеты, потом дарил мне часы, веера, шаль турецкую, яхонтовый перстень, осыпанный бриллиантами, и множество разных других вещей», — вспоминает Е. П. Янькова радостное событие, состоявшееся в 90-е годы XVIII века.

В «Памятных записках» В.И. Алтуфьева имеется запись, датированная 1816 годом: «Я представил невесте моей подарки: перстень, шаль, ящик с дамскими приборами и другой с конфектами...»

«Первым приношением будущей моей жене, по традиционному тогдашнему обычаю, была турецкая белая шаль, стоившая что-то вроде 3 тысяч рублей, если не более», — писал М.Д. Бутурлин, который женился в 1834 году. Известно, что А.С. Пушкин также подарил своей невесте дорогую шаль. Таким образом, на протяжении полувека шаль была неизменным свадебным подарком.

Было не принято дарить невестам роскошные букеты цветов. Только в 20-е годы XIX века вошло в моду преподносить девицам и дамам изящные букеты цветов.

«Употребить цветы к тому, чтобы придать новую приятность вежливости (galanterie), более очаровательности воспоминаниям дружбы, вид, более привлекательный, дарам ума или сердца было обыкновением, столь достойным наших гостиных, что не могло не внушить какой-нибудь прекрасной выдумки при наступлении того времени, когда титул *подарков* часто приобретает значительность свою единственно от новых форм, под которыми они являются, — читаем в первом номере «Дамского журнала» за 1829 год. — Благодаря этой милой выдумке можно под видом самых простых цветов подарить на память самые драгоценные вещицы; тайна найти их скрывается гвоздичкою, маргариткою, миртовою веткою. Особа, которой они подносятся, без сомнения угадает тайну и улыбнется при старой философии, все еще желающей повторять, что очень часто колючий терн скрывается под цветущею розою».

В то время язык цветов был общеизвестен: мирт означал твердость духа, гвоздика — «утешение в мысли о свидании», терн — «зачем презрение?», роза (в зависимости от цвета) — «полное признание», «обещание счастья», «приветливость» и т. д.

Мода дарить даме цветы в театре распространилась в начале тридцатых годов. «Мода требует иметь в руке прекрасный букет цветов, сидя в спектакле; мода требует, чтобы мужчина поднес их; мода требует, чтобы дама приняла: и потому в антрактах беспрестанно отворяется дверь ложи и молодая цветочница кладет в ней букет, не объявляя, кем он прислан. Надобно угадывать воображению, а может быть, и сердцу».

С сороковых годов, как пишет П.Н. Столпянский, «воцарились цветочные подношения на нашей сцене, конечно, подносили цветы не только на спектаклях, но и на концертах. Это была, как выражались в то время, «награда милая, грациозная, нежная».

Но с течением времени подношение цветами из награды «милой, грациозной, нежной» обратилось в невероятное увлечение, и наиболее яркое воспоминание об этом увлечении петербуржцев цветами оставил граф В.А. Соллогуб в своем водевиле «Букеты, или Петербургское цветобесие», шедшем с успехом в сезон 1845 — 1846 годов».

Даже самый невинный подарок, врученный даме «посторонним» мужчиной (не состоящим с ней в родстве) мог бросить тень на ее репутацию. Забавную историю рассказывает в своих воспоминаниях В.В. Селиванов:

«В Ярославле батюшка завел знакомство с лучшими домами в городе и везде был принят отлично. В числе его знакомых была одна молодая вдова Ш., хорошенькая собою, которая принимала батюшку особенно внимательно.

В то же время ухаживал за нею, и даже был влюблен в нее, один значительный господин, но фамилию его я забыл, и потому она для истории погибла.

Господин этот, назовем его хоть N., вздумал привезти в подарок г-же Ш. клюквы, которую она очень любила и которой, вследствие неурожая, было мало.

Вот он... но лучше я расскажу об этом событии словами батюшки:

— Приехал я к Ш. на Рождество поздравить ее с праздником и когда сидел я с нею и сестрою ее в гостиной, приехал и N. Думая, что никого посторонних нет, он с своим подарком входит прямо, без доклада, в гостиную, но, увидав меня и смешавшись несколько, не решился отдать его сейчас. Раскланявшись и поздравивши хозяек, он сел, а сам, держа на коленях свою шляпу, прикрывал ею привезенный мешочек. Разговор не клеился, я умышленно молчал, хозяйки тоже; а гость, хотя видимо было ему неловко, сидел упорно в ожидании, что я уеду прежде него.

Время шло, мерзлая клюква в мешочке стала отходить и, наконец, красные капли начали падать на пол. «Ай, ай! смотрите! — вскричала хозяйка. — Что это такое? кровь! откуда это кровь?»

— Нет-с, это ничего-с, это... это клюква.

— Какая клюква? Кровь! ай, ай! девка, скорее подотри!.. Вы окровавили мой пол, — обратилась она к гостю.

Сестра ее вторила ей, производя суматоху и крича «кровь! кровь!», а я сидел и улыбался, а между тем и сам не понимал, что б это значило. N. растерялся окончательно. Не находя, что сказать, глухо бормочет, сует хозяйке мешочек, весь взмокший текущим из него красным соком... Та от него пятится, крича: «Ай, что вы, что вы за гадость привезли?! Вы меня запачкали», и несчастный N. с своею клюквою бежит, не простившись, вон и уезжает, «несолоно хлебав», добавлял всегда при этом рассказе батюшка».

Аристократическое общество осуждало распространившуюся моду на роскошные подарки, которые делали «посторонние» мужчины любимым дамам. В своих воспоминаниях Ф. Булгарин рассказывает о «чиновнике, который послал любимой им женщине <...> полные столовый и чайный сервизы, в несколько дюжин, обвернув посуду в сторублевые ассигнации!!! Подобных примеров было тогда много, хотя в разных видах. Эта безвкусная роскошь, оскорбляющая высокое чувство и приличия, роскошь, пахнущая татарщиной, была тогда в моде между чиновниками и купцами».

Случалось, что и светские дамы теряли бдительность и принимали от «посторонних» мужчин ценные подарки: «<...> светские дамы дома и даже на званых вечерах занимались тем, что распускали золотое шитье поношенных мундиров и кафтанов, отделяя чистое золото от шелка, на котором оно было обвито, и это золото потом обменивали в магазинах на другой товар. Мужчины, ухаживающие за молодыми дамами, пользовались этой модой, чтоб делать им иногда очень ценные подарки, которые легкомысленные красавицы принимали без зазрения совести», — сообщает в своих воспоминаниях Е.И. Раевская.

Девушкам позволялось дарить молодым людям «небольшие произведения карандаша или иглы, собственной их работы». Чаще всего это были вышитые бисером кошельки, вставки для бумажников, чехлы для карточных мелков и т.д. «Недавно подарила я ему своей работы кошелек, и он сказал, что будет носить его вечно», — писала в дневнике Анна Оленина.

Подаренный девушкой носовой платок с вышитыми инициалами был самым ценным подарком для влюбленного молодого человека. Этот подарок говорил о многом. Забавный анекдот об А.И. Тургеневе рассказывает в «Старой записной книжке» П.А. Вяземский: «<...> когда он ухаживал за одною барышнею в Москве, в знак страсти своей похитил он носовой платок ее. Чрез несколько дней, опомнившись и опасаясь, что это изъявление может показаться слишком обязательным, он возвратил платок, проговоря с чувством два стиха из французского водевиля, который был тогда в большом ходу в Москве:

Il troublerait ma vie entiere,
Reprenez le, reprenez le».[1]

Во время посещения харьковского института благородных девиц в 1842 году император Николай I, подыгрывая молодым воздыхательницам, дарит на память девушкам, как свидетельствует мемуарист, два своих носовых платка. «Девицы подхватили этот драгоценный подарок, от которого чрез несколько минут остались мелкие клочки».

Броши и кольца, сплетенные из волос, также были заверением любви и дружбы. «Хотите ли мне сделать весьма приятный подарок? Закажите мне кольцо

---

[1] Он осложнит мне жизнь,
Возьмите его, возьмите его *(фр.)*.

из ваших волос, всех трех, с волосами покойной сестры, вы этим меня очень одолжите», — писал К.Н. Батюшков своей родственнице.

«В знак дружбы я подарила Анне Семеновне брошь в оправе из своих волос», — сообщала в письме Марта Вильмот.

Распространены были и «знаки дружбы в виде перьев, перевитых разноцветными шелками с серебряными и золотыми ниточками, колечек из конских волос и бисера».

Бисерные вышивки дарили и друзьям, и родственникам. «В одной частной коллекции в настоящее время хранится уникальный стол карельской березы с прекрасной бисерной вышивкой на круглой столешнице около 1 м в диаметре. Вышивка представляет собой античную сцену, окруженную великолепной цветочной гирляндой. На вышивке имеется дата 1831 г. и инициалы К. С. З. При реставрации внутри стола было найдено письмо, написанное вышивальщицей: «Вышила сей стол для брата, друга и благодетеля моего Павла Александровича Межакова. Начала 1824 года декабря 18 дня в с. Никольском, кончила 1831 года февраля 20 дня в Петербурге. Княгиня Софья Засекина, урожденная Межакова, и прошу оный стол хранить и отдавать всегда старшему сыну как памятник братской дружбы и трудолюбия».[1]

В дни рождений мужчины нередко получали «бисерные подарки» от своих жен. Например, гоголевскому Манилову «ко дню рождения приготовляемы были сюрпризы: какой-нибудь бисерный чехольчик на зубочистку».

Жены делали мужьям не только «материальные» подарки. В 1790 году княгиня Варвара Васильевна Голицына посвятила своему мужу, выдающемуся генералу екатерининского века, С.Ф. Голицыну свой пере-

---

[1] Юрова Е.С. Старинные русские работы из бисера. — М., 1995, с. 12.

вод французского романа «Заблуждения от любви». Изданная книга сопровождалась дарственной надписью: «Прими сей труд, дражайший супруг, как новой знак любви, которую я к тебе ощущаю...»

О том, какими подарками супруг может порадовать свою «дражайшую половину», читаем в опубликованном в «Дамском журнале» за 1833 год «Наставлении сыну в день брака»: «Не отказывай жене в ее невинных желаниях; доставляй ей приличные удовольствия, сколько можешь. Захочет ли нового платья, чепчика, шали, соглашайся без ропота. Я никогда не отказывал твоей матери ни в каком подобном желании; и что значат неважные издержки на новый наряд, часто необходимый, на ложу в театре, на билет в концерт?..»

Согласитесь, в наше время немногие мужчины утруждают себя покупкой разнообразных нарядов для своих жен, да и женщины предпочитают самостоятельно выбирать себе одежду в магазинах. Не так было в начале прошлого века. «Жене Гагарин привез целую лавку, — сообщает в 1814 году москвичка М.А. Волкова в письме к своей подруге, — и сравнительно с здешними ценами он купил все просто задаром. Кстати, скажу тебе, что все мы носим лишь наряды, привезенные из Вены, Франкфурта, Лейпцига, вообще из-за границы. Не шутя, здесь постоянно получаются громадные посылки с нарядами, т. к. у всех в Москве есть родственники в армии».

«Самый незначительный подарок, сделанный родителями детям, — свидетельствует Я.И. де Санглен, — принимался с живейшим чувством. Помню, как в день рождения, отец подарил сыну, гвардии капитану 25 рубл. асс., и он принял оные с непритворным чувством благодарности. Не дорог подарок, говорили тогда, а дорого родительское внимание».

Маленьким детям родители дарили игрушки. «Подарков в то время дети получали много и от родителей, и от родных и друзей дома, но дары эти и игрушки были гораздо примитивнее, проще и дешевле теперешних», — читаем в воспоминаниях Н.В. Давыдова. «При этом кстати замечу, — пишет В.В. Селиванов, — что в деле игрушек, как в художественном отношении, так и в изобретательности их производства, в продолжение последних 50 лет, усовершенствования не последовало: как тогдашние, так и теперешние игрушки все такие же: не лучше и не хуже. Эта отрасль промышленности у нас в России как будто оцепенела».

«Родители должны сильно заботиться о том, чтобы приучать детей сдерживать в себе знаки неудовольствия или смущения при получении подарка, который не осуществляет их надежды; но приучить их к этому можно не тогда, когда им будет сказано, что сдержанность их должна быть минутною, и позволять им, по уходе особы, жаловаться на нее. Они должны им внушать, что дети обязаны показывать удовольствие, если даже подарок им и не нравится, потому что уж и то много значит, что им дарят, и что тут главное не даримая вещь, а мысль и действие.

Для этого надо, конечно, чтобы сами родители не показывали дурного примера и умели бы, если они не имели счастья получить хорошего воспитания, подавлять свои дурные побуждения и исправляться от них. Понятно, что это трудно, но не невозможно, и чего же нельзя сделать для блага своих детей».

О подарках[1]

Небольшие подарки поддерживают дружбу. Между друзьями подарки должны быть недоро-

[1] Правила светского обхождения о вежливости. – М., 1829, с. 71— 73.

гие. Ежели они и драгоценны, то работа должна составлять цену, а не состав, из которого сделаны.

Начальников дарят только одного рода подарками: корзинами, в которых носится дичь.

Очень приятно получить подарок от женщины; но в какой бы степени ни была дружба между вами, даже родство, придется, однако же, поломать голову, пока не решится, чем отдариться. Женщинам не следовало бы никогда дарить других чем-нибудь, кроме небольших произведений карандаша или иглы, собственной их работы.

Особенно подарки на новый год, должны быть с большим вкусом <...>.

В чем бы ни состоял подарок вам поднесенный, если б он был и поема Баура, экземпляр о казенных приходах и расходах, или трагедия Амадея Тиссота, примите оный с удовольствием; благодарность ваша не должна иметь и тени принужденности.

Подарки для детей не требуют больших выдумок: новая игрушка или конфеты Бертелемота или Померели всего для них приятнее.

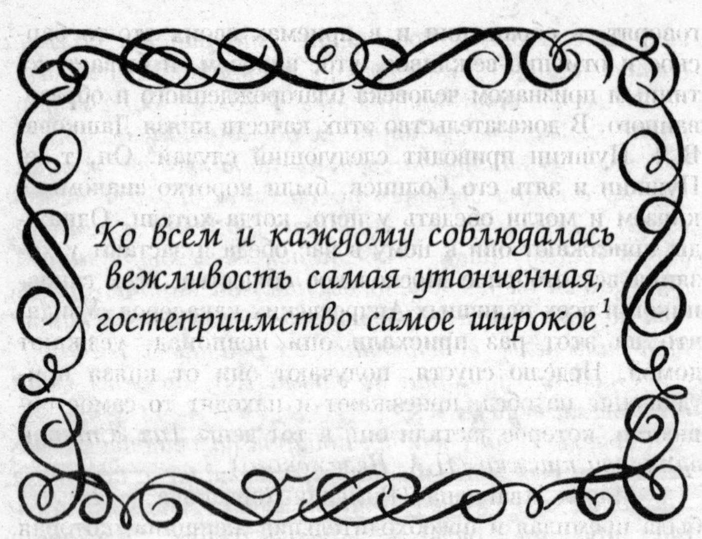

Мемуарная литература оставила нам целый ряд портретов знатных хозяев и хозяек, которые умели «занять одинаково всех и не забывать никого, без различия положения и возраста». Приведем наиболее колоритные из них.

«Кому тогда в России не известны были наследственные веселость духа, ум, острота и любезность Нарышкиных? <...> Особенно, говорят, был примечателен Лев Александрович <...>. Александр Львович был уже гораздо разборчивее, а еще более сыновья его.

Но и он сохранял еще в себе тип прежнего вельможества. Он не знал, что такое неучтивость, со всеми, с кем имел дело, не только был ласков, даже фамильярен, без малейшего, однако же, урона своего достоинства» (*из «Записок» Ф.Ф. Вигеля*).

«Князь Дашков, сын знаменитой матери, имел,

---

[1] Воспоминания графа В.А. Соллогуба. — Спб., 1887, с. 124.

говорят, в обращении и в приемах своих что-то барское и отменно-вежливое, что, впрочем, и бывает истинным признаком человека благорожденного и образованного. В доказательство этих качеств князя Дашкова, В.Л. Пушкин приводит следующий случай. Он, т. е. Пушкин и зять его Солнцев, были коротко знакомы с князем и могли обедать у него, когда хотели. Однажды приезжают они к нему в час обеда и застают у хозяина все отборное Московское общество, всех сановников и всех наличных Андреевских кавалеров. Увидя, что на этот раз приехали они невпопад, уезжают домой. Неделю спустя, получают они от князя приглашение на обед, приезжают и находят то самое общество, которое застали они в тот день» (*из «Старой записной книжки» П.А. Вяземского*).

«Марья Ивановна (Римская-Корсакова — *Е. Л.*) была премилая и преобходительная женщина, которая всех умела обласкать и приветить, так вот в душу и влезет, совсем тебя заполонит. Она имела очень хорошее, большое состояние и получала немало доходов, да только уж очень размашисто жила и потому была всегда в долгу и у каретника, и у того, и у сего. Вот придет время расплаты, явится к ней каретник, она так его примет, усадит с собой чай пить, обласкает, заговорит — у того язык не шевельнется не то что попросить уплаты, напомнить посовеститься. Так ни с чем от нее и отправится, хотя и без денег, но довольный приемом» (*из «Рассказов бабушки» Д. Благово*).

«Я должен сказать, что редко кого в жизни так горячо любил, как графа Михаила Юрьевича Виельгорского <...>. В их доме приемы разделялись на две совершенно по себе различные стороны. Приемы графини Луизы Карловны отличались самой изысканной светскостью и соединяли в ее роскошных покоях цвет придворного и большого света; у графа же Михаила Юрьевича раза два, три в неделю собирались не только известные писатели, музыканты и живописцы, но также и актеры, и начинающие карьеру газетчики (что в те времена было нелегкой задачей), и даже просто всякого рода неизвестные людишки, которыми Виельгорский как истый барин никогда не брезгал. <...> Часто Виельгорский на короткое время покидал своих гостей, уезжал во дворец или на какой-нибудь прием одного из посланников или министров, но скоро возвращался, снимал свой мундир, звезды, с особенным удовольствием облекался в бархатный, довольно потертый сюртук и принимался играть на биллиарде с каким-нибудь затрапезным Самсоновым» (*из «Воспоминаний графа В. А. Соллогуба»).*

«Граф Лев Кириллович (Разумовский — *Е. Л.*) был истинный барин в полном и настоящем значении этого слова: добродушно и утонченно вежливый, любил он давать блестящие праздники, чтобы угощать и веселить других» (*из «Старой записной книжки» П.А. Вяземского).*

«Весь внешний образ отца был крайне изящен и соответствовал, как нельзя более, его прекрасной душе. В манерах его была та врожденная, спокойная уверенность, не допускающая возможности каким-нибудь внешним действием унизить свое достоинство, та благосклонная обходительность, дающая человеку возможность найтись во всякой среде, всегда поставить себя на уровень с теми людьми, с которыми приходится сталкиваться, те, никогда, ни в какой обстановке не изменяющие себе вежливость и деликатность, так ярко выраженные французскими словами «courtoisie» и «urbanité», все то неуловимое и тонкое, что составляет плод воспитания нескольких поколений. Я от многих слышала, что в отце моем было что-то влекущее к себе, и что «увидеть его — значит полюбить».» (*из «Воспоминаний» Е.Ф. Юнге*).

«Пушкин (Александр Сергеевич — *Е. Л.*), правда, был очень ласков и вежлив со всеми <...> но эта утонченная вежливость была, быть может, признаком закоренелого аристократизма» (*из «Литературных воспоминаний» И.И. Панаева*).

Почти все мемуаристы подчеркивают, что вежливость — это признак человека «благорожденного», «плод воспитания нескольких поколений». При этом не следовало опускаться до фамильярности, которая унижала достоинство дворянина. Примечательна история, рассказанная Е.Ю. Хвощинской, дочерью князя Ю. Голицына: «Отец не был горд — ни в душе, ни по мыслям, — но всегда сохранял свое достоинство и был настоящим дворянином и князем. Принимая однажды у себя, как губернский предводитель дворянства, по каким-то делам, нескольких купцов и воронежского разбогатевшего откупщика Кр...ва, который, думая, что с богатством он приобрел все на свете, не дождавшись, что князь Голицын протянет ему руку, сам первый подал ему свою, — тогда отец мой живо нашелся: вынул из кармана портмонэ и вместо руки своей вложил ему, в протянутую руку, рублевую бумажку».

«Для хорошего приему гостей надобно иметь отличный вкус, тонкость, много опытности в светском обращении, большое равенство в характере, спокойствие и услужливость», — читаем в «Правилах светского обхождения о вежливости».

Забавны анекдоты о хозяевах, изо всех сил желающих прослыть любезными и приятными, которые сообщает в «Старой записной книжке» П.А. Вяземский.

«Галкин, добрый, но весьма простой человек, желает прослыть приятным хозяином — и для того самым странным образом угощает гостей своих. Например, не умея с ними разговаривать, он наблюдает за каждым их движением: примечает ли, что один из присутствующих желал бы кашлянуть, но не смеет, опасаясь помешать поющей тут даме, — и тотчас начинает, хотя и принужденно, кашлять громко и долго, дабы подать собою пример; видит ли, что некто, уронив шляпу, очень от того покраснел, и тотчас сам роняет стол; потом подходит с торжественным видом к тому человека, для которого испугал все общество стукотнею, и говорит ему: «Видите ли, что со мною случилась еще бо́льшая беда?» Но часто он ошибается в своих наблюдениях. Например, вчерашний вечер, когда мы все сидели в кружке, он вздумал, не знаю почему, что мне хочется встать, и тут же отодвинул стул свой; но видя, что я не встаю, садился и вставал по крайней мере двадцать раз, и все понапрасну. И я нынче услышал от одного моего приятеля, что он, говоря обо мне, сказал: «Он добрый малый; но, сказать между нами, уж слишком скромен и стыдлив».»

«Дмитриев — беспощадный подглядатай (почему не вывести этого слова из соглядатай?) и ловец всего смешного. Своими заметками делится он охотно с приятелями. Строгая физиономия его придает особое выражение и, так сказать, пряность малейшим чертам мастерского рассказа его. Однажды заехал он к больному и любезному нашему Василию Львовичу Пушкину. У него застал он провинциала. Разговор со мною, говорит он, обратился, разумеется, на литературу. Провинциал молчал. Пушкин, совестясь, что гость его остается как бы забытый, вдруг выпучил глаза на него и спрашивает: «А почем теперь овес?» Тут же обернулся он ко мне и, глядя на меня, хотел как будто сказать: не правда ли, что я находчив и, как хозяин, умею приноровить к каждому речь свою?»

«Карамзин рассказывал, что кто-то из мало знакомых ему людей позвал его к себе обедать. Он явился на приглашение. Хозяин и хозяйка приняли его очень вежливо и почтительно и тотчас же сами вышли из комнаты, где оставили его одного. В комнате на столе лежало несколько книг. Спустя 10 минут или 1/4 часа, являются хозяева, приходят и просят его в столовую. Удивленный таким приемом Карамзин спрашивает их, зачем они оставили его? «Помилуйте, мы знаем, что вы любите заниматься и не хотели помешать вам в чтении, нарочно приготовили для вас несколько книг».»

В мемуарной литературе встречается немало примеров крайне деликатного отношения хозяев к гостям.

«Чувство деликатности в отношениях с людьми развито было у Туркула в высшей степени, — рассказывает О.А. Пржецлавский о статс-секретаре Царства Польского, Игнатии Туркуле. — В тридцатых годах жил в Петербурге граф Фредро, бывший гвардейский офицер, имевший какое-то придворное звание, женатый на графине Головиной. Он часто заезжал по утрам к Туркулу в канцелярию, в доме Мижуева, у Симеоновского моста. В одно утро, когда, побеседовав, граф простился и уходил, Туркул, как вежливый хозяин, провожал. Отворяя дверь в переднюю, начались церемонии; гость не пускал далее Туркула и, вошедши в переднюю, сильно захлопнул за собою дверь, но как провожавший держался за нее, то прищемил ему конец указательного пальца правой руки и буквально раздавил его. Несмотря на жестокую боль, Туркул имел настолько самообладания, что не испустил ни малейшего крика, и граф уехал, не знавши, что наделал своими церемониями. Тут же, еще весь дрожащий от боли, Туркул взял со всех нас обещание, что никто ничего Фредру не скажет. Палец страшно разболелся, вся рука распухла; послали за Арндтом, а государь, узнав о случившемся, прислал лейб-хирурга Тарасова. Больной, с рукою, вздернутой кверху в компрессах, мучился невыразимо; он семеро суток пролежал без сна, не мог сделать ни малейшего движения. Наконец, Арндт, признав, что время пришло, не предупредив больного и делая вид, будто осматривает палец, взял его в руки и одним разом оторвал поврежденный конечный сустав. Туркул скоро выздоровел. С тех пор он носил искусственный конец пальца, привязанный к руке, мог свободно писать, но должен был отказаться от одного из любимых своих развлечений, игры на фортепьяно. Для Фредра он выдумал какую-то сказку, хотя рассказывал, что во время болезни вид графа был для него страшною пыткою; он потрясал всю нервную систему и усиливал страдания. А тот, как бы нарочно, считал своим долгом навещать больного каждый день, просиживать целые часы и развлекать его нескончаемыми разговорами. И Туркул ни разу не решился отказать ему, не показал ни малейшим знаком, как тяжелы для него эти визиты, и с приятною миною поддерживал беседу и благодарил за посещение. Он это делал, боясь, чтобы Фредро не догадался. Граф так и умер, не подозревая, что он причинил приятелю такую муку».

О деликатном отношении хозяев к гостю, который нарушил все правила светского приличия, рассказывает А.М. Фадеев:

«В Екатеринославе он (А.С. Пушкин — *Е. Л.*) конечно, познакомился с губернатором Шемиотом, который однажды пригласил его на обед. Приглашены были и другие лица, дамы, в числе их моя жена. Я сам находился в разъездах. Это происходило летом, в самую жаркую пору. Собрались гости, явился Пушкин, с первых же минут своего появления привел все общество в большое замешательство необыкновенной эксцентричностью своего костюма: он был в кисейных панталонах! В кисейных, легких, прозрачных панталонах, без всякого исподнего белья. Жена губернатора, г-жа Шемиот, рожденная княжна Гедрович, старая приятельница матери моей жены, чрезвычайно близорукая, одна не замечала этой странности. Здесь же присутствовали три дочери ее, молодые девушки. Жена моя потихоньку посоветовала ей удалить барышень из гостиной, объяснив необходимость этого удаления. Г-жа Шемиот, не доверяя ей, не допуская возможности такого неприличия, уверяла, что у Пушкина просто летние панталоны бланжевого, телесного цвета; наконец, вооружившись лорнетом, она удостоверилась в горькой истине и немедленно выпроводила дочерей из комнаты. Тем и ограничилась вся демонстрация, хотя все были возмущены и сконфужены, но старались сделать вид, будто ничего не замечают. Хозяева промолчали, и Пушкину его проделка сошла благополучно».

Хозяева должны сохранять невозмутимость, если даже они сердиты на гостя. «Есть люди, которые не умеют скрыть своего неудовольствия и даже иногда делают выговор своему гостю, если он сломает ножку стула, разобьет стакан и т. п., доказывая этим свою скупость и неумение жить в свете, они поступают против правил общежития и приличия».

«Про одного знатока людей рассказывают нижеследующий анекдот: он любил узнавать характер дома и в особенности выдержанность хозяйки и делал это следующим путем: он с намерением проливал красное вино, но если эффект был недостаточно силен, то он приступал к более сильным мерам, он обыкновенно прокалывал салфетку вилкой и при этом испытании большинство хозяек теряло присутствие духа и должное хладнокровие по отношению к виновнику».

Подобным образом вел себя «порядочно устарелый, обрюзгший» С.А. Соболевский, в молодости близкий друг А.С. Пушкина. Н. Берг рассказывает о посещении им салона Е. Ростопчиной. «Он резко отделялся от всего, что у ней собиралось из молодежи, манерою говорить обо всем небрежно, презрительно, с какою-то вечною ядовитою усмешкою; так же небрежно и презрительно разваливаться в креслах (как никто из гостей Ростопчиной не разваливался); однажды он даже так развалился, что сломал ручку кресла, которая упала на пол, и при этом сказал самодовольным тоном: «Какая еще сила! Не могу сесть на кресла, чтобы их не сломать!».»

Графиня Ростопчина, по всей видимости, была невозмутима, раз о ее реакции мемуарист не обмолвился ни единым словом.

Хозяева должны терпеть присутствие нежеланного

или «засидевшегося» гостя, никоим образом не показывая своего недовольства.

«Бенкендорф (отец графа Александра Христофоровича) был очень рассеян, — рассказывает П.А. Вяземский. — <...> Однажды он был у кого-то на бале. Бал довольно поздно окончился, гости разъехались. Остались друг перед другом только хозяин и Бенкендорф. Разговор шел плохо: тому и другому хотелось отдохнуть и спать. Хозяин, видя, что гость его не уезжает, предлагает, не пойти ли им в кабинет. Бенкендорф, поморщившись, отвечает: «Пожалуй, пойдем». В кабинете было им не легче. Бенкендорф, по своему положению в обществе, пользовался большим уважением. Хозяину нельзя же было объяснить напрямик, что пора бы ему ехать домой. Прошло еще несколько времени, наконец, хозяин решился сказать: «Может быть, экипаж ваш еще не приехал, не прикажете ли, я велю заложить вам свою карету». — «Как вашу карету? Да я хотел предложить вам свою». Дело объяснилось тем, что Бенкендорф вообразил, что он у себя дома и сердился на хозяина, который у него так долго засиделся».

В одном из номеров журнала «Русский Архив» за 1909 год опубликована заметка, в которой идет речь о «старинных способах выпроваживания гостей, когда они засиживались»:

«В Москве граф Орлов-Чесменский вставал во весь свой исполинский рост, ему подавали роговую трубу и он громко произносил «heraus»[1]. Любопытно, что гости не обижались этим. <...>

В Москве же, у Старого Пимена, в одно просвещенное семейство съезжалось помногу гостей; когда беседа затягивалась, хозяйка вынимала свои искусственные зубы и клала их пред собою на стол, что служило знаком к разъезду.

[1] Вон! *(нем.)*

В Петербурге слуга незаметно вносил в гостиную клетку с попугаем, который обучен был словам: «Спать пора, спать пора!».»

«Обряд прощания» исполнялся не всегда. Из многолюдных собраний гость уходил незаметно, не ставя хозяев в известность об уходе. В обществе это называлось «уйти по-французски». Но не все хозяева приветствовали этот обычай, особенно в провинции.

Д.Н. Свербеев вспоминает свое пребывание в Симбирске: «Однажды, не то в Рождество, не то в Новый год, я, усталый от длинного обеда, пошел было, не исполнив обряда прощанья, потому что должен был воротиться туда же на вечер, но посланный за мною слуга воротил меня с дороги, и, получив от деда замечание: «Ты, любезный, уходишь от гостей по-французски, да еще от деда; это у нас не водится», я должен был опять совершить всецелование».

Другому правилу следовали хозяева и немногочисленные гости: «Если один из гостей встает и прощается, хозяин, равно как и другой гость, также должны встать и проститься с ним; хозяин провожает его до двери комнаты и возвращается занимать оставшихся; но когда нет других гостей и хозяин никого не должен занимать, то он провожает до передней и даже до сеней, смотря по уважению, которое он хочет оказать своему гостю».

О взаимном соотношении гостя и хозяина[1]

Предлагай гостю своему то, что можешь с вежливостью, от искреннего сердца и с веселым лицом. Угощая чужого человека или друга, старай-

[1] Книгге А. Об обращении с людьми. Ч. 2. – Спб., 1830, с. 214 – 215.

ся менее показать блеска, нежели порядка и радушия; путешественников в особенности можно привязать к себе дружелюбным приемом. Они ищут не безнадежного, богатого стола, а входа в хорошие домы и случая получить сведения о предметах, к плану их путешествия принадлежащих. Посему гостеприимство против чужеземцев весьма одобрительно.

Не смущайся приходом нечаянных гостей. Ничто не может быть неприятнее и несноснее, как видеть, что угощающий нас делает то неохотно и только из вежливости, или что он тратится притом сверх своего состояния; также, если он беспрестанно шепчется с своею женой или со служителями; бранится, если что-нибудь не так сделано; если он сам должен о всем хлопотать и потому не может разделять удовольствия своих гостей; если он и угощает охотно, но хозяйка считает каждый кусок, взятый гостями; если кушанья будет недостаточно, так что невозможно всех удовольствовать; если хозяева неотступно нас потчуют, особливо так, будто хотят сказать: «Берите, все, что есть тут, для вас; пресыщайтесь на долгое время, чтобы не нужно вам было скоро опять прийти», наконец, если мы должны быть свидетелями семейственных раздоров и беспорядков.

Одним словом: есть образ гостеприимства, дающий простому угощению несравненное преимущество над великолепными пирами. Искусство обращаться много к тому способствует, и потому надобно знать искусство занимать гостя только приятными вещами, а в большом обществе заводить только такие разговоры, в которых все с удовольствием могут участвовать и показать себя с выгодной стороны. Робкого должно ободрять,

Красностовъ 10 Сентября 1838.

печального развеселить. Всякому надобно дать случай поговорить о чем-либо приятном для него.

Общежительность и знание людей должны служить в том руководством. Надобно ко всему быть внимательным, все видеть, все слышать, не показывая ни малейшего принуждения или напряжения, ниже вида, будто угощаем из вежливости, чтоб показать, что умеем жить, а не от чистого сердца. Не приглашай в одно время, не сажай за один стол людей, которые друг друга не знают, может быть, ненавидят, друг друга не понимают или взаимно наводят себе скуку. Но все подобные угождения должно оказывать таким образом, чтоб, доставляя гостю удовольствие, не налагали на него принуждения. Если слуга по ошибке пригласит не того человека или не в надлежащий день, то приглашенный не должен приметить, что пришел нечаянно, или по крайней мере, что посещение его приводит нас в замешательство или нам в тягость.

Иные бывают веселы и веселят других только в многочисленных обществах; другие, напротив, блистают и бывают на своем месте только тогда, когда приглашены одни или в малый семейный круг, все это надобно замечать. Всякий, долгое ли или короткое время находящийся в твоем доме, хотя бы он был твой величайший враг, должен быть охраняем тобою от всяких преследований и оскорблений со стороны других. Всякий должен иметь у тебя полную свободу, как бы в собственном своем доме; предоставь его самому себе; не ходи по пятам его, когда он желает быть один; не требуй от него, чтоб он занимал тебя за то, что ты его поишь и кормишь; наконец, не уменьшай ласковости и хлебосольства, если друг твой останется у тебя долее твоего чаяния, и с первого дня не делай ему лучшего угощения как такое, какое и впоследствии продолжать можешь.

Взаимно и гость обязан соображаться с хозяином. Старинная пословица говорит: «Рыбу и гостя не больше трех дней можно держать в доме без порчи». Правило сие имеет исключение; но то в нем очень справедливо, что никогда не должно навязываться, а иметь довольно рассудительности, чтоб видеть, как долго присутствие наше может быть приятно и никому не отяготительно.

Не всегда можно иметь расположение и хозяйством своим распорядиться так, чтоб охотно принимать или долго удерживать у себя гостей. И потому надобно избегать, чтоб не приходить нечаянно или не называться самому к людям, не на большой ноге живущим. Обязанность наша есть, сколь можно менее отягощать человека, нас гостеприимствующего.

Если хозяину нужно говорить с кем-либо из своих домашних или он занят другим делом, то должно тихо удалиться, пока он все нужное окончит. Надобно также соображаться с принятыми в доме обыкновениями, с господствующим в семействе тоном, точно как бы мы сами к оному принадлежали; требовать мало прислуги, довольствоваться малым, не вмешиваться в хозяйство, не досаждать причудами, и если чего, по мнению нашему, в угощении недоставало или же что-либо в доме нам не понравилось, не насмехаться над тем стороною.

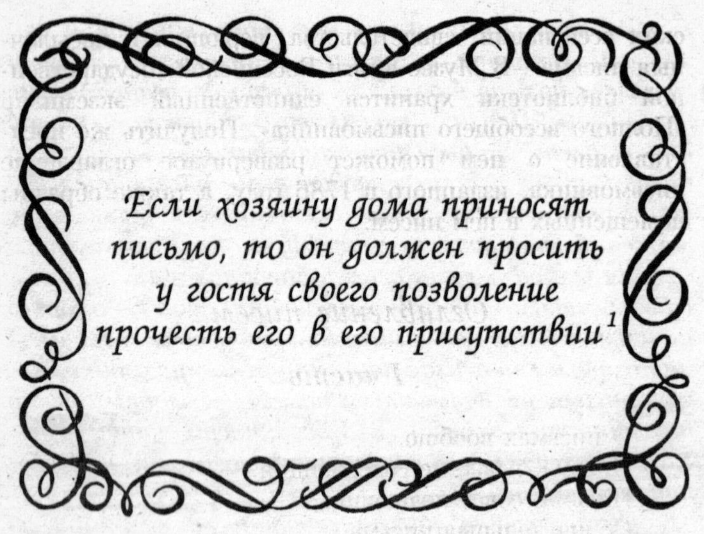

«Наставление, как сочинять и писать всякия письма к разным особам, с приобщением примеров из разных авторов» — так называлась популярная во второй половине XVIII века книга, которая была переиздана пять раз.

В 1793 году эта книга с незначительными дополнениями вышла в свет под названием «Полный всеобщий письмовник, или Подробное и ясное наставление, как сочинять и писать всякого рода письма, просительныя, жалобныя, одобрительныя, дружеския, увещательныя, нравоучительныя, с присовокуплением перевода некоторых писем знаменитых новых иностранных писателей, купеческия и вообще деловыя письма, контракты, одобрения, росписки, пропуски и письменной вид крепостным людям, формы купече-

[1] Соколов Д.Н. Светский человек, или Руководство к познанию правил общежития. — Спб., 1847, с. 109.

ских ассигнаций, свидетельства, верющия и посылочныя письма». В Музее книги Российской государственной библиотеки хранится единственный экземпляр «Полного всеобщего письмовника». Получить же представление о нем поможет развернутое оглавление письмовника, изданного в 1786 году, а также образцы помещенных в нем писем.

Оглавление писем[1]

I часть

О письмах вообще.
Письма, известие содержащия.
Письма, совет подающия.
Обличительныя письма.
Повелительныя письма.
Письма просительныя.
Письма препоручительныя, или рекомендации.
Письма, представляющия услугу.
Письма, жалобу содержащия.
Письма, выговор, или упрек, содержащия.
Письма извинительныя.
Письма содружества.
Письма посещения.
Письма поздравительныя.
Письма утешительныя.
Письма благодарительныя, или благодарственныя.
Издевочныя письма.
Смешанныя письма.
Письма ответныя.
Слог писем.
Благопристойность.

---

[1] Орфография сохранена.

Краткость.

Внятная речь.

Чистота.

Форма писем.

Речь.

Заключение.

Подпись.

Поздравление знатному господину на возведение его в чин.

Поздравление к приятелю с тем, что он произведен в не малой чин и что он выдал дочь свою за знатнаго и достойнаго человека.

Поздравление Канцлеру.

Поздравление к приятелю с награждением за его заслуги.

Поздравление великому Полководцу на взятье города.

Поздравление с получением чина.

Поздравление с получением какого благополучия.

Засвидетельствование благодарности милостивцу своему на первый день новаго года.

Рекомендация.

Прозьба о старании по делу.

Объявление о приезде своем в N.

Письмо к такому человеку, котораго только по одному слуху знаем.

Приветствие такому, котораго мы не видали, а принуждены с ним иметь дело.

Приветствие по начале знакомства.

Признание учтивости и благосклонности.

Напоминание и уверение дружества.

Признание дружбы.

Изъявление сожаления о безсилии своем, что не в состоянии оказать желаемой услуги.

Обещает писать повизны.

Желает добраго путешествия.

Поздравление с приездом в какой город или место.

Жаление об отлучке приятеля.

О том же, с представлением своей услуги, и учтивое отрицание благодарности за учиненныя услуги.

Сомнительство о получении письма.

Извинение, или оправдание, что не мог писать.

Оправдание, что не скоро ответствовал.

Извиняется, что не писал, дабы не обезпокоить.

Выговор приятелю в отлучке, что по обещанию своему не пишет.

Учтивыя пени, или жалоба, на неполучение ответа на письма.

Жалоба на долгое ожидание писем.

Другая жалоба на неполучение писем отсутственному приятелю.

Извинение, что в надлежаще время не ответствовал.

Почтительное письмо к знатной особе.

Письмо к Графу N для отвращения его, чтоб не подвергал себя опасности.

Прозьба к приятелю, чтоб исходатайствовал некоторую милость у Государя.

Увещевает, чтоб держался верно своего слова.

Увещание, чтоб вернее держать порученную тайну.

Благодарение приятелю за его учтивость и похвала знатному молодому человеку, каторой в смотрении у писателя сего письма.

Извинение о неприсылке ответа.

Зовет приятеля на вечеринку.

Зовет приятеля на имянины, благодаря за подарок.

Уверение благодарности, почтения и напоминания.

Благодарение знатной особе.

Благодарное письмецо за печатку.

Другое благодарение.

Благодарительное письмо.

От отца к сыну, находящемуся в отлучке, увещание к трудам и учению.

Благодарение за подарок.

Представление услуг.

Благодарение.

Прозьба о продолжении писменнаго обхождения.

Заочное прощание и прозьба о продолжении дружбы.

Извинение об отъезде не простяся.

Извинение без оправдания, что отъехал не простяся.

Выговор приятелю, что не простясь уехал.

Благодарность за благодеяние.

Другое благодарение.

Извинение, что не оказал благодарности за благодеяния, как хотелось.

Ответ на уведомление о неволе приятеля.

Извинение, что не писал давно.

Ответ на приятное писание и на оказание благодеяний.

Ответ на письмо и уведомление заезжему человеку, чтоб опасался обманов по приезде своем в какое место.

Прозьба к одной особе, которая нам доброхотствует, о продолжении писменной пересылки.

К больному человеку.

Утешение жене о кончине ея мужа.

Утешение во всякой печали.

Письмо к знатному человеку о смерти его сына.

Письмо к одной госпоже знатной о смерти ея дочери.

К одной госпоже, которая лишилась мужа.

Письмо к одному дворянину, котораго брат убит на войне.

Утешение находящемуся в полону.

К одной госпоже, которой брат убит на сражении.

Утешение больному приятелю.

Совет без требования едущему в чужие края.

Требование совета.

Прозьба денег у приятеля для употребления проигрыша.

Чаяние неверности.

Поздравление на брак приятеля.

Склоняет приятеля к женидьбе.

Склоняет приятеля жениться на непригожей.

Письмо увещевательное молодому дворянину, чтоб шел служить в армию.

О коммерции.

Почтение и дружба.

Выговор за поношение.

Письмо от такого человека, которой спрашивается, жениться ль ему, или нет?

Объявление любви.

Смятение любовниково об отсутствии любовницы.

Объявление любви.

Письмо от отверженнаго любовника.

II часть

Надобно всегда быть готову к смерти.

Весьма надобно беречь время.

Благодеяния фортуны опасныя.

Когда кто умирает, пожив благоразумно, тот жил довольно.

О поведении.

О призрении тела.

Нет прибыли жить, но порядочно жить похвально.

Неблагодарные не должны нам препятствовать делать благодеяния.

Каким образом должно наживать друга, и как с ним жить, ежели он найдется.

Не должно помышлять чтоб жить долго, но чтоб жить порядочно.

Надобно убегать своеправия.

Противу бесед и позорищ.

О мнениях простонародных.

Чтоб жить в покое, надобно убегать сияния и никому зла не делать.

Должно иметь вежливость как честному человеку.

Что называется красота и что называется приятность.

О несправедливости большей части жалоб.

Реляция, или известия.

Известие о Риме.

Известие о Гаге.

Известие об Амстердаме и каким образом там суд производится.

Известие о Брисселе.

Уведомление о произведении в чин.

Ответ благодарной.

Известие, что господин N чином пожалован.

Известие о нещастии приятеля.

Известие что N.N. вступает в супружество.

Письма просительныя.

Прозьба, чтоб защитить от ябедника.

К Воеводе о починке дорог.

К ГОСУДАРЫНЕ.

К госпоже N. просить, чтоб помогла благодарение принести господину N. за его одолжение.

Письмо к Господину N. просить иметь место в его сердце.

К госпоже N. ее уведомляет, что он желает от ней знаков благосклонности и милости.

К Его Сиятельству Графу N. просить, чтоб был к нему благосклонен.

От госпожи... к господину... она желает, чтоб он был при ней.

Письмо издевочное. От девицы N. к господину N... она просит, чтоб показал ей услугу.

N. просит продолжения благосклонности.

К госпоже N. ... N. Просит, чтоб не оставить его писанием.

К Президенту прозьба о вспоможении по делу.

Заступает за N. у знатнаго господина и просит, чтоб он его простил.

К господину N. просит покровителства его своему приятелю.

Благодарение от господина N.

К Его Светлости Герцогу Т. прозьба и одобрение о приятеле.

К господину N. прошение о одобрении в пользу своего приятеля.

К господину В. прозьба об одобрительном письме, или рекомендации в Англию.

Госпожа Г. просит господина К. в кумавья с собою.

От господина Б. к девице Г. просит ее быть с сим восприемницею.

К Господину Л. прошение, или позыв в гости в деревню.

К Господину П. прозьба о переписке между собою.

Всякие письма к разным особам

Поздравление к приятелю с тем, что он произведен в не малой чин и что он выдал дочь свою за знатнаго и достойнаго человека

Государь мой I. I.

Не вмените себе в досаду, что я медлил засвидетельствовать Вам, сколько я участия беру в благополучии Вашем. Причина медлению моему не леность моя была, но нещастие; потому что близ месяца одержавшая меня немощь писать к Вам не допущала, а чрез то лишила меня сего лучшаго моего удовольствия. И так изволите видеть, что извинение мое, прискорбное мне, весьма правильно. Хотяж болезни мои отняли у меня силу к Вам писать; однако не отняли они у меня воли желать Вам, государю моему, наивеличайшаго щастия. Все мои мысли и усердие стремятся к Вам, лю-

безному другу, и коль наипаче я Вам благоденствия желаю; не меньшеж радуюсь я и новому свойству Вашему, сколько и возвышению. Все, что Вы писали ко мне о N., я уже давно знаю, по достоинству его почитаю в нем более добродетельнаго человека, нежели знатнаго господина. Впрочем прошу поверить, что я с непременною моею искренностию всегда.

Ваш Государя моего и проч.

Поздравление с получением чина

Государь мой N.

Весть о произведении Вас в чин, котораго я Вам давно желал, столько мне принесла удовольствия и радости, что я едва некоторую часть оныя изобразить Вам могу; да и нет нужды Вас уверять в том должайшим изъяснением. Наша любовь докажет Вам лучше, нежели перо мое, когда Вы напомните, что я непременно,

Государь мой!
Ваш и проч.

Ответ

Государь мой N.

Правда, что я награжден таким чином, котораго добиваться несовершенства мои мне запрещали, и коим я управлять не надеюсь с таким успехом, какого люди чают от моего искусства; но хотя столь мало удача соответствовать будет взятому обо мне мнению, однако прошу поверить, что произвождение мое не переменит намерения моего в почтении моих приятелей, да и будет лучшее мое удовольствие во всем благоденствии моем, когда Вы себе служить прикажете, и подать Вам опыт моего к Вам усердия; потому что для меня более всей чести и всякаго знатнаго титула, когда я назваться могу,

Государь мой!
Ваш и проч.

Засвидетельствование благодарности милостивцу своему на первый день новаго года

М.Г.

На засвидетельствание благодарности моей посвящаю я Вам первой день сего новаго года. Желал бы принести Вам, М.Г., что нибудь существительнее слов одних, но Ваши ко мне милости столь велики, что я не могу в том исполнить моего намерения. Однакож, М.Г., всепокорнейше прошу сделать мне честь Вашими повелениями, чтоб я мог тщанием моим и точным наблюдением оных заслужить продолжение милостей Ваших. Ежелиж бы человеческия желания могли иметь свое действие, то льщу себя, чтоб я был несколько достоин покровительства Вашего; потому что непрестанно прошу Бога, чтоб столь же щедро наградил добродетели Ваши; и почитая Вас, М.Г., паче всех прочих с наичувствительнейшею благодарностию есмь и до конца жизни буду.

М.Г.
Ваш всепокорн.

Рекомендация

Г. мой!

Многие и знатные опыты дружбы Вашей подают мне надежду, что Вы ныне не лишите меня той же чести в оказании благосклонности Вашей к вручителю сего письма. Он дворянин, нарочитыми дарованиями владеющей; но для своего произведения имеет нужду при дворе в таком сильном предстателе, каков Ваше N. Чего ради покорнейше прошу Вас, Государя моего, принять его под Ваше покровительство. Он же имеет рекомендацию и от N.N. к Его светлости N., а оное и наипаче подает способ показать ему милость; что за чувствительное себе одолжение почтет.

Государь мой!
Ваш покорнейший и проч.

Письмо к такому человеку, котораго только по одному слуху знаем

Государь мой!

Почтение которое я имею к достойным особам, обязывает меня писать к Вам письмо сие, хотя я не имею чести знать Вас. Ваша слава столь известна, и я всякой день слышу столь много похвалы о Вас, что в совершенство удовольствия моего не довольно токмо одного слуха, естьли я не получу обхождения с Вами на письмах. Но пока обстоятельства запрещают обходиться самолично, не лишите меня сего утешения. Не взирайте на то, что я незнаком Вам, а разсуждайте, что я люблю добродетель, гдеб я ни нашел оную; и потому более всех в свете желаю быть.

Государь мой!
Ваш и проч.

Ответ

Государь мой!

Слава вещь весьма малая. Я удивляюсь, что человек такого достоинства, каково есть Ваше, ею уловлен. Естьли бы мне Ваша слава не столь точно была известна, тоб я почел Вас таким незнакомцем, под видом котораго Вы кроетесь, Вы даете почтение свое и одобрение только простой молве, а надлежалоб с великим основанием расточать оное. Однакож я приемлю, как и должно, честь писания Вашего, и ничего не упущу для наблюдения почтения, которое Вы ко мне имеете. Но зная малое свое достоинство, не смею удовольствоваться сею благосклонностию Вашею, чтоб обходиться с Вами на письмах, опасаясь, чтоб несовершенства мои не умалили в Вас взятаго обо мне мнения. Но естьли неотменно в том Ваше состоит угождение, то беру на себя сию должность, и не отчаяваюсь дополнить недостаток моим тщанием, усердным желанием к Вашим услугам и старанием о изъявлении во всех случаях, что я

Государь мой!
Ваш покорный

Приветствие по начале знакомства

Государь мой!

Честь знакомства и приязни Вашей столько мне удовольствия делают, что меня недостойным тому почесть должно, ежели не буду соответствовать оному моим усердием, и естьли не потщусь оказать Вам опытов моей искренности, в засвидетельствование которой пишу к Вам сие письмо, прося Вас о продолжении благосклонности Вашей, и уверяя, что ни время, ниже отдаление мест не пременит намерения моего, любить и почитать Вас, потому что нет для меня приятнее, как назваться

Государь мой!
Ваш.

Признание учтивости и благосклонности

Государь мой!

Я никогда об учтивости и благосклонности Вашей не сомневался, но о моем щастии, найду ли способ соответствовать Вам на оныя. Однакож прошу поверить, что я впредь употреблю все мое тщание к засвидетельствованию Вам моей чувствительной благодарности. А естьли, по нещастию моему, изъявления оной не будут равносильны, то покорнейше прошу дать к тому способ повелениями Вашими, которыя за верьх удовольствия своего почитает.

Государь мой!
Ваш покорный.

Напоминание и уверение дружества

Государь мой!

Нынешнее летнее время и уединение мое в деревне дает мне свободу и повод мыслить о моих приятелях, из которых первейшим Вас почитаю; потому что никому другому не посвятил я с таким чистосердечием моего послушания, как Вам, моему Государю. Не думайте, чтоб я то говорил только следуя правилам учтивости; отнюдь нет. Но хочу, чтоб Вы ведали усердие мое к Вам чрез опыты, которые Вам с лучшим уверением докажут, что нет в свете человека, который бы с вящшею искренностию был, как я

Государь мой!
Ваш покорный.

Признание дружбы

Государь мой!

Чувствительной опыт дружбы и благосклонности Вашей оказан мне в старании Вашем по делам моим; за что не умею, сколько должно, изъявить Вам моей благодарности. Кажется, как будто Вы и родились на одно угождение человеческое, столь щедро расточаете Вы свои благодеяния, да и все намерения Ваши идут к человеколюбию. Желал бы я, чтоб возможность моя была равномерна Вашим милостям в изъявлении моей благодарности, которуюб более доказывали мои заслуги, нежели слова, сколько я стараюсь быть

Государь мой!
Ваш покорный.

Изъявление сожаления о бессилии своем, что не в состоянии оказать желаемой услуги

Государь мой!

Естьлиб Вы знали, в каком безпорядке я пишу к Вам сие письмо, что нещастие не дозволило мне сделать Вам угождение в требуемом от меня Ва-

ми, тоб Вы, конечно, довольны были моим желанием, когда отнять у меня возможность. Я Вам о том доношу чистосердечно, утверждая в истине моей Вас дружеством моим; Вам обещанным, которое одно сильно удостоверит Вас, что вся моя пред Вами вина одна невозможность; она-то лишила меня ныне той чести и удовольствия, чтоб самым делом засвидетельствовать, сколько я есмь

Государь мой!
Ваш.

Сомнительство о получении письма

Государь мой!

Я не знаю, получилиль Вы письмо мое; потому что я не имел удовольствия видеть ответа Вашего. Покорно прошу уведомить меня, что мне мыслить о лишении онаго. Естьли то происходит от разнощика, то я ему не уступлю; ибо неверность таковых людей не должна остаться без наказания. А естьли по нещастию письмо мое потеряно — Но как бы то ни было, прошу покорно удостоить меня Вашим. Я буду стараться заслужить сию милость, употребляя всю жизнь мою в доказательство, что я

Ваш, Государя моего,
Покорный.

Ответ

Государь мой!

Получа письмо Ваше, весьма я удивлялся, что мое до Вас не дошло; ибо верность разнощика пи-

сем мне нисколько не сомнительна, и я всегда его исправным почитал в его должности, да и никто не жалуется, чтоб он обманывал. Надобно думать, что оно кем нибудь ошибкою захвачено с почты. Естьли я могу точно доведаться о сем приключении, то Вас уведомлю, а между тем пребываю

Государь мой!
Ваш.

Извинение, или оправдание, что не мог писать

Государь мой!

Любя Вас много и почитая, не можно мне забыть Вас. Правда, что с неделю времени стал ленивее прежняго, когда осень начала поступать с нами сурово, и для того ни к кому не пишу, да и перо меня не слушает, когда и вздумаю писать что нибудь. Но сколько бы стужа ни отнимала у меня способу служить Вам моими письмами, однакож не отнимает у меня желания Вам усердствовать, и засвидетельствовать Вам, что нет ничего для Вас невозможнаго в моей искренности. Ибо я никогда такого удовольствия не ощущаю, как когда стараюсь угодить Вам, и изъявить, что Вы надо мною полную власть имеете. Всеж оное происходит от истиннаго сердца, с которым я во весь век мой буду

Ваш.

Оправдание, что не скоро ответствовал

Государь мой!

Ваши письма столь справедливы и благосклонны, что я не имею права на них жаловаться; а наипаче почитаю их за знак благоволения Вашего, что Вы печетесь о состоянии здравия моего и дел моих; однакож и я не столь винен, сколько Вам кажется. И когда Вы узнаете причину моего молчания, то оправдаете меня сами, да и найдете, что я более достоин сожаления, нежели выговора. Три недели оскорблен я был болезнию, которая лишила меня всего попечения, должнаго о моих приятелях. Ныне же, чувствуя свободу, могу Вас уверить, что будете получать чаще мои письма и доказательства моего к Вам усердия, к которым я всегда.

Государь мой!
Ваш.

Почтительное письмо к знатной особе

М.Г.

Уже давно желал я честь иметь изъявить Вашему С. глубочайшее мое почтение, но боялся обезпокоить Ваше С. Уведав же, что Вы, Милостивый Государь, дозволяете мне наблюдать сию должность, беру смелость чрез сие засвидетельствовать мою благодарность, и сколь я тщуся быть

М.Г.
Вашего С.
Всепокорнейший слуга.

О том же

М.Г.

Простите великодушно смелость, которую я приемлю предстать пред Ваше высокопревосходительство изъявить мое глубочайшее почтение, и не положите гнева, что я в многотрудных и важных Вашего Высокопр. упражнениях, которыя занимают все драгоценные часы времени Вашего, Вам скучаю. Я льщу себя В. Высокопр. милостию, которая распростирается над всеми, что не лишите и меня щастия быть участником оныя. Нет лучшаго для меня удовольствия, как изъискивать способы к засвидетельствованию моего усердия Вашему В.П. и что я живу Вами, и жизнь мою посвятил в Ваше угождение. Почему за верьх славы своей почитаю, когда позволите мне сказать, что я,

М.Г.
Вашего Высокопревосходительства
всенижайший и покорнейший слуга.

Ответ

Государь мой!

Ваша учтивость и усердие мне весьма приятны. Не опасайтесь, что мне наскучите. Я с удовольствием приемлю письменныя Ваши посещения, и не премину во всяких случаях оказать Вам своего доброхотства. Надеюсь же, что и Вы всегда соответствовать будете моему к вам доброжеланию. Поверьте, что я не забуду о произведении Вашем, как скоро пристойныя Вам места будут. Годные люди, каким я Вас считаю, надобны отечеству. Побывайте у меня со временем, когда дело до Вас дойдет, а я Вам о том дам знать. Продолжайте труды Ваши, и старайтесь знать состояние государства нашего. Сие знание будет в Вашу пользу, а я буду стараться доказать Вам, что я

Ваш доброжелатель.

Зовет приятеля на вечеринку

Любезный друг!

Мне кажется нет лучшаго употребления времени, как препровождать оное с своими приятелями; нет же скучнее как быть с ними в разлучении. Сама жизнь мучительна былаб без друзей искренних. Я уповаю, что и Вы одобрите сие мое мнение, и согласитесь нынешний вечер посидеть со мною. Мы будем сего дня следовать совету Гиппократа, славнаго врача в древности, которой велит для соблюдения здравия каждой месяц в одному разу иметь с вином обхождения. Но мое особливое удовольствие будет, что Вас у себя увижу, и потщусь Вас уверить, что я

Ваш покорнейший слуга.

Зовет приятеля на именины, благодаря за подарок

Государь мой!

Вы точно наблюдаете дружбу и не пропускаете не единаго случая, гдеб не оказали Вы опыта Вашей ко мне благосклонности. Сей день естьлиб и не был день моего рождения, (тезоименитства), тоб, конечно, он был мне день праздничной, в раз-

суждении чести, которую Вы мне оказывать изволите присылкою подарка. Совершитеж торжество онаго, приобща присутствие Ваше к подарку Вашему, чем наипаче одолжите. Я оной храню как драгоценной залог дружбы Вашей; ибо он обещает мне ту благосклонность, о которой я прошу Вас обще с пятью, или шестью моими приятелями. Они также, как и я, Вас ожидают, чтоб изъявить Вам мое удовольствие в посещении Вашем, и погулять вместе по надлежности. А особливож я рад буду, что очевидно засвидетельствую Вам мою благодарность, как истинной

Ваш покорный слуга.

От отца к сыну, находящемуся в отлучке, увещание к трудам и учению

Любезный сын!

Хотя ты теперь в деревне и далеко от глаз моих, однако должно тебе поступать, как будто бы ты был здесь предо мною. Непохвально все обращать в веселие, надобно употреблять оное сколько требуется нужда, для облегчения духа, и для приуготовления себя к трудам и учению. Время дороже всех иждивений человеческих, и не можно с довольною бережливостию употреблять оное. Сему совету должен ты следовать со тщанием, естьли хочешь быть мне угодным, и изъявить свое послушание такому отцу, которой о благоденствии твоем старается.

Твой доброжелательный отец.

Благодарспие за подарок

Государь мой!

Я бы желал, чтоб было в моей силе изъявить Вам мое благодарение за такую щедрость, которую я от Вас получить честь имел; но великость оныя отняла всю возможность изобразить Вам, сколь мне чувствительна оказанная Вами милость. То да будет в удовольствие Ваше, что она на век в памяти моей останется. Могу же Вас уверить, что неблагодарность порок мне не свойствен, да и никто столько к нему омерзения не имеет, как я

Государь мой!
Ваш покорнейший слуга.

Заочное прощапие и прозьба о продолжепии дружбы

Государь мой!

Когда нечаянность скораго моего отъезда не допустила меня проститься с Вами изустно, то принужден я должность сию поручить сему письму, которым Вас, любезнаго друга, уверяю, что сколько ни прекрасен город N., однако не желел бы я столько с ним разстаться, естьлиб Вас в нем не было. Честь Вашей дружбы, многие благодеяния и безчисленныя одолжения Ваши, оказанныя мне без всякой моей заслуги, то делают, что я, разлучась с Вами, подобно как с собою разлучился. Пожалейте, любезной друг, о сем моем безпокойствии, и постарайтесь утешить меня продолжением Вашей благосклонности. Я же с своей стороны уверяю Вас, что я дружбу Вашу и милости всему в свете предпочитаю, да и никакой случай к заслуге за оныя достаточен быть не может, столь они велики и многочисленны. Одним только тем похвалюся, что никто с таким усердием Вам всякаго благополучия не желает, как я

Ваш покорнейший слуга.

К больному человеку

Государь мой!

К великому моему огорчению получил я известие о болезни Вашей. Вы знаете, как я Вас люблю, и беру во всем участие, что до Вас касается, то и в теперешней болезни сострадаю Вам равно, как бы она была моя собственная. Но будучи во отдалении от Вас, не могу Вам подать никакого утешения, что меня наипаче печалит. Однако чего не может сделать благость Божия, на которую уповая с терпением сносить должно жестокость скорьби, а между тем прилагать старание, чтоб прилежным лечением от искусных медиков прогнать оную. Воздержание в запрещенном от них за нужнейшее почитается; и так можете возвратиться в прежнее здравие, котораго я Вам всеусердно желаю, будучи всегда

Ваш верный и покорный слуга.

Ответ

Государь мой!

Не должно больше одолжить, как Вы меня одолжили Вашим приятным и благосклонным писанием. Я в смятение прихожу, видя соболезнование

Ваше о человеке, Вам совсем безполезном, хотя я всегда к Вам всевозможное почтение имею. А потому винил бы сам себя неблагодарностию, есть-либ долее умедлил изъявить Вам мое благодарение, должное за такие милости. Имею честь донести Вам, что воздух здешняго места возвратил мне прежнее мое здравие, которое посвящаю в Вашу услугу. Чего ради прошу мне честь сделать приказанием Вашим, дабы я исполнением онаго, больше нежели словами, мог засвидетельствовать, что я со всяким моим усердием есмь

Государь мой!
Ваш покорный слуга.

Утешение во всякой печали

Государь мой!

Ваша печаль мне так чувствительна, что я неспособным себя вижу утешать Вас; я сам в ней людскаго утешения требую, и сетую вместе с Вами, как лишенной всякаго способа преодолеть ее: одна только помощь Божия остается на утешение оныя, котораго я прошу, чтоб Вас и меня избавил, и дал возможность сносить ея жестокость. Чтож касается до дружбы моей и верности, то никто с такою точностию ее к Вам не хранит, как

Ваш покорный слуга.

Письмо к одной госпоже знатной о смерти ея дочери

М.Г.

В таком состоянии, каково есть Ваше, кто Вам дать может утешение, кроме Бога? Но чтоб ничего не лишиться, должно жертвовать тем, чего лишились. Сей один способ ругаться щастием и презирать силу смерти. Послушайте меня, государыня, жертвуйте Вашею печалию, и Вы увидите, что она пременит свое свойство, а будет опытом достоинства Вашего. Давайте охотно то, чего Вам жаль безмерно, и тем еще умножите доброту Вашего приношения. Сие посвящение приведет в совершенство жертву, которую время совершить не успело, и Вы будете ее иметь в Бозе лучше, нежели Вы ее в самом существе имели. Он все то соблюдает, что Ему в дар приносится, и она будет Вам в такой у Него залог, котораго Вы уже не лишитеся более. Сие предложение такой душе, какова есть Ваша, весьма полезно; ибо я знаю, сколько благочестие Ваше велико; оно-то подаст Вам такую помощь, какой человеческой разум подать не в состоянии. Чтож до меня касается, то я желал бы иметь лучше сей случай на засвидетельствование моего к Вам почтения, и что я со всяким моим усердием есмь

Государыня моя!
Ваш покорнейший слуга.

Письмо к одному дворянину, котораго брат убит на войне

Государь мой!

Ежелиб я прежде ведал о Вашей печали, тоб не преминул изъявить Вам сколько я беру участия в оной, но я недавно усмотрел из Ведомостей причину Вашего сетования, и не сомневаюсь, что Вас много тронул удар сей, сколь твердыб вы ни были. Кроме врожденной жалости, по одному разсудку, не можно на таковые приключения взирать с холодностию; да и не вижу я, чтоб крепость разума не сопряжена была с нежностию души. Те, кои без смятения смотрели на истечение собственной своей крови, тронуты были жалостию, видя кровь своих родственников и ближних; но когда не такова война? И сама победа приносит с собою печаль и слезы, хотя и веселит слава ея оставших, с которыми во всяком благополучии увидеться, и ими утешаться усердно желаю, и есмь с истинным моим почтением

Государь мой!
Ваш покорный слуга.

Требование совета

Государь мой!

Почтение, которое я к Вам имею, не позволяет мне медлить долго, чтоб знать о состоянии здравия Вашего. Усердие ж мое обещает мне исходатайствовать у Вас извинение, ежели навожу Вам скуку письмом моим, зная, что Вы непрестанно заняты делами, и почти времени не имеете прочитать мои письма. И так уповая на всегдашнюю Вашу ко мне благосклонность, свыше заслух моих и достоинства оказанную, осмелился чрез сие утруждать Вас моею прозьбою. Я весьма почитаю разумные советы Ваши, которые употреблять в пользу мою Вы мне позволили в нужных случаях; самыя настоящия мои обстоятельства оных требуют; чего ради мне покорнейше прошу дать свое мнение в деле для меня не малой важности [тут писать дело, или намерение, в чем совет требуется]. Я ожидаю на оное Вашего совета и наставления, дабы мне наилучшия в том взять меры; а тем чувствительное одолжение сделаете, за которое буду стараться надлежащее принести благодарение, прибывая всегда с моим почтением

Государь мой!

Ваш покорный.

Чаяние неверности

Государь мой!

Я приметил из поведения Вашего всяким отведов, что Вы ищите мне предательства; и естьли подлинно Вы тем заразились, то никакого примирения со мною не ждите, как главной из моих неприятелей. Вы довольно меня знать можете, что я не допущу издеваться над собою, и не такого сложения, чтоб сносить то терпеливо. Я Вам советую держаться лучше верности, и подкреплять то почтение, котороя я имел к Вам лучшим поведением, и не доводить меня до крайности, котораяб лишила меня удовольствия, по желанию моему, чтоб я был

Ваш слуга.

Поздравление на брак приятеля

Государь мой!

Известно всякому, что супружество есть наилучшее и важнейшее дело в жизни человеческой. Оно определяет благополучие наше, или злополучие; и потому оно есть степень весьма опасной, которой не всякому удачлив бывает; чего ради предприемлющему оное надлежит столькож быть щастливу, сколько и осторожну, ежели хочет прожить спокойно. Вы оба сии преимущества имеете, потому что Вы лучшую и совершеннейшую выбрали девицу из всего соседства, которую склоня к себе в любовь, получили в супружество своим достоинством. Сему Вашему благополучию сорадуяся, за должность почитаю Вас поздравить и засвидетельствовать мое усердие искренним моим желанием, чтоб Всевышний благословил Вас всяким благоденствием и долговременными веселостьми, изливая на Вас сладкий покой и удовольствие, и послал бы Вам плоды супружества Вашего подобные Вам во всех совершенствах. Впрочем прошу продолжения Вашей дружбы, и при засвидетельствовании Вам и любезной супруге Вашей должнаго почтения пребываю

Государь мой!
Ваш.

Письмо от такого человека, которой спрашивается, женитьсяль ему или нет

Государь мой!

Я слыхал неоднократно, что женидьба есть дурачество, то прежде вступления в оную охотно желал бы знать, как Вы о том думаете. Я нашел изрядную невесту, естьли только я соглашуся, ибо N. кажется мне довольно разумна; однакож Вы знаете, что нет животнаго, столь обманчиваго по виду. Чтож касается до пожитку, оной весьма сходен с моими обстоятельствами, и не уповаю, чтоб мне больше сего надеяться было можно. Словом сказать, делоб сделано было, естьлиб я отважился; чего ради хочу Вас спроситься, потому что нет ничего столь надежнаго, как совет разумнаго человека.

Ответ

Государь мой!

Избавь меня, Боже, от такой глупости, чтоб я стал Вам советовать о деле столь великой важности, о котором Вы мне предлагаете. Однакож, как Ваш друг, скажу Вам то, что я о женидьбе думаю; а решение онаго от Вас зависит после. Женидьба хороша для двух причин: первая, когда кто не богат, а чрез то получит пожиток; другаяж, когда кто, зная свое сложение, что не может без жены обойтися, предпочитает спокойство совести своей тишине жизни. Чтож касается до прочих, то я считаю, что когда они женятся, впадают в такую глупость, о которой после долго каются.

Объявление любви

Государыня моя!

Чтоб знать свою судьбину, принужден я открыть Вам то, что, может быть, потревожит чувствительность духа Вашего; уже давно, что я посвятил в Вашу услугу всю вольность и жизнь мою, и всячески старался быть Вам угодным, чтоб жертвовать Вам моим сердцем; но никогда не мог осмелиться предложить Вам о том изустно, боясь навести на себя гнев Ваш, который мне страшнее самой смерти; однакож сила страсти приневолила меня объявить, что я Вас люблю паче всего в свете, или, лучше сказать, больше самаго себя. Ежелиж вы мне то в вину вмените, так я нещастлив во веки; потому что останусь навсегда винным; ибо никогда любить Вас не перестану, хотя кажется ставить то в вину самой справедливости противно.

Вы столькож разумом, сколько красотою владеете, то можетель винить того, кто пленен такими дарованиями, противу которых никто устоять не в силах. И ежели за любовь гневаться будете, то нет казни, чем казнить ненависть. Ожидаю от Вас последняго решения, щастливым ли мне быть велите, или нещестливым; Вы то и другое в своей власти имеете. Коль велико будет мое удовольствие, естьли Вы одобрите страсть мою; в какуюж напротиву того бездну тоски и отчаяния низвергнет меня тому противное. Однакож, как бы то ни было, но я до конца жизни моей не перестану почитать совершенства Ваши, будучи всегда,

Государыня моя!
Ваш.

Наставление, как сочинять и писать письма

Общие же части суть: заглавие, подпись, надпись, год, месяц, число, место.

Когда пишем к великим людям, то надобно наблюдать следующее в рассуждении заглавия:

1. Когда письмо к Императору или к Королю, то надлежит оставить, по должности нашей и по их чести, между заглавием Всемилостивейший Государь и починным словом письма почти половину белого места на странице. То же наблюдается по мере, когда пишем к Принцам, к знатным Боярам, смотря по их чину, и к прочим особам, коим мы обязаны изъявлять наше почтение.

2. От краю бумаги надобно отступить на два или три перста шириною или по мере чести и чина особы, к которой пишем. То ж наблюдать должно и снизу листа.

3. Естьли письмо не очень велико, то лучше повторять Ваше Величество, Ваше Высочество, Ваша Светлость, Ваше Сиятельство, Ваше Превосходительство, кому что прилично, и начинать сии слова большими буквами, нежели употреблять, Вы или Вам, потому что в малых строках будет казаться сие непочтительство.

4. Ежели ж, напротиву того, письмо длинно, то можно иногда поставить Вы для избежания частого повторения, выключая Императора, Королей и Принцев.

5. Надлежит примечать, что когда пишут к знатнейшим особам, то никогда не вносят в первую строку или в первый отдел письма заглавия или имени той особы, так как поступают в письмах к приятелям или не к знатным людям; но только повторяют его посредине или в конце, когда личное местоимение кончит часть периода или отдела, с сим изъятием, что когда пишем к знатным особам, то употребляется красивее местоимение Ваше *с именем достоинства, ему принадлежащего.*

Пример

Сие зависит:
от Вас, Всемилостивейший Государь,
от Вашего Величества

Оное принадлежит:
Вам, Всемилостивейший Государь,
Вашему Высочеству

Уже давно,
Милостивый Государь,
Милостивая Государыня,
что я честь имею быть.

6. Должно остерегаться, чтоб не поставить вышепомянутых чинов и тому подобных после действительного глагола и перед каким другим существительным именем, чтоб не сделать двусмысленной речи, которую сии чины, сообщенные с существительным именем в одной строке, приключить могут.

Пример

Я сего дня купил, Милостивый Государь, лошадь. Ко мне сего дня на двор взбежала изрядная, Государыня, лошадь.

У меня есть изрядный, Милостивый Государь, борзой кабель.

Безделица, Ваше Сиятельство: не извольте трудиться.

7. Ни к кому не должно подписываться Ваш раб, кроме самого Государя.

8. Когда пишем к ближним приятелям, или к своим подчиненным, и кои ниже нас состоянием, то не должно почти совсем оставлять места между заглавием и началом письма; а можно, естьли кто хочет, поставить заглавие в начале первой строки, или ввести в первый период, смотря по месту, где лучше будет.

9. Никогда не можно ставить прозвания того, к кому пишем, в заглавии или одного имени без отечества, разве когда к какому-нибудь подлому человеку, или к мастеровому, яко то:

Господин Рыбников, Илья Орехов, Яков Репин! Я было хотел, что и проч. Госпожа Жмурина, Анна Расказова! Я уведомился, что и прочая.

Подпись

Подпись имеет самое нижнее место в письмах. Должно наблюдать, когда пишем к знатным особам, чтоб было весьма довольное расстояние между подписью и самим письмом, которое должно оканчивать титулами Милостивый Государь, или Государь мой; Милостивая Государыня, или Государыня моя, в одной особливой строке, поодаль немного окончания письма.

Письма оканчиваются таким образом к Королям, к Принцам и к прочим знатным особам: потому что с глубочайшим почтением есмь.

Всемилостивейший Государь,
Милостивейший Государь,
Милостивый Государь,
Вашего Величества,
Вашего Высочества,
Вашей Светлости,
Вашего Сиятельства,
Вашего Высокопревосходительства,
Вашего превосходительства.

Когда к своему Государю, должно писать:

Всеподданнейший раб.

А к прочим:

Всенижайший и всепокорнейший слуга,
Покорнейший слуга.

Приличия в письмах[1]

При составлении этой главы мы вовсе не имели ни намерения, ни надобности предложить читателям письмовник, бесполезность которого несколько раз не без основания была доказана. Мы сделаем только общий взгляд как на наружную форму, так и на самое содержание писем.

Многие, очень порядочные люди, предпочитают для писем бумагу обыкновенную, тонкую и гладкую, но без украшений; бумага с виньеткой, раздушенная и с ажурными или позолоченными бордюрами и пр. употребляется больше дамами или молодыми людьми, имеющими претензию на роскошь. Вообще выбор бумаги должен соответствовать содержанию письма и отношению между людьми, находящимися в переписке.

Писать письмо на серой бумаге и карандашом чрезвычайно невежливо; не менее того неучтиво писать на одном перегнутом листочке.

Людям высшего звания обыкновенно пишут на почтовой бумаге; таким образом, что на первой четверти страницы помещается титул, а ниже половины ее начинают уже самое письмо, оставляя поле в четверть пространства ширины страницы. Письма же к равным начинают на первой четверти листа и без полей.

Число, в которое отправляется письмо, пишется сверху, к начальнику же — ниже подписи с левой стороны письма.

Начиная письмо, должно предварительно хорошо обдумать предмет и излагать мысли свои одну за другою, не смешивая разных предметов;

---

[1] Соколов Д.Н. Светский человек, или Руководство к познанию правил общежития. – Спб., 1847, с. 90 – 97.

для этого принято начинать каждый предмет отдельною строкою.

Если мы требуем от других живости разговора и осуждаем их за излишние подробности в нем, утомляющие слушателя, то гораздо более того должны стараться, чтобы в письмах, для которых жертвуют нам, может быть, сосчитанным временем, не было ничего такого, что бы могло обременить чтение их или оскорбить деликатность.

Итак, приличия в письмах должно наблюдать более, чем где-нибудь; письмо должно быть сообразно с отношениями между людьми, ведущими переписку, возрастом, веком и полом: что хорошо в письме к равному, то непристойно и оскорбительно к старшему; что нас прельщает в письме старика, то смешит в письме молодого человека; что занимало в XVIII веке, то не занимает более в XIX. Что можно сказать мужчине, того часто нельзя сказать женщине и наоборот.

Слог также должнен соответствовать содержанию письма и отношениям между пишущими. Пожилым и уважаемым людям пишут слогом, исполненным почтения, дамам слог должен быть вежлив и любезен, друзьям — весел и непринужденен.

Две особы могут писать в одном и том же письме только к коротким знакомым.

Письмо к старшим должно быть согнуто вчетверо и вложено в конверт. Послать без конверта значит не иметь почтения, так же как и печатать облаткой, а не сургучом; впрочем, это дозволяется между людьми, находящимися в коротких отношениях.

Когда письмо не в конверте и может быть прочитано сбоку, то допускается немного запечатать ту сторону, которая может быть припод-

нята, в таком только случае, если записка посылается с человеком или по городской почте; но когда знакомый берет на себя труд доставить письмо, то подобная предосторожность неуместна.

На полученное письмо должно немедленно отвечать; оставить без ответа или медлить им невежливо.

Есть люди, для которых отвечать на письмо есть дело величайшей трудности. Пропустив полгода времени, они наконец решаются отвечать, начиная с извинения. Надобно много искусства, чтобы эти извинения не были смешными. То же замечание относится к людям, делающим упреки за молчание. В ответе на письмо должно быть означено время получения его, а многие этим и начинают.

Письма поздравительные с праздником пасхи, с новым годом, с днем ангела или рождения родных и знакомых должны быть так отправляемы, чтобы их получили накануне или в тот день, с которым поздравляют.

Рекомендательныя письма или не должны быть запечатаны, или заранее прочтены подателю.

Вот титулы для писем:

Сиятельнейший Граф или Князь
Милостивейший Государь,
Василий Петрович.

В коротких отношениях:

Милостивый Государь
Князь Василий Петрович.

Адрес:

Его Сиятельству
Князю Василию Петровичу.
N N.

К Генералам от Кавалерии или от Инфантерии
и к Действительным Тайным Советникам:
Ваше Высокопревосходительство
Милостивый Государь
Василий Петрович.

К прочим Генералам:
Ваше Превосходительство
Милостивый Государь
Василий Петрович.

Адрес:

Его Высокопревосходительству
или Превосходительству
Василию Петровичу
N N.

К статским Советникам,
равно как и ко всем прочим
Штаб и Обер-Офицерам, пишется просто:
Милостивый Государь
Василий Петрович.

Адресы

К статским советникам:
Его Высокородию и пр.

К Штаб-Офицерам:
Его Высокоблагородию и пр.

К Обер-Офицерам:
Его Благородию и пр.

К Духовным особам:
Митрополиту и Архиепископу:
Его Высокопреосвященству.

К Епископу и Викарию:
Его Преосвященству.

К Архимандриту и Игумену:
Его Высокопреподобию.

К Протоиерею и Благочинному:
Его Высокоблагословению.

К Священнику:
Его Благословению.

Диакону:
Почтеннейшему отцу Диакону.

Письма к разночинцам, крепостным людям, вообще к низшему классу, принимают форму извещения, наказа, уведомления, приказания.

Ни в одном из руководств по этикету мы не обнаружили «наставлений» о том, как писать записки (записочки), поэтому хотим обратить внимание на те немногочисленные сведения из документальных источников и произведений художественной литературы, которые свидетельствуют об огромной популярности этого жанра.

Примечательно письмо П.А. Вяземского жене: «Машенька очень неверно владеет французским языком, так что никогда нельзя быть уверен за нее, что она в коротком разговоре или в записке не сделает непростительного промаха. Не понимаю, как ты не видишь того, а видя, не принимаешь горячо к сердцу и не чувствуешь, что, оставляя это так, ты губишь ее, ибо предаешь на многие неприятности в обществе. Нельзя судить о характере и душе по записке, но можно судить неошибочно по ней о воспитании, и каждая записка Машеньки будет доказательством d'une éducation negligée[1]».

Для многих дам того времени писать записки было любимым занятием. Героиня романа В.А. Соллогуба «Княгиня» «писала <...> щегольски и чрезвычайно любила посылать разные записочки».

А.В. Мещерский в своих воспоминаниях отмечает: «Столь распространенная тогда в нашем обществе (не только между дамами, но и мужчинами) страсть писать записочки особенно тщательно обработанным слогом, с чисто французским остроумием и изяществом, существовала еще у нас, как остаток подражания Французскому двору Людовика XVIII-го и Карла X-го. Особенность подобных переписок на французском языке, можно сказать, неподражаема; они составляют во Франции целую литературу, которая была еще в большой моде во Франции в высшем обществе во время министерства Гизо[2] и позже. У нас существовало даже некоторого рода соревнование в этом искусстве между нашими дамами и нечего говорить о том, что моя тетушка и г-жа Синявина не уступали изящностью своего стиля знаменитой писательнице m-me Sévïgné[3]».

Подобное соревнование существовало и между

---

[1] Небрежного воспитания *(фр.)*.

[2] Гизо Франсуа (1787 — 1874) — французский историк, публицист и политический деятель. В 1830 г. Гизо стоял во главе первого министерства новой монархии.

[3] Севинье (1626 — 1696) — французская писательница.

мужчинами. Литератор А.Ф. Воейков, как свидетельствует современник, «рассылал сотни записочек к друзьям и знакомым, в которых всегда обнаруживал остроту свою. Он, кажется, щеголял ими. Эти записочки были с нумерами и он вел им разносную книгу. По этим книжкам видно, что от него в год выходило писем и записок больше тысячи».

О другом таком любителе записок рассказывает А. Кочубей: «В Орле жил граф Каменский — полный генерал. Он имел свой театр с труппою, составленною из собственных дворовых людей. <...> Каменский был большой чудак: он никогда никаких записок, даже приглашений на обед, иначе не писал как под №№; в кассе своего театра он сам продавал билеты».

Самыми изысканными по стилю были записки мужчин к дамам. Сохранилась, например, записка А.С. Грибоедова к дальней родственнице А.И. Колечицкой: «Мадам! Непременно мы будем иметь честь явиться к Вам, прежде чем поехать на концерт; я радуюсь предстоящему удовольствию провести с вами несколько приятных часов. Ваш слуга Грибоедов».[1]

Любовные записки писали «на тонкой надушенной бумаге». Граф Л.К. Разумовский был в молодости «большой сердечкин и волокита <...> на Петербургских гауптвахтах ему то и дело приносили, на тонкой надушенной бумаге, записки, видимо, написанные женскими руками. Спешил он отвечать на них на заготовленной у него также красивой и щегольской бумаге».

«Не повторяйте беспрестанно женщине, что она прекрасна, умна, приятна. Дамы знают сами о том лучше нас, и тот человек для них приятнее, от которого слышат что-нибудь новенькое» — таково правило, которому должен следовать влюбленный мужчина как в устных, так и в письменных объяснениях.

---

[1] Подлинник по-французски.

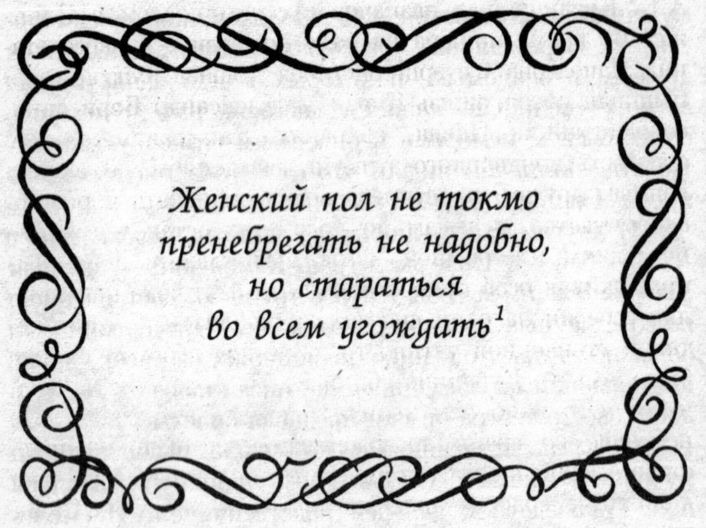

«Я любил женщин до обожания и не смею о них умолчать, — писал Я.И. де Санглен. — Они слишком великую роль играют в жизни моей до самых поздних лет. Находясь с молоду на земле рыцарской, был я рыцарем и трубадуром, а женщины возвышали дух мой. В то время они поистине были нашими образовательницами; рекомендация их чтилась высоко. «Как принят он в обществе дам?» был столь важный вопрос, как ныне «богат ли он?». Дамы получали эти вежливости, возжигали в душе стремление перещеголять других людей не чинами, не скоплением неправедных богатств, а возвышенностью духа».

Одним из таких рыцарей и трубадуров был А.Б. Куракин. Из-за «рыцарского чувства» к прекрасному полу он чуть было не поплатился жизнью. В 1808 году

---

[1] Записки кн. Ф.Н. Голицына. — Русский архив, 1874, т. II, с. 1300.

А.Б. Куракин был назначен русским послом в Париже. Во время пожара на балу по случаю бракосочетания Наполеона I с эрцгерцогиней Марией-Луизой «наш пышный посол, князь Куракин, Александр Борисович, совоспитанник Павла, сохраняя, как святыню, всю строгость придворного этикета, заведенного его царственным другом, простирал свою вежливость и рыцарское чувство к дамам до того, что оставался почти последним в огромной, объятой пламенем зале, выпроваживая особ прекрасного пола и отнюдь не дозволяя себе ни на один шаг их опереживать. Следствием такой утонченной учтивости даже под страхом смерти было то, что Куракина сбили с ног, повалили на пол, через него и по нем ходили и едва могли спасти. На нем еще во время проводов загорелся великолепный французский кафтан старинного покроя, и скоро раскалились и золотые эполеты, пуговицы и ордена, залитые бриллиантами. Всего более пострадали у него пальцы от разгоревшихся перстней и колец. Куракин долго страдал от ожогов по всему телу, и не прежде конца лета знаменитые врачи Парижа дозволили ему выехать из своих посольских палат, чтобы поселиться на даче».

М.И. Пыляев так описал «несчастье» с Куракиным: «Он очень обгорел, у него совсем не осталось волос, голова повреждена была во многих местах, и особенно пострадали уши, ресницы сгорели, ноги и руки были раздуты и покрыты ранами, на одной руке кожа слезла, как перчатка. Спасением своим он отчасти был обязан своему мундиру, который весь был залит золотом; последнее до того нагрелось, что вытащившие его из огня долго не могли поднять его, обжигаясь от одного прикосновения к его одежде. Независимо от здоровья Куракин лишился еще во время суматохи бриллиантов на сумму более 70 000 франков...»

В отряде рыцарей и трубадуров был и граф Остерман. «Воинское рыцарство имело в графе Остермане и нежный оттенок средневекового рыцарства», — читаем в «Старой записной книжке» П.А. Вяземского. — Он всегда носил в сердце цвета возлюбленной госпожи своей (la dame de ses pensées). Правда, и цвета, и госпожи по временам сменялись другими, но чувство, но сердечное служение оставались неизменными посреди радужных переливов и изменений. Это рыцарство, это кумиро-поклонение пред образом любимой женщины было одною из отличительных примет Русского или, по крайней мере, Петербургского общества в первые годы царствования императора Александра. Оно придало этому обществу особый колорит вежливости и светской утонченности. Были, разумеется, и тогда материалисты в любви, но много было и сердечных идеалогов. Это был золотой век для женщины и золотой век для образованного общества. <...>

Нелединский был первосвященным жрецом этого платонического служения. Остерман, в свое время, был усердным причастником этого прихода. Говоря просто по-русски, он был сердечкин. Одним из предметов поклонения и обожания его была Варшавская красавица, княгиня Тереза Яблоновска, милое, свежее создание. Натура вообще, и Польская натура в особенности, богато оделила ее своими привлекательными дарами. <...> У графа Остермана был прекрасный во весь рост портрет княгини Терезы. Он всегда и всюду развозил его с собой, и это делалось посреди бела дня общественного и не давало никакой поживы сплетням злословия. Во-первых, граф был уже не молод, и рыцарское служение его красоте было всем известно; во-вторых, княгиня принимала клятву его в нежном подданстве с признательностью, свойственною женщинам в этих случаях, но и с спокойствием привычки ко взиманию подобных даней. Нужна еще одна краска для полноты картины. Заметим, что в то время граф был женат; но не слышно было, чтобы романтические похождения его слишком возмущали мир домашнего его очага».

Поэт-баснописец, издатель журнала «Благонамеренный», Александр Ефимович Измайлов был заботливым отцом и нежным мужем, который писал своей жене трогательные стихи. И вместе с тем, он вне дома поклонялся «незабвенной». Его рыцарская любовь выражалась в бесчисленных стихотворных посвящениях С.Д. Пономаревой.

«Один из многочисленных курьезов того времени» сообщает в письме к А.М. Колосовой П.А. Катенин: известный цензор А.И. Красовский вычеркнул в одной пьесе фразу «Рыцарю не достаточно быть храбрым, ему надо быть и любезным». «Знаете ли вы, — спрашивает Катенин, — в чем заключается зловредность этой фразы? Вот в чем: слово рыцарь (chevalier) применимо к каждому дворянину, который ездит верхом, и потому кавалерийские офицеры, прочтя эти слова, пожалуй, примут их себе за правило и предадутся любви, а любовь есть страсть гибельная».

«В те времена волокитство не было удальством, модой и ухарством, как теперь, — вспоминает В.А. Соллогуб, — оно еще было наслаждением, которое скрывали, насколько это было возможно. Красоте служили, может быть, еще с большим жаром, и златокудрая богиня царствовала, но на все эти грехи точно натягивался вуаль из легкой дымки, так что видеть можно было, но различить было трудно. Компрометировать женщину считалось стыдом, рассказывать о своих похождениях с светскими дамами в клубах и в ресторанах, как это делается в Париже теперь, да и греха таить нечего, и у нас тоже случается, почиталось позором».

И далее В.А. Соллогуб рассказывает примечательную историю: «Раз мне случилось быть секундантом при случае, закончившемся и плачевно, и смешно; дело было тотчас после выхода моего из университета. Клубная жизнь вовсе не была тогда распространена, и мы, светские юноши, большею частью собирались, чтобы покалякать и посмеяться на квартире одного из нас <...>, а так как почти все мы жили с родителями, то для большей свободы мы сходились в квартире у X. <...>. Итак, мы собрались однажды у этого X.; нас было человек шесть, все один другого моложе и впечатлительнее; заговорили о женщинах, как вдруг хозяин развалился на турецком диване, как-то особенно молодцевато стал раскуривать свою трубку и принялся нам рассказывать о своих любовных похождениях с княгиней Z., одной из самых красивых и модных женщин в Петербурге. Сначала мы слушали его с недоумением, потом один из моих товарищей вскочил и вне себя закричал:

— Это неслыханная подлость так отзываться о светской женщине!

— Послушай, однако... — выпрямляясь, перебил его хозяин.

— Да, да, — ближе еще подступая к нему, кричал Д. (мой товарищ), — и человек, так говорящий о женщине, не только наглец, но негодяй.

X. зарычал, вскочил со своего места, швырнул в сторону трубку и с приподнятыми кулаками кинулся на Д.; мы бросились их разнимать и развели по разным комнатам.

— Стреляться сейчас, сию минуту, через платок, — с пеной у рта кричал X.

— Вы будете стреляться, разумеется, — заговорил я в свою очередь, — но не сейчас и не через платок, обида не настолько для этого важна.

<...> так и вышло; они дрались, и X. был довольно опасно ранен в левую ляжку. Дня через три я пришел все-таки к X. навестить его; он лежал весь бледный с туго забинтованной ногой; увидав меня, он несколько сконфузился и протянул мне руку.

— Вот вам урок, — сказал я ему, указывая на его раненую ногу, — рассказывать о ваших победах.

— Ах, уж не говорите, — жалобно промолвил он, — тем более, что тут не было ни слова правды!

— Как! Что вы говорите? — закричал я.

— Да, разумеется, — все так же продолжал хозяин, — никогда у меня не было никаких таких похождений с светскими дамами, а княгиню Z. я даже в глаза никогда не видал!»

Уважающий себя мужчина не мог отказать светской даме в ее просьбе. Смешную историю о графе Льве Соллогубе рассказывает в своих воспоминаниях А. Мещерский:

«Нас предупреждали о том, чтобы мы не покупали в Гельсингфорсе контрабанды, потому что таможня в Ревеле очень строга, но это предупреждение только раздразнило наши аппетиты и желание испытать счастие. <...>

Я помню, что графиня О. соблазнилась покупкой целого чудного сервиза и попросила каждого из нас, мужчин, взять в карманы хоть по одному предмету, в чем, и разумеется, невозможно было такой прелестной барыне отказать. Бедному и добрейшему графу Льву Соллогубу достался чайник, и граф, по своей обычной рассеянности и непрактичности, приказал своему человеку спрятать его в шинель. Человек, по глупости, или от излишнего усердия, не нашел лучшего места, как вшить чайник под подкладку в самую спину шинели своего барина, не известив об этом сего последнего. Когда же, возвратясь в Ревель, мы накинули на себя верхнее платье и с парохода все сошли на пристань, то пришлось нам проходить торжественно вереницей между двумя рядами таможенных стражников. Мы шли очень чинно, со средоточенным видом, как вдруг один из стражников схватил сзади графа за капюшон его шинели, под которым торчал острым горбом злополучный чайник. В это мгновение граф почувствовал такой страшный стыд от того, что он изобличен на месте преступления перед всей публикой, что, даже не обернувшись назад, бросился бежать, оставив в руках таможенного стражника свою шинель с чайником. Разумеется, графиня была в отчаянии от случившейся с графом Львом Соллогубом забавной, но вместе с тем трагической, катастрофы; но от этого сочувствия ему не полегчало, как говорится, и он долго ее не мог забыть».

Непозволительно было мужчинам в обществе дам вести «вольные разговоры», говорить двусмысленности, а тем более рассказывать «малиновые» анекдоты. Так в то время называли анекдоты, которые «нельзя было рассказывать в женском обществе, но от которых мужчины помирали со смеху».

Н.В. Гоголь, по словам В.А. Соллогуба, «имел дар рассказывать самые соленые анекдоты, не вызывая гнева со стороны своих слушательниц», тогда как В.Ф. Одоевского, который «самым невинным образом и совершенно чистосердечно и без всякой задней мысли рассказывал дамам самые неприличные вещи», прерывали с негодованием. В.А. Жуковский «иногда выражался до того неприлично, что Е.А. Карамзина выгоняла его из обеденного стола».

«Нет ни одного человека, кроме глупого и дурака, который бы старался женщину соблазнить разговорами. Разумный человек никогда не смеет и не хочет ни одного слова произнесть такого, которое бы могло хотя мало огорчить девицу», — читаем в «Наставлениях отца дочерям».

Чуть было не поплатился своей карьерой, свидетельствует П.А. Вяземский, князь Белосельский за «поэтические вольности» в домашнем спектакле, на котором присутствовали дамы. «Князь Белосельский (отец милой и образованной княгини Зинаиды Волконской) был, как известно, любезный и просвещенный вельможа, но бедовый поэт. Его поэтические вольности <...> были безграничны до невозможности. Однажды в Москве написал он оперетку, кажется, под заглавием «Олинька». Ее давали на домашнем и крепостном театре Алексея Афанасьевича Столыпина.

<...> Оперетка князя Белосельского была приправлена пряностями самого соблазнительного свойства. Хозяин дома, в своем нелитературном простосердечии, а может быть, вследствие общего вкуса стариков к крупным шуткам, которые кажутся им тем более забавны, что они не очень целомудренны, созвал московскую публику к представлению оперы князя Белосельского. Сначала все было чинно и шло благополучно.

Благопристойности ничто не нарушало.
Но Белосельский был не раз бедам начало.

Вдруг посыпались шутки даже и не двусмысленно-прозрачные, а прямо набело и наголо. В публике удивление и смущение. Дамы, многие, вероятно, по чутью, чувствуют что-то неловко и неладно. Действие переходит со сцены на публику: сперва слышен шепот, потом ропот. Одним словом, театральный скандал в полном разгаре. Некоторые мужья, не дождавшись конца спектакля, поспешно с женами и дочерьми выходят из залы. Дамы, присутствующие тут без мужей, молодые вдовы, чинные старухи следуют этому движению. Зала пустеет.

Слухи об этом представлении доходят до Петербурга и до правительства. Спустя недели две (тогда не было ни железных дорог, ни телеграфов), князь Белосельский тревожно вбегает к Карамзину и говорит ему: «Спаси меня: император (Павел Петрович) повелел, чтобы немедленно прислали ему рукопись моей оперы. Сделай милость, исправь в ней все подозрительные места; очисти ее, как можешь и как умеешь». Карамзин тут же исполнил желание его. Очищенная рукопись отсылается в Петербург. Немедленно в таком виде, исправленную и очищенную, предают ее, на всякий случай, печати. Все кончилось благополучно: ни автору, ни хозяину домашнего спектакля не пришлось быть в ответственности».

«Никогда кавалер, кто бы он ни был, не смел сесть при даме, когда она его к тому не пригласила <...>. Сохрани Бог, чтоб кавалер дерзнул развалиться в креслах при дамах <...> его бы нигде не приняли и провозгласили грубияном!..» «Никакой образованный человек не сядет на диване перед дамой или, если она сидит на нем, подле нее: это невежливо».

Неприличным считалось предстать перед дамой в халате. «У меня была глупая привычка, — пишет И.М. Долгоруков в «Капище моего сердца», — <...> сидя в карете ночью раздеться совсем, дабы, приехавши домой, нимало медля, тотчас броситься в постель, продолжать, не перерывая, начатый в карете сон. Со мною, разумеется, отпускали всю мою ночную гардеробу, и так я, поехавши от Прозоровского, разделся, надел халат, туфли, прикорнул в угол кареты и начал дремать, как вдруг меня останавливает слуга той дамы, которая передо мной поехала уже из Коломенского в город, и просит, чтоб я позволил ей доехать с собой до заставы; ибо у нее ось сломалась, и карета лежит на боку. Что мне было делать? Я решился сохранить правила вежливости и отказать в услуге, велел скакать кучеру моему, обогнал ее на большой дороге, возле поверженной ее колымаги, взывающу ко мне с воплем: «Милостивый государь! Позвольте...» А я, закутавшись в плащ, чтоб скрыть мое одеяние ночное, притворясь, будто сплю, проскакал опрометью в город, оставя ее на произвол судьбы подвизающихся вокруг кареты ее служителей. Анекдота сего я во всю жизнь мою не забуду; он довольно оригинален и принадлежит точно мне».

«В мужеском собрании можно показаться в сапогах, но в присутствии женщин, если б была и одна только, требуется строго быть в чулках и башмаках». О том, как строго следовали этому правилу, свидетельствует письмо А.Я. Булгакова к отцу: «Был я с Боголюбовым у Воронцова молодого ввечеру; первый начал меня подзывать ехать ужинать к Нарышкиной Марии Алексеевне, я отказал, ибо был в сапогах, он поехал один. Хозяйка спросила обо мне. Боголюбов отвечал, что меня подзывал, но что я не хотел ехать, будучи в сапогах».

«В сапогах танцевать не позволялось, почиталось неуважением к дамам», — вспоминал Я.И. де Санглен.

Приличие не допускало, чтобы мужчина, который вел под руку даму, в другой руке держал трость.

Курить в присутствии дам в начале XIX века осмеливались немногие мужчины. Вспоминая генерала Розенберга, Ф.Ф. Вигель отмечает: «<...> признав отца моего за земляка, он в доме у нас почти поселился и всякий день обедал. Он у себя не выпускал трубки изо рта, а как при дамах тогда вежливость делать сего не позволяла, то от нас, кажется, ездил он домой только покурить».

«В доме же никто никогда не курил, — свидетельствует Е.И. Раевская. — Считали это чем-то несообразным, невозможным. Какое же было удивление, ужас, когда, после кампании 1812 года, мои братья вернулись с чубуками и трубками! Мать и слышать об этом не хотела, но в своих комнатах братья курили, а мы, сестры, понемногу привыкли к этому безобразию».

«В наше время редкий не нюхал, — рассказывает Е.П. Янькова, — а курить считали весьма предосудительным, а чтобы женщины курили, этого и не слыхивали; и мужчины курили у себя в кабинетах или на воздухе, и ежели при дамах, то всегда не иначе, как спросят сперва: «Позвольте».

В гостиной и зале никогда никто не куривал даже и без гостей в своей семье, чтобы, сохрани Бог, какнибудь не осталось этого запаху и чтобы мебель не провоняла.

Каждое время имеет свои особые привычки и понятия.

Курение стало распространяться заметным образом после 1812 года, а в особенности в 1820-х годах: стали привозить сигарки, о которых мы не имели и понятия, и первые, которые привезли нам, показывали за диковинку».

По словам М.Д. Бутурлина, «на курившего молодого человека смотрели почти так же, как мы теперь смотрим на пьяницу. <...> А так как табачный запах проникал в мундир, то курящая молодежь, предпочитая свой товарищеский круг, все более и более удалялась от салонного общества, и это-то самое удаление ставилось в упрек. Курение в обществе получило право гражданства не прежде как с 30-х годов, да и то не повсеместно».

Мать А.С. Пушкина, вспоминал Л. Павлищев, «неблагоприятно» относилась к курильщикам. «Дядя Лев, страстный курильщик, чувствовал себя не совсем ловко в присутствии матери, когда должен был, по ее желанию, засиживаться у нее в гостиной. Сергей же Львович, до кончины Надежды Осиповны, курил секретно».

Интересное свидетельство находим в письме А.Я. Булгакова к дочери: «Как-то я был в Люблине на вечере, данном Потемкиным, кому не знаю. Было общество с того света, но полная непринужденность и свобода безграничная до того, что во время спектакля гостям предлагали сигары». Письмо датировано 1833 годом. Действительно, «великолепные настоящие Гаванские сигары» предлагались гостям в домах столичных аристократов.

А.В. Мещерский, описывая светские гостиные начала 40-х годов, отмечает: «<...> в то время в обществе все курили пахитоски, даже и дамы». Как свидетельствует А.О. Смирнова-Россет, моду эту среди дам ввела в Петербурге жена австрийского посланника, графиня Дарья Федоровна Фикельмон, внучка М.И. Кутузова.

М. Паткуль, вспоминая посещение дома князя Одоевского, писала: «Забыла упомянуть, что однажды, когда я обедала у них, сестры-княгини Пущины предложили мне выкурить пахитосу. Сначала я отказалась, но когда они сами закурили и подали мне зажженную пахитосу, я решилась испытать, вкусно или нет. В то время была мода курить. Хотя у меня закружилась слегка голова, но я нашла, что это очень приятно.

Тетушка до того баловала меня, что когда я вернулась с обеда и рассказала ей о пахитосе, то, не находя в этом ничего предосудительного, она тотчас же подарила мне несколько пачек, а дядюшка, баловник порядочный, прибавил к ним мундштучок».

Вот с этого-то времени, т. е. с восемнадцатилетнего возраста, я не отстала от этой дурной привычки. Отец не курил и не одобрял тех, которые предавались этому занятию, о дамах и говорить нечего. Не желая сделать ему неприятное, я не курила при нем, пока не вышла замуж».

Не следует путать пахитосу с папиросой. Примечательно свидетельство той же мемуаристки: «К обеду Паткуль приехал к нам <...>. Тетушка как-то проболталась, что я курю, но стесняюсь при нем, тогда он подал мне свой портсигар и просил закурить пахитосу. Папирос не существовало в то время».

Позволялось курить в театре. Рассказывая о пензенском театре, И.А. Салов отмечает: «Папиросы тогда еще не были в ходу, а курили трубки и табак Василия Андреевича Жукова, а потому в буфете было устроено несколько горок для чубуков и трубок, которыми посетители и могли пользоваться за известную плату. Люди небрезгливые курили прямо из чубуков, не рассуждая о том, у кого во рту был предварительно этот чубук, но брезгливые требовали непременно, чтобы в чубук было воткнуто гусиное перышко, каковых и заготовлялось великое множество. Нечего говорить, что когда публика закурит эти трубки, то в буфет не было возможности войти...»

Курить на улицах строго воспрещалось. Одесса —

единственный город, где не соблюдалось это правило. «Два обычая общественной жизни придавали Одессе оттенок иностранного города, — пишет М.Д. Бутурлин, — в театре во время антрактов мужская партерная публика надевала на голову шляпу, и на улицах дозволялось куренье сигар, тогда как эта последняя вольность составляла до весьма недавнего времени почти уголовное преступление во всех прочих городах Российской империи».

«В 1860-м году, — свидетельствует Е.Ф. Юнге, — <...> еще не позволяли курить на улицах».

Со времен войны 1812 года, когда «курение стало распространяться заметным образом», пройдет целое столетие, но по-прежнему останется неизменным правило: «Курить в присутствии дам считается невежливым...»

Достойны внимания слова П.А. Вяземского «Нередко слыхал я от светских дам за границею, что только у русских еще сохранилось поклонение женщине (le culte de la femme)».

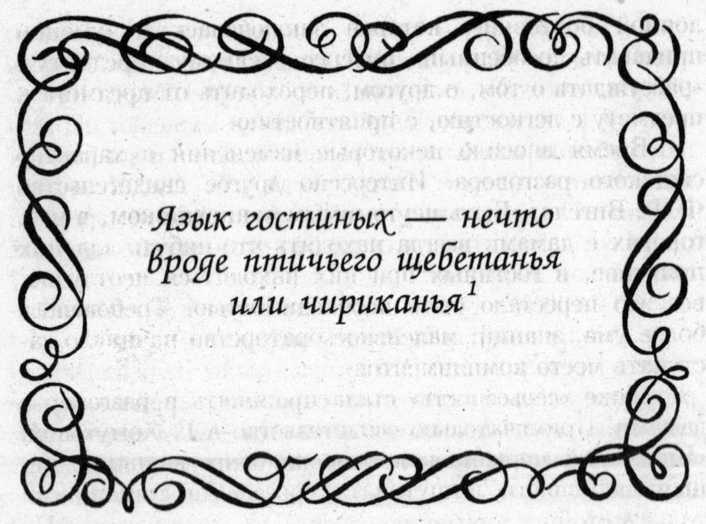

Язык гостиных — нечто вроде птичьего щебетанья или чириканья[1]

«Тогда светские люди, — отмечает Ф.Ф. Вигель, — старались быть лишь вежливы, любезны, остроумны, не думали изумлять глубокомыслием, которое и в малолюдных собраниях не совсем было терпимо».

Известно, что и Екатерина II не поощряла серьезных разговоров в светской гостиной.

«Вечерние беседы в эрмитаже назначены были для отдыха и увеселения после трудов. Здесь строго было воспрещено малейшее умствование, — пишет Я.И. де Санглен. — Нарушитель узаконений этого общества, которые написаны были самою императрицею, подвергался, по мере преступлений, наказаниям: выпить стакан холодной воды, прочитать страницу Телемахиды, а величайшим наказанием было: выучить к будущему собранию из той же Телемахиды 10 стихов».

В светской гостиной культивировалась «наука са-

---

[1] Булгарин Ф.В. Очерки русских нравов. — Спб., 1843, с. 82.

лонной болтовни», которая заключалась в «умении придавать особенный интерес всякому предмету», «рассуждать о том, о другом; переходить от предмета к предмету с легкостию, с приятностию».

Время вносило некоторые изменения в характер светского разговора. Интересно другое свидетельство Ф.Ф. Вигеля: «Быть неутомимым танцовщиком, в разговорах с дамами всегда находить что-нибудь для них приятное, в гостиных при них находиться неотлучно: все это перестало быть необходимостью. Требовалось более ума, знаний; маленькое ораторство начинало заступать место комплиментов».

Даже «серьезность» стала проникать в разговор с дамами. Примечательно свидетельство А.Г. Хомутовой: «Вяземский порхал около хорошеньких женщин, мешая любезности и шутки с серьезными тогдашними толками».

Многие иностранные путешественники, побывавшие в России в первые годы XIX века, отмечают «отсутствие» в светских гостиных серьезных мужских разговоров. Этьен Дюмон, присутствовавший на обеде у графа Строганова в 1803 году, писал в дневнике: «По-моему, не доставало разговора между мужчинами в течение одного или двух часов после обеда, когда в свободной обстановке происходит настоящее испытание сил. Но здесь это не практикуется и было бы опасно».

Марта Вильмот, посетив в Лондоне резиденцию русского посла в Англии С.Р. Воронцова, отмечает следующее: «После обеда мы посидели минут 20, не больше <...>, а затем граф Воронцов встал, предложил руку своей соседке, и все гости возвратились в гостиную. Меня поразил подобный обычай: конечно, невежливо, если мужчины уединяются надолго, но против временного разделения общества, как это принято у англичан, я вовсе не возражаю».

Пройдет немного времени, и мужчины не будут испытывать неловкость, покидая дам в гостиной и отправляясь в кабинет хозяина. Серьезные разговоры войдут в моду. Однако с дамами мужчины по-прежнему будут «говорить с приятностию даже о самых маловажных предметах».

В «Записках» Ф.Ф. Вигеля имеется любопытное свидетельство о существовании некоего «жаргона большого света». Попытаемся выяснить, что подразумевалось под этим понятием.

Русское дворянство было не удовлетворено состоянием русского разговорного языка, которому не хватало еще выразительных средств, чтобы придать разговору легкость и «приятность». Неудовлетворенность эта и явилась одной из причин засилья как в письменном, так и в устном обиходе французского языка. Чем же объяснялась притягательная сила французского языка?

Ответ на этот вопрос находим в «Старой записной книжке» П.А. Вяземского: «Толковали о несчастной привычке Русского общества говорить по-французски. «Что же тут удивительного? — заметил кто-то. — Какому же артисту не будет приятнее играть на усовершенствованном инструменте, хотя и заграничного привоза, чем на своем домашнем, старого рукоделья?» Французский язык обработан веками для устного и письменного употребления <...>. Недаром Французы слывут говорунами: им и дар слова, и книги в руки. Французы преимущественно народ разговорчивый. Язык их преимущественно язык разговорный...»

Что касается русской разговорной речи дворянства, она в целом сохраняла в начале XIX века свою близость к «простонародной» стихии. Приведем свидетельство И. Аксакова, относящееся к началу прошлого столетия: «Одновременно с чистейшим французским жаргоном <...> из одних и тех же уст можно было услышать живую, почти простонародную, идиоматическую речь...»

По словам А.С. Пушкина, «откровенные выражения простолюдинов повторяются и в высшем обществе, не оскорбляя слуха...»

В гостиной светской и свободной
Был принят слог простонародный
И не пугал ничьих ушей
Живою странностью своей, —

читаем в романе «Евгений Онегин».

И все же существовало различие между салонной и обиходной речью дворянства: в первой простонародные элементы употреблялись в гораздо меньшей степени. Эту особенность «светского разговора» очень точно подметил И.М. Долгоруков, давая характеристику пензенскому помещику Чемесову: «<...> он сплошь говаривал губернатору, не обинуясь, когда тот, рассуждал о градоправительстве, сбивался с толку: «Эх, ваше превосходительство! Вить городом-те править не рукавом трясти». Много у него было подобных выражений собственно своих, которые погрешали, может быть, против чистоты отборного светского разговора, но никогда не были в раздоре с здравым смыслом».

«Не должно вмешивать в разговор слишком простых и обыкновенных поговорок, каковы, например, «здравие есть драгоценное сокровище», «что медленно ведется, то хорошо удается» и проч., и проч. Такие пословицы бывают крайне скучны, а иногда и ложны», — читаем в руководстве барона А. Книгге «Об обращении с людьми».

В светской беседе было не принято также называть некоторые вещи своими именами. Бытовой язык света был насыщен эвфемизмами, выражениями, которые заменяли другие, неудобные для данной обстановки. Например, сказать о девушке, что «она дурнушка считалось большим невежеством. Обыкновенно говорили: elle a changé de grimme».[1]

«Определительность, резкость, полная искренность,

---

[1] Она переменила грим *(фр.)*.

нагая истина возможна только в детях, — писал сенатор К.Н. Лебедев. — <...> Дипломатический тон есть элемент светской беседы...»

Новый литературный язык, который формировался в дворянской среде, в первую очередь ориентировался на устную речь светской гостиной. А разговорный язык светского общества ориентировался на речь дам, которые, по словам Н.В. Гоголя, отличались «необыкновенною осторожностью и приличием в словах и выражениях».

«Высшее общество, более чем когда, в это время было управляемо женщинами: в их руках были законодательство и расправа его», — писал Ф.Ф. Вигель. Женщины были законодательницами вкуса и «любезными учительницами».

«Женщина царствовала в салонах не одним могуществом телесной красоты, но еще более тайным очарованием внутренней, так сказать, благоухающей прелести своей», — вспоминал П.А. Вяземский.

«Салон в России 1820-х годов — явление своеобразное, ориентированное на парижский салон предреволюционной эпохи и, вместе с тем, существенно от него отличающееся. Как и в Париже, салон — своеобразная солнечная система, вращающаяся вокруг избранной дамы. Однако если во французском салоне лишь в порядке исключения возможно было, что хозяйка одновременно была и обаятельной женщиной, вносившей в жизнь салона галантную окраску, то в русском салоне это сделалось обязательным. Хозяйка салона соединяет остроту ума, художественную одаренность с красотой и привлекательностью. Посетители салона привязаны к ней скорее не узами, соединившими энциклопедистов в том или ином салоне, а коллективным служением рыцарей избранной даме».[1]

[1] Лотман Ю.М. Культура и взрыв. – М., 1992, с. 155 – 156.

П.А. Вяземский рассуждает о том, какими достоинствами должна обладать хозяйка салона: «Женский ум часто гостеприимен: он охотно зазывает и приветствует умных гостей, заботливо и ловко устроивая их у себя: так, проницательная и опытная хозяйка дома не выдвигается вперед перед гостями; не перечит им, не спешит перебить у них дорогу, а напротив, как будто прячется, чтобы только им было и просторно, и вольно».

Именно такой хозяйкой салона была С.Н. Карамзина. «Разговаривая с людьми, даже и не очень с ней знакомыми, она не старалась блеснуть своим остроумием или познаниями, а умела вызывать то и другое в собеседнике, так что он после разговора с ней оставался всегда как-то очень доволен собой, подобно каждому слабому смертному, чувствующему бессознательно почему-то, что он имел какой-то успех», — писал о ней А.В. Мещерский.

«В салоне мать моя была удивительная хозяйка, — вспоминает Е.Ф. Юнге, — она умела возбудить интерес застывающего разговора, соединить разнородные элементы, поднять настроение общества».

Внешняя привлекательность, «вежливые приемы», образованность, «навыки французского общежития» — такими достоинствами должна обладать хозяйка салона, но самым главным из них является умение «красиво и легко говорить».

А.О. Смирнова-Россет писала Е. Ростопчиной: «Я провела вечер у Нади Пашковой, где познакомилась с Александрой Пашковой; она могла бы иметь салон в С. Жерменском предместье и делала бы нам честь, настолько она красиво и легко говорит...»

О том, как блестяще исполняла роль хозяйки салона сама А.О. Смирнова-Россет рассказывает П.А. Вяземский: «Профессор духовной академии мог быть не лишним в дамском кабинете ее, как и дипломат, как Пушкин или Гоголь, как гвардейский любезник, молодой лев Петербургских салонов. Она выходила иногда в приемную комнату, где ожидали ее светские посетители, после урока Греческого языка, на котором хотела изучить восточное богослужение и святых отцев. Прямо от беседы с Григорием Назианзином или Иоанном Златоустым влетала она в свой салон и говорила о делах Парижских с старым дипломатом, о Петербургских сплетнях, не без некоторого оттенка дозволенного и всегда остроумного злословия, с приятельницею, или обменивалась с одним из своих поклонников загадочными полусловами, т. е. по-английски flirtation или *отношениями*, как говорилось в то время в нашем кружке. Одним словом, в запасе любезности ее было, если не всем сестрам по серьгам, то всем братьям по *сердечной загвоздке*, как сказал бы Жуковский».

Умение держать салон, по словам П.А. Вяземского, «преимущественно принадлежит Французскому, то есть Парижскому общежитию. <...> Замечательно, что последними представительницами этого искусства в Европе, едва ли по преимуществу не были русские дамы...»

Считалось, что «мужчины не в такой степени одарены способностью вести легкий разговор, как женщины». «Одно из первых для молодого человека достоинств — уметь говорить ясно и складно, — читаем в записках Ф.Н. Голицына. — Дабы сие приобрести, надобно прилежать к познанию языков и читать как можно более и даже выписывать из книг лучшие изречения. Стараться также, будучи в свете, примечать людей, приятно объясняющихся и нравящихся всем прочим, и у них перенимать. Невероятно, сколь от того, даже с посредственными дарованиями, можно понравиться. Женский пол не токмо пренебрегать не надобно, но стараться во всем угождать...»

О важном значении для мужчины способности приковывать внимание женщин говорил А.С. Пушкин.

Сын П.А. Вяземского вспоминал: «Пушкин поучал меня, что вся задача жизни заключается в этом: все на земле творится, чтобы обратить на себя внимание женщин. <...> Он постоянно давал мне наставления об обращении с женщинами...»

«Приятели Пушкина, вспоминая его, обыкновенно говорили, что его беседа стоила его произведений; а Лев Сергеевич свидетельствует, что гениальность его брата выражалась преимущественно на словах, и особенно в разговоре с женщинами».

Многочисленные руководства по этикету, изданные в прошлом веке, содержат различные указания, как вести светский разговор. Некоторые, на наш взгляд, самые интересные, мы предлагаем вашему вниманию.

Легкий салонный разговор[1]

В салоне не требуется ораторов, там требуются люди, умеющие поддержать легкий разговор. Умение вести оживленную, приятную беседу есть искусство, которое высоко ценится во всех общественных слоях.

С каким удовольствием видит вас хозяйка дома в числе своих гостей, если вы обладаете этим искусством! Как все присутствующие наперерыв ищут вашего соседства за столом, на бале!

Да, но о чем же собственно следует разговаривать в многочисленном светском обществе? О всем и о всех, ни о чем слишком долго и простран-

[1] Интересный собеседник, или Искусство быть всегда занимательным в обществе. – Спб., 1909, с. 99 – 104.

Автор счел нужным поместить здесь одну из глав названной книги, так как изложенным в ней правилам следовали и в начале XIX века.

но, не исчерпывая до конца никакого предмета, не развивая широко ни одной подвернувшейся темы, не доводя никакого вопроса до последнего заключения. Вы должны легко и ловко переходить с предмета на предмет, то ведя разговор, то предоставляя говорить другим, и не давая беседе прерываться, должны находить новый материал для рассуждений, не щеголять исключительно собственным остроумием и знаниями, но предоставлять также и другим возможность блеснуть своим красноречием, должны поддерживать их, пожалуй, неловкие попытки разговора, покрывать их маленькие промахи, чтоб они к концу общей беседы были довольны собою и нашли, что ни с кем нельзя так весело болтать, как с вами.

Нет ничего в свете, о чем было бы нельзя вести легкого и интересного разговора. Не выжидайте для этого глубокомысленных тем, но пользуйтесь всем, что вам предоставляет данная минута.

Главным условием оживленной, легкой беседы является приятная подвижность ума, при которой нетрудно переходить с одной темы на другую, отыскивая в каждом предмете интересную сторону. Самой худшей помехой служит здесь односторонность. Вы не должны повторяться и вам следует иметь обширный репертуар рассказов и анекдотов.<...>

Мужчины не в такой степени одарены способностью вести легкий разговор, как женщины. Они не умеют разменивать запаса своих знаний на мелкую монету общественных разговоров, но и между самыми замечательными мужчинами бывали отличные собеседники <...>.

Чем разнообразнее предметы, которыми вы пользуетесь для салонной болтовни, тем она выходит живее и занимательнее. Здесь все может послужить темой разговора: новости дня; различ-

ные происшествия в кругу ваших знакомых, театральные зрелища, концерты, путевые приключения (ваши собственные или чужие), общественные вопросы, веселые эпизоды, пережитые вами или слышанные, торжества, бывшие или предстоящие, наблюдения в вашей среде — все это представляет пестрые камешки в мозаике, которая служит узором для игривой беседы в обществе. Нужно только уметь распорядиться этим материалом, искусно разнообразить его, не вдаваясь слишком серьезно и слишком глубоко ни в какой предмет, избегая докторального тона и помня пословицу: «tout genre est permis hors le genre ennu-yeux»[1]. <...>

Разумеется, это только слабая попытка очертить ход салонной болтовни. Как трудно поддаются описанию игривыя волны ручейка, где одна волна исчезает в другой, но каждая блестит и сверкает по-своему, так же трудно в точности описать живую, переменчивую беседу. Вопросы, ответы, замечания сыплются со всех сторон; веселые шутки перелетают от одного собеседника к другому; тут слышится острота, вызывающая смех, там серьезное слово, которое, пожалуй, будет оставаться в ушах, когда болтовня давно умолкнет.

Настоящий салонный разговор легко может обойтись без злословия; конечно, случается и здесь упомянуть о какой-нибудь слабости или странности знакомого лица, повторить пикантный слух, но в порядочном обществе все это делается вскользь, мимоходом, а не смакуется с наслаждением, как между завзятыми сплетниками. Болтовня не терпит раздражительного тона, резкого противоречия, упрямой настойчивости на своем

[1] Все жанры хороши, кроме скучного *(фр.)*.

мнении, колкости обидных намеков, никакой навязчивости в суждениях или желания выставить себя в выгодном свете к ущербу других. У салонной болтовни нет другой цели, кроме невинного развлечения.

Разговор[1]

То, что называется разговором, можно заключить в двух пунктах, то есть разделить на разговор общий и частный; ибо я не считаю разговором ни пустословия глупцов и жеманниц, ни обыкновенных фраз утреннего посещения, в которых разбирают новости, распространяемые клеветою, или повторяют читанное в журнале с такими изменениями, что с подлинником нет никакого сходства. Я не называю также разговором болтливости, которой пища — злословные слухи; ни бессмысленных вестей, коих обыкновенные предметы — ветренность и вздор.

В большом и блестящем круге разговор не так легок, как то воображают себе. В обществе частном, составленном из виртуозов или писателей, из степенных политиков или веселых гостей, талант второй степени не столько сжат; он может даже иметь успех без большого напряжения ума, благодаря нескольким остроумным анекдотам, счастливой памяти и с помощью небольшой веселости в характере. Но совсем противное в многочисленном собрании — в зале или в столовой, при дворе или в деревне. Тут разговор должен увеселять всех, не нанося никому оскорбления; должно быть занимательным и осторожным, ибо каждый, кто вас слушает, может быть критиком и каж-

[1] Дамский журнал. — 1828, № 12, с. 237 – 238.

дый страждующий слушатель хочет быть награжден за ту жертву, которую он приносит, позволяя другому играть роль, гораздо занимательнейшую; жертву, которая требует немалых усилий со стороны пола, составляющего прелесть и украшение общества.

Между прочим, я заметил, что на больших обедах разговор редко бывает общим. Тут довольствуются беседою с своим соседом по правую и по левую сторону и разговаривают почти с малым числом особ, если только в обществе нет кого-либо, одаренного превосходнейшими талантами, коих привлекательность была бы непреодолима; если нет такого человека, который бы говорил скромно и важно о каком-нибудь занимательном предмете и обращал на себя всеобщее внимание. Но как трудно найти подобного феникса, то по большей части в многочисленных собраниях разговор состоит из затверженных учтивостей; из замечаний о времени и о состоянии атмосферы; из отрывистых и бессмысленных фраз, не стоящих быть замеченными; из отрывков, в беспорядке и без связи выхваченных из суждений того состояния людей, к какому принадлежит говорящий, в его вкусе, согласно с его привычками, без всякого уважения к законам общежития, которые требуют, чтобы разговор имел основанием предмет равно всем общий, не принимая министерского или догматического тона.

И так в обществах людей, мало образованных, предмет разговора вовсе не занимателен для дам, которые довольствуются победоносным могуществом глаз своих, и тогда только прибегают к проискам, когда нужно поработить сердце.

Воин, который заставляет вас присутствовать на всех битвах своих, который как бы вместе с вами открывает траншею, геройствует в осаде среди мертвых и раненых; воин занимателен для ученых и скучен для модных мотыльков, которые умеют только слегка коснуться некоторых предметов легкого и приятного разговора. Критик есть страшный бич, а путешественник... Мне должно здесь остановиться; слово, хотевшее вырваться у меня, противно нежному слуху. Но все знают, что путешественники славятся тем, что рассказы их в вечной вражде с правдоподобием.

Таких людей немного, которые одарены довольно плодовитым умом на тот конец, чтобы они могли по произволу выбирать предметы разговора, приличествующие вкусу и характеру того общества, где находятся, а еще менее таких, которые имеют довольно рассудка на то, чтобы уметь говорить и слушать кстати, чтобы уметь показать свои таланты и возвысить способности других, доставляя им случай выказать их. Первые должны иметь здравый рассудок; вторые здравый рассудок и доброе сердце.

От сего происходит, что разговор часто слабеет и что мелочи, которыми наполняются рассказы, не имеют никакой цены. Звуки доходят до слуха, но память ничего от них не удерживает; и если по несчастию она держит что-либо из слышанного, то обыкновенно по нашему прискорбию мы должны бываем сказать: «Я потерял мой день!»

Когда кто говорит, надобно его слушать и не прерывать ни для чего его речей, а тем менее для того, чтоб сказать, что я лучше о том знаю и разскажу[1]*. Во время чьего нибудь разсказывания*

[1] Здесь и далее орфография и синтаксические особенности источников сохранены.

очень не учтиво скучать, зевать, глядеть на часы; так же не надобно лукаво улыбаться, шептать кому на ухо, или на иностранном языке сказать нечто, чего другие не разумеют, чтоб не подать подозрения, что мы на счет разсказывающего нечто обидное сказать, или что он лжет, подозрение подать хотим: что все очень не учтиво; ибо весьма больно самолюбию человеческому, когда разговоров наших слушать не хотят; и по тому человека, хотя бы он что либо и не весьма разумное сказывал, таким образом, против себя огорчать не должно. Естьли же мы что нибудь разсказываем, то разсказывать надобно ясно, и сколько можно короче, без всяких дальних околичностей, часто к делу не принадлежащих, чтоб длинным разсказом, может быть еще и о какой нибудь безделице, слушающих не отяготить, и тем не употребить во зло других к нам внимания.

Пустомеля всегда скучен. Он к стате и не к стате беспрестанно говорит и хочет, чтоб общество его только разговорами занималось: надобно, чтоб всякий имел свободу и время свои мысли и разсуждения к общему разговору присоединять.

Есть особливаго свойства люди, кои в разговорах господствовать любят, и хотят, чтоб все перед ними молчали, их только слушали и суждения их определительными почитали: кто осмелится некоторым из мнений их попротиворечить, они осердятся, заспорят, закричат, так что и по неволе молчать заставят; и после чего никто уже вперед их разговоров слушать не захочет. Естьли с таковым человеком где в обществе разговаривать случится, и когда он горячиться начнет, скромность и учтивость требуют уступить ему, хотя бы он нечто и нелепое утверждал; ибо доказательства только его более раздражить, нежели уверить и успокоить могут. Молодому человеку надобно крайне опасаться сей всем несносной привычки, спорить и кричать, чтоб иметь удовольствие переспорить других. Можно говорить нечто и противное мнениям других, но так, чтоб не было тут пристрастия к собственным своим мнениям, а справедливость бы нас говорить заставляла; и благоразумие наше должно знать, где при случае и уступить.

Убегать также должно общаго почти порока бесед, чтоб от скуки своих знакомых злословить, пересказывая их пороки в смешных видах.

Есть люди, кои хотят смешить общество, и, для краснаго словца, ни знакомаго, ни хорошаго приятеля, ни роднаго, ниже другаго чего священнаго пожелают, лишь бы то было только к стате: правда, смеются тому, и удивляются их остроте; но внутренно таких людей всегда презирают; а тем менее хотят с ними дело иметь; ибо всякий опасается, что такий человек, узнав его сколько нибудь покороче, не оставит к стате осмеять его поступки.

Молодому человеку должно крайне сего остерегаться; ибо таковое ремесло весьма для него блистательно и заманчиво. Нежная острота к стате сказанной шутки, но никого не огорчающей, заставляет улыбаться общество, производя в душах удовольствие; но едкая соль, с желчию растворенная, и из под тишка, но явственно на кого нибудь целющая, хотя громкой вынуждает в обществе хохот; но оставляет в сердцах какую-то горечь, которая остряка почитать не заставляет. В обществе равных себе, без шуток конечно не может быть приятности; таковыя шутки однакож не должны быть противны учтивости; но не должно брать на себя и должности шута.

Не надобно также браться, сказать нечто смешное, и смеяться прежде нежели еще о том разсказано будет; и по разсказании чего, может быть, никто и не улыбнется.

Смешно, или не смешно что сказано, но кто безпрестанно тому смеется и хохочет, тот чрез сие открывает, сколь велик у него разум <...>.

Нет ничего глупее, когда человек своими дарованиями, или делами хвастает. А есть люди, кои, кажется, еще и охуждают свои поступки; но сквозь притворное их смирение ясно видно их тщеславие. Таковое смирение есть паче гордости, и несносное для человека благоразумнаго.

Не надобно так же с похвалою разсказывать о людях и вещах, о коих всякой знает, что мы худаго о них никогда не скажем; как то хвалить другим свою жену, своих детей, свой дом и тому подобное; ибо что для нас хорошо, то не всегда другим кажется таковым.[1]

Большая часть знатных и богатых людей провождают жизнь свою, посещая других и у себя принимая посещении. Итак, для тех, кои имеют честь в таком свете обращаться, весьма нужны наставлении, коим следуя, могут оне соблюсти достодолжную благопристойность и заслужить почтение. Часто заключают о достоинстве человека по образу его обхождения; невсегда приемлют люди на себя труд изследывать добрыя или худыя качества; но прежде всего судят по единому впечатлению, какое производит его обращение.

Я не намерен здесь предлагать о частных тех обращениях, в коих две особы, одушевляемыя вза-

---

[1] Искусство обращаться в свете, или Правила благопристойности и учтивости в пользу молодых людей, в свет вступающих. — М., 1797, с. 40 – 49.

имною любовию и дружбою все то говорят, что внушают им сердечныя их чувствовании. Оне не опасаются того, что бы не поступить противу правил скромности, не думают в выборе предметов к своей беседе; ибо оне взаимно уверены; что оне ничем друг друга не оскорбят и ничем друг друга не наскучат.

Но обращение в обществе людей разнаго рода, собирающихся единственно для того, что бы наслаждаться приятностию беседы от помянутых совсем отлично. Обращение таковое имеет особенныя свои правила и поступки, и неиначе сделать себя можно в том обществе приятным, как исполнив оныя в точности. Но как удобнее избегнуть великой погрешности, нежели достигнуть совершенства, то изследуем с начала, чего в обращении остерегаться, и потом, о каких вещах в собраниях говорить не должно.

Никогда не заводи о себе самом речи. Из благопристойности не должны мы говорить о самих себе; да и можно ли что сказать о себе, что бы не оскорбляло нашея скромности и не показывало вида самолюбия? Если человек тщеславиться изящными своими качествами, кои он сам в себе находит, или безстыдно обнаруживает свои пороки, то в том и другом случае делает он себя достойным посмеяния. Сие правило должно также относиться и ко всему тому, что к нам принадлежит. Весьма мало и с великою скромностию должен говорить муж о достоинствах, или недостатках своея жены. Разумная мать никогда не выхваляет нежности, учтивости детей своих: скромная госпожа преходит молчанием все то, что касается до рабов ея. Все таковые разговоры могут быть предметом в частной и дружеской беседе, а не во многолюдном собрании; ибо какая нужда неучаствующим в собственных наших делах людям в том, что у нас жены верны, дети учтивы, служители надежны и достойны доверенности.

Берегись вступать в повествовании о плачевных произшествиях, кои нечувствительно сцепляются с другими подобными и которыя обыкновенно разказывать должно с печальным видом. Оными заставить других над собою смеяться, что ты пришел в собрание с тем, дабы оплакать все несчастии, случившиися в продолжение многих веков роду человеческому. Впротчем, если ты когда принудишся рассказывать о каком нибудь печальном приключении, то опасайся, что бы не показать довольнаго и насмешливаго виду в сем повествовании: сие будет значить, что ты не имееш сострадания и смеешся несчастным.

При избрании предмета к разговору, должно наиболее смотреть на то лице, с которым намереваешся начать речь свою: без сей предосторожности весьма легко можеш сделать оскорбление и навести скуку тому, пред коим хочеш показаться приятным и любезным человеком. И для того, пред людьми молодыми не должно являть себя угрюмым философом; ибо оне больше всего любят говорить о вещах забавных и веселых. Ненадобно также показывать ни важнаго, ни суроваго вида пред женщинами, кои в таковых собраниях думают токмо о смехе и утехах. Советуйся с разумом; если ты сделаеш его своим руководителем, то все в устах будет приятно беседе. Науки, сражении, градоправление, нравственность и история суть изящнейшие предметы к забавным и поучительным разговорам, если только все сие предлагаемо будет приличным образом и не входя в мелкия подробности; ибо с подобным изследованием и продолжительным об одном предмете размышлением сопряженно беспокойствие и утруждение разума. В беседах нужна перемена; она единая даставляет в оных всю приятность. Впротчем, за правило должно поставить, что бы в таковых обществах не столько науки и дела важныя, сколько взаимныя учтивости и забавныя некия произшествии были содержанием наших разговоров.

Пусть с важностию разсуждают о предметах, касательных до пользы общенародной в военных и Государственных советах; пусть стряпчий, ходатайствующий в суде по тяжебному некоему делу, обращает внимание на себя, сведением законов и обычаев; пусть врач, посетивший больнаго, твердит Греческия и Латинския речении: но в беседах ненадобны таковыя подробности, ненужна в них высокая ученость. В оныя большею частию собираются для того, чтоб разум от таковаго утруждения и души безпокойствия на несколько времени освободить и обезпечить. <...>

Учтивство требует также, что бы мы в обращении принимали в разсудок состояние души своего собеседника. Если ты примечаешь в нем некую досаду, печаль и оскорбление, то оставь его в покое, не мучь его своими приветствиями и расказами и удались от него.

Когда кто в беседе обращает к тебе свою речь, или что расказывает, слушай со вниманием и не прерывай его повествования, ответствуй к стати и не оказывай скуки и нетерпеливости, сколько бы разговор его продолжителен ни был.

Весьма грубая, но при всем том очень обыкновенная неучтивость вести разговор свой с одною особою, свидетельствовать к ней одной много привязанности, а другим в то самое время оказывать одну холодность и пренебрежение.

Если в беседе кто нибудь скажет что непристойное, или свойственное малым детям, хотя бы то происходило от глубокаго невежества, или худаго воспитания; не должно при сем случае смеяться, а должно более сострадать о его слабости, или глупости. Сколь же безчестно поступают те, кои по жестокости своей злобными своими насмешками наносят новое сему человеку поругание! Какая бы была причина радоваться глупости?

Не поставляй себе за честь защищать свои мнении с усилием и упрямством, сколько бы оне тебе справедливы ни казались. Преклонностию своею ты более заслужиш себе почтения и дружбы, нежели противоречием.

Должно также почесть и того за неучтивца, кто изъявляет торжественно равнодушие свое к женщинам. Чрез сие он как будто дает знать, что они ничего не имеют в себе прекраснаго и привлекательнаго. Но лишать их таких приятных мыслей, кои питают их самолюбие, есть жестокая обида. <...>

Речи иносказательныя и метафорическия много в разговоре делают приятности и много придают языку красоты. Оне изражают сильнее и чувствительнее вещи, нежели собственныя их слова: оне дают жизнь и душу существам неодушевленным. На пример: если говорится о каком нибудь неприятном месте, весьма будет к стати об оном сказать: «какая плачевная страна сия; одна скука и уныние в ней царствуют» и протч. Помни сие всегда, что недостаточныя изъяснении суть жестокое наказание для людей, имеющих хороший вкус. Самые лучшие предметы теряют половину цены своей, когда они будут описаны коротко и слабо. Я говорю сие не к тому, что бы при каждом слове делать выбор и строго смотреть на их расположение так, как бы ты сочинял что нибудь в своем кабинете; по крайней мере должно наблюдать сие, сколько предмет дозволяет. А что бы научиться приятно говорить, то советую я знакомиться с людьми в сем роде себя отличившими, вслушиваться в их разговор и подражать им. Дарование хорошо говорить есть наипрелестнейшее украшение человека, и можно утвердительно сказать, что неосновательное разсуждение навлекает человеку более порицания, нежели одно худое изречение; но что бы познать несправедливость мыслей, надобно входить в изследование; худое же и нелепое выражение без разсуждения каждому приметно.

Наипаче должно говорить учтиво в спорах; ибо учтивость в сем случае загладит некоторым образом то оскорбление, которое ты в противомыслящем твоем собеседнике произведет своими возражениями. С большеею трудностию сопряжено, нежели как думают, расказать какое нибудь происшествие, или новость; что бы придать слову более вероятности, то обыкновенно дело увеличивают; но это худое прибежище. Все такия увеличивании означают неосновательность, или глупое тщеславие повествователя, старающегося всем, что говорит и делает, удивлять своих слушателей.

Когда ты что нибудь рассказываеш, то не выжидай никогда одобрений. Таковый поступок даст знать твоим собеседникам, что ты насильно требуеш похвал и уважения, что самое противно правилам скромности.

Весьма те обманываются, кои, дабы показаться остроумными собеседниками, употребляют в разговорах насмешливыя и двусмысленныя речи. Сколько бы оне скрытны ни были, всегда оне в людях производят худое мнение и означают повреждение сердца.

Если в твоем повествовании встречаются смешныя и забавныя обстоятельства, никогда первый не начинай смеяться: сие значит, что ты хочеш дать знать своим слушателям, что это было прекрасное место в твоей повести; напротив того сколько можно в сем случае сохрани скромность: ибо шутка, произнесенная с важным видом больше к смеху возбуждает.

Не спеши никогда в повествованиях, не прерывай часто и не возвышай с лишком голосу, что многия делают единственно для того, дабы криком своим привести других в большое внимание. Сия погрешность тем несноснее, что она соединена с некоторою повелительною надменностию и неуважением к тем, кои слушают.

Берегись многократных повторений, производящих обыкновено скуку и отвращение. Старайся соблюдать в речах твоих приятное согласие. В произношении букв не употребляй притворнаго какого недостатка. Сия погрешность сносна бывает в молодой и прекрасной женщине; но в мущине вовсе нетерпима.

Если ты намерен расказать некую повесть и когда все собрание обратит внимание свое на твой разговор, то старайся сохранить естественное течение слова; говори ясно, осторожно и не забудь ни одного любопытнаго обстоятельства. Буде приступаеш ты к описанию некоей картины, усугубь внимание твоих слушателей, предлагая им предметы оныя так ощутительно, как бы они пред глазами своими их видели. Никогда не употребляй выражений принужденных и выисканных и ничего не увеличивай. Если бы я на примере должен был говорить о реке, протекающей в долине: я бы никогда не сказал, что хрустальные ея воды делают многия излучины для украшения сего избраннаго в жилище Церерою луга, и что оне оставляют берега свои с чувствительным сожалением. Сей язык нужен для стихотворцев, а не для собеседников, коих обращение и разговоры должны быть просты, откровенны и без всякой надменности. <...>

При самых позволительных шутках надобно необходимо смотреть на предметы, о которых говорят; ибо было бы то противно здравому разсудку, если бы кто стал шутить во время важных разговоров с такими людьми, которыя погружены в жестокую печаль; разве только кто имеет счастливую сию способность обратить их к себе внимание, разогнать мрачныя оных мысли и утешить их в горестях. Итак, если кто захочет употребить шутку, приличную честному человеку, то что бы была она остроумна и благопристойна. Не должно ничего говорить ребяческаго, низкаго, или худовымышленнаго. Должно представлять шутки в приятном виде, улучать время к употреблению их, смотря на людей, с коими говорим, и на свойство предметов, о коих разсуждаем. Когда все сии обстоятельства встретятся и когда мы что нибудь веселое и приятное в уме своем ощущаем, чем можем сделать удовольствие беседе; то великая даже будет несправедливость, в том, чтоб не сказать того нашим собеседникам. Впротчем надобно остерегаться, что бы не преобрести имени шута, или пересмешника: постыдное дело представлять их лице! <...>

Если кто не во время прервет речь твою, дабы спросить у тебя, о чем идет разговор; то не изъявляй твоего неудовольствия за сие неучтивство; но повтори сказанное тобою гораздо яснейшим и пространнейшим образом. Сия скромность и послушание принесет тебе честь и удовлетворит любопытство того, который иначе начал бы может быть с тобою спорить.

Я бы с моей стороны нимало не желал судить о новых сочинениях, какия часто читают в собраниях; им должно налагать цену в своих кабинетах; но ежели бы нельзя уже было бы миновать, чтоб не сказать о том своего мнения, то весьма бы остерегался я говорить худо о писателе; а наипаче не решился бы никогда судить его весьма строго. Быть средняго мнения, есть лучшее средство в таких случаях. Если предлагается какой нибудь вопрос, то не должно спешить подавать свое мнение, а буде и придет чреда оное говорить, то благоразумие требует, что бы предлагать его не таким образом, как будто бы ты был уверен, что оно пред всеми протчими имеет преимущество. Сие предоставляется только тем, кои сделали себя известными своим остроумием. Ктож при таковых обстоятельствах поступает иначе, тот показывает в себе постыдную опрометливость и подвергает себя посмеянию и бесчестию. Встречаются многие случаи, в коих общество никак не почитает за важное знать, доказана ли такая то вещь, или нет, тем или другим образом последовало сие приключение и справедливо ли оно заподлинно; при таковых положениях не надобно ему докучать усильными и пространными своими рассказами. Молодыя люди не могут иметь много осмотрительности; ибо оне мало об ней думают. Самыя малыя обстоятельства могут возжечь пылкие их умы; и потому часто оне в беседе заводят шум и нарушают спокойствие целаго общества.

Если кто тебе отдаст на испытание какое-нибудь сочинение, дабы узнать твое об нем разсуждение, думая при том, что ты столько искусен и знающ, что можеш об оном судить справедливо, или вручать какую нибудь рукопись прежде ея напечатания; то должен ты все то об ней сказать, что ты об ней ни думаеш, умея впротчем оправдать свое мнение. Но если ты в сем иначе поступиш, то учиниш себя недостойным той доверенности, которую к тебе имеют. Весьма виновным также останешься, если будеш нарочно выискивать к каких сочинениях погрешности, а наипаче в тех, которыя весьма многия хвалят: ибо сие значит не только хотеть препятствовать писателю в приобретении чести, но и оскорбить вообще всех, кои одобрили сие творение.

Всегда думали, что Скудоумов имел весьма обширное знание во всем, пока говорил обо всем односложными словами, то есть, когда говорил он «да» и «нет»; но когда хотел показаться искусным и разсуждать о всех сочинениях так, как человек ученый; то показал тем слабость своего познания. Он одобряет то, что в сочинении худо; и напротив хулит изящнейшия места. Итак все общество, которое почитало его из первейших умов, узнало наконец обман его. Но не всегда хорошо однакож давать себя изведывать и являть таким, каков ты есть действительно.[1]

[1] Наука общежития нынешних времян в пользу благородного юношества. – М., 1793, с. 4 – 99.

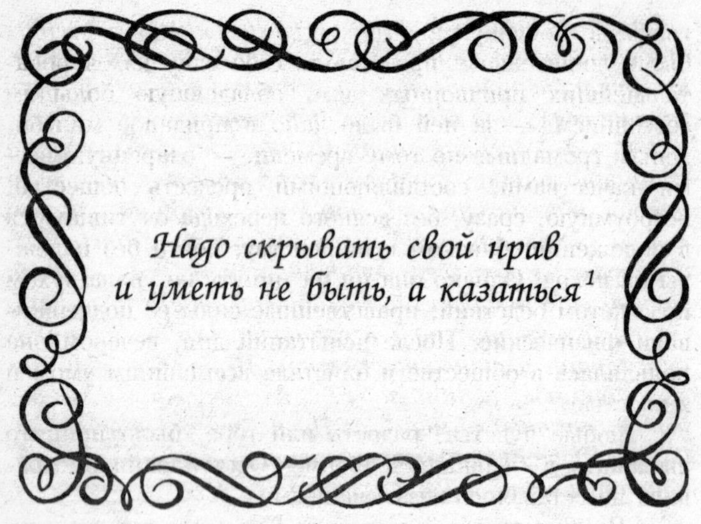

Надо скрывать свой нрав и уметь не быть, а казаться[1]

«То́на высшего круга невозможно перенять, — пишет Ф. Булгарин, — надобно родиться и воспитываться в нем. Сущность этого тона: непринужденность и приличие. Во всем наблюдается середина: ни слова более, ни слова менее; никаких порывов, никаких восторгов, никаких театральных жестов, никаких гримас, никакого удивления. Наружность — лед, блестящий на солнце».

«Управляй лицем по своей воле, чтобы не было на оном изображено ни удивления, ни удовольствия, ни отвращения, ни скуки!» — советует барон А. Книгге, автор руководства «Об обращении с людьми».

Самообладание — отличительная черта светского человека, который «должен казаться довольным, когда на самом деле очень далек от этого». Это правило наглядно иллюстрирует рассказ французского эмигранта

---

[1] Карпов В.П. Воспоминания. — М. — Л., 1933, с. 143.

графа де Рошешуара: «Мужество и покорность матери были удивительны: представьте себе одну из очаровательнейших придворных дам, обладавшую большим состоянием — за ней было дано в приданое мильон, деньги громадные по тому времени, — одаренную всеми качествами, составляющими прелесть общества, остроумную, сразу, без всякого перехода очутившуюся в положении, близком к нищенству, почти без надежды на исход! Однако она ни на минуту не упала духом под гнетом бедствий; нравственные силы ее поддерживали физические. После испытаний дня, вечером она появлялась в обществе и блистала всегдашним умом и живостью».

Любые чувства, радость или горе, было принято выражать в сдержанной форме. Отступления от правила не оставались незамеченными.

«Во время нашей дневки в Житомире вот что случилось. Надо знать, что в кампанию 1813 года брат мой тяжко заболел в Житомире, и его вылечил какой-то местный врач. Этого врача брат мой отыскал, привел и представил нашим родителям. У матери избыток чувств взял верх над светскими приличиями, и при виде спасителя любимого сына она бросилась ему на шею и заплакала», — читаем в «Записках» М.Д. Бутурлина.

«Бабушка пользовалась у нас огромным авторитетом, — вспоминает Е.А. Нарышкина. — <...> Она справедливо имела репутацию женщины большого ума, но она не понимала и презирала все, что было похоже на восторженность и всякое внешнее проявление какого бы то ни было чувства. Так, я помню, как однажды на панихиде по одной молодой княгине, Голицыной, умершей 18-ти лет в первых родах, она заметила про одну даму, которая плакала навзрыд, что она была «bien provinciale de pleurer de cette façon»[1].»

---

[1] «Очень провинциальна, плача подобным образом» *(фр.)*.

Женщина хорошего тона, «чтобы с честью поддерживать свою репутацию, должна была казаться спокойной, ровной, бесстрастной, не высказывать ни особого внимания, ни повышенного любопытства, должна была владеть собой в совершенстве».

И что ей душу ни смутило,
Как сильно ни была она
Удивлена, поражена,
Но ей ничто не изменило:
В ней сохранился тот же тон,
Был так же тих ее поклон, —

так А.С. Пушкин описывает Татьяну Ларину в момент ее встречи с Онегиным.

«Заметна была в ней с детства большая выдержанность: это был тип настоящей аристократки», — говорил о своей матери А.В. Мещерский.

Было не принято посвящать других в подробности своей личной жизни, вверять посторонним «тайны домашнего своего несчастья». «Первая обязанность света, возложенная на женщин, — пишет Е. Сушкова, — стараться возвышать мужа в общем мнении и притворяться счастливой, сколько достанет сил и терпения».

«В наше время никакая порядочная женщина не дозволяла себе рассказывать про неприятности с мужем посторонним лицам: скрепи сердце да и молчи», — свидетельствует Е.П. Янькова.

Но при холодной светской встрече
Никто б не понял грусти той,
Так безмятежны были речи
И взор графини молодой.
В душе и гордой, и глубокой
Она печаль свою далёко
От светских спрятала очей;
Никто бы не сказал о ней,

Что эта женщина несчастна;
Нет, — добродушна и мила
Равно ко всем она была, —
И мог поэт бы только страстный
Найти печали этой след...

Это строки из «романа минувшей эпохи» «Свет», написанного Н. Жандром.

Не только дамы, но и мужчины не должны были рассказывать другим о своих семейных неурядицах. Князь И.И. Барятинский в наставлениях к сыну, будущему фельдмаршалу, писал: «Если ты будешь иметь желание жениться молодым и уверенность сделать твою жену счастливой, женись: но женись хорошо! <...> Старайся никогда не ссориться с нею на глазах света. Это так же смешно, как и мало деликатно в отношении к ней и к другим. Ты будешь служить предметом насмешек, и люди будут иметь на это полное право. Публичные сцены делаются басней, посмеянием злых языков, а их очень много».

Родители не позволяли себе бурно выражать негодование по отношению к детям: «<...> и хотя знатная особа не менее своих детей должна любить, как и женщина низкого состояния любит своих; однако первая должна отличать себя в поступках и избегать грубостей, в чем женщины низкого состояния могут быть извинительнее».

Светский человек не снизойдет до проявления раздражительности и нетерпения. Когда умер князь В.Ф. Одоевский, С.А. Соболевский сказал: «Сорок лет сряду я старался вывести этого человека из терпения, и ни разу мне не удалось...» По словам В.А. Соллогуба, «таков был глава русского родового аристократизма».

Всякая неловкость считалась признаком дурного воспитания. Весьма примечательная характеристика молодого человека содержится в дневнике А.В. Никитенко: «Он превосходно танцует, почему и сделан камер-юнкером. Он исчерпал всю науку светских приличий: никто не запомнит, чтобы он сделал какую-нибудь неловкость за столом, на вечере, вообще в собрании людей «хорошего тона».»

«Двор оставался в Царском до глубокой осени, и нас приглашали от времени до времени и на маленькие вечера, — рассказывает М. Паткуль. — В один из таких вечеров великие княжны предложили <...> кататься с деревянной горы, которая находилась в одной из комнат Александровского дворца. <...> Видя, что это не так страшно, как мне казалось, я решилась скатиться одна. Два раза сошло благополучно, а в третий раз посреди горы платье мое за что-то зацепилось, и я грохнулась навзничь во весь рост. Саша и все присутствующие бросились поднимать меня, локоть был в крови, слезы навернулись на глазах не от боли, а от испуга и стыда, что я выказала себя такой неловкой».

Попадая в неловкую или смешную ситуацию, светский человек старается скрыть свое смущение под маской улыбки или невозмутимости. Забавную историю в связи с этим рассказывает в своих воспоминаниях Д. Свербеев:

«У Новиковых-Долгоруких зимние забавы заменились тогда горелками, хороводами, качелями и всевозможными летними играми то на обширном дворе, то на полугоре перед главным фасадом дома с красивым видом на Москву реку. <...> На одном из таких вечеров, чуть ли для меня не последнем, здоровенный Загоскин вздумал перед нами и на нас пробовать свою силу, бороться, перепрыгивать, подымать тяжести и т.д. Меня он уговорил, и я имел глупость его послушаться, стать обеими ногами на каменную тумбу подъезда с тем, чтобы ему, взяв меня за ноги, пронести в вертикальном положении до известного расстояния, на границе которого стала Варвара Ивановна. Загоскин поднял меня очень ловко, но на половине дороги бросил на землю и сам повалился на колени, я

же упал плашмя. Все перепугались, бросились ко мне. Громким хохотом успокоил я тотчас публику, но не находил возможности стать на ноги: летние мои панталоны поперек совсем лопнули и спустились, а я был во фраке. Старый князь разразился хохотом, и насилу-то убедил я его пригласить от себя прекрасный пол удалиться в комнаты. Меня посадили в коляску, дали хламиду и отправили домой, чтобы переодеться и, воротясь, заключить прощальный вечер».

Громкий хохот, может быть, и противоречил правилам хорошего тона, но в остальном поведение рассказчика вызвало бы одобрение знатоков светского этикета. О том, как ценилось умение человека с достоинством выходить из неловкой ситуации, читаем в романе В. Мещерского «Женщины из петербургского большого света»:

«Князь Всеволод подошел к средней двери в бальную залу. Бросив на нее взгляд, слушая музыку, окруженный этою атмосферою, разом охватившею все его существо, он стал неподвижно, ничего не видел и испытывал какое-то странное состояние. <...>

Но вдруг что-то случилось, раздался какой-то шум; все засуетились. Князь Всеволод очнулся, он взглянул — и видит, кто-то лежит на полу; быстрым движением он бросился в залу; кучка разошлась; упавшее лицо оказалось девицею; девица эта была его сестра. Князь увидел ее выражение: Боже, сколько страдания он прочел в ее лице и именно в той улыбке, которою она так неумело, так невинно, так неловко хотела показать себя молодцом. Князь Всеволод был когда-то знаток и улыбок, и физиономий; он знал, как много сожаления и смешного возбуждает падение девушки вообще; но он знал и то, как убийственно падение на бале девушки такой, которая не умеет падать; не умеет оправляться от падения, не умеет, как говорят в свете, braver le ridicule[1] и не

[1] Не бояться быть смешной *(фр.)*.

умеет скрывать своего смущения. Вот почему в его душу вошло не простое, а горячее сожаление к сестре. Он бросился к ней, взял ее за руку, поправил ей платье, подал ей руку, взглянул как-то убийственно-презрительно на молоденького, раскрасневшегося кавалерика сестры и, держа ее за руку, довел ее до места.

Это была чудная минута. Все поняли ее красоту. Разом впечатление смешного исчезло и внимание всех занялось появлением и поступком князя Всеволода; а это-то и нужно было, чтобы спасти княжну в эту минуту, ибо не будь этого нового впечатления, первое смешное осталось бы живым.

Свет странен, говорили мы не раз. Да, он странен! Что в сущности могло быть естественнее того, что сделал князь?

Но нет, это не было естественно; это было чудесно, хорошо, необыкновенно прекрасно; ибо всякий, восхитившийся тем, что он увидел, сознавал внутри себя, что он бы этого не сделал; увидев сестру свою падающею, он бы спрятался, чтобы не видеть ее в смешном положении и самому не показаться смешным!..»

А.А. Стахович, уже после революции обучавший актеров аристократическим манерам, на одном из занятий объяснял актрисам, «как себя вести, когда, например, на улице падает чулок или что-нибудь развяжется:

— С кем бы вы ни шли — спокойно отойти и, не торопясь, без всякой суеты, поправить, исправить непорядок... Ничего не рвать, ничего не торопить, даже не особенно прятаться: спо-койно, спо-койно...»

«То, что французы называют contenance, т. е. всегдашнее хранение присутствия духа и согласие во внешних поступках; всегда одинаковое расположение, избежание стремительности и всех порывов страстей и опрометчивых поступков...», — так можно охарактеризовать аристократический тон «гостиных лучшего общества», где, по словам современника, «царствовала величайшая пристойность. <...> Такие вечера не могли быть чрезвычайно веселы, и на них иному не раз приходилось украдкой зевнуть; но в них искали не столько удовольствия, сколько чести быть принятым».

Что есть хороший тон?[1]

Хороший тон описать всего труднее. Глупец приобретает его навыком. Человек с гением часто бывает не в состоянии достигнуть хорошего тона: это есть тонкое ощущение приличий, искусство удерживать за собою место свое и никогда не переходить его, легкая способность распознать оттенки и отношения между людьми; это самая малозначащая из страстей, но часто заключающая в себе тайну счастия.

Светский человек кажется вверяющимся другому беспрестанно; сие отступление от самого себя есть роль, которую он изучает. Человек под законами природы сосредоточивается в своих душевных движениях; и не обнаруживаются ли они по внутренней силе своей или открываются по непреодолимой пылкости, но весьма редко бывает, чтобы в том или другом случае они нравились.

В свете, где нет вовсе времени ни любить, ни мыслить, в свете и не думают о том, чтобы сообщать глубокие мысли, разделять живые душевные движения. Утонченный вкус, внезапно составляющий острую мысль и бросающий ее с небрежением под неожиданною формою, есть наилучшая ходячая монета в обществе хорошего тона.

---

[1] Дамский журнал. — 1826, № 1, с. 44 – 46.

Хороший тон предписывает не добродетели, нет; но такие качества, которые нравятся: они состоят из приятности в формах и из живости в идеях. Хороший тон изгоняет всякую странность (ridicule), даже странность добродетелей. Человек хорошего тона должен казаться, прежде всего, естественным, непритворным и пленительным без принужденности; непринужденность есть великая наука его; этого ищет он во всю жизнь свою.

О хорошем обществе[1]

Пример есть добродетель или порок в действии; он поражает нас впечатлением гораздо сильнейшим, нежели холодное поучение, и потому-то оставляет в памяти следы глубокие и часто неизгладимые.

Обращение с хорошими людьми внушает нам почтение к их характеру и наводит нас на собственные недостатки с желанием исправиться от них. Итак, можно почерпнуть большую пользу в обществе людей, обладающих качествами общежительными и восторжествовавших над недостатками противоположными. Сии люди составляют то, что называется в свете хорошим обществом. Вот некоторые черты, по которым можно узнать сих людей.

Они имеют нравственность и познания; но их добродетель не строга, сведения без педанства. Они учтивы, не докучая вам, вежливы без притворности, веселы без шума. Их привлекательность рождается от натуральной любезности, а не от искусного притворства. Они говорят с равною

[1] Дамский журнал. — 1823, № 1, с. 20 – 222.

охотою о вещах занимательных или ничего не значащих, о важных или забавных, смотря по тону общества, в котором находятся; будучи внимательны ко всем благоприличиям, они опровергают мнения и не касаются лиц, останавливаются, когда спор делается слишком жарок, и с искусством обращают разговор на другой предмет. Не желая блистать исключительно, они помогают каждому оказать свой ум, и чрезвычайная гибкость их собственного применяется ко всякому обстоятельству, предписываемому временем и местом.

Надобно познакомиться с людьми хорошего света, чтобы подражать их общежительным добродетелям и любезности. Страх, что могут открыться недостатки ваши и незнание света, не должен вас останавливать: люди, о которых говорим, весьма снисходительны и тотчас забывают о том, что не стоило их внимания. Ваше самолюбие долго напоминает вам проступок относительно какого-нибудь приличия; люди, хорошо образованные, бывшие тому свидетелями, не памятуют о том ни получаса. Заметьте впрочем, что первый круг, в котором вы явились, мало-помалу исчезает; вы вступаете в другой уже с уроком опыта и оказываете там уменье жить на свете, заступившее место неловкости и неикусства.

Избегайте короткости с людьми дурного общества; но не удаляйтесь вовсе от тех, с которыми причины фамильные или скучная праздность заставляет вас иметь знакомство. Мы подвергаемся в течение жизни необходимости встречать людей всякого рода: надобно заранее привыкнуть видеть равнодушно и переносить снисходительно все то, что нам противно в других. Всякий раз, когда кто-нибудь поселяет в нас чувство, благоприятное для него, или неблагоприятное, мы находим в этом человеке или качество, которое нам нравится, или недостаток, для нас отвратительный. Надобно пользоваться сим открытием для того, чтобы избежать одного и приобрести другое. Это есть верное средство оправдать правило, что искусство нравиться приобретается гораздо скорее обращением в свете, нежели наставлениями.

Неестественность в поступках и обращении[1]

Недавно в одном обществе я имел случай заметить, как большая красота одной весьма пригожей женщины и большой ум одного весьма остроумного мужчины обращались у одной в безобразие, а у другого в нечто нелепое, единственно от принужденности или неестественности в поступках и обращении. В красавице было что-то такое, на что были устремлены мысли ее и что она старалась выгодным образом обнаруживать в каждом взгляде, каждом слове и каждом телодвижении. Молодой человек столь же усердно старался выказать свои дарования, сколько эта дама свою прекрасную наружность: можно было видеть, что воображение его беспрестанно напрягалось, дабы выискать что-нибудь необыкновенное, и, так называемое, блистательное, чем бы занять ее, между тем как она столько же трудилась принимать различные принужденные положения, чтобы привлечь внимание. Когда она смеялась, то рот ее должен был раздвигаться шире обыкновенного, чтобы выказать ее зубы; веер ее должен был

[1] Избранные листки из Английского зрителя и некоторых других периодических изданий того же рода. – М., 1833, с. 61 – 69.

указывать на что-нибудь отдаленное, дабы при этом случае ей можно было дать приметить, какая у нее прекрасная, круглая рука; тут она сделает вид, что ей показалось нечто совсем другое, вдруг отодвинется назад, засмеется своей ошибке и вся придет в такое замешательство, что ей надобно поправить на себе платок, причем грудь ее откроется и вся она найдет случай к новым жеманным движениям и минам. Между тем, как она всем этим занималась, молодой человек имел время придумать сказать ей тотчас потом что-нибудь чрезвычайно приятное и сделать какое-нибудь выгодное замечание о какой-либо другой женщине, чтобы доставить пищу ее суетности. Сии несчастные действия неестественности в обращении заставили меня вникнуть в сие странное состояние души, которое мы так часто замечаем в людях, встречающихся с нами, и которым обезображиваются их поступки.

Поелику в сердцах наших насаждена любовь к похвале, как сильное побуждение к достойным поступкам, то весьма трудно бывает удержаться, чтоб не желать похвалы за то, в отношении к чему мы долженствовали б быть совершенно равнодушны. Женщины, коих сердце находит удовольствие в той мысли, что они предмет любви и удивления, беспрестанно изменяют вид своего лица и положение своего тела, чтобы обновить в сердцах тех, которые на них смотрят, впечатление, производимое их красотою. Щеголеватые из нашего пола, у которых души одинаковы с душами слабоумнейших женщин, точно также беспокоятся желанием привлечь к себе уважение хорошо повязанным галстухом, шляпою, отменно франтовски надетою, отлично хорошо сшитым кафтаном и другими подобными достоинствами, которых, если никто не замечает, то они выходят из терпения.

Однако ж эта явная принужденность, происходящая от сознания худо направленного, не весьма удивительна в таких пустых и обыкновенных душах; но когда видишь, что она господствует в людях достойных и отличных, то не можешь не скорбеть о том и удержаться от некоторого негодования. Она вкрадывается в сердце мудрого мужа равно, как и пустого франта. Когда видишь, что человек здравомыслящий ищет себе рукоплесканий и показывает непреодолимое желание, чтобы его хвалили; употребляет разные хитрости для того, чтобы воскурили ему хотя малое количество фимиама даже те, коих мнение не уважается им ни в чем прочем; то кто может почитать себя безопасным от сей слабости или кто знает, виновен ли он в ней или нет? Наилучший способ избавиться от такой легкомысленной страсти к похвалам состоит в том, чтобы отвергать любовь к оным во всех тех случаях, которые относятся к тому, что само по себе не заслуживает похвалы, а бывает похвально токмо по мере того, как другие замечают, что мы не ожидаем за то никаких похвал. К сему роду достоинств принадлежит всякая приятность в наружности человека, в его наряде и телодвижениях, что все естественно будет казаться привлекательным, если мы не станем о том думать; но будет терять силу свою по мере нашего старания сделать оное привлекательным.

Когда наше сознание обращено на главную цель жизни, и мысли наши заняты главным предметом как в делах, так и в удовольствии, то мы никогда не окажем в себе принужденности или неестественности, ибо тогда мы не можем учиниться виновными в оной: но когда мы даем страсти к похвалам необузданную свободу, то удовольствие, находимое нами в мелких совершенствах, похища-

ет у нас то, что по справедливости следует нам за великие добродетели и почтенные качества. Как много пропадает превосходных речей и честных поступков от того, что мы не умеем быть равнодушными там, где должно! Люди удручаются напряжением внимания к способу, каким говорить или действовать, вместо того, чтобы направлять свои мысли к тому, что должно им сделать или сказать, и таким образом уничтожают способность к великим делам посредством своей боязни проступиться в вещах маловажных. Может быть, этого и нельзя назвать принужденностию, но тут есть некоторая примесь оной; по крайней мере она столько примешивается к сему, сколько боязнь их ошибиться в том, что не заключает в себе никакой важности, доказывает, что они ощутили бы слишком много удовольствия, исполнив то надлежащим образом.

Только посредством совершенного невнимания на самого себя в таких мелких подробностях человек может действовать с похвальною самоуверенностию; тогда сердце его устремлено к одной точке, которая у него в виду, и он не делает ошибок, потому что почитает ошибкою одно то, в чем он уклоняется от сего намерения. <...>

Я окончу сей листок коротеньким письмом, написанным от меня на этих днях к одному весьма остроумному человеку, который в сильной степени подвержен изображенному здесь недостатку.

М.Г!

На днях я провел несколько времени с вами и должен, как друг, сказать вам о нестерпимой неестественности, которая сопровождает все, что вы ни делаете и ни говорите. Когда я намекнул вам на это, то вы спросили у меня: неужели должно быть равнодушным к тому, что друзья наши об нас думают? Нет; но похвала не должна быть нашим ежеминутным увеселением: надеющийся ее должен уметь отлагать наслаждение оною до некоторых пристойных периодов жизни или и до самой смерти. Если вы хотите лучше заслуживать похвалу, нежели только быть хвалимы, то презирайте мелкие достоинства и не допускайте никого до дерзости хвалить вас в глаза. Сим средством ваша суетность лишится своей пищи. В то же время страсть ваша приобретать уважение будет полнее удовлетворяться; люди будут хвалить вас своими поступками; на одно приветствие, слышимое вами теперь, вы увидите тогда двадцать учтивостей, а до тех пор вы никогда не получите ни того, ни другого, кроме следующего:

М.Г.

ваш покорный слуга, и пр.

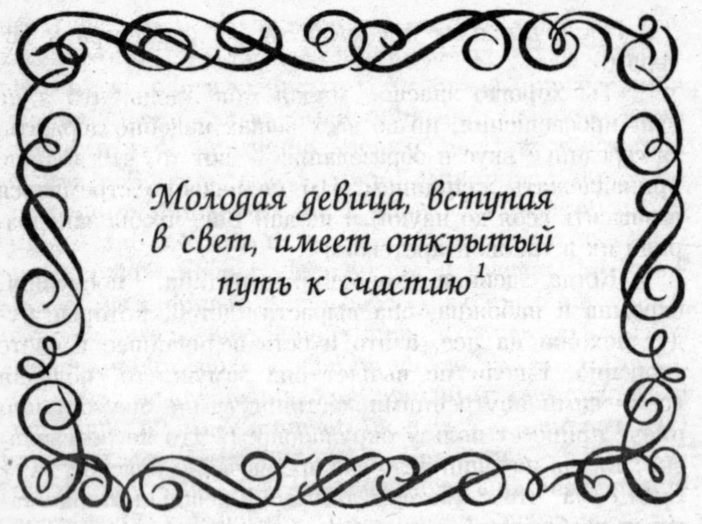

С шестнадцати лет девушка начинала «выезжать» в свет и могла быть допущена на «взрослые» балы.

До этого возраста молодые дворянки получали или домашнее образование, или обучались в частных пансионах. Смольный институт благородных девиц и Екатерининский институт, привилегированные закрытые учебные заведения, были доступны не многим.

Чтобы стать привлекательной невестой, девушка должна была разговаривать на одном-двух иностранных языках, уметь танцевать, держать себя в обществе. Обязательными для хорошего воспитания девушки считались уроки рисования, музыки, пения. Желательно было получить какие-нибудь знания по истории, географии, словесности. Однако считалось неудобным для девицы подчеркивать свой серьезный интерес к науке.

---

[1] Наставление добродетельной матери к ея дочери. — М., 1804, с. 6.

Примечательны письма Жозефа де Местра к дочерям:

«Ты хорошо знаешь, милая моя Адель, что я не враг просвещения, но во всех вещах надобно держаться середины: вкус и образование — вот то, что должно принадлежать женщинам. Им не надобно стремиться возвысить себя до науки, и не дай Бог, чтобы заподозрили их в таковой претензии».

«Когда девица хорошо воспитана, послушна, скромна и набожна, она вырастит детей, которые будут похожи на нее, а это и есть величайшее в свете творение. Ежели не выйдет она замуж, то, обладая всеми сими внутренними достоинствами, она так или иначе принесет пользу окружающим. Что касается науки, то для женщин дело сие чрезвычайно опасное. <...> Суди сама, что станется с той юной девой, которая захочет взобраться на треножник и вещать с него! Кокетку выдать замуж легче, нежели девицу ученую...»

Не поощрялся интерес девиц и к чтению романов.

«Жалею, что ты потеряла время над Кларисою[1] <...>. Укажите мне женщину, которая любит романы; я докажу вам, из всей связи ее мыслей и поведения, что у нее пустая голова и еще пустее сердце», — писал М. Сперанский дочери.

В «Записках доброй матери, или Последних ее наставлениях при выходе дочери в свет» сказано: «Начитавшись романов, женщины стремятся к воображаемому счастью, судят обо всем ложно, вместо чувств питают фантазии и делаются жительницами вымышленного мира».

Большое значение придавалось умению «ревниво смотреть за своею внешностью». Как за этим следили в пансионе госпожи Ларенс, рассказывает В.Н. Карпов:

«Малейшее упущение в костюме или легкое отно-

---

[1] Клариса Гарлоу – героиня романа «Клариса» Ричардсона.

шение к своей физиономии подвергало девицу строгим замечаниям со стороны заботливой maman.

Все объяснения и разговоры шли на французском языке и потому, спешу сказать, воспитанницы пансиона Ларенс, после институток, считались хорошо умевшими говорить по-французски.

— Ах, милая, — говорила maman, осматривая лицо и костюм девушки. — Как ты забываешь мои приказания? Я уже не раз говорила тебе, что это очень неприлично иметь девице усы. А у тебя — посмотри — опять начинают пробиваться усы. Надо их выкатывать мякишем из хлеба.

— Простите, maman! — робко отвечала сконфуженная девица. — Очень больно вырывать волоски, хотя бы и хлебом.

— А что же делать, моя милая? Для того, чтобы быть хорошенькой, можно претерпеть и не такие муки.

И ученица уходила сконфуженною.

— А ты, моя дорогая! — обращалась начальница к другой воспитаннице. Что это у тебя брови точно щетина торчат? Надо их приглаживать, как можно чаще и даже фиксатуарить!

И девица делала низкий реверанс и преклоняла свою голову в знак покорности.

— А с тобой, моя милая, я уж не знаю, что и делать, — обращалась начальница к девице, приехавшей из дома родителей. — Ну, посмотри, какой у тебя шевелюр. Он тебе совсем не идет. У тебя круглое лицо, и потому тебе надо убирать свою голову высокою прической, а ты — напротив — украшаешь ее круглой кренировкой. И выходит, что ты из своей головы делаешь какую-то тыкву. C'est à mauvais ton»[1].

Многочисленные наставления матерей к дочерям изобиловали подобными правилами:

---

[1] «Это дурной тон». *(фр.)*.

L'amie officieuse

«Держи корпус прямо; когда стоишь или сидишь, голову наклонивши вперед; но не перевешивая ни на ту, ни на другую сторону: не верти ею часто; но ежели надобно, то с важностию и благопристойностию обороти.

Не морщь лба и носа. А когда молчишь, то рта не разевай, да и губ не выжимай. В рассуждении вида наблюдай, чтоб он был ни печален, ни суров; также и не весьма веселый; но выжный, тихий и спокойный.

Глазами не повертывай по сторонам, но держи их обыкновенно, немного потупя».

Изящество движений, прямая осанка являлись признаками хорошего воспитания.

Вспоминая свою мать, Е.И. Раевская отмечала: «Она до глубокой старости была стройна и держалась прямо. Сиживала она всегда на простом, жестком стуле, а мягкой мебели не терпела. В молодости ее мягкой мебели не было в употреблении. Она завела ее для нас, молодых, но часто нам выговаривала в этой дурной, по ее мнению, привычке. «Портите вы себя этими мягкими креслами, — говорила она. — От этой мягкой мебели и завелось теперь страдание спинной кости. В мое время о нем и слуха не было».»

Изящество движений, естественная непринужденность в общении вырабатывались в результате длительного обучения танцам.

«Вкус твой к ликам (ибо так на древнем нашем языке назывались танцы или пляска) меня совсем не удивляет; он совершенно в твоих летах <...>, — писал М. Сперанский дочери. — Пляска есть первая черта к образованию обществ, и в настоящем их составе она не только умножает приятности беседы, но и необходима для здоровья».

«Надобно стараться нравиться» — это правило для девушки было самым главным.

«Будь уверена, любезная Лизанька, что я, с своей стороны, сделаю все, что могу, — говорит матушка дочери в одном из рассказов П.А. Муханова, — но нельзя выйти замуж без собственных забот, без желания нравиться, без заманчивых достоинств. <...> Лизанька! Если бы ты хотела, ты могла бы нравиться; ты бы давно вышла замуж...»

«Я удивляюсь, что никто за Вареньку не сватается, — выражает в письме беспокойство о сестре К.Н. Батюшков. — <...> Надобно ласкать людей, надобно со всеми жить в мире. Il faut faire des avances[1]. Так свет создан; мое замечание основано на опытности. Надобно внушить и сестре, что ей надобно стараться нравиться. Il faut avoir des formes agreables[2], стараться угождать в обществе каждому: гордость и хладнокровие ни к чему не ведут. Надобно более: казаться веселою, снисходительною».

Холодность, неприступность, высокомерие считались признаками дурного тона. Подтверждение находим в следующем рассказе В.И. Сафоновича: «Из трех девиц мне в особенности нравилась Меллер <...>. Однажды я обратился к ней с каким-то вопросом; она отвечала мне с обыкновенною сухостью <...>. Как бы то ни было, но такое презрение ко мне этой девушки было очень оскорбительно для моего самолюбия. Я объяснил это недостатком воспитания, незнанием приличий света, наконец, необыкновенною холодностью ее натуры».

Как не следует девушке быть суровой, так и неприлично «всегда показываться весьма довольною». «Женщины должны еще больше остерегаться от громкого смеху, потому что сие почти им несродно <...>, — читаем в «Советах знатного человека дочери, сочиненных маркизом Галифаксом». — Веселие чрезмерное сколько противно здравому рассудку и доброму воспитанию, столько скромности и добродетели».

---

[1] Надо идти навстречу *(фр.)*.

[2] Надо иметь приятные манеры *(фр.)*.

Но самым страшным пороком для девушки считалось кокетство. М.А. Паткуль вспоминает, как оскорбительны для нее были слова тетушки, обвинившей ее в кокетстве:

«К дедушке часто приезжал его крестник, молодой офицер, с румянцем на щеках, довольно смазливый. <...> Поехали мы однажды кататься в линейке: он был с нами и сидел на противоположном конце от меня. Когда мы вернулись домой, тетушка меня позвала и с очень недовольным видом сказала, что Д... во время прогулки глаз с меня не спускал, и что если этот молокосос и мальчишка позволит себе корчить влюбленного, то его принимать больше не будут, а мне она не позволит кокетничать с ним. Я чувствовала себя настолько оскорбленной этим незаслуженным выговором, что вся вспыхнула и ответила, что никому не могу запретить смотреть на меня, я же ни разу не взглянула на него, кокеткой не была и не буду. Признаться, я даже не понимала значения этого слова».

Жена М. Дмитриева на смертном одре дает мужу последние наставления: «<...> люби детей, люби их все равно; старайся о их воспитании. — Прошу тебя, не отдавай их тетушкам. — Воспитывай их, как свое сердце тебе скажет. Это всего лучше. — Катю я очень любила. — Ради Бога, чтобы не было никакого кокетства!»

Примечательна история, рассказанная А.И. Соколовой:

«Цензура в то время была необыкновенно строга, и гг. цензорам работа была тяжелая.

Как теперь помню я, как в одно из заседаний Ржевскому объявлен был из Петербурга выговор за то, что в одной из повестей, помещенной в «Москвитянине», встретилось следующее сопоставление.

Описывался приезд в уездный город дочери городничего, и в виде характеристики сказано было: «Она была большая кокетка» и в скобках добавлено: «воспитывалась в институте».

В настоящее время почти невероятным может показаться, чтобы подобная безобидная фраза могла послужить мотивом к служебному взысканию, а между тем Ржевскому, как я уже сказала, был объявлен официальный выговор, с разъяснением, что подобная фраза «бросает тень на учреждения, находящиеся под непосредственным покровительством государыни императрицы».»

Матушки очень заботились о нравственности дочерей. Порой доходило до смешного.

«Теща моя, — вспоминает В.А. Соллогуб, — всегда эксцентрическая, выкинула штуку <...>, о которой я до сих пор не могу вспомнить без смеха. Для жены моей и меня в доме моего тестя была приготовлена квартира, которая, разумеется, сообщалась внутренним ходом с апартаментами родителей моей жены. Теща моя была до болезни строптива насчет нравственности и, предвидя, что ее двум дочерям девушкам — младшей из них, Анне, едва минул тринадцатый год — придется, может быть, меня видеть иногда не совершенно одетым, вот что придумала: приданое жены моей было верхом роскоши и моды, и так как в те времена еще строго придерживались патриархальных обычаев, для меня были заказаны две дюжины тончайших батистовых рубашек и великолепный атласный халат; халат этот в день нашей свадьбы был, по обычаю, выставлен в брачной комнате, и, когда гости стали разъезжаться, моя теща туда отправилась, надела на себя этот халат и стала прогуливаться по комнатам, чтобы глаза ее дочерей привыкли к этому убийственному, по ее мнению, зрелищу».

Если же девушка «имела несчастие» лишиться матери, ее светским воспитанием, помимо отца, занимались тетушки или другие почтенные родственницы. «В период моего образования я много перечитала серьезных книг по выбору тетушки, — вспоминает М.А. Паткуль, — которою строго цензуровалось мое чтение. Те места, которые, по мнению ее, читать мне не следовало, скалывались булавкой; никогда мне и в голову не приходило заглядывать в запрещенные страницы».

«В прежние годы <...>, — свидетельсвует В.Н. Карпов, — семейная жизнь была более сосредоточенною, чем теперь. Что же касается девушки, то она, подчиняясь вполне традициям времени, проводила дни своей молодости при строгом режиме жизни почти монастырского устава. Счастливая молодежь, в лице двух-трех избранников, посещавших семью, и в большинстве случаев состоящих из родственников, как бы осуждена была видеть всякий раз одних и тех же девиц, И только бал, и только танцы предоставляли молодежи, не принадлежавшей к родне дома, в семье которого был бал, быть среди роскошного цветника девиц, незнакомых, но принадлежавших к лучшему обществу дворян, чиновников и купечества. Весьма понятно, что танцы были почти единственным путем, дававшим возможность познакомиться с девушкой, поговорить с нею и открыть свои чувства. <...>

Девушка в те годы для молодежи действительно была «дивом», которым только изредка и при известных условиях можно было любоваться...»

С нетерпением ждали молодые люди святочных маскарадов.

«Говорили *ехать на огонек*, потому что в тех домах хорошего общества, в которых хотели принимать незнакомых масок, ставили свечи в окнах (как теперь делается взамен иллюминации), и это служило сигналом или приглашением для молодежи, разъезжавшей целыми обществами под маской. Разумеется, не проходило без сердечных приключений: иногда молодой человек, не имевший возможности быть представленным в дом, т. е. в семейство девушки, которую он любил, мог приехать под маской, видеть ее обстановку, семейную жизнь, комнаты, где она жила, пяльцы, в которых она вышивала, клетку ее канарейки; все это казалось так мило, так близко к сердцу, так много давало счастия влюбленному того времени, а разговор мог быть гораздо свободнее, и многое высказывалось и угадывалось среди хохота и шуток маскированных гостей, под обаянием тайной тревоги, недоумения, таинственности и любопытства».

Самым значительным событием в жизни девушки был ее первый бал — «роковая минута вступления в свет», потому так волнительны были сборы на этот бал.

Вот как описывает их М. Каменская:

«Тетушка Екатерина Васильевна первая выпросила у папеньки себе право вывезти меня и Вареньку в первый раз в дворянское собрание. <...>

За завтраком подали чудную кулебяку; я положила себе изрядный кусочек, Варенька только что хотела сделать то же, как тетушка закричала:

— Нет, нет! Этого тебе нельзя, это тяжело! Ça vous gatera le teint![1] Тебе дадут яичко и бульону.

Я любила покушать вплотную и за Вареньку очень огорчилась. Чудный домашний квас шипел в хрустальных кувшинах, я запила им кулебяку; бедной Вареньке и его не дали, потому что он к балу мог распучить ей талию. <...>

После раннего обеда тетушка придумала для дочери новую пытку: подложила ей под спину груды подушек, чтоб кровь оттекла вниз от лица, дала ей в руки французскую книгу и приказала «для прононсу» читать вслух. Отроду меня так не мучили, и я тут же дала себе слово, что в первый и последний раз выезжаю с тетушкой Екатериной Васильевной».

Каким только мучениям не подвергались девушки перед балом! «Большинство девиц, бивших на грациозность талии, в этот день ничего не ели, кроме хлеба

[1] Это испортит тебе цвет лица! *(фр.)*.

с чаем. Корсеты передвигались на самые крайние планшетки. Не желая, чтобы на бале ланиты пылали румянцем, барышни ели мел и пили по глоткам слабый уксус».

«В публичных собраниях» девушку «сопровождает мать или какая-нибудь почтенная дама, родственница или короткая знакомая, которой поручается полный за ней надзор (chaperon)».

«Ты не можешь нигде даже носу показывать без Марьи Карловны, — предупреждает в письме свою дочь М. Сперанский. — Даже Сонюшка тебе тут не защита: ибо нигде не написано, что она тебе сестра; а за вами стоит ее дядя. Вот тиранство! По счастью оно не может быть продолжительно. Со мною придет к тебе свобода».

Правила поведения для «молодых девиц», как свидетельствуют современники, были гораздо суровее правил приличия, которым следовали замужние женщины. М. Сперанский писал из Тобольска дочери: «В Англии девица может гулять одна с молодым мужчиною, сидеть с ним одна в карете и проч., но молодая женщина совсем не должна и не может. У нас совсем напротив: одни только замужние женщины пользуются сею свободою».

Для дамы не считалось неприличным принимать визиты «посторонних» мужчин в отсутствие мужа, в то время как «молодая девица не должна принимать посещения от молодого кавалера, особенно когда одна дома». Даже невеста не могла в отсутствие старших принять визит своего жениха. «Утром заехал Паткуль, а так как он не был принят, потому что, кроме меня, никого не было дома, то велел передать мне записку...» — вспоминала М. Паткуль о событиях, которые предшествовали ее замужеству.

«Тогда не только ночью, да и днем дамы и девицы одни не бегивали, — свидетельствует А.М. Тургенев, — если и шла дама или девица пешком, ее сопровождал всегда служитель...» Однако в отличие от «молодых девиц», дамам позволялось ходить одним.

«Аврора Карловна Демидова рассказала мне однажды очень смешной случай из ее жизни, — пишет в своих воспоминаниях В.А. Соллогуб, — возвращаясь домой, она озябла, и ей захотелось пройтись несколько пешком; она отправила карету и лакея домой, а сама направилась по тротуару Невского к своему дому; дело было зимой, в декабре месяце, наступили уже те убийственные петербургские сумерки, которые в течение четырех месяцев отравляют жизнь обитателям столицы; но Демидова шла не спеша, с удовольствием вдыхая морозный воздух; вдруг к ней подлетел какой-то франт и, предварительно расшаркавшись, просил у нее позволения проводить ее домой; он не заметил ни царственной представительности молодой женщины, ни ее богатого наряда, и только как истый нахал воспользовался тем, что она одна и упускать такого случая не следует. Демидова с улыбкой наклонила голову, как бы соглашаясь на это предложение, франт пошел с нею рядом и заегозил, засыпая ее вопросами. Аврора Карловна изредка отвечала на его расспросы, ускоряя шаги, благо дом ее был невдалеке. Приблизившись к дому, она остановилась у подъезда и позвонила.

— Вы здесь живете?! — изумленно вскрикнул провожавший ее господин.

Швейцар и целая толпа официантов в роскошных ливреях кинулись навстречу хозяйке.

— Да, здесь, — улыбаясь, ответила Демидова.

— Ах, извините! — заборомотал нахал, — я ошибся... я не знал вовсе...

— Куда же вы? — спросила его насмешливо Аврора Карловна, видя, что он собирается улизнуть, — я хочу представить вас моему мужу.

— Нет-с, извините, благодарствуйте, извините... — залепетал франт, опрометью спускаясь со ступенек крыльца».

Дамам позволялось также одним делать визиты, но «в публике» они должны быть «сопровождаемы своими мужьями».

«Молодая девица не ведет никакой переписки без ведома родителей или родственников...»

Влюбленные тайком от посторонних глаз были вынуждены передавать друг другу записки. Об этом вспоминает М. Дмитриев:

«Тогда был обычай, здороваясь и прощаясь, целовать руку. Я, целуя руку у Наташи, иногда передавал ей записку. И каких только не употребляли мы хитростей. Случалось, я намекну Наташе попросить у меня сургучу, что и прежде случалось: я умел мастерски подделывать сургуч, с записочкой внутри. Все эти записочки были самые невинные и пустые: они содержали жалобы и уверения в любви; но они были нам необходимы как единственное излияние сердца». Однажды одна из таких записочек попала в руки матери девушки. «По несчастию, записка была писана на французском языке, а она по-французски не знала. Если бы она могла прочитать ее, она разом увидела бы ее невинность; но нашему переводу она натурально не доверяла, а показать было и некому, и казалось опасным, чтобы не выставить дочери. Она воображала в этой записке Бог знает какую важность! — Конечно, писать тайно к молодой девушке нехорошо, но что же нам было делать при таком стеснении после такой свободы? — После этого я видался с Наташей у моих теток и у них, но редко, и помня слово, данное ее матери, обращался с нею церемонно и почти не смел говорить с нею».

«Почтовое сообщение было в то время один или два раза в неделю, — рассказывает М. Паткуль, — но с первою же почтою, после моего отъезда, я получила от жениха, на французском языке, церемонное письмо с заглавием Mademoiselle, но иначе и быть не могло.

Отвечать на письма его мне не было разрешено.

Быв уверена, что он навещает дядю и тетю, я поручила последней передать ему, что письма его получены мною, но чтобы ответа на них он не ждал, так как мне не позволено переписываться с ним, пока мы не будем объявлены женихом и невестой».

В то же время, как свидетельствует М.С. Николева, «по понятиям того времени вести переписку невесте с женихом» в дворянских семьях «не считалось строго приличным».

Пока девушку и молодого человека официально не объявили женихом и невестой, они не могли нигде показываться вместе. Историю своего сватовства рассказывает в записках А. Кочубей:

«При наступлении весны я получил от братьев письмо, которым они меня уведомляли, что дядя Виктор Павлович <...> намерен весною прибыть в Диканьку. Ввиду этого известия, я с братом Василием Васильевичем собрался ехать в Диканьку, чтобы посетить нашего почтенного дядю Виктора Павловича Кочубея. Вместе с дядей приехала в Диканьку племянница графини Кочубей, княжна Софья Николаевна Вяземская. За несколько лет перед тем Софья Николаевна имела несчастие лишиться матери <...>. Короче сказать, княжна мне очень нравилась, и у меня родилась мысль искать ее руки. <...> Собравшись с духом, я объяснился с княжною, и надо сказать, что это было престранное объяснение. Софья Николаевна была изумлена, но, однако ж, дала согласие. Мы в радости сейчас же побежали к тетушке, объявить ей о нашей взаимной любви. Но тут нашему счастию случилась новая преграда: тетушка объявила решительно, что она очень рада этому союзу, но что княжна имеет отца и без его согласия она ничего не может сделать. Поэтому она советовала мне сейчас же написать письмо к князю Вяземскому, а между тем настаивала, чтобы я немедленно уехал из Диканьки. С смущенным сердцем я возвратился в Ярославец вместе с братом Василием Васильевичем, в нетерпении ожидая ответа от князя Вяземского».

Жених и невеста могли появляться в публике только в сопровождении старших. Снова обратимся к воспоминаниям М. Дмитриева:

«По принятому обычаю, следовало было кому-нибудь из старших делать с женихом и невестой визиты; но тетки почти ни с кем не были знакомы; а Сергей Иванович всех знал, и все его знали, но только по праздничным визитам. Нашли вот какое средство показать невесту: прогулку по большим улицам. Она шла обыкновенно впереди, под руку с женихом, в турецкой шали, которая лежала на локтях, а сзади тащилась по земле. За ними охранителем девственности шел Сергей Иванович; а за ним лакей в ливрее и в трехугольной шляпе. Так эта процессия проходила мимо домов, чтобы все видели из окон, что это жених и невеста».

Существовали правила приличия и для «устарелых девиц». Девушку от 25 до 35 лет называли «кандидаткой» в старые девы, от 35 до 40 лет — «пожилой», «в сорок она «старая дева», в пятьдесят она «царь-девица».»

Как вести себя устарелым девицам?[1]

Устарелые девицы по собственной вине имеют обыкновение считать свои лета пятнадцатью годами назад, и каждый раз обвиняет их во лжи зеркало. Они хотят продолжать кокетство молодых своих лет и в старости. Их смешное жеманство, их отвратительная чувствительность, навязчивая дружность делают их для мужчин вдвое неснос-

[1] Книгге А. Об обращении с людьми. Ч. IV. – Спб., 1823, с. 85 – 87.

ными и слишком оправдывают презрение к ним молодых девиц.

Устарелые девицы не по собственной вине обнаруживают в своих поступках некоторую робость, некоторую, весьма явную даже, заботливость. Так как их чувствования большею частию противоположны их возрасту; то они всегда опасаются изменить себе. Они жеманны и неразвязны; всегда в замешательстве, всегда как на иглах; но добродушие их и достоинства заставят все это забыть.

Устарелые девицы по своей воле обыкновенно унылы, ненавидят людей и нередко даже несносны. Они убегают общества или оскорбляют оные. Должно щадить несчастных; они имеют право на наше снисхождение.

Из всех сих трех только девицы, состарившиеся по своей воле, имеют нужду в некоторых правилах; ибо первые не заслуживают их, а последние не способны принимать. Но вам, безвинно незамужними оставшимся девицам, вам скажу я несколько слов для совета и утешения.

Ежели вы хотите вести себя прилично, то являйте всегда тихую, но важную покорность; не имейте никакой застенчивости и никаких притязаний. Оказывайте спокойную, невынужденную учтивость и возвышайтесь над низкими страстями ненависти и тщеславия.

Избегайте всякого случая быть смешными; ваши приемы и одежда не должны отличаться странностию. Не ищите выказывать себя; откажитесь от суетного домогательства блистать чем-нибудь, особенно ученостию.

Издеваются ли над вами? Кажитесь принимающими это в шутку и отражайте оную без огорчения. Вы легко обезоружите насмешников и будете в рассуждении их безопасны. Удаляйтесь от молодых людей обоих полов и оказывайте мужчинам не иное что, как холодную учтивость. Не попускайте печали угнетать вас; ободряйте самих себя и утешайтесь тем, что страдания суть общий нам удел. Что иное жизнь как не сновидение, исполненное неприятностями! Сколько несчастных супружеств! Сколько семейственных бедствий! Сколько исполненных отчаяния матерей!

Ежели бедность и огорчения соединяются для сугубого нашего несчастия, то вспомните, что всем страданиям есть предел; одно мгновение предает всех нас смерти. Ах! вы можете умереть спокойнее, не оставляя по себе плачущего супруга, беспомощных детей. Вы идете мирно и весело из света, ибо обрели в смерти жениха себе.

Обращение с кавалерами[1]

Эта многообъемлющая статья могла бы быть очень обильна содержанием своим, но я ограничиваюсь только внешним, поверхностным, общественным отношением молодых девиц к окружающим их кавалерам и сообщаю им кратко некоторые замечания. <...>

Вы молоды и прекрасны, следственно кавалеры будут с вами вежливы и внимательны и вы скоро узнаете и изучите часто повторяемое слово: «любезничать». Но опасайтесь этим вежливостям придавать большую важность и знайте, что они часто бывают внушением одного мгновения, которое иногда ласкает самих почитателей самолюби-

---

[1] Вступление молодой девицы в свет, или Наставление, как должна поступать молодая девица при визитах, на балах, обедах и ужинах, в театре, концертах и собраниях. – Спб., 1853, с. 76 – 84.

вою мыслию — быть во мнении других любезными, а часто также бывают эти вежливости привычкою кавалеров — говорить дамам льстивые комплименты.

Умейте считать такие ласкательства тем, чем они есть в своей сущности, т. е. общежительным пустословием, вообще при всяком удобном случае обыкновенно употребляемым. Не давайте излишней цены этой фальшивой монете при ее получении и не считайте себя самих ничего не значащими, если обманчивый звук этой монеты не касается вашего слуха. Кавалеры по большей части стараются любезничать и ухаживать не около самой прекрасной, самой образованной, самой любезной девицы, но чаще увиваются около самой тщеславной, легкомысленной, не имеющей ни нежной чувствительности, ни осторожного благоразумия.

В девице истинно благовоспитанной и благоразумной обыкновенный комплимент, вместо удовольствия, может произвесть еще презрение. Истинно чувствительную девицу оскорбляет игра кокетства, возбуждающая общее внимание. Прекрасная девица, коль скоро привыкнет к ласкательствам, то теряют они в глазах ее всю свою занимательность. Самая тщеславная суетность девиц, при точнейшем исследовании, не обольщается обыкновенным родом ласкательства, и они очень хорошо делают при этом, если обнаруживают кавалерам, что комплименты их принимают с той же легкостию и невнимательностию, с какою оные делаются. Девица, которая при всякой вежливости мужчины приходит в замешательство и принимает оную за важное обстоятельство, делается смешною; а та, которая тем только и занята, чтобы ловить комплименты, чтобы обращать на себя внимание кавалеров изысканным же-

манством и разнообразною искусною ловкостью, — делается презренною.

Будьте вежливы, ласковы, приветливы и непринужденны в обращении с кавалерами; не будьте ни навязчивы, ни слишком спесивы, а держите обыкновенный натуральный вид и тон, всего же более старайтесь заслужить почтительное уважение от мужчин. Не смейтесь над всякою пустою шуткою и не делайте никому особенного предпочтения пред другими. При пожилых и старших кавалерах поступки ваши должны быть более внимательны и почтительны; есть много незначащих действий, недозволенных в обращении с молодыми людьми и допускаемых в обращении со старшими кавалерами. Например, если вы находитесь в собрании и не имеете экипажа, чтобы отправиться домой, а знакомый пожилой кавалер предлагает вам в своем экипаже отвезти вас туда, то можете принять это предложение без всякого сомнения, между тем как подобное согласие на предложение молодого кавалера было бы очень большою неосторожностию. Первому можете радушно подать руку, а последнему не должны; со стариком можете разговаривать в обществе долго и свободно, с молодым — нет.

Молодой девице неприлично встречать кавалера, даже в собственном своем доме; она и не провожает его до дверей при отъезде после сделанного посещения; не берет у него ни палки, ни шляпы, чтобы положить их на место. Вообще молодая девица не должна принимать посещения от молодого кавалера, особенно, когда одна дома; она не ведет никакой переписки без ведома родителей или родственников и не назначает по своему произволу никаких посещений.

Короче сказать, невозможно внушить и сделать достаточных предостережений, необходи-

мых в обращении молодых девиц с мужчинами. Свет судит очень строго: одна неумышленная оплошность, замеченная и перетолкованная в дурную сторону, может погубить ваше доброе имя, и будьте уверены, что каждый шаг, каждый взгляд подстерегается тысячью глаз, каждое малейшее уклонение от предписанных общим употреблением правил приличия замечается, увеличивается и безжалостно отдается на беспощадный общий суд. Правила общежительных приличий предписывают молодым девицам высшего круга ограниченные пределы и воспрещают ими многие маловажные свободные действия, стеснение и отнятие которых часто бывает очень тягостно. Но горе той девице, которая считает это за ничто! Конечно, есть женщины, которые, предоставляя излишнее стремление свободе духа, выступают из границ своего пола и, презирая все мелочные светские отношения, дают отчет в своих поступках только внутреннему суду своей совести; но это никогда не остается безнаказанно. На них смотрят как на блестящую комету, и хотя удивляются ими, но это удивление у большого числа зрителей почти то же, что презрение; говорят об них, разносят об них слухи и вместе с тем насмехаются над ними; а при этом отзыве гибнет и теряется самое лучшее — священнейшее для дамы — доброе имя ее, и она тогда уже только с сожалением узнает печальные последствия удаления своего от предписанных границ, когда устареет и увидит себя совершенно одинокою и оставленною. Свой женский пол, презираемый ею, не принесет ей тогда никакого утешения, а мужчины, не терпящие никакого необыкновенного суждения из старых иссохших уст, оставят это жалкое и несчастное создание, которое вместе с умом (погубило) умертвило свое сердце.

Первый выезд на бал[1]

«Иголку, нитку!» — и весь дом в тревоге. Бабушка бранится, маменька побледнела, Наташа перед трехаршинным зеркалом, в слезах, а из рук испуганной служанки посыпались булавки.

Что делать — такова судьба девушек! Часто от одной лишней складки на платье зависит их успех в свете...

«Ножницы!» — провозгласила бабушка. «Ножницы!» — повторила матушка. «Ножницы!» — раздалось по всем углам дома, и опытные родственницы режут, пришпиливают, шьют, подшивают, и из Наташиного длинного платья сделалось платьице...

Наташе исполнилось шестнадцать лет — с обыкновенными учетами, вычетами и снисходительными выкладками малопамятных старушек. Нечего думать! Наташе пора видеть свет, Наташе пора завиваться. С утра послали за парикмахером, с утра наехали тетушки и давно завитые кузины для важного семейного совета. Артист явился, систематически расставил помаду и духи, разложил разнообразные щеточки и гребенки, фальшивые косы и букли. Усадили Наташу. Заволновались, зашумели советницы, разбирая кипу рисованных головок, привезенных в портфеле угодником-парикмахером... Тут оживились воспоминания, и каждая в рисунке по своему вкусу, в знакомой прическе увидела давно прошедшее. Одна выхваляла прибор головы à la Sevigné, другая à la Ninon, третья тяжко вздохнула над убором à la Semiramis. Долго не совершился бы над забытою

---

[1] Муханов П.А. Сочинения, письма. — Иркутск, 1911, с. 105 — 108.

Наташей приговор, если бы образованный парикмахер с язвительной улыбкой не разбудил мечтательниц, раскинув по плечам красавицы длинную шелковую ее косу. Несмотря на то, оскорбленная кузина, скрывавшая бедность своих волос под узорным чепчиком, усиленно требовала фальшивых буколь и накладной косы, а бабушка кричала: причесать с тупеем! К счастью, парикмахеру-философу давно знакомы женские головы. Он знал, что женщинам свойственно забывать настоящее и жить одним прошедшим, и потому решился причесать Наташу по последней моде. «Бумаги на папильотки!» — сказал парикмахер. «Извольте», — отвечала сметливая служанка, подавая толстую тетрадь — трофеи наставника-мучителя: на ней еще видны были слезы ребяческой лености. В одно мгновение растерзаны древности, и державный Рим повис на папильотках, и Аннибал с римлянами соединены миролюбивой рукой парикмахера... Наташа нечаянно подняла усталую голову, взглянула в зеркало, вспомнила об истории, о географии, об учителе и — улыбнулась...

Прическа кончена, парикмахер отпущен. Скоро промчалось время в приготовлениях и советах — бьет 9 часов.

«Вот и мой Блестов», — сказала матушка. «Дядюшка, дядюшка», — закричала Наташа и прыгнула бы от радости, если бы в корсете прыгнуть было возможно. Щеголь, забыв, что он в родной семье, рисуется, как рисовался, бывало, в петербургских гостиных.

«А главное забыто», — воскликнул он. «Что?» — подхватил хор испуганных наставниц. «Помилуйте! возможно ли, не стыдно ли так явиться на бал, в круг бон тона: она будет предметом язвительных лорнетов — бедненькая, ее осмеют...» — «Да что же, батюшка? Не мучь и говори скорей». —

«Ах, тетушка, — жонкилевый[1] букет на левое плечо...» Приговор диктатора исполнен. В одно мгновение с окошек исчезли цветы и переселились на плечо Наташи.

Карета подана. «Есть ли с нами гофманские капли[2]?» — спросила матушка, садясь в карету. «Целый флакончик спирту к вашим услугам». — «Как мил, как догадлив наш Блестов!»

Забавно было бы заглянуть в карету героев, путешествующих на бал! Они едва говорили, едва дышали, едва шевелились, боясь измять — Наташа свое платьице, матушка огромный ток с разноцветными перьями, а Блестов систематическое жабо. Из скважин каретного окошка оставался в атмосфере след помадного запаха...

Не доезжая нескольких шагов до дома барона Бирюлина, заботливый Блестов велел остановиться и послал длинного лакея узнать, начинают ли съезжаться. К счастью, у подъезда было множество карет, музыка гремела, зала была уже полна — иначе Блестов готов был возвратиться назад или, по крайней мере, ждать на улице. «Приехать первому — зажигать свечи», — говорят законодатели большого света.

«Помни мои советы, Наташенька», — с нежным вздохом сказала маменька, пробираясь под покровительством Блестова сквозь толпу полусонных лакеев. Вошли.

Шум от всеобщего разговора, от шарканья, от шпор, от музыки оглушил Наташу. Блестящая толпа разнаряженных красавиц изумила ее; она

---

[1] Жонкиль (от фр. jonquille) — нарцисс.

[2] Капли Гофмана (гофманские капли), по имени известного врача середины XVIII века Фридриха Гофмана. Имеют успокаивающий характер.

смешалась, побледнела, дрожащая прижалась к матушке, и все прочитали — семнадцать лет на миленьком личике ее. Несмотря на замешательство дочери, матушка, по совету Блестова, повлекла ее к баронессе. Ловкая хозяйка взяла Наташу за руку, прошептала ей обыкновенные, никем не слышимые приветствия и между тем окинула быстрым взором трепещущую красавицу. Стан, глаза, платье и огромный жонкилевый букет — все было замечено, все было оценено: так несчастный скульптор разбирает недостатки в Венере Медицейской[1]; так дюжинный стихотворец водяной критикой хочет залить поэтический огонь волшебника Пушкина.

Желаете ли вы подслушать шепот танцовщиц? Хотите ли узнать впечатление, произведенное вновь появившейся девушкой? Одни находили Наташу неповоротливою, неловкою, другие смеялись над свежестью ее румянца, иные замечали безвкусие в буклях, еще иные хладнокровно сознавались, что она молода и хороша, да, верно, провинциалка.

Между тем как продолжался строгий смотр нашей героини, между тем как испуганная Наташа проходила сквозь ряды язвительных замечаний, заботливый дядюшка, душистый Блестов уже промчался по зале, собрал обещания друзей-танцоров и сам поспешил воспользоваться первым бальным подвигом Наташи. Кончив польский, довольный сам собою, шепнул он маменьке: Je l'ai introduit![2].

Взволновались друзья-танцоры, обступили Наташу. После неловкой нерешительности выбор пал

---

[1] Венера Медицейская — статуя в Музее Уффици во Флоренции.

[2] Я его представил! *(фр.)*.

на гусара a la fleur d'orange...[1] *Сделан первый шаг, и — Наташа не сходила с паркета: и мило, и странно было смотреть, с каким старанием неопытная красавица выделывала трудные па эфирного своего танцевального учителя, с каким невинным, безрасчетным жаром вертелась она в котильоне! Незнакомая с танцорами, она выбирала иногда неуклюжего провинциала, простреленного героя-дуэлиста и гастронома-подагрика.*

Насилу вырвали измученную Наташу из котильона. Приехали домой, вошли в спальную бабушки, и из рук ожидавшей их старушки выпал «Разбойник шварцвальдских лесов»! Явились нянюшки, матушки, горничные, начались расспросы, рассказы, толки.

Но сон превозмогает и женскую говорливость. Простились с бабушкой, с Наташи сняли бальные оковы, и она, уже поутру, заснула девушкой большого света в сладостных мечтах. Маменька пошла в свой кабинет, а Блестов уехал...

— Каково-то будет пробуждение? Каков-то будет день? Каков-то будет новый образ жизни Наташи? Угадать нетрудно. Вместо географии — мадам NN., вместо ландкарт — выкройки, вместо истории — городские вести, вместо Расина — Россини, вместо покойного сна — бессонница, вместо свежего румянца — бледность и расслабленные нервы...

[1] Как на возможного жениха *(фр.)*.

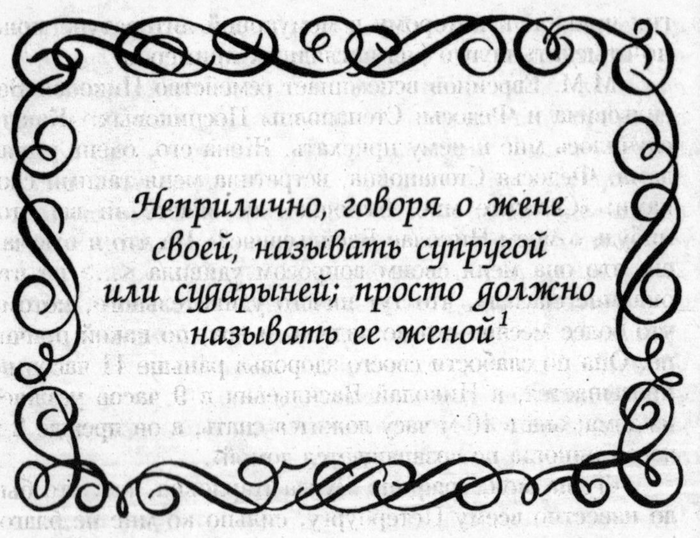

В любой книге по этикету раздел, посвященный отношениям между супругами, в отличие от других, состоит из небольшого списка правил, в основном этического характера.

Семейная жизнь — это сфера, где менее всего подчиняются условностям типа: сколько раз в день следует целовать супруга или кто первым должен сказать «Доброе утро!»

Другие же правила, как «женщина в присутствии мужа должна быть в хорошем расположении духа» или «мужу не следует рассказывать жене непристойные анекдоты», мемуарная литература просто не фиксирует, поскольку это были прописные истины.

«Дать мужу совершенную свободу действовать, уходить, возвращаться». Пожалуй, это одно из немно-

---

[1] Правила светского обхождения о вежливости. — М., 1829, с. 36.

гих правил, к которому в мемуарной литературе можно отыскать целый ряд наглядных примеров.

М.М. Евреинов вспоминает семейство Николая Васильевича и Федосьи Степановны Посниковых: «Как-то случилось мне к нему приехать. Жена его, очень умная дама, Федосья Степановна, встретила меня такими словами: «Скажите мне, батюшка, не знаете ли вы что-нибудь о моем Николае Васильевиче?» На что я отвечал ей, что она меня своим вопросом удивила <...> на что она мне сказала, что тут ничего удивительного, потому что более месяца его не видала, и вот, по какой причине. Она по слабости своего здоровья раньше 11 часов не просыпается, а Николай Васильевич в 9 часов уезжает из дома; она в 10-м часу ложится спать, а он прежде 2-х часов никогда не возвращается домой».

«Теща моя, графиня Луиза Карловна, как это было известно всему Петербургу, сильно ко мне не благоволила, — читаем в воспоминаниях В.А. Соллогуба, — но, так как я не обращал внимания на ее замечания, она поручила своему добрейшему мужу, моему тестю, сделать мне выговор по случаю моих поздних возвращений домой. Это обстоятельство несколько затрудняло Михаила Юрьевича, так как он сам, несмотря на свои почтенные лета, широко пользовался всякого рода приятными развлечениями. Тем не менее граф Виельгорский вошел ко мне однажды в кабинет и, насупившись, сказал мне недовольным голосом:

— Послушай, однако, Владимир, это ни на что не похоже! Тебя целыми вечерами до поздней ночи не бывает дома. Ну, вчера, например, в котором часу ты вернулся домой?..

— Да за полчаса, я думаю, до вашего возвращения, Михаил Юрьевич, — ответил я ему, невольно усмехнувшись.

Он прикусил губы и ничего мне на это не ответил, но уже с тех пор никогда более не делал мне никакого рода замечаний».

Как известно, залог счастливой семейной жизни — хорошие отношения зятя с тещей. Воспитанный зять никогда не забудет привезти из командировки подарок своей любимой теще. Так было и в XIX веке.

О. Корнилова в «Были из времен крепостничества» рассказывает:

«Бабушку я помню старенькой, сморщенной, с прищуренными глазами; они у нее тогда уже плохо видели, почему, говорила старушка, она и нюхала табак, в который для запаха клала листы калуфера из нашего садика. У бабушки была страсть к табакеркам; когда, бывало, отец ехал в губернский город, он спрашивал: «А вам, маменька, чего привезти?» — «Да чего мне, старухе нужно? Разве табакерочку привези».»

«Добрые нравы господствовали, и не было слышно о разводах или разъездах», — писал Е.Ф. Фон-Брадке.

По словам М.Д. Бутурлина, семейные скандалы в высшем обществе были «редкими исключениями». «О поразительном примере графини Салтыковой, рожд. княжны Куракиной, бросившей своего мужа и при его жизни вышедшей замуж за Петра Александровича Чичерина, говаривали еще по прошествии десяти и более лет. Были тогда уважение к приличиям и стыдливость, и нравственное это направление держалось, как я слышал от современников, влиянием императрицы Марии Федоровны, женщины строгих правил. Распущенность в высшем обществе началась не ближе, как в конце 30-х и начале 40-х годов».

Весьма важно для супругов, которые каждый день, каждую минуту должны видеться, а следовательно имеют время и случай взаимно ознакомиться со своими недостатками и причудами и приучиться переносить их; весьма важно для них приобрести средства, чтоб друг другу не наскучить, не быть в тягость, не охладеть, не сде-

латься равнодушными, а наиболее, чтоб не почувствовать взаимного отвращения. Для сего требуется благоразумная осторожность в обращении.

Притворство ни в каком случае не годится; но должно обращать некоторое внимание на все свои поступки и удалять все, что может произвести неприятное впечатление. Никогда не должно упускать из вида вежливость, которая весьма легко может согласоваться с короткостию (familiarité) и всегда отличает человека благовоспитанного. Не делаясь друг другу чуждыми, остерегайтесь повторением разговоров об одном и том же предмете наскучить так, чтоб всякий разговор наедине был бы вам в тягость и вы желали бы чужого общества! Я знаю одного человека, который, затвердив несколько анекдотов и острых слов, так часто повторяет их своей жене и в присутствии ее другим людям, что на лице ее ясно изображается неудовольствие и отвращение всякий раз, когда он начнет что-нибудь рассказывать.

Кто читает хорошие книги, посещает общества и размышляет, тот, без сомнения, каждый день легко найдет что-нибудь новое для занимательного разговора; но, конечно, сего недостаточно, если целый день сидеть друг с другом в праздности; и потому нечего дивиться, встречая супругов, которые, если по какому-либо случаю нельзя собрать гостей, для избежания скуки по целым дням играют друг с другом в пикет или в дурачки.

По сим причинам весьма хорошо, если муж имеет должностное занятие, которое, по крайней мере несколько часов в день, заставляет его или сидеть за письменным столом, или отлучаться из дома; если иногда непродолжительные отлучки, поездки по делам и тому подобное, присутствию его придают новые приятности. Тогда с нетерпением ожидает его верная супруга, занимаясь меж-

ду тем хозяйством. Она принимает его с ласкою и любовию; вечера в домашнем кругу проходят в веселых разговорах, в советах о благе их семейства, и они никогда друг другу не наскучат.

Есть искусный, скромный способ заставлять желать нашего присутствия; ему-то надлежало бы учиться. И в наружности должно избегать всего, что может сделать неприятное впечатление. Супруги не должны показываться в неопрятной, отвратительной одежде, или в домашнем обращении позволять себе чрезмерную вольность и принужденность — чем мы сами себе обязаны, а особливо, живя в деревне, не огрубеть обычаями и разговорами, не делаться неопрятными и беспорядочными в своей наружности. <...>

По причинам основательным, которые всякий благоразумный человек сам усмотрит, не советую супругам исполнять все занятия свои совокупно; а напротив, чтоб каждый имел определенный, особый круг действия. Редко хозяйство бывает хорошо там, где жена вместо мужа сочиняет бумаги, а он, когда званы гости, должен помогать повару стряпать и дочерям своим наряжаться. Из этого происходит суматоха; муж и жена делаются посмешищем служителей; полагаются друг на друга; хотят во все мешаться, все знать. Одним словом: это не годится!

Что ж касается до заведывания деньгами, то я не могу одобрить в сем отношении большую часть мужей хорошего состояния, дающих женам своим определенную сумму, которою сии последние должны изворачиваться для содержания хозяйства. Из сего выходит разделительный интерес; жена входит в класс служителей, побуждается к корыстолюбию, к излишней бережливости; находит, что муж слишком лаком; морщится, если он пригласит хорошего приятеля на обед; муж, со своей стороны, если он не довольно разборчив в чувствах, всегда воображает, что за дорогие деньги свои слишком худо обедает, или же, по чрезмерной разборчивости, не отваживается потребовать иногда лишнего блюда, чтоб не привесть жены своей в замешательство. И потому, если только не дворецкий или ключница исправляют у тебя дела, по существу своему к обязанностям жены принадлежащие, дай жене своей на расходы соответственную достатку твоему сумму денег. Когда оная будет издержана, то пусть она потребует от тебя более; если ты найдешь, что издержано слишком много, потребуй счеты! Рассмотри с нею вместе, где и что можно сберечь! Не скрывай от нее своего состояния; но также определи ей небольшую сумму на невинные увеселения, наряды, на тайные благотворения и не требуй в оной от нее отчета[1].

Уложение для женщин[2]

1. Удостовериться, что есть два способа господствовать в доме: первый, изъявлением воли, которая принадлежит силе; второй, могуществом кротости, которому самая сила покоряется. Одна употребляется мужем, жена должна употреблять единственно другую. Жена, говорящая «так хочу», заслуживает, чтобы лишиться господства.

2. Избегать противоречий мужу. Мы ожидаем благоухания, приближаясь к розе; не ожидаем ничего иного от женщины, кроме приятного. Та, ко-

---

[1] Книгге А. Об обращении с людьми. Ч. II. – Спб., 1830, с. 42 – 45; 66 – 67.

[2] Дамский журнал, № 21, 1826, с. 104 – 108.

торая часто противоречит нам, та нечувствительно внушает охлаждение к себе, усиливаемое временем, и от которого самые хорошие качества не предохранят ее.

3. Ни во что не вмешиваться, кроме домашних дел; ожидать, чтобы муж вверил ей другие и не подавать ему советов прежде, пока он не потребует их.

4. Никогда не делать поучений мужчине. Наставлять его примером и исполнять добродетели, для того чтобы заставить его любить их.

5. Предписывать внимание вниманием; никогда ничего не требовать, для того чтобы все получить, и казаться довольною малым, что сделает мужчина, для того чтобы побудить его сделать более.

6. Почти все мужчины подвержены тщеславию; в некоторых оно несносно: никогда не оскорблять его тщеславия, даже в самых малых делах. Жена может быть умнее мужа; но ей должно принимать вид, будто этого не знает.

7. Когда мужчина подает свое мнение и ошибается, не давать ему чувствовать того; но мало-помалу привести к здравому рассудку с кротостью, с веселостью, и когда он сдастся, предоставить ему достоинство, что он нашел истину.

8. Отвечать на дурное расположение мужа ласковостью, на обидные слова хорошими поступками и не превозноситься тем к его унижению.

9. Тщательно избирать приятельниц, иметь их мало и не вверяться их советам, которые решительно должны отвергать, если они противны сему наставлению.

10. Любить опрятность без роскоши, удовольствия без излишества; одеваться со вкусом, а особливо с благопристойностию. Умеренное желание нравиться пристало женщине. Разнообразить формы своей одежды, а особливо цвет ее... Сии предметы, кажущиеся ребяческими, иногда бывают гораздо важнейшими, нежели, как об них думают. Женщина не знает довольно господства, которое может она иметь над воображением.

11. Не делаться докучливою ни под каким видом; подать мысль о подарке, об угождении, не требуя их. Не быть любопытною при муже, но снискать его доверенность доверенностию. Наблюдать порядок и хозяйство. Никогда не коситься на мужа и не ссориться с ним. Таким образом заставить его находить дом свой приятнейшим вякого другого.

12. Во всяком случае слагаться на сведения мужа, а особливо при посторонних, хотя бы надлежало показаться несмысленною перед ними. Не забывать, что жена приобретает уважение от уважения, которым умеет окружить мужа своего. Дать ему совершенную свободу действовать, уходить, возвращаться. Жена должна сделать свое присутствие столь сладостным для мужа, чтобы он не мог обходиться без нее, и не находил бы вне своего дома никаких удовольствий, если не разделяет с нею.

Оправдания кокетству[1]

Старинного века люди не знали кокетства, без сомнения оттого, что оба пола жили слишком уединенно, и сходились только в семействах. Действительно, на публичных празднествах и при отправлении торжественной службы мужчины и женщины были почти всегда разделены, они не

[1] Собрание наставлений для уборного столика. — М., 1829, с. 103 — 112.

знали тогда, что мы называем обществом, собраний наших, в которых от желания казаться любезными стараются выказать ум, приятности, дарование, достоинство и состояние. Тщетно бы искали в сочинениях их каких-нибудь признаков свойств кокетства; поэты описывали только добродетельных и верных женщин, другие же распутных и непостоянных.

До шестнадцатого века народы новейших времен походили в отношении сем на древних, и в нравах их незаметно было никакой черты кокетства. Под правлением Катерины Медицис[1] *восприяло оно, кажется, свое начало, свойство совсем новое. Круг, составленный королевой той при Дворе, внушил желание дворянству и мещанству иметь подобные; некоторым было сие открытием, что можно находить приятность и удовольствия вне дружеских собраний, в которых родство было душою. С того времени начали принимать к себе, одного по отличному уму, другого по состоянию, третьего по чину; решились также принимать некоторых по особенным дарованиям или по добродетелям, но цель составления у себя общества была та, чтобы иметь приятное развлечение, усугубить некоторым образом удовольствия, которые преимущественно могли бы забавлять хозяина дома; легкомыслие управляло выбором приглашений: чувства дружбы, любви или родства, нимало в том не участвовали. Обращение, при соединении таким образом своего пола, было бы холодно, незанимательно, когда б врожденная склонность, их согласующая, не действовала равным образом на сердца: она побудила мужчин не быть равнодушными к женщинам, которых благосклонность пре-*

[1] Екатерина Медичи (1519 — 1589), французская королева.

восходила границу дружбы; не будучи обязаны к такой скромности, как они, мужчины считали долгом под видом вежливости объяснять любовь. Разговор женщин, хотя воздержнее, был приятен и внимателен, прелести, которыми они одарены, пленяли всегда, даже без старания их в том, в разговорах и поступках; мужеской же был остр и скрытен: излишнею откровенностию в чувствах любви, неизвинительною и самому невежеству, навлекли бы они на себя посмеяние. Со всем тем, женщины понимали, что в приписываемых им похвалах больше лести, нежели чувств; они узнали, как опасно обнаруживать, что пленительные ласкательства их занимают; однако же ласкательства те слишком им нравились, чтоб прекрасные намерения их сопротивляться были продолжительны; тогда рассудок, всегда верный слуга их, рассудок, врожденно у них лукавый, приходил к ним на помощь и предлагал им сильного союзника, кокетство.

Подражая Двору, все женщины сделались скоро кокетками. <...>

Мы удивим, может быть, женщин, сказав им, что легче для них быть верными, нежели кокетками; но удивление их пройдет, когда мы объясним, что должно разуметь под словом «кокетство», в настоящем его смысле.

Кокетство, беспрерывное торжество рассудка над чувствами; кокетка должна внушать любовь, никогда не чувствуя оной; она должна столько же стараться отражать от себя чувство сие, сколько и поселять оное в других; в обязанность вменяется ей не подавать даже виду, что любишь, из опасения, чтоб того из обожателей, который, кажется, предпочитается, не сочли соперники его счастливейшим: искусство ее состоит в том, чтобы никогда не лишать их надежды, не подавая им никакой; кокетка, наконец, не может иметь других чувств, кроме умственных: и так, легко ли подчинить требования сердечные наслаждениям ума?

Муж, ежели он светский человек, должен желать, чтоб жена его была кокетка: свойство такое обеспечивает его благополучие; но прежде всего должно, чтоб муж имел довольно философии согласиться на беспредельную доверенность к жене своей.

Ревнивец не поверит, чтоб жена его осталась нечувствительною к беспрестанным исканиям, которыми покусятся тронуть ее сердце; в чувствах, с которыми к ней относятся, увидит он только намерение похитить у нее любовь к нему. Оттого происходит, что многие женщины, которые были бы только кокетками, от невозможности быть таковыми делаются неверными; женщины любят похвалы, ласкательства, маленькие услуги; публика недовольно строга к пожертвованиям, которые могут они сделать насчет доброго своего имени, чтоб они отказались от удовлетворения склонности сей к тщеславию.

Для тех, которые будут вооружаться против странного мнения, которые не захотят признать, что кокетство — качество ума, повелевая непорочность чувствам, сошлемся мы на Лабрюера[1]*. «Женщина, имеющая одного обожателя, — говорит он, — думает, что она кокетка; та же, которая имеет двух, думает, что она только что кокетка».*

Названием кокетка неужели больше мы ошибаемся, как во времена Лабрюера? Мы называем кокеткою молодую девушку или женщину, любящую

---

[1] Лабрюер Жан (1645 – 1696) – французский сатирик и моралист.

наряжаться для того, чтоб нравиться мужу или обожателю.

Мы называем еще кокеткою женщину, которая без всякого намерения нравиться, следует моде единственно для того, что звание и состояние ее того требуют.

Наконец, мы называем еще кокетками женщин, которые переходят из одной склонности в другую, и по той же ошибке в слове сем твердят беспрестанно, что Нинон[1] *была Царицею кокеток, и те же самые люди, которые смеялись над запискою ее к Ла-Шатру. Боало*[2] *уверяет, что в его время в Париже считалось только три женщины верных: колкая сатира, не заключающая в себе ни здравого рассудка, ни вкуса; справедливее бы было, когда б он сказал, что не было трех совершенных кокеток. В словаре следовало бы заменить кокетливость и кокетка словами: обходительность и любезная.*

Но, ежели истинное невинное кокетство делается день ото дня реже, то кто тому причиною, когда не мужчины; они предпочитают впечатления чувствам, и кокетка, похожая на тех, которые окружали Медицис, или на Кларису девицы Скудери, скоро бы им надоела; в театрах не понимают почти роль кокеток, хотя и сняты они комическими авторами с натуры: характер етот теперь идеальный. Извиним, однако же, женщин: весьма естественно, что убедясь в невозможности окружить себя Рыцарями надежды, пренебрегли они свойством, в котором не находили успехов.

Как жаль, что женщины перестали быть ко-

---

[1] Нинон де Ланкло (1615 – 1705) – знаменитая французская красавица, хозяйка литературного салона, известная своими любовными похождениями.

[2] Буало, или Депрео, Николай (1636 – 1711) – французский поэт-классик, автор поэмы «Искусство поэзии».

кетками; какая бы драгоценная перемена воспоследовала в нравах наших, когда б благонравное кокетство было душою общества. Петиметры наши, соделавшиеся от уверенности в успехах до того высокомерными, что не занимаются даже быть любезными, старались бы тогда быть таковыми; тон, обхождение, разговоры получили бы приятность, которой почти лишились; тогда возобновились бы блестящие те собрания, в которых взаимное желание нравиться было существеннейшею прелестию; водворилась бы опять отличнейшая вежливость, приятное то заблуждение, подражающее любви, и наслаждение заботливостью быть любимым; может быть, нашлись бы кокетки подобные тем, которые отличались при Людовике XIII и наследнике его. Женщины, не ограничивающиеся желанием только нравиться, и поселением любви прелестями и умом, но имеющие честолюбие внушать обожателям своим чувства возвышеннейшие: мужчины внимали бы тогда рассудку, думая, что внимают только любви.

Как! скажут мне, из пороку или по малой мере из погрешности хочешь ты учинить добродетель! Я буду отвечать им: когда невозможно быть совершенными, то надобно стараться быть по крайней мере любезными; когда нельзя согласить обращения в обществе с верностию в любви, то лучше остановить успехи непостоянства кокетством, нежели допустить, чтоб переродилось оно в волокитство.

Кокетство приостанавливает время женщин, продолжает молодость их и приверженность к ним: это верный рассчет рассудка.

Волокитство, напротив, ускоряет лета, уменьшает цену благосклонностей и приближает время, в которое ими пренебрегают. Повторим же искреннейшее желание наше, чтоб женщины соделывались день ото дня больше кокетками!

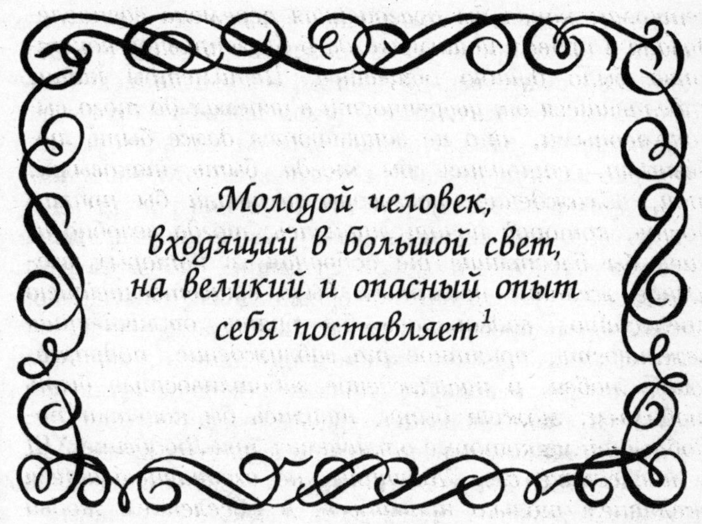

Молодой человек, входящий в большой свет, на великий и опасный опыт себя поставляет[1]

«Молодой человек, желающий быть принятым в большом свете, необходимо должен иметь следующие качества: говорить по-французски, танцевать, знать хотя по названиям сочинений новейших авторов, судить о их достоинстве, порицать старых и все старое, разбирать играемые на театрах пьесы, уметь завести спор о музыке, сесть за фортепиано и взять небрежно несколько аккордов или сыграть что-нибудь затверженное, или промурлыкать романс или арию; знать наизусть несколько стишков любимого дамами или модного современного поэта. Но главнее всего — это играть в карты по большой и быть одетым по моде. Кто имеет все эти достоинства, тот может с честью явиться на сцену модного света».

Это свидетельство современника явно проникнуто

[1] Записки Ф.Н. Голицына. — Русский архив, 1874, т. II, с. 1329.

иронией и все же оно дает представление о «салонных талантах», не приносящих, по словам М.Д. Бутурлина, «никакой существенной пользы, но тем не менее служащих как бы паспортом и рекомендацией в то высшее общество, от одобрительной улыбки которого зависит нередко карьера юношей, вступающих в это общество».

Одним из важных условий «комильфо» для светского молодого человека было умение непринужденно чувствовать себя в любой ситуации. Чтобы овладеть этим искусством, юный дворянин должен был в первую очередь преодолеть робость и стеснительность.

«Робость делает обыкновенно дикими, каковыми быть весьма невыгодно; привычка к общежитию есть один из главнейших союзов, связующих людей», — читаем в «Опыте о надобности и средствах нравиться».

«Сколько скромность украшает всякого, особливо юношу, столько застенчивость делает его жалким, — отмечает в «Записках» П.Х. Граббе. — Это паралич на все умственные и душевные силы, во все время продолжения припадка. Застенчивость природная может еще быть чрезвычайно усилена сознанием неловкости, когда при воспитании пренебрежены гимнастические упражнения, танцевание, уменье кланяться и пр.».

«Манеры состоят в уменьи кланяться, ходить, стоять, сидеть и танцевать...» Вот почему светский юноша обязан был строго следить за своими походкой, осанкой, жестами и мимикой. Приведем некоторые «правила благопристойности и учтивости в пользу молодых людей, в свет вступающих», изданные в 1797 году:

«Надобно приучиться держать себя порядочно, ходить не слишком скоро и попрыгивая, что может показать нашу ветренность; ниже чрезмерно тихо, показывая шагами глупую гордость; но умеренную наблюдать должно походку: голову не заламывать высоко, как будто бы звезды считать хотим, ниже нагибать слишком шею, делая на спине сутулину и представляя из себя горбатого.

Естьли мы сидим, то сидеть должно спокойно, держа себя прямо, не кобенясь, не кладя ногу на ногу и не перебирая руками шляпы, пуговиц у платья и тому подобного; не благопристойно также почесываться; кусать губы, ногти, ковырять в носу, тереть слишком много руки и потягивать пальцы, чтоб они трещали. Также стараться удерживаться от зевоты, ибо, когда мы зеваем, то показываем другим, будто нам скучно с ними быть, что противно учтивости.

Положение лица также иметь надобно приятное. Скромная веселость да украсит лице наше, на котором живо должна изображаться чистота души и доброта нравов, ибо мрачный и печальный вид, презрительный взгляд и кислая рожа нравиться никому не могут.

Естьли надобно сморкнуть, кашлянуть или плюнуть, то сделать то в платок, стараясь, сколько можно, чтоб того не приметили, и не смотреть в платок, чтоб не подать кому причины к омерзению.

Когда кто-либо чихнет, не говорить: «Желаю здравствовать»; но учтивый наш поклон должен означить, что мы во внутренности сердца здравия ему желаем...»[1]

Искусство учтивых поклонов вырабатывалось в результате длительных тренировок. «Приличный поклон служит лучшею рекомендациею порядочного человека». В «Правилах для благородных общественных танцев, изданных учителем танцеванья при Слободско-украинской гимназии Людвиком Петровским» в 1825 году, целая глава посвящена поклонам. «Мужскому полу, держа себя прямо, поступить сколько нужно вперед, стать в первой позиции, наклонить голову по грудь, сгибая очень мало корпус, опустить свободно руки и, приняв прямое положение, стать или пойти далее, смотря по надобностям».

---

[1] Орфография сохранена.

Преодолеть застенчивость и робость помогали и уроки танцев. С завидным упорством преодолевал свою неловкость наследник престола Александр Николаевич. Для сравнения приведем свидетельства двух его наставников К.К. Мердера и В.А. Жуковского.

«С некоторого времени князь берет уроки танцевания в бальном костюме, чтобы не казаться слишком натянутым, когда ему придется явиться на бал в чулках и башмаках. Его высочество все еще вальсирует слабо».

«Нынче на бале императрица послала великого князя вальсировать. Он вальсирует дурно оттого, что, чувствуя свою неловкость, до сих пор не имел над собою довольно сил, чтобы победить эту неловкость и выучиться вальсировать как должно. Будучи принужден вальсировать и чувствуя, как смешно быть неловким, он в первый раз вальсировал порядочно, потому что взял над собою верх и себя к тому принудил. Самолюбие помогло».

Но ничто, пожалуй, так не помогало избавиться от робости и неловкости, как общение со светскими дамами.

«Мой начальник, — рассказывает Д.Н. Свербеев, — <...> обращался со мною добродушно, родственно, но угрюмый, скорее выгонял молодых своих чиновников из дома, чем привлекал их. Добрая и ласковая его жена заставляла меня бывать у них часто, и когда ей некогда бывало со мной поговорить, то я за обедом и после хлопал только глазами и молчал. Совсем другое дело в доме другого брата; там Анна Константиновна, хорошенькая и бойкая, любила заниматься мужчинами и в отсутствие взрослых не пренебрегала и юношами. Она объявила, что берет меня под особенное покровительство и обещалась непременно меня оболванить, уничтожить всю мою робость, равнодушие и даже какую-то открытую ею во мне мизантропию».

О благотворном влиянии на молодых людей общества светских дам писали многие современники, в том числе и В.А. Соллогуб: «Если настоящие строки попадутся на глаза молодого человека, вступающего на житейское поприще, да не побрезгует он моим советом всегда остерегаться общества без дам, разумею — порядочных. При них невольно надо держаться осторожно, вежливо, искать изящества и приобретать правильные привычки».

Многие почтенные дамы считали своим долгом обучить юношей «науке жить в свете», поэтому они не стеснялись делать им замечания.

В «Капище моего сердца» И.М. Долгоруков с благодарностью вспоминает М.П. Нарышкину: «Знатная дама, пожилая, у которой все молодые люди обучались бон-тону в Петербурге. Дом ее был первая моя школа, когда я туда появился. Старики езжали к ней для того, что у нее был лучший повар тогда в городе, а молодые приобретали благопристойные навыки. Она была очень строга насчет общежития и не пропускала ни одной мелочи, касательной до того, без насмешки или порицания, смотря по человеку и по свойству проступка. Дом ее был для меня очень полезен в этом смысле; она принимала меня милостиво, иногда шпетила, иногда поправляла, и все это усовершенствовало меня в науке жить в свете».

Не без иронии пишет Д.Н. Свербеев о своей тетке, которая обучала его светским манерам. «В отношении к общественной жизни главный, убийственный мой недостаток были очень плохое знание разговорного французского языка и почти решительное неумение танцевать <...>. Неумение изъясняться на модном языке и неспособность к танцам мешали мне в Москве, а в Петербурге сделались причиною того, что я никак не мог решиться представиться не только в высшее, но даже в какое бы то ни было общество». «Тетка Марья Васильевна преследовала меня жестоко за мой варварский французский язык, за покушение носить очки, которые у меня всегда были в кармане, или понюхать табаку, а всего более доставалось мне от нее за несоблюдение каких-либо великосветских обычаев, которые считала она святынею».

Появиться в обществе в очках, действительно, в начале XIX века считалось неприличным. В павловские времена, по утверждению современника, дошло до того, что все, кто не мог обойтись без очков, должны были оставить службу. При дворе императора Александра, свидетельствует А.М. Горчаков, «ношение очков считалось таким важным отступлением от формы, что на ношение их понадобилось мне особенное высочайшее повеление, испрошенное гофмаршалом Александром Львовичем Нарышкиным; при дворе было строго воспрещено ношение очков».

Антон Дельвиг вспоминал, что в Царскосельском Лицее воспитанникам запрещалось носить очки, и поэтому все женщины казались ему прекрасны. «Как я разочаровался в них после выпуска», — говорил Дельвиг. Взгляд сквозь очки на даму или на старшего по чину считался дерзостью: увеличительные стекла создавали опасность разглядеть какой-нибудь изъян.

«Настойчивым гонителем очков» в александровское время был суровый московский главнокомандующий фельдмаршал граф Гудович: «Никто не смел явиться к нему в очках; даже и в посторонних домах случалось ему, завидя очконосца, посылать к нему слугу с наказом: нечего вам здесь так пристально разглядывать; можете снять с себя очки».

В 20-е годы уже никого не удивляет вид молодого человека в очках, а в книгах и журналах того времени появляются сообщения, какие носить очки согласно моде.

«Очки, главный наряд носу, и потому мимоходом посоветуем почтенному сословию близоруких не носить других очков, кроме в костяной оправе; от тяжести золотых и серебряных вырастают на том месте, где начинается нос, прыщики и обращаются потом в бородавки, которые трудно истребить» *(«Собрание наставлений для уборного столика»)*.

«Когда глаза ваши малы, без ресниц, с красными краями, то носите очки с стеклами лазоревого цвета: можно показываться с слабыми глазами, но с дурными смешно». *(«Правила светского обхождения о вежливости»)*.

В 10 — 20-е годы XIX века очки были в такой моде, что их носили и те, кто не страдал плохим зрением. Об одном из таких «очконосцев» рассказывает М.С. Николева:

«У Александры Алексеевны Николевой был в молодости и жених, за которого она была уже помолвлена. Этот господин любил пофрантить, а так как в то время было в моде носить очки, то он их и надел, хотя стекла в них были ему не по глазам и затемняли зрение. Случилось, что он приехал поздно в общество, где была уже его невеста. Следовало ожидать, что жених тотчас подойдет к ней; но не тут-то было: он и не смотрит на нее. Усаженный хозяйкою играть в карты за один стол с невестой, он долго играет, не обращая на нее внимания. Все это замечают; Александра Алексеевна чуть не плачет. Растерявшись, она сделала большую ошибку в игре, так что один из партнеров воскликнул: «Помилуйте, можно ли так играть!» При ее имени жених встрепенулся, сдернул очки и видит перед собой невесту: «Ах, Александра Алексеевна! Простите, я не видал вас!» Все расхохотались, а бедная невеста в слезы: стыдно ей, досадно, и тут же отказала ему...»

С предубеждением светское общество относилось и к пришедшей в Россию из Франции моде носить бороду. В одном из номеров «Дамского журнала» за 1829 год в разделе «Парижские моды» помещена следующая заметка: «Многие молодые люди воображают, что обратят на себя выгодное внимание, отпустивши бороду так, как отпускали граждане древних республик Греции и Рима. Не думают ли сии господа придать себе чрез то характер головы, более мужественный и более героический, или не хотят ли они возвратить нас к сим прекрасным дням рыцарства, столь много выхваляемым сочинителями романсов и любителями времен готических?.. Будем надеяться, что дамы наши, весьма стоящие дам среднего века, и которых вкус более очищенный, всегда предпочтут подбородок хорошо обритый всколоченной бороде запачканного казака, что дамы наши, говорю, не замедлят произнесть справедливый приговор сему нововведению, которое не может придать никакого интереса хорошему лицу и которое делает отвратительным дурное; будем надеяться, что они воспрепятствуют мнимым щеголям в распространении моды, уподобляющей нашу молодежь козлам или достопочтенным дервишам...»

По словам Л. Павлищева, мать А.С. Пушкина, «Надежда Осиповна питала особенную антипатию к усам, а главное к бороде, считая эти украшения признаком самого дурного тона. С усами дяди Льва она должна была помириться, он служил в кавалерии, но не могла помириться с вышедшим в начале 30-х годов разрешением носить усы пехоте и кирасирским полкам».

В марте 1837 года статс-секретарь Танеев сообщает министру финансов, что «государь император, сверх доходящих до его величества из разных мест сведений, сам изволил заметить, что многие гражданские чиновники, в особенности вне столицы, дозволяют себе носить усы и не брить бороды, по образцу жидов или подражая французским модам. Его императорское величество изволит находить сие совершенно неприличным, и вследствие сего высочайше повелеть соизволил всем начальникам гражданского ведомства строго смотреть, чтобы их подчиненные ни бороды, ни усов не носили, ибо сии последние принадлежат одному военному мундиру».

В том же году по морскому ведомству выходит приказ, в котором сообщается, что «его величество изволил повелеть не допускать никаких странностей и в усах и в бакенбардах, наблюдая, чтобы первые были не ниже рта, а последние, ежели не сведены с усами, то также не ниже рта, выбривая их на щеках против оного».

«Бритый подбородок» отождествлялся с благородством и хорошим тоном. «Многие бреются ежедневно; есть щеголи, имеющие даже предосторожность бриться два раза в день. Заботливость такая чрезмерна и расчет неверен; бритва осаднивает кожу, она от того грубеет, притом же от частого бритья и волоса скорее пробиваются. Должно заблаговременно привыкнуть бриться через двое суток», — читаем в «Собрании наставлений для уборного столика», изданных в 1829 году.

Между тем щегольство «запрещается строго утонченными условиями» светского общества. «Надо решительно не походить на щеголя, не иметь вида, что сорвался с модной картинки...» — отмечает Н. Павлов в «разборе» комедии В.А. Соллогуба «Чиновник».

«Щегольски отвечает французскому слову endimanché, а известно, какое это страшное преступление против правил изящного туалета. Надо напротив, чтоб ничто не было щегольски, чтоб никакая часть одежды не бросалась в глаза, но чтоб все было в то же время и высшего достоинства, и самой дорогой цены. Надо, чтоб целое и подробности были пропитаны глубоким чувством гордости и с некоторым пренебрежением скорее таили, чем обнаруживали для простонародных глаз свою внутреннюю, не всем доступную красоту».

В одном из романов В.А. Соллогуб так описывает наружность человека, «изучившего науку большого света»: «Не будучи вовсе красавцем, он умел придать себе такой приличный и такой приятный вид, что никому не приходило в голову спросить, хорош он или дурен. Он не позволял себе ни ярких жилетов, ни фраков удивительного покроя, ни странных причесок, ни галантерейных безделок, словом, ничем не привлекал внимания...»

Дурным тоном считалось надевать на себя множество драгоценностей, тогда как в екатерининскую эпоху мужчины украшали себя бриллиантами не меньше, чем дамы. «Из различных предметов роскоши, отличавших русскую знать, — писал один из путешественников, — ничто так не поражает нас, иностранцев, как обилие драгоценных камней, блестевших на различных частях их костюма. В большей части европейских стран эти дорогие украшения (кроме немногих знатнейших или самых богатых лиц) составляют почти исключительную принадлежность женщин, но в России мужчины в этом отношении соперничают с женщинами. Многие из вельмож почти усыпаны бриллиантами: пуговицы, пряжки, рукоятки саблей, эполеты — все это с бриллиантами; шляпы их нередко унизаны бриллиантами в несколько рядов; звезды из бриллиантов здесь не кажутся чем-то особенным».

В начале XIX века, как свидетельствует Д.Н. Свербеев, «все благовоспитанные, замечательные умом или характером люди времен Александра редко нашивали ордена и даже звезды, кроме парадных случаев и в дороге». Сам же Александр, по словам Жозефа де Местра, не носил «никаких драгоценностей, ни одного кольца, даже не носил часов».

«Молодым людям в наши времена, — читаем в «Собрании наставлений для уборного столика», — не позволяется носить больше одного кольца английского золота на мизинце, людям же в зрелых летах — больше одного солитера соразмерной величины».

В конце 30-х годов «некоторые молодые люди начали носить перстни и кольцы даже сверх перчаток, как во времена Рима, клонившегося к падению, Рима женоподобного». Ревнители этикета заклеймили позором эту моду. «Мы советуем им, просим их, чтобы они оставили перстни и кольцы женщинам и стражам Серальским; одно только кольцо воспоминанья или союза может носить мужчина и то не сверх перчатки».

Светский молодой человек должен знать, как пользоваться перчатками. «Зимою носит он из бобровой кожи, весною лайковые, а летом из сырцового батисту; для балов употребляются только лощеные, белые носят одни женатые».

К сожалению, и в мемуарных источниках первой половины XIX века, и в руководствах по этикету крайне редко упоминаются какие-либо правила ношения перчаток. Однако их без труда можно восстановить, обратившись к пособиям по хорошему тону, изданных позже.

«Выходя на улицу, всегда нужно иметь на руках перчатки, и притом безукоризненной чистоты. Лучше быть совсем без перчаток, нежели надеть грязные и плохого достоинства перчатки».

«Лайковые перчатки никогда не надеваются утром».

«Перчатки непременно следует одевать до выхода из дома, — как одевать их, так и завязывать ленты шляпы на улице неприлично.

Входя в гостиную с визитом, они должны быть непременно одеты на обеих руках и снимать их во время посещения нельзя».

«При церемонных визитах лайковые перчатки всегда на руках, а трость, как бы ни была она богата, оставляется в передней».

«Мужчины входят с шляпою в левой руке; перчатки должны быть безукоризненной свежести и плотно застегнуты на все пуговицы. <...>

Если перчатка лопнула, не снимайте ее и не смущайтесь нисколько такой безделицей, но, в предупреждение неприятности носить весь вечер рваную перчатку, советуем брать в карман запасную пару свежих перчаток...»

«Ходить дома в перчатках чересчур изысканно и

похоже на аффектацию; но в приемные дни, вечером, это необходимо и очень принято днем.

Когда обедают в гостях, перчатки снимают, уже севши за стол, прежде чем развернуть салфетку, и кладут их в карман. <...>

Не надо надевать перчаток тотчас после десерта, потому это будет похоже на понуждение хозяйке дома вставать из-за стола. Но их надевают снова, пришедши в гостиную. <...>

За чаем и ужином остаются в перчатках. То же самое предписывается для холодных закусок и великих столов, за которые садятся в шляпах.

Ни под каким предлогом танцевать без перчаток не допускается, даже без одной перчатки, — как мужчинам, так и дамам. Первые имеют, впрочем, более льгот, чем мы; они могут иногда снять перчатку с левой руки, но только во время визитов или для курения; для танцев же никогда».

Правила хорошего тона отнюдь не сводились к правилам ношения перчаток. Отдавая должное хорошим манерам и «салонным талантам», светское общество предъявляло к молодым людям более высокие требования.

Я.И. Булгаков в письмах к сыновьям неустанно дает советы, как быть приятным в обществе, и в то же время говорит о важности образования, об умении преодолевать трудности. «Поздравляю с Аглинским учителем, — пишет он Константину. — Не теряй время: все выученное везде во всяком месте и во всяком случае пригодится. Ежели бы сделалось какое несчастие (которое случается и с королями, как с Лудовиком XVI-м), то ты в себе самом найдешь ресурс и пропитание или языками, или музыкою, или рисованием; а ежели ничего сего не будет — пропал».

Тут будет уместно привести эпизод из книги В.Н. Карпова «Харьковская старина»: «В те годы контингент студентов университета состоял преимущественно из сыновей богатых помещиков и купцов, или очень бедных детей разночинцев и духовного звания, привыкших к суровой жизни, какую только может дать безвыходная бедность. <...> А так как дворянство того времени держало знамя своего достоинства на достаточной высоте, то общий тон, даваемый им, не мог не влиять и на молодежь из бедного сословия, вырабатывая в ней сознание собственного достоинства. <...> Слово бедный — это было оскорбительное слово даже для самого беднейшего студента. И потому с большою неохотою шли студенты на казенную стипендию, в университетское общежитие. Был однажды такой выдающийся случай, характеризующий студентов того времени. Однажды весьма богатый помещик, он же предводитель дворянства, Бахметьев, в начале великого поста прислал на имя ректора университета пятьсот рублей, с просьбой найти трех бедных студентов и выдать им поровну, в единовременное пособие. Инспекцией университета было вывешено объявление, по которому приглашались студенты в инспекцию заявить о своей бедности. Но три недели висело объявление, и никто в инспекцию не явился. Тогда сама инспекция, зная бедное состояние некоторых студентов, выбрала из среды их трех человек и пригласила таковых к ректору, который предложил им получить присланные в пособие деньги. Но студенты обиженным тоном отказались получить пособие.

— Мы не знаем, г. ректор, за что вы нас обижаете, говоря нам, что мы будто бедные? — обиженным тоном ответил один из них ректору на его увещания принять пособие.

— Бедный тот, кто лишен всяких способностей, кто хронически болен и потому бессилен противостоять напорам жизни! — сказал другой студент. — А мы, г. ректор, не бедны, если признаны целым университетом достойными быть студентами. При этом мы здоровы и сильны».

Примечательно наставление помещика М. Палицына своему сыну: «<...> бедному, буде состояние твое дозволит, помоги, и то сие сделай тогда только, когда узнаешь, что он от посторонних помощь принимает, ибо весьма много есть бедных, но благородных и великих душевными качествами людей, кои и в бедности не требуют ничьей помощи, но сносят терпеливо, а посему в последнем случае должно поступать весьма осторожно».

Таким образом, светским воспитанием достигались «высокие проявления ума и сердца», а хорошие манеры, как говорил Честерфилд в «Письмах к сыну», должны были придать им «особый блеск».

Вступление в свет[1]

Женщины, особенно женщины увядающие, делают славу молодого человека. В промежуточное время сие, в которое ряды обожателей их редеют, род праздности, может быть, и досады, побуждает их рассматривать внимательнее все окружающее. Жаждущие предпочтительности, не опасаются они одобрять первые шаги вступающего на трудный путь светской жизни; и опытный глаз их, при первой встрече, судит, чего должно ожидать от него общество.

Молодой человек, вступающий в свет, должен, следовательно, всевозможно стараться заслужить благосклонность женщин. Одобрения их и подпора могут заменить в случае нужды тысячу качеств: похвала их имеет более весу, нежели состояние, дарования и самый даже ум; можно основательно

[1] Правила светского обхождения о вежливости. – М., 1829, с. 154 – 165.

сказать, подражая слабо известному поэту: «Мужчины составляют законы, женщины — славу».

Желание нравиться (является — Е.Л.) главным основанием всех сношений в обществе: и каждый напрягает все силы свои, чтоб казаться в лучшем своем виде. Молодой человек должен быть доволен натуральным; пусть явится с скромною смелостию, замечает, слушает, ценит; и скоро он сравняется с теми, кому подражать хочет.

В обществе женщин всегда можно занять что-нибудь; разговор с теми, которых природа с меньшею благосклонностию одарила наружными прелестями, полезнее во всяком случае молодому человку. Красавицы, слишком уверенные понравиться при первом на них взгляде, гордящиеся красотою, которую всему предпочитают, не заботятся обыкновенно о том, чтоб быть любезными. Разговоры их о безделицах, легкие их суждения о самых важных вещах, имеют тысячу приятностей; но молодой человек, который будет думать, что от них то займет он все, что нужно для светского образования, который захочет им подражать, раскается скоро в заблуждении своем.

У женщин, не одаренных столько красотою, не столько прославляемых, присоединены почти всегда к уму качества сердечные, непорочность нравов. В обращении с ними научаются ловкости и вкусу в обхождении и выражениях. Приятному снисхождению их все извиняется: научают или исправляют они с такою разборчивою осторожностию, что наставления их, никогда не оскорбительные, бывают всегда полезны, хотя и делаются они неприметным образом.

Ум женщин должен быть тонее и проницательнее нашего, ощущения сильнее и быстрее, потому что они скорее нашего знакомятся с обыкновениями и требованиями общества. Врожденного сего чувства, ко всему что прилично, не достает часто у мужчин, у тех даже, которые славятся отличным воспитанием во всех отношениях. В обращении только с женщинами могут они просветиться и в искренном только обхождении с ними приобрести приятность, имеющую столько прелестей в общественных отношениях.

Молодому человеку, старающемуся при вступлении его в свет, войтить в круг женщин, встречается тотчас опасный шаг; любезность в обхождении с ними, которую смешивают часто с досадными уважениями, с принужденною услужливостию; она должна состоять в утонченнейшей и внимательнейшей только вежливости.

Конечно, с женщинами должно быть всегда любезным, снисходить тысяче капризам, извинять ветренности; слабостям, шалостям, прибавляющим новые прелести к прелестям их. Но вежливость и уважение к ним должны иметь также свои границы. Вежливый человек, будучи покорным слугою дам, не должен никогда быть рабом прихотей их; и поступить в сем благоразумно, потому что прекрасный пол любит распространять границы владычествования своего. <...>

Чтоб быть приятным женщинам, довольно вникнуть в образ мыслей их и поддерживать, само по себе разумеется, их мнения. По живому воображению, любят они рассуждать слегка о двадцати предметах; следуйте на крыльях за суждениями их, но старайтесь, чтоб разговор ваш относился всегда к предмету, для них занимательному или имеющему влияние на их чувства. Все окружающее их должно вам нравиться; вежливость, оказанная не прямо на лице, найдет путь к сердцу; хвалите все, что для них приятно, что принадлежит им; они не будут вникать в искренность и цену похвал ваших; кажется, они находят удовольствие, чтоб их обманывали.

Первоначальные сношения с мужчинами не легче для молодых людей и имеют такие же важные последствия; они должны ожидать, что найдут снисходительных судей к неопытности их, однако же строгих ко всему тому, что обнаруживает характер и воспитание. Когда они явятся с скромным самонадеянием, в котором не видно будет ни неловкости, ни высокомерия, когда в свободном и веселом их обхождении не отдалятся они от должных границ благопристойности, когда с дружескою искренностию обращаться будут с равными себе, почтительны и уважительны будут к старшим, благосклонны к тем, кто их ниже, и более поступками, нежели словами, обнаружить будут прекрасные свои свойства и доброту сердца, то найдут они в обществе столько же друзей, сколько судей.

Между пороками молодых людей считают самонадеяние, упрямство, неразвязанность и охоту спорить, но, придерживаясь хорошего общества, легко от оных исправиться.

В обращении с стариками, следует оказывать им непременно самым приятным образом уважение; хотя часто они взыскательны, иногда несправедливы, но имеют во всяком случае священное право на почтение наше к ним; впрочем, мы щедро вознаграждаемся, когда по благосклонности их, забывают они в обращении с нами, лета и немощи свои; старик любит напамятования о молодости своей и, смотря на молодого человека с завистью, припоминает себе, как он сам вступал в свет.

Наставление сыну моему Николаю Михайловичу Палицыну[1]

1. Вставать всякое утро в 6 часов, обуваться, умываться холодною водою и одеваться поспешно; потом молиться Богу, полагая крест правильно, читая вслух, но не громко утренния молитвы, — потом с приличными поклонами, пожелав добраго утра предстоящим, в 7 часов пить чай с белым хлебом, что будет служить вместо завтрака.

2. В 7 часов начинать учение и продолжать его, доколь выучишь урок, или как случится. Во всем учении никакими посторонними упражнениями, даже и мыслями не занимать себя, но все внимание обратить на урок, через что скорее выучишь и лучше поймешь.

3. В 12 часов обедать и кушать простое кушанье, как-то: щи с решатным хлебом, или что случится, жаркое и кашу; пить квас, а лучше, буде привыкнешь, хорошую воду. Во время стола сидеть прямо, много не говорить, разве что необходимое, или на чей вопрос говорить должно.

4. После обеда до 2-х часов можешь заняться утешительным упражнением, как: играть на скрипке, или фортепиано и петь, а в 2 часа начинать учиться и продолжать таким же образом, как об утреннем учении сказано, до 6-ти часов, или как нужда в том настоять будет. Можешь час места с г. Греном гулять, делая при том свои замечания городу и прочему, что интересное глазам твоим попадет. После учения и погуляв, можешь опять заняться игрой и рисованием, что и отдается в твою волю. В 8 часов ужинать, тож,

[1] Русская старина. — 1894, март, с. 206 – 209.

только на ночь не обременяй желудка, а в 9 часов с утренними правилами ложиться спать.

5. К учителям ходить или ездить вместе с г. Греном, который во время учения твоего должен быть и возвращаться домой с тобою. Во время преподавания учителями уроков слушай со вниминием; буде чего не понимаешь, можешь просить о повторении, хотя бы то и несколько раз случилось. Учителям изъявляй должное уважение, а в наставлениях, до наук и добрых советов относящихся, делай безмолвное послушание.

6. Белье переменяй в неделю 2 раза, а потому белье, одежда и обувь должна быть на тебе опрятна, вычищена, а не кой-как надета, ибо опрятство придает человеку веселую бодрость, а неопрятство делает всем гнусное отвращение, даже и самого себя повергает в презренную ничтожность.

7. В воскресные дни ходи к обедни, кою слушай со вниманием, а особенно Евангелие и Апостол, дабы ты знал подлинно знаменование их; потом, приветствующих тебя ласково, посещай, а Григория Андреевича Петрова чаще, яко начальника твоего по училищу, который может разсудить иногда в учении твоем, делать тебе испытания и во всех домах, в кои ходить будешь, веди себя вежливо, смирно и учтиво.

8. На слугу своего не сердись и не бранись, а бить его и вовсе запрещается, но приказывай о должности повелительно, вежливо, со всякой скромной тихостью, но однакоже отнюдь не фамилиярно, чем приобретешь от него чистосердечную к тебе любовь и повиновение.

9. Ежели случится говорить тебе с посторонними, то разговор веди ясный с учтивостью, не возвышая слишком голоса, да и не унижая его, о тех только материях, в коих ты совершенно све-

дущ, а о незнакомом совсем не говори, отзовись неведением. Сим единым средством не попадешь в болтливые дураки.

10. Беседы умных людей (сиречь разговоры) со вниманием слушай, замечая в них порядок здраваго разсуждения, дабы и тебе современем быть им подобным.

11. Напротив того с противоположными сему в качествах своих не только знакомства не заводи, но и разговоров их убегай, дабы и тебя не причли бы к их классу.

12. О новых предметах, какие глазам твоим попадаться будут, спрашивай приставника, не оказывая однако сильнаго удивления, а также не пропускай без внимания, ибо последнее будет означать тупость чувств твоих.

13. С однолетними себе, не узнав свойств их, скоро не дружись, не говори с ними о пустых, ничего не значащих материях, но обращайся только с почтением, разговаривая о науках и то тебе известных, о порядке их учения, о музыке и тому подобном.

14. Убегай лжи и пустословия, не разсказывай чего не видал и не слыхал, но говори сообразную понятию твоему единственную правду, или точно видимое, или слышанное, и то от правдиваго человека, коему во всем веру дать можно с лучшим объяснением безо всякой прибавки, ибо если тебя заметят один раз лжецом, то хотя после ты и правду разсказывать будешь, верить не будут, а жить без доверия между честными людьми совсем не можно, но должен уже ты в знакомство свое приискивать подобных себе лжецов, с коими в столь гнусном и презренном звании век свой влачить в срамоте и безчестии должен.

15. Будучи в обществе, ни с кем не шепчи, чужих разсказов, о ком-либо в худую сторону гово-

ренных, не одабривай, не только словами, но даже и мановением, или улыбкою лица, да и вовсе их не слушай, дабы не почли тебя в сем злоречии участвующим.

16. В разговорах не делай смешных телодвижений; шуточных материй часто не разсказывай, а особливо при не коротких людях, ибо через частое разсказывание шуток сделаться можешь шутом, а сие название есть самое первое из подлейших. При том гордым и надменным не будь и не унижай себя ниже твоего звания, но держись середины, ибо в обоих случаях в презрение придешь.

17. Ежели случится тебе видеть людей неблагообразных лицом, или худо или неопрятно одетых (что конечно в жизни случиться может), то отнюдь не показывай к ним ни малейшаго презрения, или насмешливаго вида, поелику вид первой дан природой, а последний обременен видно бедностию, — следовательно, ты должен единственно в душе своей о них пожалеть и бедному, буде состояние твое дозволит, помоги, и то сие сделай тогда только, когда узнаешь, что он от посторонних помощь принимает <...>.

18. Буде случится тебе по чьей-то просьбе, или самопроизвольно, что кому обещать, то не обещай того, чего выполнить не можешь, а обещанное должен уже выполнить в назначенный срок непременно, и в сем-то случае можно иметь великую осторожность, дабы не назвали тебя обманщиком и неверным человеком в обещаниях. Старших себя летами, а особливо престарелых, уважай, в собраниях впереди их не ходи, садись всегда ниже их, говори с ними почтительно. Обязан ты кланяться им наперед, не дожидаясь от них себе поклона, да и всякаго состояния людям, почтившим тебя поклоном, должен ты ответствовать равномерным поклоном. Начинающаго с тобою говорить ты должен выслушать материю его со вниманием до конца, не перебивая его речей и тогда на предложение ответствуй с благопристойной учтивостью и решимостью.

19. О пороках своих (ежели они за тобою сверх всякаго чаяния моего будут) никому это в похвалу свою (как и многие пороками хвалятся) не разсказывай, но скрывай от всех и старайся исправиться от них.

20. Ни про кого дурно не говори, а ежели ты и будешь ведать о чьих-либо пороках, то ими исправляй себя, ибо нет лучше учителя к исправлению, как видеть порок в другом человеке. Я бы привел тебе много к сему примеров, но оставлю на будущия времена.

21. Зависти, мне нетерпимой, отнюдь не питай, ибо как всеми дарами, то-есть честию, богатством и прочим награждает по достоинствам каждого Бог, следовательно, завидовать — есть негодовать на Бога, ибо когда и ты будешь того достоин, то и тебе все оное со временем дастся, а завидовать можешь только в одном случае, а именно: когда видишь ты моложе себя, или равнолетних с равными твоему талантами и дарованием, учатся лучше тебя, то и в сем случае зависть свою можешь удовольствовать прилежным учением, чем и зависть твоя кончится.

22. В среды и в пятницы и во все посты дома скоромнаго не ешь, а в людях кушай, что поставят; по словам св. апостола: предлагаемое да ядим, или: не сквернит входящее в уста, но из уст.

23. В собраниях не показывай унылаго лица, да и слишком радостнаго, дабы не привлечь много вопрошающих, что с тобою сделалось? то-есть отчего ты печален, или слишком радостен.

Вот тебе, сын мой, даю отцовское наставление мое, приличное теперешним твоим летам, а с возвышением лет твоих и понятий (буде жив буду!) соображаясь со временем и обстоятельствами, еще дополнять буду с пространным уже всего объяснением, а теперь ты выполняй оное со всякой точностью, чем приобретешь мою к себе любовь и уважение, ибо ничто для отца утешительнее и приятнее быть не может, как видеть сына от честных людей по добрым его качествам и поведению уважаемаго и в лучшем мнении у общества. Ежели из предложенных пунктов, какого ты не разумеешь, то проси учителей о растолковании тебе их, особливо Дм. Сем. Борзенкова.

М. Палицын[1].

[1] Орфография и синтаксические особенности источника сохранены.

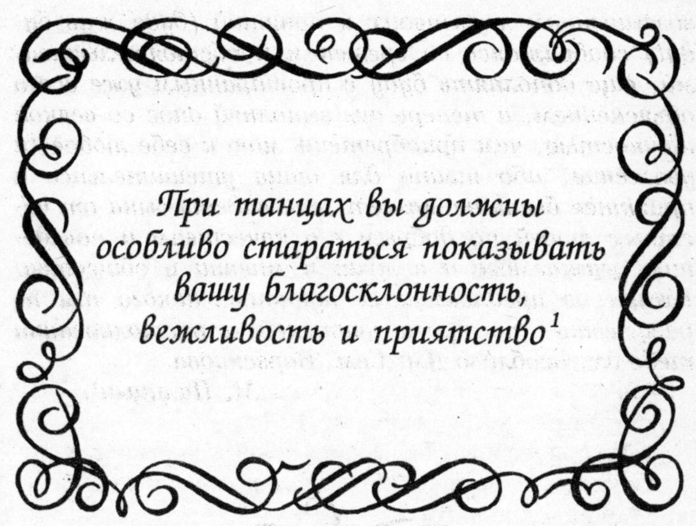

«Вступление Александра I на престол России было всеобщим торжеством...» — писал современник.

«Первые годы нового царствования явились светлой зарей после бурной и полной ужасов ночи», — свидетельствовал другой современник. Бал следовал за балом, маскарад за маскарадом, а в промежутках — каретные катания, гуляния, завтраки, обеды, визиты, рауты и т. д.

Император Александр I охотно принимал участие в придворных балах и увеселениях. В одном из «петербургских писем» граф Жозеф де Местр сообщает о новогоднем костюмированном бале, данном в Зимнем дворце 1 января 1817 года: «У императора правило при подобных праздниках забывать, что он Государь и делаться просто светским человеком высшего круга общества. Постоянно слышно, как он го-

[1] Наставления от отца дочерям. — М., 1784, с. 50.

ворит: «я имел честь быть вам представленным, сударыня...», «прошу вас извинить меня», «позволите ли вы мне...», точно так, как всякий другой светский человек».

П.С. Деменкову не раз приходилось наблюдать Александра I на балах:

«С женщинами был чрезвычайно любезен. На балах всегда в башмаках, как и все приглашаемые тогда, даже гусары при вицмундирах своих. Одни уланы имели привилегию быть на балах в сапогах. Танцевал он с какою-то особенной величавою ловкостью. Мне, как служившему в гвардии, приходилось очень часто видеть его на придворных балах вальсирующим в 1819 году, хотя ему тогда было уже 42 года».

На придворные балы допускалась только аристократическая верхушка общества, придворные и высшие офицерские чины.

«По принятым обычаям, — читаем в воспоминаниях Е.А. Нарышкиной, — лица, получающие приглашения от Высочайших Особ, должны или явиться, или предупредить о своем отсутствии».

Приглашенных заранее оповещали, в чем следует явиться на бал.

18 декабря 1834 года А.С. Пушкин записывает в дневнике: «Придворный лакей поутру явился ко мне с приглашением: быть в восемь с половиной в Аничковом, мне в мундирном фраке, Наталье Николаевне как обыкновенно».

На придворные балы мужчины являлись непременно в мундирах.

«Это напоминает одного богатого американца, который в 1830-х годах приезжал в Петербург с дочерью-красавицею. Красота ее открыла им доступ в высшее общество. Это было летом: в это время года законы этикета ослабевают. Отец и дочь приглашаемы были и на Петергофские балы. В особенных официальных случаях являлся он в морском американском мундире; поэтому когда из вежливости обращались к нему, то говорили о море, о флотах Соединенных Штатов и так далее. Ответы его были всегда уклончивы, и отвечал он как будто неохотно. Наконец, наскучили ему морские разговоры, и он кому-то сказал: «Почему вы меня все расспрашиваете о морских делах? Все это до меня не касается, я вовсе не моряк». — «Да как же носите вы морской мундир?» — «Очень просто; мне сказали, что в Петербурге нельзя обойтись без мундира. Собираясь в Россию, я на всякий случай заказал себе морской мундир; вот в нем и щеголяю, когда требуется».

Бывало, что и провинциалы, подражавшие столичным нравам, являлись на свои балы в мундирах. Автор опубликованной в «Дамском журнале» повести «Старый житель столиц в провинции...» пишет:

«Вчера опять пригласили меня на бал. Я сказал, что буду. Но в то же время предложили мне условие: *быть непременно в мундире*. «На что ж это? — спросил я, отшучиваясь, — у меня есть мундир, да он уж слишком устарел. Около двадцати лет тому, как я не надевал его на плеча!..» — «Нет нужды, и все так же будут одеты, как вы, — сказал мне отставной штаб-офицер N., — верьте, что и никто из нас не шил новых мундиров».»

Бальная форма военных также должна была отвечать строгим требованиям придворного этикета. Д.Г. Колокольцев, офицер лейб-гвардии Преображенского полка, вспоминал: «Бальная форма (grand gala), или торжественная, заключала, ежели гвардейский мундир, то с открытыми лацканами; белые короткие до колен суконные панталоны; затем шелковые чулки и башмаки с серебряными пряжками; шпага у бедра и треугольная шляпа в руках, у пехотных с черными, а у кавалерии с белыми перьями; следовательно, в таком костюме, да еще зимой, кроме того, что надо было быть в карете, но надо было иметь на себе и меховые сапоги до колен, ибо в чулках и башмаках проехать до дворца, без теплых сапог, не поздоровится».

И военные, и штатские непременно должны были являться на балы в башмаках: «Ох ты, провинциал! Разумеется, на балах во дворце мы должны быть в башмаках и белых штанах. С чего ты взял, что в ботфортах и зеленых панталонах? Да и гусары не бывают в сапогах», — сообщает в письме из Петербурга в 1834 году К.Я. Булгаков своему брату.

Неизменной принадлежностью бального костюма (как мужского, так и женского) были перчатки. «На бале перчатки не снимаются, даже если они лопнули».

Распоряжался танцами на придворных балах дворцовый танцмейстер.

Особенно веселыми и оживленными были маскарадные балы. Ежегодно 1 января в Зимнем дворце давали маскарады. «Доступ в царские комнаты был открыт для каждого прилично одетого. Билет давали каждому желающему. У дверей их отбирали только для счета числа посетителей и записывали только имена первого вошедшего и последнего вышедшего».

«Посетителей всех видов и сословий собиралось более 30 000, — рассказывает В.А. Соллогуб. — О полиции и помина не было. Народные массы волновались по сверкавшим покоям чинно, скромно, благоговейно, без толкотни и давки. К буфетам редко кто подходил. Праздник был вообще трогательный, торжественный, семейный, полный глубокого смысла. Царь и народ сходились в общем ликовании».

Особых правил в маскараде придерживались военные.

Как свидетельствует Ф. Булгарин, офицеры должны были приезжать на бал уже замаскированными; на балу им не разрешалось снимать маску, а разъезжать по городу в маскарадном костюме являлось нарушением формы. Во времена аракчеевских порядков эти правила сделались еще строже: военным позволялось

52
Scènes de Pologne
28 Janvier
9 Lutego 1839.

только набрасывать на одно плечо «небольшое домино», так называемый венециан.

Росписью декораций и костюмов занимались профессиональные художники. Маскарадным балам в частных домах также предшествовал этап длительной подготовки. «Смотря по характеру костюмов, — вспоминает Ю. Арнольд, — были также особенно придуманы не только музыка, но и туры и па. Подготовлением таковых кадрилей занимались долгое время, серьезно и с любовью». Подготовка бала возлагалась на учителей танцев, балетмейстеров, которые, по словам А. Глушковского, играли в то время «немаловажную роль в высшем кругу общества».

Во все времена и во всех странах маска пользовалась неприкосновенностью. Никто не имел права заставить маску открыть свое истинное лицо. Цель маски — оставаться до конца бала неузнанной, а также разыгрывать, интриговать, «мистифицировать» присутствующих.

«Ну, дал же себя знать маскарад Бобринской!.. Множество было народу, и очень было весело, только тесно и жарко. Маски были преславные.

Одна маска очень всех мучила, так что графиня приставила человека, чтобы стать за его каретою, ехать с ним домой и узнать непременно. Он был одет пустынником и очень всех веселил; думают, что гр. Ростопчин».

Успех маски зависел от того, насколько удачно она сыграет или представит свой маскарадный персонаж. «Мы имели уже несколько балов и один прекрасный маскарад, в котором я нарядился Амуром нашего века (т. е. страшным уродливым существом, блестящим позолотой, орденами, камергерским ключом) и довольно удачно сыграл свою роль», — сообщает в письме В. Туманский.

Незабываемыми были масленичные маскарады. Если собрать воедино отзывы современников о масленичных балах-маскарадах, то получится «жалобная» книга.

«Скоро пост, вот все и спешат воспользоваться последними днями масленицы. Каждый день бывает бал, иногда два, три в один вечер. Конечно, я не на все езжу, но в два дня раз мне приходится плясать 6 или 7 часов без отдыху... Физически я не страдаю от бессонных ночей, зато мои нравственные силы слабеют. У меня голова становится тяжела, днями я бываю совершенно как одурелая» (*из письма М.А. Волковой*).

«Нынешняя неделя настоящая пытка; непрестанные балы, спектакли, маскарады». «Прошу Вас, помолитесь за меня: есть с чего умереть, если подобная жизнь продолжится» (*из писем Ф. Кристина В. Туркестановой*).

«Я эти дни устал, как собака! Всякий день балы. Вчера приехал домой в 5 часу; сегодня едем в маскарад к Познякову, завтра на завтрак к Кологривому, завтра же в 6 часов будет у нас, для Катерины Николаевны, г-жа Семенова, а потом мы с Софьей едем на бал к Шереметеву. В субботу денный маскарад в собрании, а в воскресенье бал у Вяземского» (*из письма Ю.А. Нелединского-Мелецкого дочери*).

«Теперь масленица; всякий день по два, по три бала и маскарада. Не понимаю, как жива молодежь» (*из письма Я.И. Булгакова сыну*).

Примечательно, что все эти свидетельства принадлежат людям разного возраста. И от старых, и от молодых светская жизнь требовала немалых душевных и физических усилий.

«В нынешнем году многие поплатились за танцы, — сообщает М.А. Волкова В.И. Ланской 8 февраля 1815 года. — Бедная кн. Шаховская опасно больна. У вас умирает маленькая гр. Бобринская, вследствие простуды, схваченной ею на бале». Однако эти печальные события не нарушали безумного ритма светской жизни.

Приглашения на бал делались заблаговременно, «посредством рассылаемых или выдаваемых изящных пригласительных билетов».

«Гости приглашались печатными билетами, отличавшимися необыкновенным красноречием, — читаем в «Записках иркутского жителя». — Для образца я приведу один билет, которым градской глава Медведников приглашал на бал по случаю тезоименитства государя императора Александра Павловича, 30-го августа 1816 года: «Иркутский градской глава Прокофий Федорович Медведников, — сказано в билете, — движим будучи верноподданническим благоговением ко всерадостнейшему тезоименитству всемилостивейшего государя и желая ознаменовать торжественный для всех сынов России день сей приличным празднеством — дабы, соединяя верноподданнические чувствования, усугубить общую радость — покорнейше просит пожаловать сего августа 30-го числа 1816 года, пополудни в 6 часов на бал в новую биржевую залу».

В Москве, которая славилась своим хлебосольством и гостеприимством, было не принято рассылать приглашения.

М.А. Волкова сообщает в письме к подруге: «Князь Юрий Долгорукий дожил до 75 лет и никогда не принимал к себе гостей, хотя два раза был московским генерал-губернатором; теперь вдруг ему вздумалось дать bal paré[1], он разослал пригласительные карточки всей нашей знати, предварительно сделав всем визиты. <...> Здесь не водится приглашать письменно, как тебе известно; лишь на придворные балы являются по билетам, а частные лица редко посылают письменные приглашения».

Балы и танцевальные вечера у богатых людей назначались в определенные дни: по понедельникам — у

---

[1] Костюмированный бал *(фр.)*.

П.Х. Обольянинова, по вторникам — у П.М. Дашкова, по средам — у Н.А. Дурасова и т. д.

«Так водится в московском большом свете, — пишет современник, — одни ездят к хозяину, другие к хозяйке, а часто ни тот, ни та не знают гостя, что, впрочем, случается более тогда, когда дают большой бал. Тогда многие привозят с собой знакомых своих, особенно танцующих кавалеров. Иногда подводят их и рекомендуют хозяину или хозяйке, а часто дело обходится и без рекомендаций».

Вспоминая допожарную Москву, М.М. Муромцев писал: «Зима в Москве была очень весела и шумна, бал за балом. Иногда даже по три в один день, и я попадал на каждый из них, к Пашковым, В.С. Шереметеву, к М.И. Корсаковой. К одним ехал ранее, а к другим позже; к М.И. Корсаковой можно было приехать очень поздно, потому что у нее плясали до рассвету.

Тогда не требовались на бал такие расходы, как нынче. Освещение было слабое, так что от одного конца залы до другого нельзя узнать друг друга. <...> Освещением однако отличались балы М.И. Корсаковой».

В послепожарной Москве роскошные особняки щеголяли друг перед другом богатым освещением. В хрустальных люстрах, канделябрах, стенных бра — всюду горели свечи, которые отражались в зеркалах. Танцевальная зала была украшена цветами и гирляндами.

А.Я. Булгаков в письме к брату рассказывает о бале, который был дан московским генерал-губернатором Д.В. Голицыным по случаю приезда принца Оранского: «Праздник хоть куда! Прекрасное освещение, лакомства кучами таскали, дамы одеты щегольски и богато, мужчины с лентами через плечо, танцевали в обеих залах в одно время, в каждой по оркестру, игравшему ту же музыку. Большой широкий коридор, соединяющий кабинет с библиотекой, был убран боскетом, цветов бездна, и хотя было это освещено стаканчиками, но благоухание розанов брало верх; на многих розанах сидели бабочки разных цветов, так хорошо сделанные, что хотелось проходящим в польском мамзелям ловить их».

Бал в начале прошлого столетия начинался польским или полонезом, «что больше походит на прогулку под музыку». В первой паре шел хозяин с «наипочетнейшей» гостьей, во второй — хозяйка дома с «наипочетнейшим» гостем.

Если на балу присутствовал император, он в паре с хозяйкой дома открывал бал. На придворном балу во дворце император шел в первой паре не с императрицей, а со старшей дамой, женой великого князя.

Полонез начинался в парадной зале и продолжался в отдаленных комнатах. Колонна повторяла движения, которые задавала первая пара. Во время исполнения полонеза существовал обычай «отбивания дамы», который подробно описан в воспоминаниях Н.В. Сушкова: «<...> непопавшие в польский мужчины, один за другим останавливают первую пару и, хлопнув в ладоши, отбивают даму; кавалеры отвоеванных дам достаются следующим, переходя от одной к другой, а кавалер последней пары остается в одиночестве. Иной стоически переносит остракизм и отправляется в боскет или к одному из карточных столов отдохнуть от своего подвига, а иной, преследуемый обидными со всех сторон словами: «устал!», «в отставку!», «на покой!», отчаянно бежит к первой паре и отбивает даму».

Кавалер, становившийся во главе колонны, старался перещеголять своего предшественника «небывалыми комбинациями и фигурами», которые должна была повторить вся колонна.

Польский, как свидетельствует Ф.Ф. Вигель, длился не менее получаса. «Это даже не танец, а просто «отдых, развлечение»,» — сообщает в письме Марта Вильмот.

Вторым бальным танцем был вальс. Не сразу вальс завоевал популярность. Во Франции против этого танца выпускали даже специальные листовки, где называли его безнравственным, деревенским, народным.

«Вальса тогда еще не знали, — рассказывает Е.П. Янькова о временах Екатерины II, — и в первое время, как он стал входить в моду, его считали неблагопристойным танцем: как это — обхватить даму за талию и кружить ее по зале...»

При Павле I вальс также подвергался гонению. «Павел <...> увидал меня вальсирующим с княжною <...>, — читаем в записках А.И. Рибопьера. — К несчастью моему, я держал свою танцовщицу при этом обеими руками, что было тогда в моде, но что Император находил крайне неприличным; он даже запретил так вальсировать».

Даже в александровское время вальс пользовался репутацией излишне вольного танца. М. Сперанский писал дочери: «Жаль только, что глупый вальс занял место французских кадрилей; но есть надежда, что и у нас он сделается столько же дряхл и смешон, как в некоторых других государствах». Однако предсказанию М. Сперанского не суждено было сбыться. Прошлый век стал эпохой вальса.

Что касается французской кадрили, о которой говорит М. Сперанский, она также заняла почетное место среди бальных танцев. Для ее исполнения требовалось четное количество пар.

«В 1811 году в первый раз во дворце начали вводить французскую кадриль; и так как кавалеров было очень мало, то и я попал вместе с Балабиным, М. Орловым и Лагрене (из французской миссии) в кадриль, — вспоминает М.М. Муромцев. — Нас обступила царская фамилия. Конечно, талант этот был ничтожный, но тогда в мои лета казался великим отличием».

Первый камер-паж великой княгини Александры Фёдоровны писал: «Я помню придворные балы в начале царствования императора Николая, когда только что появилась французская кадриль со всеми присущими ей па. Танцевать ее умели не более восьми кавалеров...»

М. Каменская, вспоминая 30-е годы прошлого столетия, отмечает: «В то время только что вошла в моду французская кадриль <...>. Кавалер старых времен, Иван Петрович никак не мог понять этого танца, и его просто сердило, что все пары не танцуют зараз... Помню, как во время того, как я во французской кадрили дожидалась своей очереди танцевать, он подошел ко мне и, дотрогиваясь до моего плеча, сказал:

— Что ты стоишь, графинюшка, как усопшая? Ступай, танцуй!..

— Иван Петрович, мне нельзя... Теперь не наша очередь; надо, чтобы сперва кончили поперечные пары...

— Пустяки! Ступай, ступай! Танцуйте все вместе, вам веселее будет... — увещевал меня милый старик.

— Да во французской кадрили этого нельзя, это не такой танец, — объясняла ему я.

— Дурацкий танец — ваша французская кадриль, вот что! — сказал он мне и недовольный отошел прочь».

Мемуаристы ошибочно считали, что французская кадриль появилась в эпоху Николая I, на самом деле танцевали ее гораздо раньше.

Однако не вальс, не французская кадриль, а мазурка была душой бала. Кавалер должен был проявить в этом танце всю свою изобретательность и способность импровизировать. По словам А.П. Беляева, «<...> это был живой, молодецкий танец для кавалера и очаровательный для грациозной дамы».

Существовал «изыскашый» стиль исполнения мазурки и «бравурный».

Второй наглядно изображен в воспоминаниях В.П. Бурнашева: «На этом балу, отличавшемся всею эксцентричностью провинциальности, в те времена особенно наивной и рельефной, одна очень молоденькая и смазливенькая купеческая вдовушка... танцевала лучше всех, и потому блестящий гвардеец, открывший мазурку, предпочел ее другим и танцевал с нею в первой паре, ловко повертывал ее, лихо гремя шпорами (что считалось mauvais ton[1] в высшем обществе, но здесь делало великий эффект)».

Иногда в зале поднималась такая «стукотня», что не было слышно музыки. «Бравурный» стиль господствовал в провинции, а «изысканный» в «салонах лучшего общества».

«Но когда Платон Федорович стал танцевать с ней мазурку; когда она услышала, что все называли его первым мазуристом в Петербурге; когда увидела, что многие старушки оставили карты и вышли из гостиной смотреть, как она танцует; когда Платон Федорович, обхватив тонкий стан ее, с необыкновенной ловкостью и быстротою пролетел или, как тогда говорили, проскользил на шпорах всю залу и потом, когда он превзошел всех других грациозностью и умением бросаться в мазурке на колени...» — читаем в романе Д.Н. Бегичева «Ольга».

Еще поэтичнее описывает светскую манеру исполнения мазурки балетмейстер А. Глушковский: «В 1814, 1815 и 1816 годах мазурка в четыре пары была в большой моде: ее танцевали везде — на сцене и в салонах лучшего общества. И.И. Сосницкий танцевал ее превосходно, а особливо, когда он был в мундире. Па его были простые, без всякого топанья, но фигуру свою он держал благородно и картинно; если приходилось ему у своей дамы пообхватывать ее талию, чтоб с

---

[1] Дурной тон *(фр.)*.

нею вертеться, или с дамой делать фигуры, то все это выходило грациозно в высшей степени; он, танцуя мазурку, не делал никакого усилия; все было так легко, зефирно, но вместе увлекательно...»

Так же легко танцевал мазурку и Евгений Онегин.

Легкость, изысканность, грациозность — все это характеризовало французскую манеру исполнения. Но в 20-е годы французская манера стала вытесняться английской, связанной с дендизмом. Безучастным видом и угрюмым молчанием кавалер давал понять даме, что он танцует поневоле.

«Мазурка имела искони особо интересное значение, — писала Е. Сабанеева, — она служила руководством для соображений насчет сердечных склонностей — и сколько было сделано признаний под звуки ее живой мелодии».

Во время танца к даме подводили двух кавалеров, из которых она должна была выбрать одного. Точно так же кавалеру предстояло сделать свой выбор. И конечно же, во многих случаях выбор партнера (или партнерши) определялся «сердечным интересом».

«Мазурка — это душа бала, цель влюбленных, телеграф толков и пересудов, почти провозглашение о новых свадьбах, мазурка — это два часа, высчитанные судьбою своим избранным в задаток счастья всей жизни», — говорит герой повести Е. Ростопчиной. А герой романа В.А. Соллогуба признается: «Вальсом началась моя любовь, мазуркой решилась моя судьба».

Пожалуй, ни одному танцу мемуаристы не посвятили так много поэтических строк, как мазурке. «Вальс — вскружит голову; кадриль — подарит минутами для беседы; а мазурка, о, уж эта мазурка! Она почти всегда начинается предложением, а оканчивается согласием на него...»

Одним из завершающих бал танцев был котильон, «самый продолжительный для влюбленных, как и мазурка».

И бесконечный котильон
Ее томил, как сладкий сон.

Это веселый танец-игра, который сопровождался беготней «по всем комнатам, даже в девичью и спальни».

Нередко бал заканчивался «греческим» танцем, à la grecque, «со множеством фигур, выдумываемых первою парою». «Бал заключался шумным à la grecque, или гросс-фатером, введенным, как утверждали, пленным шведским вице-адмиралом графом Вахтмейстером», — читаем в «Записах» Я.И. де Санглена.

На балах исполнялись и сольные танцы, например, русский народный танец.

По отзывам современников, дочь А.Г. Орлова-Чесменского, Анна Алексеевна, была выдающейся исполнительницей русских народных танцев. «Когда мы вернемся в Москву, — писала Марта Вильмот, — княгиня Дашкова попросит графа Орлова устроить бал <...>. Дочь графа — девица весьма достойная, к тому же прославленная танцорка, вот там-то я и увижу все настоящие русские танцы в самом лучшем исполнении».

А.А. Орлова-Чесменская была не единственной исполнительницей русских народных танцев среди молодых дворянок. П.А. Вяземский сообщает А.Я. Булгакову: «Урусова — совершенная богиня, еще похорошела, восхитила всех своею русскою пляской». Этим мастерством наделил Л.Н. Толстой и свою любимую героиню Наташу Ростову.

К сольным танцам принадлежал и танец с шалью, па-де-шаль.

«Однажды на балу у Орлова попросили одну из московских красавиц, жену его незаконного сына, протанцевать «pas de châle», — вспоминает Е.И. Раевская. — Она согласилась и, став посреди залы, будто невзначай, выронила гребень, удерживающий ее волосы. Роскошные, как смоль, черные волосы рассыпались по плечам и скрыли стан ее почти до колен. Все присутствующие вскрикнули от восторга и умоляли ее исполнить танец с распущенными волосами. Она только того и хотела; исполнила танец при общих рукоплесканиях».

Появлению этого танца способствовало увлечение французского общества античной культурой. «Па-де-шаль — соло, танцуется с легким газовым шарфом в руках: танцующая то обмотывается им, то распускает его». Особое внимание обращалось на плавность и грациозность движения рук.

Иногда на балу рождался какой-нибудь новый танец. «На последнем балу у Ф. Голицына было 18 дам и более 40 танцоров, — сообщает москвичка М.А. Волкова своей подруге В.И. Ланской 1 февраля 1815 года. — Так как этот толстый князь Федор из всего умеет извлечь пользу, видя, что многие не танцуют, он выдумал кадриль, в котором у каждой дамы было по два кавалера, нас это очень забавляло; но беда была в том, что все путались, не зная, в какую сторону повернуться и кому прежде кланяться».

Наиболее полный список популярных в то время танцев встречаем в воспоминаниях М. Дмитриева: «А тогда танцев было множество: экосезы и англезы со множеством фигур, круглый польский, polonaise sautante[1], вальс, тампет, матрадура, мазурки, и все это кончалось бесконечным котильоном, а после ужина поднимались и старики с молодыми и дурачились в грос-фазере[2]. Бывало, так завеселишься, что ног под собой не слышишь; эти балы кончались <...> часа в четыре за полночь».

«Если где-либо собирались на вечер или на бал, то каждый имел право подходить к любой даме, не ожи-

---

[1] «Полонез с прыжками» *(фр.)*.

[2] Правильнее — гроссфатер.

дая, чтоб его прежде представили: за благонадежность и приличность господина ручалось уже то, что он находился в одном доме с дамою; иначе его бы не приняли; следовательно, дама не имела никакого основания опасаться, что подходящий к ней кавалер может ее компрометировать», — свидетельствует В.И. Сафонович.

Считалось неприличным обещать один танец двум кавалерам. «Этого должно всячески избегать, так как подобные случаи носят отпечаток кокетства...»

Дама, чтоб не причинить одному из кавалеров неудовольствие, должна была «прибегнуть к маленькому притворству и, отговорясь усталостью», пропустить злополучный танец.

«Все танцы были мною заранее обещаны <...>. На память свою трудно было рассчитывать, — пишет М. Паткуль, — поэтому дамы имели маленькие книжки в оправе слоновой кости, в которых записывалось, на каком балу, с кем и что танцуешь». Нарушить правило допускалось только в том случае, если на танец приглашал император.

Девушка выезжали на бал только в сопровождении матери или какой-нибудь почтенной дамы, родственницы или близкой знакомой. Персидский посол, остановившийся в Москве, проездом в Петербург, в 1814 году, на балу у графини Орловой был удивлен, «зачем на этом балу так много старых женщин, и когда ему объяснили, что это матери и тетки присутствующих девиц, которые не могут выезжать одни, он резонно заметил: разве у них нет отцов и дядей?»

Девушке не полагалось более одного раза танцевать с молодым человеком, если он не являлся ее женихом.

А.П. Керн вспоминает: «Батюшка продолжал быть со мною строг, и я девушкой так же его боялась, как и в детстве. Если мне случалось танцевать с кем-нибудь два раза, то он жестоко бранил маменьку, зачем она допускала это, и мне было горько, и я плакала».

А вот еще одно интересное свидетельство современника: «Тогда была в Симбирске одна барышня М.Д., которая более прочих мне нравилась и действительно была прехорошенькая и премилая особа; вследствие чего, начиная с первого вечера и до последнего, все котильоны и мазурки мы с ней неразлучно танцевали; это так уже вошло в обыкновение, что на эти танцы ее никто уже не ангажировал. В столице это было бы немыслимо, но в провинции тогда нравы еще были настолько патриархальны и наивны, что оно никому не казалось странным и неприличным».

Успех девушки на балу зависел от ее умения поддерживать бальный разговор. В «Старой записной книжке» П.А. Вяземского помещен на эту тему следующий анекдот:

«Другой отец, также Москвич, жаловался на необходимость ехать на год за границу. «Да зачем же вы едете?» — спрашивали его. — «Нельзя, для дочери!» — «Разве она нездорова?» — «Нет, благодаря Бога, здорова; но видите ли, теперь ввелись на балах долгие танцы, например, котильон, который продолжается час или два. Надобно, чтобы молодая девица запаслась предметами для разговора с кавалером своим. Вот и хочу показать дочери Европу. Не все же болтать о Тверском бульваре и Кузнецком мосте».

В сатирическом рассказе П.А. Муханова «Сборы на бал», опубликованном в 1825 году, мать поучает великовозрастную дочь, как следует вести бальный разговор:

«Ты знаешь, что я отдала о тебе записку Панкратьевне, доброй этой торговке, у которой я купила жемчуг; она показывала ее майору, который приехал с решительным желанием — жениться, а я тебе решительно объявляю, чтобы ты непременно ему понравилась. <...> Если он тебя позовет на польский, то встань с приятностью, дай руку с ловкостью, взгляни приветливо, говори с ним много, особенно о сельской жизни, о семейственном счастии, о скуке большого света, но все это умненько, так, чтоб он не мог заключить, что свет тебе знаком уже 12 лет. Скажи ему, что твой отец тоже служил в военной службе и страх любит военных, что я любезная и гостеприимная женщина и всегда по вечерам бываю дома. Если же к тебе подойдет Миловзор, петербургский этот красавец, тоже уведомленный о тебе с весьма хорошей стороны, то заговори ему об опере, о балах, о гуляньях, танцах; скажи ему, что ты страх желала бы жить в Петербурге; скажи ему, что ты любишь бульвары, тротуары, что ты рада быть у двора, познакомиться с иностранными министрами; поговори ему о литературе, о модах, книгах; дай ему почувствовать, что на доходы твоей степной деревни ты бы могла жить открыто; скажи ему, что тебе надоела Москва, где столько причуд и причудников...»

«Было немыслимо, чтобы кто-либо из присутствовавших молодых мужчин позволил себе не танцевать; не пригласить к танцам оставшуюся без кавалеров даму считалось невежливостию», — читаем в воспоминаниях Г.И. Мешкова.

Из-за недостатка на балу кавалеров какая-нибудь девушка или дама могла оказаться не приглашенной на танец. В этом случае «до́лжно» следовать правилу: «Ожидайте спокойно и весело, пока не подойдет к вам кавалер: ибо сколь ни неприятно для молодой девицы оставаться на бале часто не приглашенною на танцы, но это небольшая только, скоро проходящая неприятность, которую равнодушно перенесть можно, между тем как спокойствие, скромность и веселость скорее привлекут к вам желаемого кавалера, нежели явное обнаружение дурного расположения и горькой досады».

Снова обратимся к рассказу П.А. Муханова «Сборы на бал», в котором опытная мамаша с укоризной говорит дочери: «Мне надоело 12 лет сряду возить тебя на балы без всякой пользы. Ты приедешь, сядешь в угол, повесишь нос, нахмуришь брови, когда к тебе подходят; не скажешь двух слов, не можешь попросить кавалера сесть возле тебя, не можешь заговорить с ним о танцах, спросить, с кем он танцует котильон: тогда иной, может быть, из учтивости попросил бы тебя танцевать с ним. Граф Чванов подошел к тебе — ты отвечала ему так сухо, что он повернулся и ушел, а, может быть, он имел на тебя виды. Князь Блестов смотрел на тебя в лорнет, верно, с намерением; а ты не поправилась, не только не подняла головы, но глаза опустила, точно как провинциалка. Миленов позвал тебя на польский, может быть, с тем, чтоб изъясниться: ты пошла как будто поневоле и, верно, не открыла рта, не сказала ему ничего приятного, привлекательного».

Другая крайность, если девушка танцует до «излишнего утомления». «Молодая девица с раскрасневшимся от напряжения лицом, с остолбеневшими от изнурения глазами, забывающая все окружающее, и от того выходящая из себя, производит очень противное и неестественное впечатление в других».

Во время танцев нередко случалось кому-нибудь из партнеров падать, бывало, что падали оба. Граф Жозеф де Местр сообщает в письме о падении танцевавших на балу великого князя Константина и госпожи Нарышкиной: «Великий князь Константин, как оно подобает великому тактику, танцевал в сапогах с длинными шпорами и в решающий момент вонзил оные столь глубоко в ее трен, что, несмотря на все старания участвовавших в сем танцевальном поединке сторон, оба полегли на поле битвы в самых живописных позах».

Падение одного из партнеров бросало тень и на другого. А.В. Мещерский с благодарностью вспоминает, какую услугу оказала ему на балу у австрийского посла графиня Воронцова: «Я помню, что на этом бале, в самом его начале, когда еще танцы не оживлялись и танцоры лениво принимались за дело, я пригласил графиню. Пустившись с ней в вихре вальса по слишком гладкому паркету огромной залы, я имел несчастие поскользнуться и наверное упал бы и увлек ее с собой, если б, чувствуя неизбежную катастрофу, не уперся правой рукой, на одно мгновение, на талию графини. Она, легкая, как пух, но стойкая, как пальма, выдержала эту тяжесть давления, и мы вновь понеслись, победоносно продолжая путь до места, с легким сердцем после миновавшей для нас опасности».

«Кто уронит даму на танцевальном вечеру, должен извиниться перед ней сейчас же; отвести ее на место; справиться о ее здоровье; не нуждается ли она в какой-либо помощи, если нуждается, то наша обязанность способствовать, чтобы сейчас помощь была оказана, кроме того, чтобы загладить окончательно свою медвежью ловкость, вы должны, даже обязаны сделать ей визит на другой же день, но Боже вас сохрани упоминать о том, что вы приехали загладить свою ошибку, с извинением, а постарайтесь, чтобы и она не упоминала о происшедшем...»

«Кавалер ни в коем случае не имеет права оставить после какого бы то ни было танца даму среди залы: это, во-первых, верх неприличия, а во-вторых, у дамы, может быть, закружилась голова, а вы ее бросаете на произвол толпы танцующих, отчего она может упасть, чем, конечно, скомпрометирует вас в глазах общества и вас назовут невеждой, и дамы будут в другой раз все безусловно вам отказывать ...»

«На балах или семейных вечерах, между фигур кавалер обязан занимать даму легким разговором, но не касаясь специально научных предметов, какие дама, может, и не знает, чем сконфузите ее».

Последние правила взяты из «Настольной книги для молодых людей, составленной по руководствам артистов императорских театров московским учителем танцев». Несмотря на то что книга была издана в 1886 году, данным правилам следовали и в пушкинское время.

Девушка, протанцевав и раскланявшись со своим кавалером, «садилась в кругу дам или близ подруг своих и смотрела, как другие танцуют, потому что считалось неучтивым развлекаться разговором посреди общего веселья». Во второй половине XIX века это правило было уже забыто, и девушка, возвратясь с кавалером на свое место, могла вести с ним оживленную беседу.

Но как и в начале, так и в конце прошлого века балы, по словам А. Глушковского, были средством, «чтобы составить себе выгодную партию».

Нередко на балу после танцев устраивалась лотерея. «Вечером Анна Петровна и я пошли на бал к генерал-губернатору Тутолмину, даваемый в честь дня рождения императрицы Елизаветы, — 25 января 1808 года сообщает в письме Марта Вильмот. — Была устроена лотерея, в которой каждая дама получила приз. Я выиграла пучок спаржи с вложенными стихами и сладостями. Молодая Татищева выиграла свиток с нотами, очень кстати ее таланту».

«Видно, на лотереи мода, — пишет в 1833 году А.Я. Булгаков брату, — но мне не было такой удачи, как Трубецкой намедни разыгрывал у князя Дм. Вл. (Голицына — *Е. Л.*) прекрасный портрет (большой масляными красками) Петра Великого, и выиграл его какой-то бедный живописец. Вот это весьма кстати: можно продать и получить 100 руб.».

«На балах у Куракина разыгрывались безденежно, в пользу прекрасного пола, лотереи из дорогих вещей», — читаем в книге М. Пыляева «Замечательные чудаки и оригиналы».

Согласно правилам светского этикета гости не должны были отказываться от предложенных лотерейных билетов, платных или бесплатных, а «хозяева не должны ни в каком случае принимать выигранных вещей, но отдать их обратно в лотерею».

О балах[1]

1. Приглашения на бал делаются по крайней мере осьмью днями прежде назначенного дня, для того чтоб дать время дамам приготовить все принадлежности к нарядам.

2. Хозяин дома встречает дам и чиновных людей: говорит им вежливости, провожая в зал, и всячески старается усадить их.

3. Некоторые считают доказательством вежливости, занимая беспрестанно разговорами танцующих с ними, которых в первый раз видят: большая ошибка.

4. Хозяин должен наблюдать, чтобы все дамы танцевали, и упрашивать снисходительных кавалеров, чтоб подымали тех, которые просидели бы целый век в креслах, как жемчужины в раковинах. Все дарование состоит в том, чтоб разделить безобидно танцевальную ту работу.

5. Люди, не имеющие слуха (то есть имеющие неправильный слух), должны непременно воздержаться от танцев.

6. Сесть на место женщины, начавшей фигуру в Контрадансе, было бы невежливо: когда нет других стульев, кроме для дам, то стойте на ногах, с шляпою в руках, до первого обморока.

7. На бале у банкира, поставщика или богатого управляющего трудно утолить жажду. Требование или похищение стакана лимонада или аршата не причтется невежливости.

8. Провинциалы и простаки, потчуют только в наши времена дам из конфектных своих коробочек, как Сганерелли из табакерки своей.

---

[1] Правила светского обхождения о вежливости. – М., 1829, с. 57 – 60.

9. С того времени, как начали мало танцевать, и вовсе не ужинают, танцевальная зала занимается ломберными столиками: между тем как любителей экарте обыгрывают наверное, ловкий человек усугубляет заботливость занять дам.

10. Так как читатели наши не посещают никогда публичных балов, кроме тех, которые бывают в оперном доме, то довольно объяснить им короткое сие замечание, в котором весьма мало исключения: свежесть там поддельная, лица фальшивые, ум — запрещенный товар и корсеты подбиты ватой.

Балы и маскарады[1]

Бал есть удовольствие, многими предпочитаемое всем прочим. Хозяин бала, хотя и без всякой претензии на изысканность, требует от гостей своих, чтобы они исполняли правила, принятые хорошим обществом, как условие, необходимое для всеобщего удовольствия, тем более, что всякий неловкий поступок, некоторым образом компрометируя хозяина, первому ему делает неприятность. Если хозяин пригласил кого на свой вечер, то обязан не ставить его ниже других; но приятно ли ему сравнить с другими, достойными своими знакомыми того, кто ведет себя неприличным образом, по дерзости ли, по невниманию или, наконец, по незнанию — это почти все равно: невежество останется всегда невежеством.

На бале или чаще на вечере требуется совершенной привычки к обществу и знания его законов. Начнем с обязанностей хозяина.

---

[1] Соколов Д.Н. Светский человек, или Руководство к познанию правил общежития. — Спб., 1847, с. 132 – 143.

Когда хотят сделать у себя танцы, хозяин или хозяйка едут, за несколько дней до вечера, приглашать своих знакомых, или посылают к ним письма, в которых, если зовут на вечер без церемонии, прибавляют: «запросто». Это для того, чтобы дамы могли одеться приличным образом.

Приглашенные с своей стороны дают ответ, могут они быть или нет; если нет, то извещают об этом, изъявляя сожаление.

При наступлении назначенного вечера хозяин и особенно хозяйка должны быть одеты ранее назначенного часа для приезда гостей и быть готовыми принимать их. В это время круг деятельности хозяев гораздо обширнее, и потому правила гостеприимства не связывают их обязанностию занимать каждого из гостей своим присутствием; хозяин дома обязан только, при приезде нового лица, встретить его; и сказав ему несколько приветствий, может оставить приехавшего на его произвол.

Хозяева дома также должны думать об удовольствии нетанцующих: для этого, в других комнатах, открывают столы для карточной или других игор; эта внимательность хозяина предохраняет нетанцующих и пожилых людей от скуки и стеснения танцующих. Дальнейшие распоряжения хозяев зависят от особых обстоятельств.

Гости приезжают немного позже назначенного времени. О бальном туалете <...> заметим, однако, что на него должно обратить особенное внимание. Дамы иногда приезжают с букетом цветов. В течение всего вечера невежливо войти в танцевальный зал без перчаток.

Пред открытием танцев молодые люди ангажеруют дам. Те из них, которые нетвердо знают фигуры танца, должны отказаться от него или, по крайней мере, становиться во вторых парах.

Первая обязанность кавалера, желающего

танцевать — сыскать себе vis-à-vis, запомнить его и после уже этого выбрать даму; подходя к ней с веселым видом и легким поклоном, просить ее в подобных выражениях: «Угодно ли вам (если знают имя и отчество, употребляют его) сделать мне честь протанцевать со мной эту кадриль?.. Могу ли я ожидать счастия танцевать с вами?..» Если дама ангажирована, то ее можно просить и на следующую кадриль, но не более; когда и на эту она ангажирована, ей делают поклон и отходят, не обращаясь с просьбою к соседке: эта последняя может оскорбиться и подумать, что ее просят потому только, что другие отказали. Если дама не ангажирована, то она не имеет права отказать кавалеру из желания танцевать с другим — это более чем невежливо.

Образованная дама равно любезна со всеми. Когда она устала и хочет пропустить кадриль, то выходит в другую комнату, чтобы избежать отказа тому, кто будет просить ее и тем не заставит его подумать, что она лишает себя этого удовольствия из нежелания танцевать с ним.

Дама должна хорошенько запомнить кадрили, на которые она дала слово, в противном случае из этого часто бывают разные неприятности. Желательно, чтобы таблетки, привешиваемые на маленькой цепочке к букетъерке и служащие для записывания кадрилей, на которые дама ангажирована, вошли во всеобщее употребление. Это предохранило бы дам от обязанности помнить своих кавалеров; что же касается до последних, то те из них, которые много танцуют, очень благоразумно поступят, если будут записывать ангажированных ими дам и vis-à-vis.

Кавалеры должны заблаговременно просить дам, но никак не перед кадрилем. Когда музыканты дадут сигнал, кавалер отыскивает своего vis-a-

vis и, подойдя к ангажерованной им даме, предлагает ей руку и приводит на избранное место.

Когда начнутся танцы, всякий порядочный человек танцует просто, с благородной грациею, не выказывая своего искусства. Кто станет в обыкновенной кадрили делать скачки и антраша, тот будет предметом смеха и образцом оригинальности.

Между фигурами кавалер обязан занимать свою даму не до такой, однако ж, степени, чтобы надоесть и утомить ее; всякий серьезный разговор здесь не у места; общество, в котором они находятся, танцы и т. п. бывают предметом их разговора. Некоторые, по неумению поддержать разговор, чтобы занять время, позволяют себе насмешки, чаще над физическими недостатками и нередко так, что тот, к кому они относятся, замечает их; они, забывая, что иногда отвратительная наружность скрывает в себе душу добродетельную, возвышенную, обижают такими шутками человека, которого недостатки от него не зависят, а сами теряют всякое к себе уважение благомыслящих людей.

Когда какой-нибудь невежда осмеливается жать руку даме, слишком приближаться к ней и говорить неприличные комплименты, она должна с достоинством и холодностию отнять руку и заметить ему, что она не относит к себе его незаслуженных похвал и все это без вспыльчивости и крупных слов, неприличных женщине.

По окончании танца кавалер приводит даму на место, с которого он ее взял, кланяется ей и отходит; впрочем, он может продолжать начатый разговор; он может также просить ту же даму на несколько кадрилей, но не должен посвящать ей одной целого вечера.

В обязанности хозяина наблюдать, чтобы все

гости его веселились; и потому, если он замечает, что некоторые из дам не танцуют, он должен, незаметным образом, просить своих кавалеров танцевать с ними, которые с удовольствием должны исполнять справедливое желание хозяина.

Заметим еще, что было бы весьма некстати заводить сериозные и деловые разговоры, требующие много времени и долгого суждения в местах, куда собираются для удовольствия и отдохновения от дневных трудов.

По окончании танцев хозяин приготовляет ужин; он просит гостей садиться за стол или брать кушанья, установленные на нем или же подносимые на подносах. Иногда хозяин, из большой любезности, сам подносит блюдо; в таком случае кавалеры, имеющие претензию на услужливость, не должны брать этого труда на себя.

По окончании ужина гости уезжают, большею частию, чтобы не отвлекать хозяина от других, не прощаясь и не благодаря его за вечер, потому-то, в течение недели, хозяину делают утром благодарственный визит.

Наши замечания о маскарадах не будут длинными. Мы будем говорить о маскарадах публичных, ибо частные маскарады у нас в среднем кругу не приняты.

В маскарадах дамы бывают замаскированными в домино, мужчины же в бальном костюме со шляпою на голове.

В маскараде свобода царствует более, чем где-нибудь. Здесь в обществе предполагается совершенное равенство, потому мужчина и женщина говорят друг другу «ты».

Кавалер не может подходить к маске; это допускается только тогда, когда он ее узнал. Разговаривать с чужими масками совершенно не принято порядочными людьми; иногда это может делать маска; но, во всяком случае, разговор с незнакомым мужчиной не может быть интересным.

В маскараде женщины играют самую важную роль: они интригуют кавалера, рассказывают ему следствие его проделок и интриг, и часто умная маска ставит мужчину в совершенное недоумение; при удачной маскировке, изменении походки, манер и голоса узнать ее почти невозможно.

Приподнять маску, чтобы разглядеть некоторые черты лица, ею скрытого, есть грубое невежество; равным образом, кавалер не должен, когда маска оставляет его, преследовать ее или добиваться о ней сведений от человека ее.

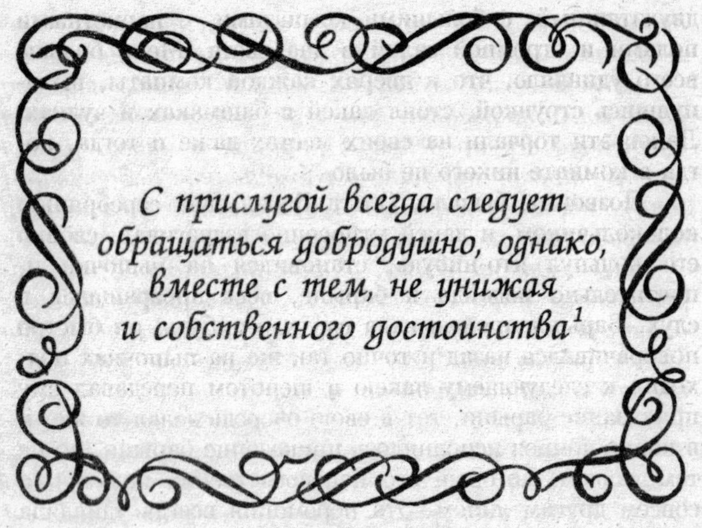

Иностранцев, побывавших в России, поражало громадное количество челяди в домах столичных дворян.

«В субботу я была представлена госпоже Полянской, ее муж — племянник Дашковой, — пишет из Петербурга Марта Вильмот. — Живут они в огромном, как дворец, доме, и помимо ливрейного у них несколько десятков лакеев, попадающихся на каждом шагу. Чтобы избавить господ от труда отворять и затворять двери, возле каждой комнаты сидит слуга...»

О том, как распределялись обязанности между лакеями, читаем в воспоминаниях И.А. Салова:

«Я очень любил, когда мы останавливались у Ольги Васильевны Кошкаровой <...>. Это была типичная старуха, пройти которую молчанием нельзя. <...> Жила Кошкарова великолепно. Дом ее был громадный,

---

[1] Правила светской жизни и этикета. Хороший тон. — Спб., 1889, с. 321.

двухэтажный, с большими комнатами, с паркетными полами и огромной залой в два света. Меня больше всего удивляло, что в дверях каждой комнаты, вытянувшись стрункой, стоял лакей в башмаках и чулках. Лакеи эти торчали на своих местах даже и тогда, когда в комнате никого не было. <...>

Позвонит, бывало, Ольга Васильевна серебряным колокольчиком, и лакей мгновенно вздрагивал, словно его кольнул кто-нибудь, становился на цыпочки и, почтительно подойдя к барыне, весь превращался в слух. Барыня приказывала ему что-нибудь, он быстро поворачивался назад и точно так же на цыпочках подходил к следующему лакею и шепотом передавал ему приказание барыни, тот в свою очередь делал то же, и в конце концов исполнялось приказание барыни, но не тем лакеем, который его непосредственно получал, а совсем другим лицом. Эта церемония всегда удивляла мать.

— Помилуйте, — говорила она, — вы живете совершенно одни, а у вас в каждой комнате по лакею, а горничных даже и не сосчитаешь.

— Ах, Боже мой! — возражала Кошкарова, — да куда же мне девать всю эту сволочь, когда у меня дворовых людей более трехсот душ?

И действительно, дворня у нее была многочисленная, и так как каждый из ее дворни имел свой собственный домик и свою усадьбицу, то вокруг ее дома был словно маленький городок».

Сын московского почтдиректора А.Я. Булгакова вспоминал:

«Прежде, чем мой отец сделался почтдиректором, мы имели двух официантов для присмотра за столом, одного буфетчика, двух лакеев для выезда, 4 комнатных, главного повара, 2 поваренков, 2 кучеров, 2 форейторов, 2 конюхов. При матушке (урожд. княжне Хованской) состояли: одна ключница, одна старшая и две младшие девушки, две няньки, две прачки, людская кухарка и казачок для прислуживания за утренним чаем; итого: 26 душ, на шесть человек господ. Если же считать сверхштатных и чернорабочих, то наберется свыше сорока».

Исследователь дворянского быта М. Гершензон в книге «Грибоедовская Москва» рассказывает о доме «коренной» московской хлебосолки М.И. Римской-Корсаковой:

«В доме, кроме своих, живут какие-то старушки — Марья Тимофеевна и другие, еще слепой старичок Петр Иванович, — «моя инвалидная команда», как не без ласковости называет их Марья Ивановна; за стол садится человек 15, потому что почти всегда из утренних визитеров 2 — 3 остаются на обед. Всем до последнего сторожа живется сытно и привольно; Марья Ивановна сама любит жить и дает жить другим».

«В старых домах наших многочисленность прислуги и дворовых людей, — пишет П.А. Вяземский, — была не одним последствием тщеславного барства: тут было также и семейное начало. Наши отцы держали в доме своем, кормили и одевали старых слуг, которые служили отцам их, и вместе с тем пригревали и воспитывали детей этой прислуги. Вот корень и начало этой толпы более домочадцев, чем челядинцев».

В.В. Селиванов отмечал в своих воспоминаниях: «Рабские отношения дворовых смягчались близкими отношениями господ с прислугою. Там нянька, которая вынянчила самого старого барина или барыню, или старинная наперсница девичьих шашней, не только сама пользовалась привилегией почти равенства с господами, но и все ее родство сближалось с молодым поколением господ. Там какой-нибудь грамотный домашний юрист-консультант, поверенный по делам или приказчик, отлично знавший свое дело, и сами они, и их семейства пользовались исключительной близостью к господам, а чрез них и другие, кто сват, кто кум, сплачивались как будто в одну семью, составлявшую что-то общее и нераздельное с господскою семьею. Барышни имели своих наперсниц между горничными, молодые люди нуждались в тайных послугах молодых дворовых людей...»

Крепостные дворовые были не только слугами в помещичьем доме, но и няньками, дядьками-воспитателями.

«Николай Афанасьевич вполне напоминает знаменитую няню Пушкина, воспетую и самим поэтом, и Дельвигом, и Языковым, — рассказывает И. Аксаков о дядьке поэта Ф.И. Тютчева. — Этим няням и дядькам должно быть отведено почетное место в истории русской словесности. В их нравственном воздействии на своих питомцев следует, по крайней мере отчасти, искать объяснение: каким образом в конце прошлого и в первой половине нынешнего столетия в наше оторванное от народа общество — в эту среду, хвастливо отрекающуюся от русских исторических и духовных преданий, пробирались иногда, неслышно, незаметно, струи чистейшего народного духа».

Пословица: «Каков барин, таковы и служители», хотя стара, но тем не менее справедлива. Без сомнения, разумеется сие только о служителях, довольно долго находившихся в каком-либо доме, чтоб примениться к господствующему в оном тону; в сем же случае заключение сие справедливо. Камердинер-хвастун верно служит у хвастуна; скромные имеют вежливых служителей; в порядочных домах и служители благонравны и трудолюбивы, а сварливые и развратные бывают у господ, которые сами сварливы и безнравственны. Из всего того следует, что добрые примеры (многословные увещания совершенно излишни) лучшее средство к образованию добрых служителей.

Сколь убедителен мой совет, ласково обра-

щаться со служителями, столь мало могу я одобрить, если кто открывается им во всей своей наготе; делает их поверенными в тайных своих делах и предприятиях; непомерным жалованием приучает к роскошной жизни; недовольно их занимает; предоставляет все собственной их воле; делает их неограниченными хозяевами своей казны, и тем побуждает к обману; произвольно лишает себя всякой власти над ними, унижается до обращения с ними запанибрата, до подлых с ними шуток. Между сотнею таких людей едва ли найдется один, который не употребил во зло подобной слабости, которая даже не приобретает привязанности. Доброжелательное, степенное, серьезное, всегда равное обращение, отдаленное от высокомерной важности; верное, достаточное, но чрезмерное, соответственное услугам жалованье; строгая точность везде, где требуется от них порядок и исполнение принятых ими на себя обязанностей; ласковость и снисходительность, если они испрашивают исполнения благоприличной просьбы; доставление какого-либо беспорочного удовольствия; благоразумие в распределении занятий, дабы не обременять их бесполезными работами и поручениями, только к нашей забаве клонящимися, не терпя однако праздности, заставляя их трудиться для самих себя, соблюдать всегда опрятность и стараться о своем образовании; пожертвование собственною пользою, если имеешь случай доставить им лучшее состояние; отеческое попечение о их здоровье, благонравии и доставлении способов к честному пропитанию: вот вернейшие средства иметь хороших, верных служителей и быть от них любимым. Я присовокупляю еще совет: не держать слишком много служителей, а тем, которых имеем и иметь должны, платить хорошее жалованье. Благоразумно с ними обра-

щаться и с пользою их занимать. Чем более у кого служителей, тем хуже услуга.

С чужими служителями мы во всех случаях должны обращаться учтиво и ласково; в отношении к нам они люди свободные. Сверх того, надлежит взять в соображение, что нередко служители имеют великое влияние на своих господ, в благосклонности коих мы можем иметь нужду; что часто мнение и речи низшего класса людей решают добрую или худую нашу славу, и наконец, что сей класс гораздо взыскательнее, легче считает себя обиженным, всегда недовольнее своим содержанием, нежели люди, коих воспитание научило презирать мелочи.

Не бесполезно, кажется, здесь предостережение — избегать болтливости в обращении с парикмахерами, цирюльниками и модными торговками. Сии люди (впрочем, не без исключения) весьма склонны переносить вести из дома в дом, заводить сплетни и услуживать в подлых делах. Лучше всего обращаться с ними просто и сухо.

Утайку съестных припасов, кофе, сахару и т.д. служители обыкновенно не считают за воровство. Хозяева обязаны отнимать у них всякий к тому случай. К достижению сего лучшие средства суть следующие два: первое, собственный пример умеренности и обуздания своих желаний, и второе, иногда давать служителям добровольно то, что бы могло бы возбудить их лакомство.[1]

После детей должно помышлять о ваших слугах; берегитесь, чтобы не впасть в погрешность

---

[1] Книгге А. Об обращении с людьми. Ч. 2. – Спб., 1830, с. 193 – 195; 201 – 202.

некоторых людей, которые думают, что поелику слуги живут на их кошт, и весьма ниже их, то они не обязаны об них пещися[1], *не смотреть за их поступками. Искусной слесарь имеет столько же причин презирать колесы у своих машин; потому что они деревянныя; ваши слуги суть колесы в семействе; и сколько бы основательны ни были ваши приказы, но естьли они их пренебрегут и не исполнят, то всеобщее смятение последует в вашем доме. Притом столь велико ни есть различие между вами и ими в рассуждении щастия, не надобно однако позабывать, что природа не много полагает разности, чтоб вам препятствовать почитать их почтенными друзьями; и вы столько ж обязаны хорошо обходиться с теми, которые сего достойны. И им свидетельствовать ласковость, сколько они должны повиноваться вам, когда вы им что повелеваете. Не надобно им говорить очень гордо, и приказывать им высокомерным образом. Кроме того, что глупо поступать с ними таким образом: сие может возродить в них к вам отвращение. И ежели где можно примечать ненависть, которую они имеют к своим господам: то сие по большой части в лености исполнения того, что им приказано. Вместо того вы изведаете самым опытом, что чем менее вы будете властительнее, тем более вас станут слушаться. Не давайте своих приказаний с крайнею опрометчивостию, хотя они и не будут исполнены точно. Крайне также избегайте крика и безпрестанных ворчаний.*[2]

[1] Здесь и далее орфография сохранена.

[2] Советы знатного человека своей дочери, сочиненныя маркизом Галифаксом. – М., 1790, с. 83 – 85.

Об обхождении со слугами[1]

Очевидное проявление порядка и благоустройства во всем домашнем обиходе есть самая верная вывеска хорошего свойства хозяина. Большая часть людей составляют мнение о нас по первому впечатлению, и, в этом отношении, прислуга есть едва ли не главный предмет, на котором мы основываем первоначальное свое суждение.

Выбор прислуги зависит всегда от нашего произвола, и потому-то, будет ли она наемная или собственная, ее благообразие, ловкость, учтивость, чистота и опрятность есть всегда следствие наших приказаний или того порядка, который мы водворили в доме.

Если люди опрятно одеты, вежливы, не вступают сами в разговоры с гостями и не сплетничают с посторонними слугами, то смело можно сказать, что они живут у такого господина, который держит свой дом в совершенном порядке. Если же, напротив, вы видите прислугу дурно одетую, оборванную, запачканную, непочтительную и неловкую, при всем вашем неудовольствии, пристающую к вам с разговорами или жалобами на господ своих; а при желании вашем остановить от неприятного для вас разговора, уже готовую наделать вам грубостей, то, без всякого сомнения, подобный беспорядок ясно изобличает неумение господ держать себя в отношении к слугам и несмотрение за ними.

Можно быть добрым и снисходительным к ним и в то же время строгим и взыскательным. И потому для водворения в доме своем отчетливого во всех отношениях порядка, должно внушить

[1] Соколов Д.Н. Светский человек, или Руководство к познанию правил общежития. – Спб., 1847, с. 23 – 27.

прислуге своей обязанности ее как в отношении себя, так и посторонних, и научить, как следует обходиться с посетителями.

Прислуга должна быть одета опрятно, чисто, хотя без подражания модам и одежде господ. Мальчиков можно одевать в казакин или куртку; взрослых в ливрею, сюртук или фрак. Во время стола прислуга должна быть в белых перчатках.

При первом звонке прислуга порядочного человека отнюдь не заставляет вас ждать у крыльца или подъезда; вам немедленно отворят двери и, сняв верхнее платье, почтительно введут в приемную комнату или залу, ни в каком случае не оставляя ждать в передней: затем вежливо спросят, как доложить о вас хозяину дома, и тотчас же исполнят приказания ваши. Такое вежливое обращение прислуги с первого разу делает на вас приятное впечатление и дает хорошее мнение о хозяине дома.

Мало, если господин сумеет заставить людей своих нарочно почитать себя; должно внушить к себе действительное уважение. Будьте с ними добры и строги, внимательны и ласковы, разумеется так, как можно быть с своим человеком и, по возможности, вознаграждайте их услуги.

Они, как и большая часть необразованных людей, измеряют достоинства денежными средствами: скрывайте от них, по возможности, нужды свои и ни в каком случае не вмешивайте их в дела, до них не касающиеся. Слуга не может уважать своего господина, если знает, что господин его нуждается в нем больше, чем он в господине. Кто вычитает за разбитую тарелку из их бедного жалованья, тот останется всегда дурным господином в мнении прислуги.

Как бы ни были хороши слуги, ни в каком случае нельзя допускать их до фамилиарности с со-

бою — это их испортит. Равным образом те, которые имеют привычку грубо обращаться с людьми своими, могут только вооружить их против себя. Ничто столько не уменьшает в людях доверия, преданности и верности, как обращение постоянно грубое, дерзкое, насмешливое: надобно помнить, что у каждого есть свое самолюбие.

Исполняйте обязанности свои, будьте честны и благородны с ними и этого уже достаточно, чтобы приобресть их расположение.

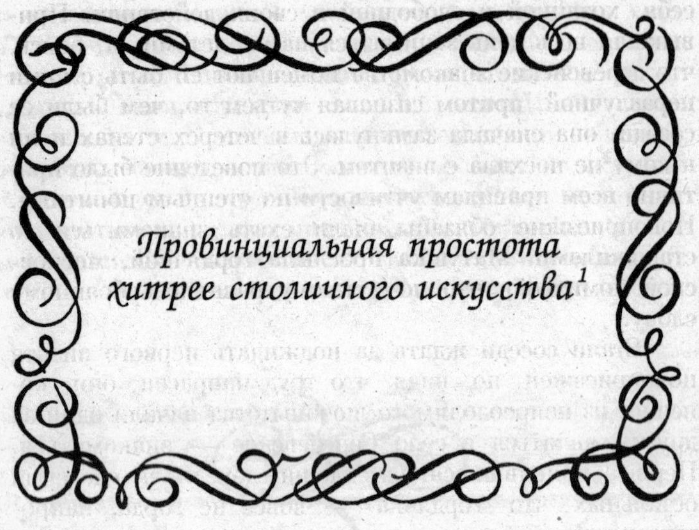

Провинциальная простота хитрее столичного искусства[1]

Провинциальное дворянство, с одной стороны, старалось подражать манерам столичных аристократов, с другой — с неприятием относилось к «столичному этикету». Прямое подтверждение этому находим в воспоминаниях Е.И. Раевской о жизни ее семьи в селе Сергиевском, Рязанской губернии:

«В 20-х годах нашего века Рязанскую губернию называли степною, и мало кто там живал из тех, которые, справедливо ли или нет, считались хорошим обществом. <...>

Тот, кто читал «семейную хронику» Аксакова, помнит впечатление, произведенное на молодую Багрову приездом ее к свекру в степь. К счастию, хотя матушка жила в первое время в двух сплоченных избах, произведенных в хоромы, но она жила дома, у

[1] Вельтман А.Ф. Виргиния, или Поездка в Россию. — М., 1837, с. 41.

себя, хозяйкой и свободной в своих действиях. Привыкшая весь день заниматься нами, детьми, и, боясь, что деревенские знакомства помешают ей быть с нами неразлучной, притом сознавая чутьем то, чем были ее соседи, она сначала замкнулась в четерех стенах и ни к кому не поехала с визитом. Это поведение было противно всем правилам учтивости по степным понятиям. Новоприезжие обязаны были ехать знакомиться со старожилами. Матушка прослыла гордячкой, московской комильфо, что по-степному равнялось бранному слову.

Стали соседи ждать да поджидать первого визита новоприезжей, но, видя, что труд напрасен, они, конечно, из непреодолимого любопытства начали один за другим являться в село Сергиевское — знакомиться. Первые появившиеся немедленно довели до сведения остальных, что «гордячка» — вовсе не горда, напротив, очень любезная, внимательная хозяйка, к тому же — хороша собой.

Потекли к нам соседи со всех сторон. Это случилось с самого первого пребывания родных в степи. Когда же, несколько лет спустя, мы из Михайловского переселились в Сергиевское, то мы, привыкшие к постоянному обществу матери, скучали с нашими гувернантками, а матушка, хотя из вежливости того не показывала, но так же скучала среди незваных гостей, с которыми не имела ничего общего. Одни сплетни, отсутствие всякого образования и любознательности, невыносимая ею игра в карты — вот то, что она в них нашла.

А тут являлись эти соседи, часто с целой ордой детей, воспитанных по их образу и подобию, и оставались, по принятому у них обычаю, непрошеные, гостить по два, по три дня, иногда и целую неделю. Матушка пришла в отчаяние.

Домик тесный, куда поместить эту орду гостей? Одно она свято соблюдала. В нашу детскую комнату никогда с нами не помещала приезжих, боясь для нас сближения с чужими детьми, в которых просвечивала уже испорченная нравственность.

Но что делать? — на полу, в гостиной, в столовой навалят перин, а иногда для детей просто сена, покроют коврами, постелют поверх простынями, одеялами, наложат подушек, и приезжие «вповалку» на этом спят. Это их не смущало, не мешало продолжать своего гощения.

Между тем, матушка с умыслом не спешила отдавать визитов. Наконец, поехала утром, посидела в гостях с час и велела подавать лошадей, которых вперед запретила кучеру отпрягать.

— Как? — с удивлением воскликнули хозяева. — Вы хотите ехать? А мы думали, вы останетесь у нас ночевать. (Это за восемь верст от дома!)

— Извините, не могу.

— Ну, хоть откушайте у нас!

— Извините, меня дети ждут к обеду.

Таким образом, матушка уезжала, возбудив негодование хозяев, отдавших уже приказ перерезать горло домашней птице, а, может быть, и зарезать быка, чтоб угостить московскую гостью.

Мало-помалу, рассказывала матушка, отучила я соседей поселяться у меня на несколько дней и приучила к утренним визитам. Они стали бояться быть не «комильфо» и захотели, хоть тем, подражать столичным модам».

Итак, выделим два момента: «матушка прослыла гордячкой, московской комильфо, что по-степному равнялось бранному слову» и «они стали бояться быть не «комильфо» Аристократический тон, царивший в «гостиных лучшего общества», был чужд провинциалам. Чтобы стать в провинции «своим», следовало «избегать мелочных правил этикета», «у провинциялов должно и должно по необходимости покоряться их обычаям...»

Ф.Ф. Вигель дает примечательную характеристику столичному аристократу Григорию Сергеевичу Голицыну, который был назначен пензенским губернатором: «Большая часть пензенцев были от него без памяти, и как не быть? <...> Губернатор еще молодой, красивый, ласковый, приветливый, принадлежащий к княжескому роду, почитаемому одним из первых в России, в близком родстве со всем, что Петербург являет высокого и знатного при дворе. <...>

Наш князь Григорий пензенский был аристократ совсем особого покроя, совершенно отличный от брата своего Феодора, который настоящей тогдашней аристократии служил образцом. Он находил, что не иначе можно блистать как в столице и при дворе <...>. Его ласково-вежливое обхождение не допускало же никакой короткости с теми, с кем он иметь ее не хотел. Старший же брат, напротив, охотно балагурил, врал, полагая, что со всеми может безнаказанно быть фамилиарен. Он любил угощать у себя, попить, поесть, поплясать. По-моему, он был прав; такими только манерами можно было тогда понравиться в провинции; grand genre[1] князя Феодора там бы не поняли».

Такой же вывод делает Ф.Ф. Вигель и в отношении жены князя Федора Сергеевича Голицына: «Она имела все свойства Европейских аристократок прежнего времени: вместе с умом и добротою была холодна и надменна; делалась любезна только с короткими людьми. Такие женщины своим примером поддерживали лучшее общество, но в провинции они не годились».

Забавную историю рассказывает в своих воспоминаниях Е.Ю. Хвощинская:

«Однажды приехали к Р-м молодые люди, проводившие большую часть времени в Петербурге, они важничали тем, что не провинциалы и, напоминая об

---

[1] Аристократический тон *(фр.)*.

этом, говорили: «chez nous à Pétersbourg»[1]. Мы, желая позабавить столичных гостей деревенскими удовольствиями, по обыкновению приказали заложить розвальни, надели свои полушубки, шапки, солдатские башлыки, подпоясались красными кушаками и, щеголяя деревенским нарядом, пригласили кавалеров нас сопутствовать. Кавалеры вышли одетые по последней моде, надеясь, может быть, пленить нас и, вероятно, думали найти у крыльца великолепную тройку, так как у Р-х был хороший конный завод, но по их удивленным лицам можно было видеть, что розвальни на них не совсем сделали приятное впечатление, и они поневоле, с гримасой, уселись в «мужицкие сани». А мы, проказницы, шепнули кучеру, чтоб на ухабах ехал шибче! Каков был ужас наших петербургских франтиков, когда они на ухабе очутились выброшенными в снег. На этот раз мы удержались и не упали, но зато хохот был неудержимый и, вероятно, по мнению наших кавалеров, вышел из приличия: они так разгневались, что решили вернуться пешком, боясь опять выпасть из отвратительных саней, и, спотыкаясь, теряя калоши, поплелись домой... А мы, чтобы не дразнить их нашим хохотом, который не в силах были удержать, погнали лошадей и скрылись от недовольных взоров наших столичных гостей!..»

В целом же столичные дворяне снисходительно относились к провинциальным нравам.

«В столице это было бы немыслимо, — пишет современник, — но в провинции тогда нравы еще были настолько патриархальны и наивны, что оно никому не казалось страшным и неприличным».

По-другому столичное дворянство реагировало на нарушение правил этикета в светских гостиных.

Примечателен рассказ А.И. Соколовой об «импро-

---

[1] «У нас в Петербурге» *(фр.)*.

визированном» бале в доме Н.В. Сушкова, где был объявлен конкурс на лучшее исполнение мазурки:

«M-me Мендт сбросила мантилью, подала руку своему кавалеру и понеслась по залу с прирожденной грацией и воодушевлением истой варшавянки. Выбранный ею кавалер оказался достойным ее партнером, и живой, чуть не вдохновенный танец увлек всех присутствовавших... им усердно аплодировали... кричали «браво», и когда они окончили, то шумно потребовали повторения.

M-me Мендт согласилась протанцевать еще раз, но тут случился эпизод, для дома Сушковых совершенно неожиданный.

Оказалось, что ботинки красавицы несколько жали ей ногу... Она согласилась пройти еще два или три тура мазурки, но не иначе, как без башмаков, и, получив восторженное согласие мужчин и несколько смущенное согласие дам, живо сбросила ботинки... и в белых шелковых чулках понеслась по залу...

M-me Сушкова была совершенно скандализована...»

Снять обувь в присутствии мужчин в то время считалось верхом неприличия. По-другому, наверное, и не могла отреагировать жена хозяина дома, Д.И. Тютчева, сестра поэта, «выросшая в чопорных условиях прежнего «большого света».»

Слово «скандализоваться» употреблялось, чтобы выразить смущение от чего-либо, нарушающего правила приличия. «Императрица довольно долго беседовала со мной относительно своих детей. Я ей сказала, что была скандализована манерами бонны великого князя Алексея», — читаем в дневнике А.Ф. Тютчевой.

В то же время «нужно помнить, что многие грешат не намеренно, а по незнанию, и оскорбляющиеся несоблюдением приличий в других, показывают еще меньше такта, чем сами обвиняемые».

«Это был маскарад, данный по случаю приезда в

Тверь императора Александра Павловича, — читаем в записках А.В. Кочубея. — На один танец, помню, я пригласил госпожу Зубчанинову, жену очень богатого купца, который имел торговые сношения с Ригой, а впоследствии был городским головою в Твери. Г-жа Зубчанинова, урожденная лифляндка, была не дурна собою и прекрасно образована.

Случилось, что император тоже пригласил ее на этот танец, и она, не зная придворного этикета, сказала ему, что она уже ангажирована. «Кто этот счастливый смертный?» — спросил государь. Зубчанинова указала на меня. Разумеется, я ей объяснил после, что императору на балу не отказывают».

А вот еще один пример «царской» деликатности: «Близко стоявший ко двору в эпоху царствования императора Николая Павловича, Виельгорский очень часто играл на интимных вечерах императрицы Александры Федоровны, которая очень любила музыку, знала в ней толк и заслушивалась Виельгорского по нескольку часов сряду. <...>

Однажды, когда Виельгорский пил чай в кабинете императрицы и с чашкой в руке подошел к роялю, он, поставив чашку на пюпитр, прикоснулся к клавишам и, забывшись, весь ушел в мир звуков.

Все внимательно и пристально слушали музыку, императрица подошла и облокотилась на рояль, а Виельгорский тем временем, отрываясь минутами, чтобы отхлебнуть глоток холодного чая из поставленной им на рояле чашки, допил последний глоток и машинально, видя перед собой кого-то и не разбирая, кого именно, протянул пустую чашку императрице.

Все остолбенели, а императрица, с улыбкой приняв чашку, передала ее камер-лакею.

Виельгорский ничего не заметил, и спустя несколько времени только, когда он встал из-за рояля, дежурный камергер в глубоком смущении осторожно передал ему о случившемся недоразумении.

Виельгорский в глубоком смущении подошел к императрице и не знал, как приступить к объяснению, но она, милостиво улыбнувшись, заметила, что очень охотно оказала ему эту «маленькую услугу».»

У многих жесткие правила светской жизни вызывали оправданный протест, который проявлялся в форме эпатирующих общество поступков и выходок. Однако светское общество пыталось их представить как шалости и проказы.

Вспомним хотя бы визит Пушкина в дом екатеринославского губернатора, куда он явился «в кисейных, легких, прозрачных панталонах, без всякого исподнего белья». Слова И.П. Липранди проливают некоторым образом свет на выходку Пушкина: «Он отвык и, как говорил, никогда и не любил аристократических, семейных, этикетных обществ...»

Известным нарушителем правил приличия был приятель Пушкина Г.А. Римский-Корсаков. «Иногда на Григория Александровича находила потребность учинить какую-нибудь чисто школьническую шалость, — пишет Н.А. Огарева-Тучкова. — Однажды, в Москве, в английском клубе, за обедом он сказал сидевшему вправо от него приятелю: «Бьюсь о заклад, что у моего соседа слева фальшивые икры[1], он такой сухой, не может быть, чтобы у него были круглые икры; погодите, я уверюсь в этом.

С этими словами он нагнулся, как будто что-то поднимая, и воткнул вилку в икру соседа. После обеда тот встал и, ничего не подозревая, преспокойно прохаживался с вилкою в ноге. Корсаков указал на это своему приятелю, и оба они много смеялись. Эта шутка могла бы также подать повод к большой неприят-

---

[1] В то время носили шелковые чулки и подкладывали подушки, когда собственные икры были тонки *(примеч. Н.А. Огаревой-Тучковой).*

ности, но, к счастью, один из служителей клуба ловко выдернул вилку из ноги господина, не успевшего заметить эту проказу».

Подобные «шалости» позволяли себе не только мужчины, но и дамы. Об одной из них рассказывает Е.Ю. Хвощинская: «Одна из дам петербургского большого света возымела желание приблизиться к императрице и для этой цели притворилась обожающею бабушку Потемкину и не покидала ее почти ни на минуту. Она сделалась необходимым для Татьяны Борисовны существом, сопровождавшим ее всюду, конечно, также и во дворец. Обладая умом, красивой наружностью, необыкновенно живым характером, она всем нравилась, и государыня ее полюбила. Между прочим, она была страшная шалунья и любила шутить, устраивая разные проказы, так например: когда у Татьяны Борисовны бывали духовные лица, она с ними вела разговоры, совершенно неподобающие их сану и положению, и ставила в тупик, смущала их, а Татьяну Борисовну удивляла, беспокоила и сердила».

О распространившейся среди женщин моде употреблять «несовершенно приличные слова» писал граф В.А. Соллогуб: «Несколько женщин, умных и прекрасных, вздумали как-то пошалить несовершенно приличными словами, но все-таки прикрытыми очарованием ума и красоты. Казалось, посмеяться и кончить; совсем нет. Большая часть наших дам, которые живут для подражательности в чем бы ни было, в прическе, в вальсе, в разговорах, тотчас же пустились, наперерыв одна перед другой, говорить вслух странности и всенародно, без зазрения совести, так что иногда в наших гостиных раздаются изречения толкучего рынка, и путешественник удивляется невольно принятому в Европе заблуждению, что наши женщины так отлично воспитаны. Это нововведение, нигде не существующее. Стыдливость и скромность будут всегда лучшим украшением прекрасного пола...»

В 10 — 20-е годы XIX столетия «плохо понятая англомания была в полном разгаре». Дерзость обращения становится визитной карточкой русского денди. Поведение, типичное для русского денди, описывает М. Назимов в своих воспоминаниях о жизни нижегородских дворян: «Помню, один раз явился какой-то приезжий петербуржец и подошел к хозяйке, которая и протянула ему руку для целования, но он взял ее, низко поклонился и отошел. Представьте, какой конфуз для хозяйки. Конечно, эта заносная, единичная выходка произвела только неудовольствие, по пословице: «со своим уставом в чужой монастырь не ходи», и прежний обычай оставался еще долго в Нижнем».

С англоманией прочно входит в обиход понятие «светского льва». Критикуя англоманов в очерке «Лев и шакал», Ф. Булгарин пишет: «Лев всегда является последним и заставляет ждать себя. В старину, когда господствовала чисто французская мода с ее вежливостью, надлежало подходить с какою-нибудь милою фразою к хозяйке дома, подарить ласковым словцом хозяина и приветствовать всех гостей. У нас, на святой Руси, весьма долго еще велся обычай целовать ручку хозяйке и важнейшим дамам. Теперь дама вам бы не дала руки и провозгласила вас вандалом, если б вам вздумалось обратиться к старому обычаю. Теперь приветствуют хозяйку только взглядом, и если Лев, ее родственник или близкий знакомый, домашний друг, то берет хозяйку за руку, и пожимает, как в старину делалось за кулисами, с танцорками. Хозяину довольно и одного знака головою, в доказательство, что он замечен Львом! На прочих гостей Лев только озирается: этим заменяется прежнее приветствие. Комплиментарных прелюдий к разговору, как бывало в старину, ныне нет никаких. Теперь начинают разговор прямо с середины, так, что со стороны, когда не знаешь дела — вовсе непонятно.

Если б в старину кто-нибудь вошел в комнаты с

тростью, то лакей напомнил бы ему, что он, вероятно, забылся. Теперь входят с тростью в парадные комнаты — чтоб пощеголять набалдашником!!!»

Демонстративный отказ от светских условностей был характерен и для военной молодежи. По словам Ф. Булгарина, «характер, дух и тон военной молодежи и даже пожилых кавалерийских офицеров составляли молодечество или удальство».

Примечательно свидетельство француза Ипполита Оже: «После смотра наша рота отправилась на гауптвахту Зимнего дворца, где офицерам, как гостям, всегда было очень хорошо. В это время там содержался под арестом уланский офицер, барон Николай Строганов, известный в Петербурге по своим сумасбродствам и выходкам. Так как в Петербургском гарнизоне служили самые знатные и богатые молодые люди, то неудивительно, что некоторые из них как бы нарочно выставляли напоказ все пороки, свойственные их природе и среде».

Светское общество во всем винило Наполеона. «Проклятый Бонапарт опять заварил кашу, — сообщала в 1815 году в письме княгиня Хилкова. — Сколько надо потерять голов, чтоб расхлебать ее! Из штатской службы не велено принимать в военную; наши молодые люди и так уже испортились Парижем, а теперь, как в другой раз побывают, так и Бог знает, что будет. Вы не поверите, любезный друг, что нынче молодежь считает за тягость быть в порядочных домах, а все таскаются по ресторациям, т. е. по трактирам, бредят Парижем, обходятся с дамами нахально и уверяют, что нет ни одной, которая бы не согласилась на предложения подлые мужчины, ежели только мужчина примет на себя труд несколько дней поволочиться за ней. И этому всему мы одолжены мерзкому Парижу. Правда, что есть и у нас, которые тщеславятся тем, что в поведении не уступают парижским».

Штатские молодые люди, глядя на своих армейских товарищей, также приобщались к кутежам, ночным походам по улицам, поздним попойкам в ресторанах.

По словам Ю.М. Лотмана, «дворянское поведение» как система не только допускало, но и предполагало определенные выпадения из нормы».

«Буянство, хотя и подвергалось наказанию, но не почиталось пороком и не помрачало чести офицера, если не выходило из известных, условных границ», — свидетельствует Ф. Булгарин.

Замечание Ф. Вигеля касается поведения штатских: «Излишняя смелость нынешних молодых людей в знатных салонах была ничто в сравнении с их наглостью. Пожилые люди и женщины, вероятно, смотрели на то как на неизбежное последствие распространившегося образования».

Таким образом, если нарушение правил приличия «не выходило из известных, условных границ», общество в целом смотрело на это снисходительно.

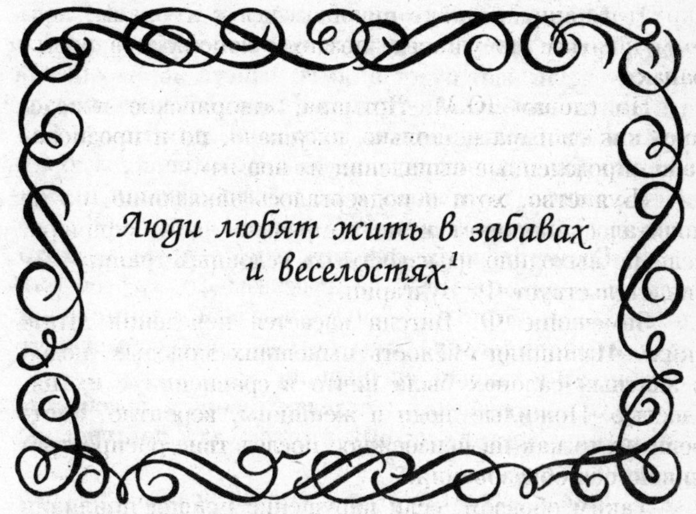

Люди любят жить в забавах и веселостях[1]

Наряду с многочисленными руководствами по этикету и «наставлениями» отцов и матерей к чадам появлялись и сочинения «пародического характера», как например, «Наставления сыну, вступающему в свет»[2] и «Правила погарского благородного собрания»[3].

«Между бумагами и библиотекою покойного Михаила Ивановича Галецкого найдено довольно рукописей его собственной руки, в числе коих и правила, написанные для погарского собрания:

1817 года ноября 26 дня. Черниговской губернии Стародубского уезда, в заштатном городе Погаре в доме корнета Петра Владимировича Соболевского устроено было благородное собрание — на следующих правилах:

---

[1] Наука общежития нынешних времян в пользу благородного юношества. — Спб., 1793, с. 85.

[2] Сын отечества. — 1817, ч. 38, № 20, с. 17 — 24.

[3] Киевская старина. — 1888, № 11, с. 68 — 72.

1. Благородный Погарец, войдя в собрание, должен снять с себя в передней комнате шубу, шапку и кенги, ежели одет будет в оных, очистя порядочно нос и с платья шубную шерсть, и с лица обтереть пот, не стуча и не шархая ногами, входить в залу тихо и благопристойно, вошедши поклонитца публике, избрать место, никого не толкать и не желать здравия и к дамам не подходить к ручке.[1]

2. Громогласно не говорить и по пустому не хохотать, неверных вестей не рассказывать, а говорить дозволяется о торговле пеньки, масла и о займе денег, да и то по тихоньку, дабы не наскучать неимеющему надобности в таковой спекуляции

3. О политических же делах говорить в собрании вовсе запрещаетца, потому что оне для погарцев неудобопонятны.

4. Ежели случитца быть с кем во вражде, то рекомендуетца таковым лицам близко один к другому не сходитца и не садитца.

5. Желающий быть в собрании должен чисто выбратца в мундир или кафтан, штаны или панталоны иметь на помочах и не иметь на ногах обуви дегтянаго ремня.

6. По зале, заложа назад руки не расхаживать, а старатца избрать место и сидеть на стуле или канапе, отнюдь не разваливаясь и не протягивая ноги и не кладя (их) на вкрест с уважения к обществу, а в особенности к дамскому полу.

7. Желающему быть в собрании запрещаетца того дня в пищу употреблять редьку и чеснок, дабы в собрании не рыгать, хотя сия пища и почитаетца в (у) Погарцев во время поста за лакомство, но как от сего произрастения бывает дурной и несносной запах особенно для дамскаго пола.

---

[1] Здесь и далее орфография и синтаксические особенности источников сохранены.

8. В собрании в карты играть дозволяетця, только в коммерческия игры, но при козыряньи не стучать об стол крепко руками, а ежели случитца кому проигратця, от чего Боже сохрани, то на судьбу не роптать, а неленивo расплатитця, и не надеятьця отигратьця.

9. Иметь в запасе в кармане в капшучке или кошелке мелкую серебряную монету, дабы за взятое с бухвета зараз расплатитця, избегая стародавних погарских обычаев оттовариватця неимением при себе денег, когда потребуют должного, тогда сердитця и ругатця.

10. А как во время погарской никольской ярманки греки для продажи привозят разные вина и погарцы любят пробовать, от каковых происходят разные безчинства, ссора, драка и падение на пол, желающему быть в собрании рекомендуетця от таковых проб воздержатця, ибо замечено, что пьянаго фигура в начале для общества бывает и забавна, но под конец несносна, отвратительна и омерзительна, особенно для дамскаго пола.

11. Ежели случитця у кого чих, то таковому здравия нежелать, ибо замечено, что от сего чихающему нет никакой пользы, а толко его безпокоют, да и обществу нет забавы.

12. В собрании трубку или люльку курить позволяетця, но только в особенной горнице, но не выпущая со рта много дыму и не плюя часто на пол и не выкидывая с трубки или люльки на пол или окошки перегорелаго табаку.

13. Табакерку или рожок с табаком и носовой платок по диванам, стульям, столам не бросать, а иметь в кармане, для чего портные прышивают к платью.

14. Дабы не произвести в собрании дремоты и зевоты дозволяетця в бухвете выпить водки или пуншу, но только умеренно и на наличныя деньги.

15. За все взятое и разбитое в бухвете, не выходя

с собрания, зараз должен расплатитця, не откладывая до завтрего и не оставатца в долгу за карты прислуге.

16. Носа не очищать руками, а за столом в салфетку, а иметь носовой платок в кармане.

17. Танцовать дозволяетця, но только в перчатках и чтобы руки были чисто вымыты мылом, в контрданце или екосесе не пристукивать крепко ногами и не присвистывать, а любимые погарские танцы: метелицу, горлицу, дудочку, голубца, дергунца танцовать запрещаетця, как сии танцы употребляемые одними простолюдинами, козачка танцовать можно, но не стуча крепко ногами и не разваливаясь, а комарицкаго без припеву слов.

18. Ежели в танцах случилось бы нечаянно наступить на ногу, то тотчас же просить извинения, ибо по тесноте дому соображения неизбежно сие может случитця.

19. Собранию время не назначаетця к разъезду, а каждый может быть по своему произволу, ежели хто пожелает отправитця во свояси, то выходить тихо, не подходя к дамам к ручке и не желая спокойной ночи, ибо о ноче и думать нихто не должен, в передней горнице не шуметь, и старатця не взять чужой вместо своей шубы или шапки, а ежели бы сие случилось в ошибке, то на другой день рано прислать в залу собрания.

20. Выходя с собрания, идти не посредине улицы, а близ забора, дабы от неискусства в езде погарских кучеров не получить оглоблею удара у спину.

Предостерегательныя правила:

Пред собранием за день рекомендуетця для очищения желудка принять порядочный прием кубебы или алеюсу, настоеннаго в водке.

Ежели кому встретитця нужда для и... то сие делать не посредине двора, и м. спущать не на крыльце, и осмотретця: все ли в штанах защебнуты пуговицы и не замочен ли бант и нет ли чего в сапогах, чтобы не принести в залу собрания...

Наставление сыну, вступающему в свет

1. Вступая в свет, первым себе правилом поставь никого не почитать.

2. Не имей уважения ни к летам, ни к заслугам, ни к чинам, ни к достоинствам.

3. В какое бы общество не вступил, ежели опасно показывать явное презрение, то по крайней мере старайся всеми поступками показывать, что ты презираешь. Это заслужит тебе от всех любовь и уважение.

4. Отнюдь ничему не удивляйся, ко всему изъявляй холодное равнодушие, разве как нибудь речь коснется до тебя самаго и твоих качеств — тогда нежною улыбкою дай почувствовать, что ты себе цену знаешь.

5. В разговорах старайся ясными доводами доказать, что люди прежде родившиеся ничего не стоили, жить не умели, и что утонченный вкус с тобою и тебе подобными на свет появился.

6. Ни к чему не привязывайся и объявляй то громогласно, а давай только разуметь, что обожаешь одно изящное. Но в чем оно состоит, никому не сказывай, да и сам не знай.

7. Дома не сиди, и как можно менее полезным занимайся; возложенную на тебя должность исполняй, как через пень колоду валят — тверди всем, что она не сносна, тягостна и унижает твои дарования. Библиотеку имей, полки сделай пошире; глубокомыслящих авторов выставь на показ наперед, за ними поставь чепуху и нелепости, почаще последних вытаскивай; у первых наверно сбережешь переплет — это очень нужно.

8. Везде являйся, но на минуту. Во все собрания вози с собою разсеянис, скуку; в театре зевай, не слушай ничего; на балах потягивайся, растянись на диване, давай чувствовать, что тебе не было времени отдохнуть.

9. В беседах, давай сильно чувствовать, что ты

разсеян и занят мыслями вышняго понятия, а между тем можешь думать о мыльных пузырьках.

10. Ежели кто изъявит свое мнение, отнюдь не соглашайся: согласие с мнением другаго прилично посредственным умам. Объяви то громогласно и на отрез. Ежели тебе сделают возражение и у тебя нет в запасе готовых мыслей — пожми плечами — изкоса посмотри — противник твой невежа.

11. Суди обо всем: о военных, о статских, даже о государственных делах; но берегись, не хвали ничего; осуждай все и давай чаще чувствовать, что все лучшее идет в других Государствах. Сим докажешь большие свои виды и глубокомыслие.

12. Ежели где заговорят про твое отечество и нечаянно станут описывать промышленность, произрастения или местоположение какой-либо Губернии — молчи как щука — лучше врать про чужия земли и знать, что делается за тридевять земель, нежели ведать твердо, что у нас есть дома хорошаго.

13. Ежели хочешь что приобресть, ищи всеми силами. Между тем скрывай свои желания и показывай совершенное равнодушие; употребляй все способы, чтоб желаемое достать — получив, оказывай тотчас презрение. Чины, ленты, почести, все скрывай осторожно, но так, чтоб всяк их мог приметить. Это знак скромности, и сильное над знатоками делает впечатление.

14. При входе в дом не кланяйся, кивни головой хозяйке, изредка можно даже хозяину — с прочими тут встретившимися родней или коротко знакомыми поступай, как бы их вовсе незнал. Сие весьма нужно наблюдать, ибо означает вежливость и добродушие. Ежели с кем начнешь речь, никогда не кончи. На вопросы не отвечай или дай полответа, смотря по обстоятельствам. Это означает большое глубокомыслие.

15. Ежели позовут тебя на бал, приезжай как можно позже, войди громче; со всею скромностию умей так делать, чтоб все твой вход заметили. Дай как

можно сильнее почувствовать, что веселость и прыгание надоели. Ежели хозяйка по усильным просьбам и решит тебя войти в танцы, то протанцуй один раз как сонной и против воли — но ежели ты так счастлив, что имеешь право носить шпоры, старайся всеми мерами зацепить и вырвать клок из платья. О ты будешь интересен!

16. С порядочными женщинами отнюдь не вступай в разговоры — что с ними связываться? Вообще дай разуметь, что женщин не любишь, презираешь, молодых девушек толкай — скажи хотя одной хорошенькую грубость — то будешь прелестен.

17. Ежели изволишь развеселиться и захочешь быть отменно любезен, заговори про свои занятия; разскажи, где обедал, у Жискара, Эме и проч., где что скушал, выпил, сколько заплатил и кушал в долг, скажи цену в двое. Это очень интересно.

18. Долгов своих отнюдь не плати, ежедневно приобретай новые. Долги красят молодость. В карты играй, но будь исправен: карты суть священный долг — прочие твои кредиторы много тебе обязаны, что тебя одолжали; они для того и созданы, чтоб служить своею промышленностию тебе.

19. Притворяйся, что не знаешь родства. Ежели паче чаяния и останется еще слабость в твоем сердце, то всеми мерами старайся ее скрыть пред товарищами своими.

20. Одевайся опрятно, собирай для своей одежды что есть лучшаго в лавках, то есть когда кажешься в люди; дома же будь неопрятен, неумыт. Все мебели, за дорогую цену в долг взятыя, должны быть замараны; все в доме разбросано, покрыто для сбережения густою пылью. Это покажет твое безкорыстие и непривязанность к мирским суетам.

21. Ежели ты был в сражении, тверди о том безпрестанно. На твоем фланге только дело и делалось — прочие все ничто. Реши, бей, атакуй, бери в полон. —

Командиры твои были олухи; ежелиб ты командовал годом ранее, то тогда же бы мир заключили; естьли ты получил рану, не худо казаться тебе совершенно израненным; ведь не больно две, три раны после сражения прибавить.

22. Ежели заговорят о книге, которой ты не читал или про которую не слыхал, что все равно, то улыбнись, скажи, что ты ее знаешь и тотчас перемени разговор.

23. Вообще, любезный сын, удаляйся от сообщества молодых людей, отдаленных от сих правил: они нехотя заставят тебя покраснеть, а краснеть ныне великим умам не прилично.

24. Вообще страшись привязанности: она может тебя завлечь, соединить судьбу твою с творением, с которым все делить должно будет: и радости и горе. Это вовлечет в обязанности, в должности, в хлопоты, а ты рожден для наслаждения и должен быть волен как воздух. Обязанности суть удел простых умов; ты стремись к высшим подвигам.

Вот, любезный сын, несколько общих правил, которыя старайся вперить в своей памяти. Не могу тебе дать оных на все случаи, в жизни встретиться могущие; но надеюсь, что последуя им во всей точности, ты столько укрепишь свой разсудок, что без правил найдешься и будешь в молодости всеми любим, в зрелых летах почтен и способен на всякую службу отечеству, и наконец приготовишь себе почтенную и достойную старость в собственное свое утешение и успокоение всех от тебя зависящих.

N. N.

Культура застолья пушкинской поры

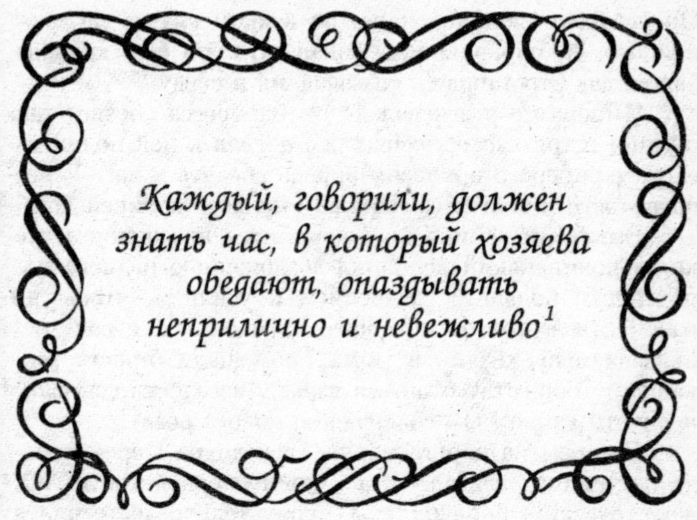

Петровские преобразования привели к коренной смене кулинарных традиций и обычаев страны. По словам современника, «во всех землях, куда проникает европейское просвещение, первым делом его бывают танцы, наряды и гастрономия». Изменился не только набор блюд, но и порядок еды. В начале XIX века многие дворяне еще помнили время, когда обед начинался в полдень.

Император Павел I пытался приучить своих подданных обедать в час.

Интересен рассказ графини Головиной:

«Однажды весною (это случилось перед отъездом на дачу), после обеда, бывшего обыкновенно в час, он (Павел I — *Е. Л.*) гулял по Эрмитажу и остановился на одном из балконов, выходивших на набережную.

---

[1] Записки Я.И. де Санглена. — Русская старина, 1882, декабрь, с. 455.

Он услыхал звон колокола, во всяком случае не церковного, и, справившись, узнал, что это был колокол баронессы Строгановой, созывавший к обеду.

Император разгневался, что баронесса обедает так поздно, в три часа, и сейчас же послал к ней полицейского офицера с приказом впредь обедать в час. У нее были гости, когда ей доложили о приходе полицейского.

Все были крайне изумлены этим посещением, но когда полицейский исполнил возложенное на него поручение с большим смущением и усилием, чтобы не рассмеяться, то только общее изумление и страх, испытываемый хозяйкой дома, помешали присутствовавшему обществу отдаться взрыву веселости, вызванному этим приказом совершенно нового рода».

Во времена царствования Александра I время обеда постоянно сдвигалось, а к концу первой трети XIX века русский порядок еды окончательно вытеснился европейским. Император Павел I почти всегда обедал в одно и то же время («в час по полудни»), чего нельзя сказать об Александре I. Красноречиво свидетельствуют об этом записи в «Камер-фурьерском церемониальном журнале»:

«В половине 3-го часа ИХЪ ИМПЕРАТОРСКИЯ ВЕЛИЧЕСТВА изволили иметь обеденный стол в Зеркальной зале в 23-х кувертах» (запись от 28 июля 1801 г.).

«В начале 4-го часа соизволили ИХЪ ВЕЛИЧЕСТВА выход иметь в Зеркальный зал за обеденный стол» (запись от 24 августа 1802 г.).

«В начале 5-го часа ИХЪ ВЕЛИЧЕСТВА за обеденным столом изволили кушать в Столовой...» (запись от 22 мая 1810 г.)

В годы, непосредственно предшествующие войне с

Наполеоном, вспоминает Д.Н. Бегичев, «обедывали большею частью в час, кто поважнее в два, и одни только модники и модницы несколько позднее, но не далее как в 3 часа. На балы собирались часов в восемь или девять, и даже самые отличные франты приезжали из французского спектакля не позднее десяти часов».

Еще в 90-е годы XVIII века доктора «единогласно проповедовали, что и 3 часа за полдень в регулярной жизни для обеда несколько поздно, а четырех часов в отношении к здоровью они почти ужасались!» Однако несмотря на предостережения докторов, после войны обед «почти везде начался в 3 часа, а кое-где и в три часа с половиною».

Щеголи приезжали на балы за полночь. Ужин после бала проходил в 2 — 3 часа ночи.

Г.Т. Северцев, автор очерка «С.-Петербург в начале XIX века», напечатанного в журнале «Исторический вестник» за 1903 год, отмечает: «В высшем обществе день начинался рано; в 10 часов вставали, обед происходил обыкновенно в 4 — 5 часов. <...> Жизнь среднего круга значительно разнилась от высшего. Здесь обедали в 3 — 4 часа...»

Таким образом, как и в первое десятилетие XIX века, так и в 20 — 30 годы знать обедала на час, а то и на два часа позже среднего дворянства. Кроме того, распорядок дня петербургской знати отличался от распорядка дня москвичей.

Москвичка Варвара Петровна Шереметева, приехавшая в Петербург в 1825 году, записывает в дневнике: «Вот Федя с нами обедал в 2 часа, это в Петербурге необыкновенно рано и нигде не обедают...»

«В Петербурге утро не такое, как в Москве: выезжают в 4 часа к обеду...» — сообщает в 1813 году княжна В.И. Туркестанова Фердинанду Кристину.

В отличие от Москвы, Петербург был городом деловых людей. По словам А.Я. Булгакова, «здесь все с утра до ночи работают, пишут, не с кем побалагурить».

«В Петербурге, — вспоминает В.И. Сафонович, — назначение дня для приемов считалось необходимостью, что представлялось удобным для того, чтоб желающие видеться не ездили даром к друг другу, а были уже уверены, что застанут дома; да и хозяевам лучше посвятить для приемов один день в неделю, нежели принимать каждый день и не быть никогда покойным».

В Петербурге было не принято являться к обеду задолго до назначенного часа. Этот обычай москвичам казался предосудительным, о чем читаем в «Записках» Д.Н. Свербеева:

«В досужее от празднеств время собирались иногда ко мне прежние мои московские приятели и товарищи по университету вечером на чашку чая, а иногда и пообедать, и не без насмешек замечали некие мои нововведения в тогдашнем домашнем быту по подражанию иноземным обычаям.

Так, многие, не замечая привешенного к наружному подъезду колокольчика, стучались руками и ногами в дверь и уже готовы были ее вышибить, или обращались к окнам, которых чуть не разбивали вдребезги. Такое удобство, давно уже введенное в Петербурге, в старушке Москве было еще не знакомо.

<...> На предлагаемый им скромный обед попреков они, впрочем, не делали, сердились же только за назначение для обеда позднего часа и оскорблялись, если кто-нибудь из них заберется ко мне за час до обеда и не застанет меня дома...»

Поскольку время обеда сместилось к 5 — 6 часам, отпала необходимость в обильном ужине. Журнал «Московский курьер» за 1805 год в рубрике «Парижские известия» сообщает: «Обедают здесь в пять часов по полудни и совсем не ужинают: ужин, говорят, расстраивает желудок и — карман, я думаю, не худо прибавить».

В периодическом издании «Дух журналов» за 1815 год опубликованы «Письма из чужих земель одного русского путешественника». В одном из них, с пометкой «Лондон, 13 сентября 1814 год», автор пишет: «Еще надобно вам сказать, что здесь только один раз кушают, а никогда не ужинают, разве слегка чего-нибудь перекусят. Но, как здесь завтракают дважды (в первый раз как встанут, чай с тостами; а во второй раз часу в первом посытнее; обедают же поздно часов в шесть, а в 10 часов ввечеру опять чай пьют с тостами), то ужин и не нужен: я так к этому привык, что думаю ничего не может быть натуральнее».

Этот европейский обычай находит своих сторонников и в России. Архитектор В.А. Бакарев, работавший в усадьбе князя Куракина в 1820—1828 годах, вспоминает: «В отношении хлебосольства оно было в полной мере русское. Ежедневный обед — ужина никогда не бывало — начинался во всякое время года в три часа...»

Академик живописи Ф.Г. Солнцев в своих воспоминаниях «Моя жизнь и художественно-археологические труды» рассказывает о том, какой распорядок дня господствовал в Приютине, имении президента Академии художеств А.Н. Оленина:

«Гостить у Олениных, особенно на даче, было очень привольно: для каждого отводилась особая комната, давалось все необходимое и затем объявляли:

в 9 часов утра пьют чай,
в 12 — завтрак,
в 4 часа — обед,
в 6 часов полудничают,
в 9 — вечерний чай;

для этого все гости сзывались ударом в колокол; в остальное время дня и ночи каждый мог заниматься чем угодно...»

Примечателен рассказ Н. Дуровой из ее воспоминаний «Год жизни в Петербурге»:

«Александр Сергеевич (Пушкин — *Е. Л.*) приехал звать меня обедать к себе:

— Из уважения к вашим провинциальным обычаям, — сказал он, усмехаясь, — мы будем обедать в пять часов.

— В пять часов?.. в котором же часу обедаете вы, когда нет надобности уважать провинциальных привычек?

— В седьмом, осьмом, иногда и девятом.

— Ужасное искажение времени! Никогда б я не мог примениться к нему.

— Так кажется; постепенно можно привыкнуть ко всему.

Пушкин уехал, сказав, что приедет за мною в три часа с половиною».

Обедом даже называли прием пищи в ночные часы. «Обедали мы ровно в полночь, а беседа и разговоры наши продолжались почти до утра», — читаем в «Воспоминаниях» А.М. Фадеева.

И все-таки в Москве европейские обычаи не прижились так, как в Петербурге. Иностранные путешественники сходились в едином мнении: в Москве резче выражен национальный характер, а в Петербурге жители менее держатся своеобразия в образе жизни.

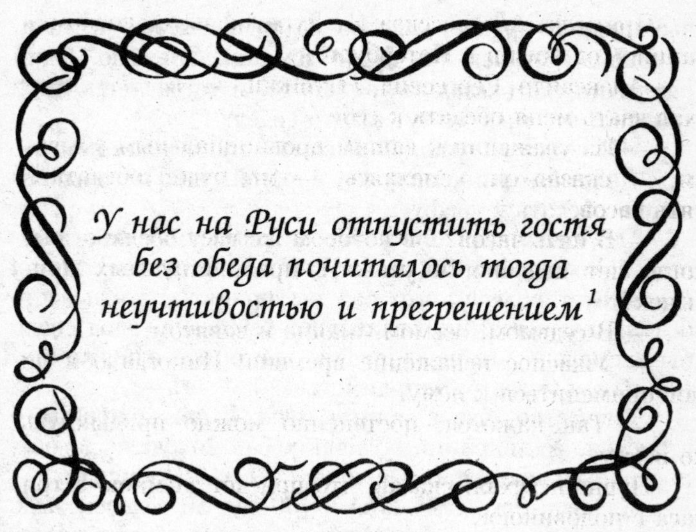

Все иностранные путешественники отмечают необычайное гостеприимство русских дворян.

«В то время гостеприимство было отличительной чертой русских нравов, — читаем в «Записках» француза Ипполита Оже. — Можно было приехать в дом к обеду и сесть за него без приглашения. Хозяева предоставляли полную свободу гостям и в свою очередь тоже не стеснялись, распоряжаясь временем и не обращая внимания на посетителей: одно неизбежно вытекало из другого.

Рассказывали, что в некоторых домах, между прочим, у графа Строганова, являться в гостиную не было обязательно. Какой-то человек, которого никто не знал по имени, ни какой он был нации, тридцать лет сряду аккуратно являлся всякий день к обеду. Неизбежный гость приходил всегда в том же самом чисто

---

[1] Записки Ф.Ф. Вигеля. — М., 1892, ч. V, с. 132.

вычищенном фраке, садился на то же самое место и, наконец, сделался как будто домашнею вещью. Один раз место его оказалось не занято, и тогда лишь граф заметил, что прежде тут кто-то сидел.

«О! — сказал граф, — должно быть, бедняга помер».

Действительно, он умер дорóгой, идя по обыкновению обедать к графу».

По словам французской актрисы Фюзиль, жившей в России с 1806 по 1812 годы, «в русских домах существует обычай, что раз вы приняты, то бываете без приглашений, и вами были бы недовольны, если бы вы делали это недостаточно часто: это один из старинных обычаев гостеприимства».

«Известно, что в старые годы, в конце прошлого столетия, гостеприимство наших бар доходило до баснословных пределов, — пишет П.А. Вяземский. — Ежедневный открытый стол на 30, на 50 человек было дело обыкновенное. Садились за этот стол, кто хотел: не только родные и близкие знакомые, но и малознакомые, а иногда и вовсе незнакомые хозяину».

Обычай принимать всех желающих «отобедать» сохранился и в начале XIX века. По словам Э.И. Стогова, в доме сенатора Бакунина «всякий день накрывалось 30 приборов. Приходил обедать, кто хотел, только дворецкий наблюдал, чтобы каждый был прилично одет, да еще новый гость не имел права начинать говорить с хозяевами, а только отвечать. Мне помнится, что лица большею частью были новые. <...> После обеда и кофе незнакомые кланялись и уходили».

На 30 человек в будние дни был обед и у графа А.И. Остермана-Толстого. «С ударом трех часов подъезд запирался, — вспоминает Д.И. Завалишин, — и уже не принимали никого, кто бы ни приехал. В воскресенье стол был на 60 человек, с музыкой и певчими, которые были свои; обедали не только в полной форме, но и шляпы должны были держать на коленях...»

К числу причуд хозяина «относилось еще и то, что у него в обеденной зале находились живые орлы и вы-

дрессированные медведи, стоявшие во время стола с алебардами. Рассердившись однажды на чиновничество и дворянство одной губернии, он одел медведей в мундиры той губернии».

Не столь многолюдны были «родственные» и «дружеские» обеды. «К обеду ежедневно приезжали друзья и приятели отца, — рассказывает сын сенатора А.А. Арсеньева, — из которых каждый имел свой *jour fixe*[1]. Меньше 15 — 16 человек, насколько я помню, у нас никогда не садилось за стол, и обед продолжался до 6-ти часов».

Суеверные хозяева строго следили, чтобы за столом не оказалось 13 человек. Вера в приметы и суеверия была распространена в среде как помещичьего, так и столичного дворянства.

«Батюшка мой, — пишет в «Воспоминаниях о былом» Е.А. Сабанеева, — был очень брезглив, имел много причуд и предрассудков <...>, тринадцати человек у нас за столом никогда не садилось».

В эту примету верил и близкий друг А.С. Пушкина барон А.А. Дельвиг. По словам его двоюродного брата, «Дельвиг был постоянно суеверен. Не говоря о 13-ти персонах за столом, о подаче соли, о встрече с священником на улице и тому подобных общеизвестных суевериях».

Не менее дурным предзнаменованием считалось не праздновать своих именин или дня рождения.

Приятель Пушкина по «Арзамасу», знаток театра, автор популярных «Записок современника» С.П. Жихарев писал: «Заходил к Гнедичу пригласить его завтра на скромную трапезу: угощу чем бог послал. <...> Отпраздную тезоименитство свое по преданию семейному: иначе было бы дурное предзнаменование для меня на целый год».

«Итак, мне 38 лет, — сообщает в июле 1830 года

---

[1] Определенный день *(фр.)*.

своей жене П.А. Вяземский. — <...> Я никому не сказывал, что я родился. А хорошо бы с кем-нибудь омыться крещением шампанского, право, не из пьянства, а из суеверия, сей набожности неверующих: так! Но все-таки она есть и надобно ее уважить».

Побывавший в конце XVIII века в России француз Сегюр не без удивления отмечает: «Было введено обычаем праздновать дни рождения и именин всякого знакомого лица, и не явиться с поздравлением в такой день было бы невежливо. В эти дни никого не приглашали, но принимали всех, и все знакомые съезжались. Можно себе представить, чего стоило русским барам соблюдение этого обычая; им беспрестанно приходилось устраивать пиры».

Отец легендарных почтдиректоров Я.И. Булгаков жалуется в письме к сыну: «Вот уже целая неделя, что я не обедаю дома, ужинаю в гостях, присутствую на балах, ибо не могу <отказать>, и возвращаюсь домой после полуночи. <...> Причиною сему Катерины: их столько много, что нет фамилии без Катерины...»

Чиновный люд, «под страхом административных взысканий», спешил в день именин поздравить начальство. В «Записках» А.К. Кузьмина содержится любопытный рассказ о том, как отмечал свои именины в 30-е годы прошлого столетия губернатор Красноярска: «К почетному имениннику должно было являться три раза в день. В первый раз — в 9 часов утра с поздравлением, и тут хозяин приглашает вас обедать или на пирог: пирог — тот же обед, только без горячего, с правом садиться или не садиться за стол. В два часа пополудни вы приезжаете на пирог или к обеду и, поевши, отправляетесь домой спать, а в 8 часов вечера гости собираются в третий раз: играть в карты и танцевать до бела света. Дамы приезжают только на бал, а к обедам не приглашаются».

Званые обеды отличались от ежедневных не только количеством гостей, но и «множеством церемоний». Попытаемся поэтапно воспроизвести весь ход званого обеда.

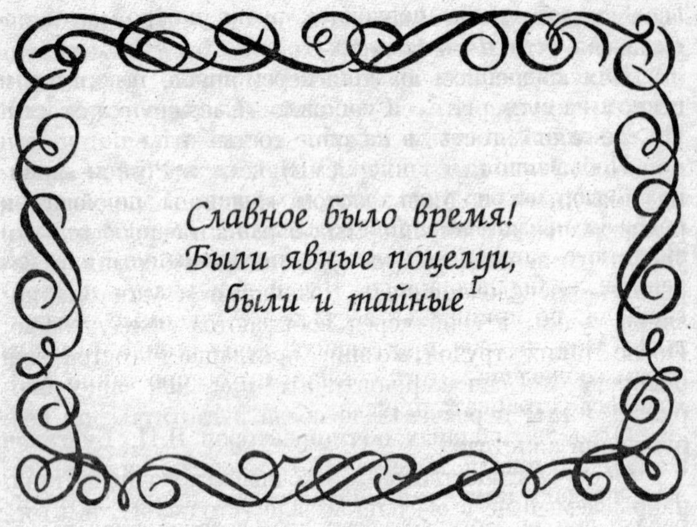

Сохранились многочисленные свидетельства о том, как приветствовали друг друга хозяева и гости, приглашенные на обед, ужин, вечер или бал.

«Теперь я хочу рассказать, каким образом приветствуют друг друга мужчина и женщина. Дама подает вошедшему джентльмену руку, которую тот, наклонясь, целует, в то же самое время дама запечатлевает поцелуй на его лбу, и не имеет значения, знаком ли ей мужчина или нет. Таков тут обычай здороваться, вместо наших поклонов и реверансов» *(из письма М. Вильмот)*.

«Всякая приезжающая дама должна была проходить сквозь строй, подавая руку направо и налево стоящим мужчинам и целуя их в щеку, всякий мужчина обязан был сперва войти в гостиную и обойти

---

[1] Ващенко-Захарченко А.Е. Мемуары о дядюшках и тетушках. — М., 1860, с. 183.

всех сидящих дам, подходя к ручке каждой из них» (*из «Записок» Ф.Ф. Вигеля*).

Еще подробнее об этом церемониале говорится в воспоминаниях Н.В. Сушкова: «Съезжаются гости. <...> каждый гость и каждая гостья кланяются или приседают при входе в приемную, на восток и запад, на полдень и полночь; потом мужчины подходят к ручке хозяек и всех знакомых барынь и барышень — и уносят сотни поцелуев на обеих щеках; барыни и барышни, расцеловавшись с хозяйками и удостоив хозяина ручки, в свой черед лобызаются между собою. После таких трудов хозяин приглашает гостей для подкрепления сил пофриштикать[1] или, как чаще говорилось тогда, перекусить до обеда и глотнуть для возбуждения аппетита».

Обеду предшествовал закусочный (холодный) стол, накрываемый не в обеденной зале (столовой), а в гостиной. Иностранцам русский обычай сервировать закусочный стол в гостиной казался странным и необычным. Описание закусочного стола нередко встречается в записках иностранных путешественников.

Побывавшая на обеде у генерала Кнорринга мисс Вильмот сообщает в письме: «Когда мы приехали, то нас ввели в переднюю, где 30 или 40 слуг в богатых ливреях кинулись снимать с нас шубы, теплые сапоги и проч. Затем мы увидели в конце блестящего ряда изукрашенных и ярко освещенных комнат самого генерала, со старомодною почтительностью ползущего к нам навстречу <...>. Когда он поцеловал наши руки, а мы его в лоб, то провел нас через разные великолепные покои <...>, покуда мы дошли до закуски, т. е. стола, уставленного водками, икрою, хреном, сыром и маринованными сельдями...»

Подробное описание закусочного стола находим и

---

[1] От фр. *frichti* (кушанье, закуска).

в записках Астольфа де Кюстина о поездке по России в 1839 году:

«На Севере принято перед основною трапезой подавать какое-нибудь легкое кушанье — прямо в гостиной, за четверть часа до того как садиться за стол; это предварительное угощение — своего рода завтрак, переходящий в обед, — служит для возбуждения аппетита и называется по-русски, если только я не ослышался, «закуска». Слуги подают на подносах тарелочки со свежею икрой, какую едят только в этой стране, с копченою рыбой, сыром, соленым мясом, сухариками и различным печением, сладким и несладким; подают также горькие настойки, вермут, французскую водку, лондонский портер, венгерское вино и данцигский бальзам; все это едят и пьют стоя, прохаживаясь по комнате. Иностранец, не знающий местных обычаев и обладающий не слишком сильным аппетитом, вполне может всем этим насытиться, после чего будет сидеть простым зрителем весь обед, который окажется для него совершенно излишним».

Во Франции было принято сервировать закуски не в отдельной комнате (гостиной), а на подносах, которые подавались гостям прямо за столом. Этот французский обычай прижился и в некоторых русских домах.

Приведем свидетельство английского доктора-туриста, побывавшего в начале 40-х годов в имении А.В. Браницкой, Белой Церкви: «Чрезвычайно изумленный уже этой обстановкой, я был удивлен еще больше, когда подан был обед. Он начался с холодной ветчины, нарезанной ломтиками, которую обносили вокруг стола на большом блюде. За ветчиной последовал *pâté froid*[1], потом салат, потом кусок пармезанского сыра. Очень любя холодные обеды, я рад был

[1] Холодный пирог *(фр.)*.

поесть по своему вкусу и делал честь подаваемым вещам. Я ел бы всего больше, если б слушался только своего аппетита; но я заметил, что соседи мои по столу едва дотрагивались до подаваемых блюд, и я не хотел отставать от них, как вдруг, к неописанному моему удивлению, лакей принес на стол вазу с супом. В ту же минуту вошла графиня и села на свое место.

Какой же я был неуч и как я ошибся! Ветчина, пирог, салат и сыр, не говоря о шампанском и донском вине, не составляли обеда, а только как бы прелюдию к нему, предисловие и прибавление к работе более серьезной. Я был немного сконфужен своей ошибкой, тем более, что удовлетворил свой аппетит на мелочах, которые должны были только его пробудить».

Как пишет автор изданной в 1842 году «Энциклопедии русской опытной и сельской хозяйки...» В.П. Бурнашев, завтраки (слово «завтрак» часто употреблялось в значении слова «закуска») «не имеют целию утоление голода, но более возбуждение аппетита, и потому они должны состоять из вещей соленых и холодных жарких: из горячих кушаньев допускаются только бифстекс, котлеты и яица всмятку».

Интересно, что русский обычай сервировать закусочный стол в гостиной вошел в моду во Франции в 1860-е годы.[1]

[1] См.: Лотман Ю.М., Погосян Е.А. Великосветские обеды. — СПб., 1996, с. 74.

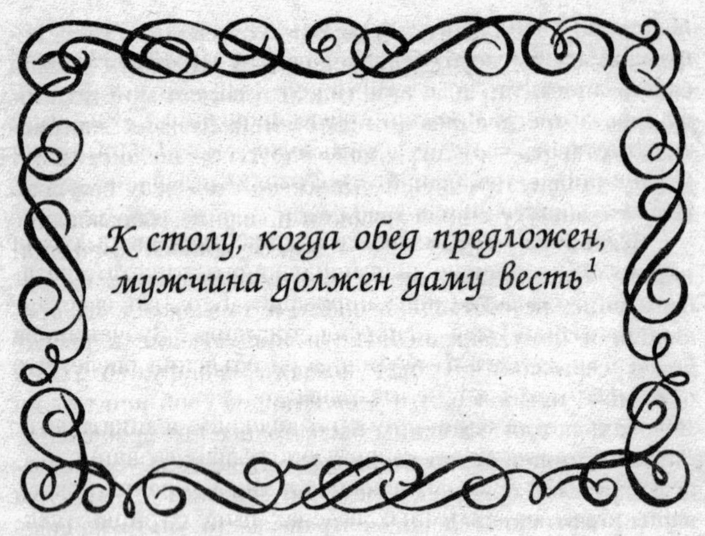

К столу, когда обед предложен, мужчина должен даму весть[1]

Особого внимания заслуживает форма приглашения к обеденному столу — реплика столового дворецкого.

«День рождения моего отца, 7-го числа февраля, как раз совпадал с временем самого разгара зимнего сезона, — вспоминает Ю. Арнольд. — Он праздновался преимущественно торжественным обедом. <...> Закуска сервировалась в большом зале. <...> Ровно в 5 часов <...> отец и матушка приглашали гостей к закуске, а через полчаса голос Никодимыча провозглашал громко: «Кушанье подано».»

Как считает В.В. Похлебкин, формула «Кушанье подано!» вошла в русскую драматургию благодаря В.Г. Белинскому, который предложил ее в пьесе «Пятидесятилетний дядюшка, или Странная болезнь». Это

---

[1] Филимонов В.С. Обед. — В кн.: Я не в Аркадии — в Москве рожден. — М., 1988, с. 159.

не означает, что он сам придумал данную реплику: из существовавших форм приглашения к столу Белинский выбрал самую простую и лаконичную. Не будем спорить с крупным знатоком истории русского застолья и не станем умалять заслуг В.Г. Белинского, хотя вряд ли существовали в быту столь уж «разнообразные» формы приглашения к столу.

«Дворецкий с салфеткою под мышкой тотчас доложил, что обед подан», — пишет неизвестный автор другу в Германию.

Белоснежная салфетка — неизменная деталь костюма столового дворецкого. «Ежедневно Никита Савич, обернув руку салфеткой, входил в гостиную в ту минуту, когда часы били два, и докладывал, что кушанье подано», — свидетельствует автор «Очерков прошлого» А. Чужбинский.

Следующим этапом обеденного ритуала было шествие гостей к столу.

«Когда собравшихся гостей в гостиной хозяин дома познакомит между собой, и доложено ему будет, что кушанье на столе, то встает он и, приглася посетивших в столовую, провожает их, идя сам впереди», — читаем в «Правилах светского обхождения о вежливости».

Молодой человек, присутствовавший на обеде у своего родственника, сенатора К., рассказывает в письме к другу: «Его превосходительство сам указал порядок шествия из зала в столовую, назначив каждому даму, которую ему надлежало вести к столу».

«Ровно в 5 часов <...> отец и матушка приглашали гостей к закуске, а через полчаса голос Никодимыча провозглашал громко: «Кушанье подано». Тогда отец и матушка предлагали почетным кавалерам вести к столу таких-то дам, а наипочетнейшего гостя сама матушка, равно как почетнейшую гостью отец, просили «сделать им честь» (*из «Воспоминаний» Ю. Арнольда*).

Старшая по положению мужа дама считалась

«почетнейшей» гостьей. Если на обеде присутствовал император, то он в паре с хозяйкой шествовал к столу. «Ужин был приготовлен в манеже, — рассказывает Е.П. Янькова о бале, который был дан Степаном Степановичем Апраксиным в честь приезда в Москву императора. — Государь вел к ужину хозяйку дома, которая-то из императриц подала руку Степану Степановичу, а великие князья и принцы вели дочерей и невестку...»

Под музыку шли гости «из гостиной длинным польским попарно, чинно в столовую». Польским, или полонезом, «церемониальным маршем», открывался также бал. По словам Ф. Листа, полонез «вовсе не был банальной и бессмысленной прогулкой; он был дефилированием, во время которого все общество, так сказать, приосанивалось, наслаждалось своим лицезрением, видя себя таким прекрасным, таким знатным, таким пышным, таким учтивым...» Действительно, во время шествия под музыку гости показывали себя, свой наряд, изящество манер и светскость.

«Каждый мужчина подставляет свой локоть даме, и вся эта процессия из 30 — 40 пар торжественно выступает под звуки музыки и садится за трехчасовое обеденное пиршество», — сообщала в письме к родным мисс Вильмот.

Большое значение придавалось убранству столовой. «Столовая должна быть блистательно освещена, столовое белье весьма чисто, и воздух комнаты нагрет от 13 — 16° R», — писал знаменитый французский гастроном Брилья-Саварен[1] в остроумной книге «Физиология вкуса», изданной в Париже в 1825 году.

П. Фурманн, автор «Энциклопедии русского городского и сельского хозяина-архитектора, садовода, землемера, мебельщика и машиниста» дает подробное

---

[1] В современных изданиях — Брийа-Саварен.

описание надлежащего интерьера столовой: «Столовая в богатом, великолепном доме должна иметь большую дверь, отворяющуюся на две половинки. Пол в столовой может быть паркетный; потолок с живописью, представляющей цветы, плоды и проч. По углам на пьедесталах вазы с цветами; по стенам бронзовые или чугунные канделябры, по крайней мере, на три свечи. Меблировка великолепной столовой должна состоять из большого раздвижного стола, одного или двух зеркал и массивных стульев, обставленных вдоль стен вокруг всей комнаты. В столовой не должно быть ни кресел, ни диванов».

Несмотря на то что «Энциклопедия» была издана в 1842 года, можно с уверенностью сказать, что так выглядела столовая и в первые десятилетия XIX века.

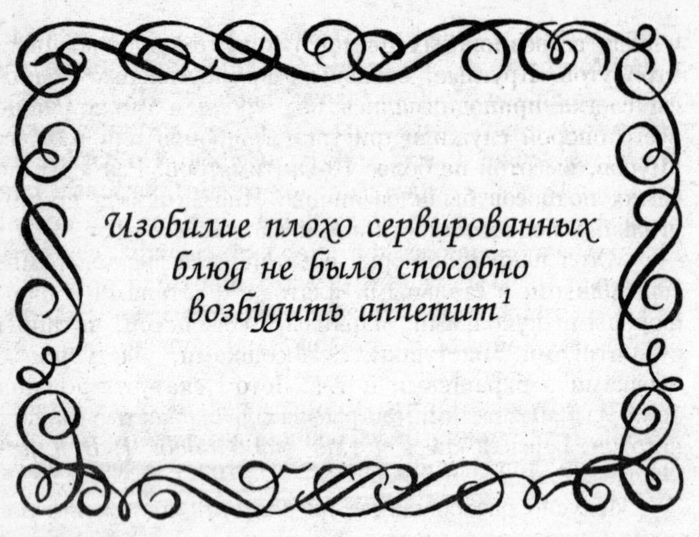

В начале прошлого столетия был обычай устанавливать столы «покоем» (в форме буквы «покой» — «П»), так как за большим раздвижным столом трудно было разместить многочисленных гостей.

Необходимой принадлежностью стола были канделябры.

Где стол накрыт , чтоб все светлело.
В обеде свет — большое дело:
Хоть меньше блюд, да больше свеч, —

напишет в своей знаменитой поэме «Обед» В.С. Филимонов.

Мерцающий свет отражался на зеркальной поверхности подносов, оправленных в золоченую бронзу

---

[1] Записки гр. В.Н. Головиной. — Исторический вестник, 1899, т. 75, с. 815.

в виде всевозможных цветов и фруктов или военных атрибутов. Круглые, овальные, прямоугольные подносы слегка приподнимались над уровнем стола. Чаще всего опорой служили фигурки грифонов или пухлых амуров, высотой не более 10 сантиметров. Размеры же самих подносов были различны. Иногда длина прямоугольных подносов достигала нескольких метров.

«Стол накрыт покоем и установлен зеркальными, серебряными и стальными плато, с фонтанами и фарфоровыми куколками: маркизы с собачками, китайцы с зонтиками, пастушки с посошками, пастушки с овечками и барашками и т.д. Летом скатерть должна быть усыпана цветами: астры, васильки, желтые шапки, ноготки, барская спесь и т.п.» (*из записок Н.В. Сушкова*).

Искусно разбросанные по скатерти цветы или лепестки украшали обеденный стол даже зимой. Граф Жозеф де Местр в одном из «петербургских писем» (1804 г.) сообщает следующее: «Уже несколько раз довелось мне ужинать у Императрицы — матери самого Императора: пятьсот кувертов не знаю уж на скольких круглых столах; всевозможные вина и фрукты; наконец, все столы уставлены живыми цветами, и это здесь, в январе...»

В одном из номеров «Дамского журнала» за 1828 год содержится любопытная заметка о маскараде в Благородном собрании, который состоялся в феврале того же года: «Ужинные столы имели в этот раз еще ту особенность, что на них благоухало несравненно более цветов, и в том числе — ландыши. Ужинавшие дамы, срывая сии цветы, украшали ими грудь свою».

Жена полномочного английского посла при русском дворе миссис Дисброо, побывав на придворном обеде в Павловском дворце, отмечает в письме: «Обед был роскошный, и весь стол был убран васильками, что было очень оригинально и красиво».

«Обеденный стол, для пущей важности, был накрыт покоем <...>, а цветы и листочки роз были разбросаны по всей скатерти», — читаем в «Записках» Е.А. Сушковой.

Кадки с большими лимонными и померанцевыми деревьями «красовались» в окнах и вокруг стола. Иногда «сквозь стол росли целые померанцевые деревья в полном цвете». Кроме канделябров, цветов, зеркальных подносов, на столах стояли тарелки для десерта, конфеты, «хрустальные вазы с крышками для вареньев».

Обязательным элементом сервировки стола были вазы с фруктами. Скульптурные фигуры из золоченой бронзы поддерживали наполненные фруктами вазы-корзины. Спелые и живописные плоды помещали также в вазы, состоявшие из нескольких хрустальных или фарфоровых тарелок, поддерживаемых одним стержнем.

Сервировка стола зависела от материального благополучия хозяев. Предпочтение в дворянских домах долгое время отдавалось посуде из серебра. Это объясняется тем, что в России фарфоровая посуда прижилась гораздо позже, чем в Европе. В 1774 году Екатерина II подарила своему фавориту Орлову столовый сервиз из серебра, весивший более двух тонн. Однако в домах среднего дворянства серебряные приборы считались предметами роскоши даже в 30-е годы XIX века. Подтверждение этому находим в воспоминаниях М. Каменской:

«На первый бал я попала к графу Григорию Кушелеву. <...> В этом доме я в первый раз увидела роскошь и богатство русских бар. Особенно кушелевская столовая поразила меня, потому что у себя дома за столом я, кроме серебряных столовых ложек, никогда никакого серебра не видывала; у нас даже серебряных ножей и вилок в заводе не было, а подавались с деревянными ручками, а тут, вообразите, белая мраморная столовая по голубым бархатным полкам, этажеркам, буфету и столам положительно была заставлена старинною русскою серебряной и золотой посудой и саксонскими и сервскими древними сервизами».

Ее Величество Мода диктовала, как украшать столовую, как сервировать стол. В одном из номеров журнала «Молва» за 1831 год в разделе «Моды» помещено следующее описание столовой: «В нарядных столовых комнатах располагаются по углам бронзовые вызолоченные треножники, поддерживающие огромные сосуды со льдом, в который ставят бутылки и проч. На завтраках господствует необыкновенная роскошь. Салфетки украшены по краям шитьем, а в средине оных начальные буквы имени хозяина дома. Во всех углах ставят разнообразные фарфоровые сосуды с букетами цветов. Ими же покрывают печи и камины в столовых и других парадных комнатах».

Любопытно, что к середине XIX века украшать стол померанцевыми деревьями, хрустальными вазами с вареньем, зеркальными плато, канделябрами, бронзой, фарфоровыми статуэтками было не в моде, более того, считалось дурным тоном. Испытание временем выдержали в качестве украшения только вазы с фруктами и цветы.

Согласно русской традиции блюда на стол подавались «не все вдруг», а по очереди. Во Франции, напротив, существовал обычай «выставлять на стол по множеству блюд разом». Большую часть кушаний приходилось есть простывшими, что было «далеко не очень удобно и вкусно».

«Поварня французская очень хороша: эту справедливость ей отдать надобно, — писал в 1777 году из Франции Д.И. Фонвизин, — но <...> услуга за столом очень дурна. Я, когда в гостях обедаю (ибо никогда не ужинаю), принужден обыкновенно вставать голодный. Часто подле меня стоит такое кушанье, которого есть не хочу, а попросить с другого края не могу, потому что слеп и чего просить — не вижу. Наша мода обносить блюда есть наиразумнейшая».

С начала XIX века русская традиция вытесняет французскую традицию сервировки стола. Гости чаще садятся за стол, не обремененный «множеством кушаний». Сами французы признали превосходство русского обычая, который уже к середине века распространился не только во Франции, но и во всей Европе.

Со временем меняется и порядок подачи на стол вин. Во второй половине XIX века хороший тон предписывал не выставлять вина на стол, «исключая обыкновенного вина в графинах, которое пьют с водою. Остальные вина следует подавать после каждого блюда...»

Как свидетельствует современник, в конце XVIII века «на стол обыкновенно ставилось вино белое и красное; сладкие вина и наливки обносились».

Бутылки дорогих французских вин украшали обеденный стол и в начале XIX века. Вспоминая парадный обед у губернатора, Н. Макаров отмечает: «В огромной зале был накрыт стол приборов на пятьдесят. Был этот стол уставлен, сверх посуды, графинами с прохладительными питиями, бутылками дорогих вин, хрустальными вазами с вареньем, конфектами и фруктами». Обычно перед каждым прибором ставили «столько рюмок, сколько будет вин». «Нередко в конце большого обеда увидишь у каждого прибора до дюжины стаканов разной величины и формы, так как пьют за обедом много и часто меняют вино», — читаем в мемуарах де Серанга.

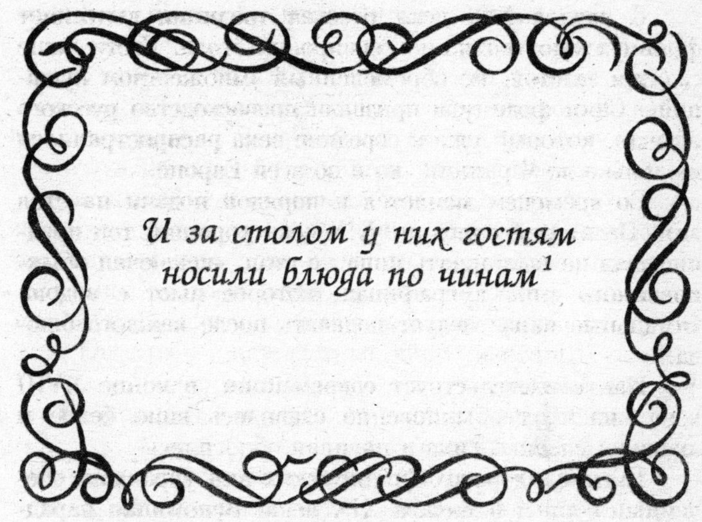

И за столом у них гостям носили блюда по чинам[1]

Гости занимали свои места за столом согласно определенным правилам, принятым в светском обществе.

«На верхнем конце стола восседал его превосходительство, имея по правую руку свою супругу, а по левую самого сановитого гостя. Чины уменьшались по мере удаления от этого центра, так что разная мелюзга 12-го, 13-го и 14-го класса сидели на противоположном конце. Но если случалось, что этот порядок по ошибке был нарушен, то лакеи никогда не ошибались, подавая блюда, и горе тому, кто подал бы титулярному советнику прежде асессора или поручику прежде капитана. Иногда лакей не знал в точности чина какого-нибудь посетителя, устремлял на своего барина встревоженный взор: и одного взгляда было достаточно, чтобы наставить его на путь истинный», — читаем в письме неизвестного автора к другу в Германию.

---

[1] Пушкин А.С. Евгений Онегин, гл. II, XXXV.

А вот анекдот из «Старой записной книжки» П.А. Вяземского:

«К одному из <...> хлебосольных вельмож повадился постоянно ходить один скромный искатель обедов и чуть ли не из сочинителей. Разумеется, он садился в конце стола, и также, разумеется, слуги обходили блюдами его как можно чаще. Однажды понесчастливилось ему пуще обыкновенного: он почти голодный встал из-за стола. В этот день именно так случилось, что хозяин после обеда, проходя мимо его, в первый раз заговорил с ним и спросил: «Доволен ли ты?» — «Доволен, Ваше сиятельство, — отвечал он с низким поклоном, — все было мне видно».»

Анекдот на эту тему находим и в собрании сочинений А.Е. Измайлова:

«У одного богатого, тщеславного и скупого помещика, когда обедывали гости, вставливался в стол ящик с водою, в котором плавала мелкая рыба. Однажды назвал он к себе много гостей, а блюд приготовлено было мало, так что они не доходили до тех, которые сидели ниже прочих. В числе сих последних был один хват — уланский офицер. После первых трех или четырех блюд, которых не удалось ему отведать, привстает он немного с своего места, вонзает зараз вилку в живую рыбку и, отдавая ее человеку, говорит: «Вели, брат, изжарить — есть хочется».

Обычай, согласно которому слуги «носили блюда по чинам», в начале XIX века сохранялся в среде помещичьего дворянства, в домах московских дворян, в петербургском же быту этот обычай воспринимался как устаревший.

Чаще всего хозяин и хозяйка сидели напротив друг друга, а место по правую руку хозяина отводилось почетному гостю.

«У середины «покоя» помещались матушка с наружной, а отец — напротив ее, с внутренней стороны, — вспоминает Ю. Арнольд, — и от них направо и налево

размещались гости по рангу. Молодые же люди, не осчастливленные честью вести дам к столу, занимали места у «подножья покоя», где сидели также и мы, дети, с гувернером и гувернанткой».

«Тогда было обыкновение обществу разделяться на дам, садившихся в ряд по старшинству или почету, по левую сторону хозяйки, и мужчин, в таком же порядке, по правую сторону», — читаем в воспоминаниях М.С. Николевой.

На именинах Татьяны в романе «Евгений Онегин» мужчины и дамы также сидят друг против друга:

Но кушать подали. Четой
Идут за стол рука с рукой.
Теснятся барышни к Татьяне;
Мужчины против; и, крестясь,
Толпа жужжит, за стол садясь.

Перед тем как сесть на пододвинутый слугой стул, полагалось креститься. Знак крестного знамения предшествовал началу трапезы. За каждым гостем стоял особый слуга с тарелкой в левой руке, чтобы при перемене блюд тотчас же поставить на место прежней чистую. Если у хозяина не хватало своей прислуги, за стульями гостей становились приехавшие с ними лакеи.

«При столе заправлял всем столовый дворецкий, причесанный, напудренный, в шелковых чулках, башмаках с пряжками и золотым широким галуном по камзолу; кушанье разносили официанты, тоже напудренные, в тонких бумажных чулках, башмаках и с узеньким по камзолу золотым галуном. Должно было удивляться порядку, тишине и точности, с которыми отправлялась служба за столом. Все это в уменьшительной степени соблюдалось и в домах дворянских среднего состояния», — вспоминает Я.И. де Санглен.

Одно из правил застольного этикета: «Прислуга не

должна ни слова говорить за обедом, и у хорошего амфитриона не должно быть разговора с его прислугою в течение всего обеда; но и прислуга должна постоянно держать глаза на амфитрионе, дабы понять и исполнить малейшее его движение или указание даже глазами. Там, где амфитрион все время дает приказания, ясно, что прием гостей в редкость и что прислуга далеко еще не выучена служить как следует».

«Домашняя прислуга, — пишет Н.В. Сушков, — бегает из буфета в кухню, из кухни в буфет, да обносит кругом стола кушанье и вино всех возможных и невозможных названий».

«Буфет — комната большая, светлая; она должна быть так расположена, чтоб имела непременно отдельное сообщение с кухнею и прочими службами. В буфете должны находиться два или три больших шкафа, содержимых в чистоте и заключающих золото, серебро, фарфор и столовое белье», — читаем в «Энциклопедии русского городского и сельского хозяина-архитектора, садовода, землемера, мебельщика и машиниста».

Интересное свидетельство содержится в письме В.Л. Пушкина к П.А. Вяземскому: «Вчера новый наш сотоварищ давал обед, на который и я был приглашен. <...> Женщин была одна хозяйка — дура пошлая; она ни минуты не сидела за столом — сама закрывала ставни у окон, чтоб освободить нас от солнца, сама ходила с бутылкою теплого шампанского вина и нам наливала его в рюмки. Давно я на таком празднике не был и теперь еще от него не отдохну!»

Подобное поведение хозяйки за столом противоречило правилам светского этикета. Между тем, хозяину «нимало не воспрещается подливать вино своим соседям <...>. Отказаться от вина, предлагаемого хозяином, невежливо; можно его налить в рюмку только ложечку, но следует принять предлагаемое».

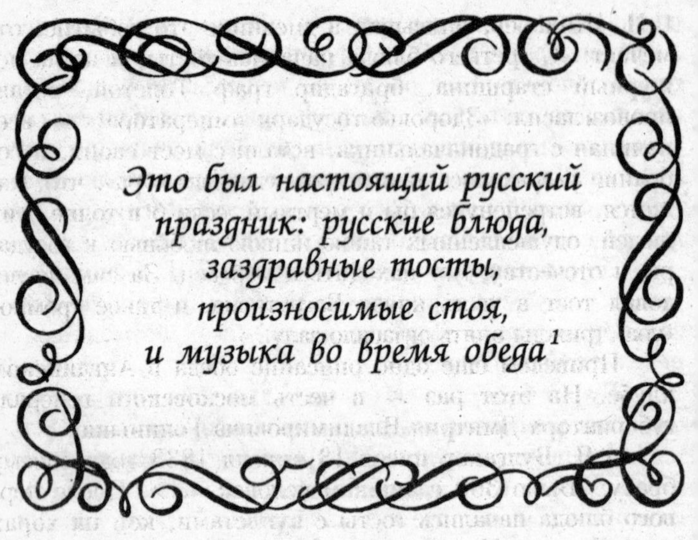

Это был настоящий русский праздник: русские блюда, заздравные тосты, произносимые стоя, и музыка во время обеда[1]

Первый тост всегда произносил «наипочетнейший» гость.

«Обед обыкновенно состоял из 7 — 8 «антре», — рассказывает Ю. Арнольд. — После 3 перемены встает наипочетнейший гость и возглашает тост за здоровие Государя Императора и всего Августейшего Царского Дома. Затем другой почетный гость желает здоровья и счастья хозяину, третий пьет за здравие хозяйки. С каждой переменой меняются и вина, а общество все более воодушевляется; тосты растут; отец провозглашает тост в честь любезных гостей, потом следуют другие тосты; а когда доходит до 5-й, 6-й перемены, то уже общий смешанный гул идет по залу...»

3 марта 1806 года членами московского Английского клуба был дан обед в честь князя Багратиона.

---

[1] Письма сестер М. и К. Вильмот из России. — М., 1987, с. 248.

С.П. Жихарев, описывая в дневнике это событие, отмечает: «С третьего блюда начались тосты, и когда дежурный старшина, бригадир граф Толстой, встав, провозгласил: «Здоровье государя императора!» — все, начиная с градоначальника, встали с мест своих, и собрание разразилось таким громогласным «ура», что, кажется, встрепенулся бы и мертвый, если б в толпе этих людей, одушевленных такою живою любовью к государю и отечеству, мог находиться мертвец. За сим последовал тост в честь князя Багратиона, и такое громкое «ура» трижды опять огласило залу...»

Приведем еще одно описание обеда в Английском клубе. На этот раз — в честь московского генерал-губернатора Дмитрия Владимировича Голицына.

А.Я. Булгаков писал 13 апреля 1833 года своему брату: «Было 300 с лишком человек <...>. После первого блюда начались тосты с куплетами, кои на хорах пели Лавров, Петрова и другие театральные певцы.

1-й куплет — Государю,

2-й — Императрице и наследнику,

3-й — благоденствию России,

4-й — князю Дм. Вл.,

5-й — Москве,

6-й — Английскому клобу;

всякий тост был сопровождаем продолжительными рукоплесканиями и шумом чем ни попалось».

Таким образом, первый тост всегда произносили «за здоровье Государя Императора».

И еще одна многозначительная деталь: первый тост объявляли после перемены блюд, тогда как современные застолья грешат тем, что начинаются сразу с произнесения тоста.

Если на обеде или ужине присутствовал император, он произносил тост за здравие хозяйки дома.

Приведем рассказ графини Шуазель-Гуффье о пребывании императора Александра I в Литве, в доме графа Морикони: «Подали ужин. Император предложил руку хозяйке дома, чтобы перейти в столовую, которая так же, как и стол, была украшена цветами. Он отказался занять приготовленное ему почетное место и, с очаровательной живостью переставляя приборы, сказал: «Я Вас прошу, позвольте мне быть простым смертным, — я тогда так счастлив». <...> Подняв стакан венгерского вина, он выпил за здоровье хозяйки...»[1]

Звучавшая во время обеда музыка в течение нескольких часов должна была «ласкать слух» сидящих за столом гостей. О том, какое впечатление порой производила эта музыка на присутствующих, читаем в письме Марты Вильмот: «Вчера в 2 часа ездили к графу Остерману поздравить его родственницу с именинами <...>. Мы собрались в зале, который, как мне кажется, я вам уже описывала, с галереей, заполненной мужчинами, женщинами, детьми, карликами, юродивыми и неистовыми музыкантами, которые пели и играли так громко, как будто хотели, чтобы оглохли те, кого пощадили небеса. Совершенно не чувствительный к музыке, мой сосед справа князь *** кокетничал со мной при каждой перемене блюд, и мы оживленно беседовали, насколько это было возможно в ужасном грохоте».

Работавший в имении князя Куракина архитектор В.А. Бакарев отмечал в своих записках следующее: «За столом всегда играла духовая музыка, в дни именин его или супруги его — инструментальная, которая помещалась в зимнем саду, бывшем рядом со столовой».

Известная французская портретистка Элизабет Виже-Лебрен, прожившая в России несколько лет,

[1] В дальнейшем мы не будем говорить об алкогольных напитках, сопровождавших дворянское застолье. Это отдельный предмет разговора.

спустя многие годы с восторгом вспоминала о «прекрасной духовой музыке», которую ей довелось слушать во время обедов как в царских дворцах, так и в домах русских аристократов: «Во время всего обеда слышалась прекрасная духовая музыка; музыканты сидели в конце залы на широких хорах. Признаюсь, я люблю слушать музыку во время еды. Это единственная вещь, которая иногда рождает во мне желание быть высокопоставленной или очень богатой особой. Потому что хотя аббат Делиль и повторял часто, что «куски, проглоченные в болтовне, лучше перевариваются», но музыку я предпочитаю любой застольной беседе».

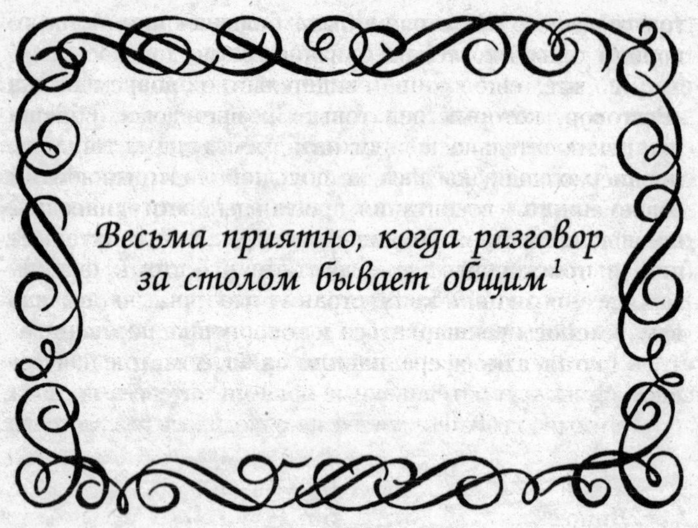

Весьма приятно, когда разговор за столом бывает общим[1]

Немецкий путешественник Г. Райнбек, побывавший впервые в Москве в 1805 году, в «Заметках о поездке в Германию из Санкт-Петербурга через Москву...» подробно описывает обед в доме московского барина.

Оживленный застольный разговор явно обратил на себя внимание путешественника: «Обед длился примерно до пяти, и так как очень громко болтают, то рты в непрерывном движении. Здесь много острят, еще более смеются, но пьют немного <...>. Обычно за столом бывает какой-нибудь бедный малый, служащий для острот и принужденный терпеть унижения, но притом очень остроумный и шутками возбуждающий смех...»

Однако не в каждом доме гости могли позволить себе вести за обедом такой оживленный разговор. Рассказывая об обедах в доме сенатора Бакунина, Э.И. Сто-

[1] Соколов Д.И. Светский человек, или Руководство к познанию светских приличий и правил общежития, принятых хорошим обществом. — М., 1855, с. 123.

гов отмечает: «За столом была большая чинность, говорили только хозяева и близкие гости».

А вот еще одно свидетельство современника: «Разговор, который вел только хозяин дома, обращаясь исключительно к двум или трем лицам, тогда как прочие молчали, касался по большей части недостатков современного воспитания, испорченности народных нравов, вызванной обуявшей всех манией к путешествию и прискорбным пристрастием русских к французам, все познания коих ограничиваются, по его словам, умением расшаркаться и говорить каламбуры».

Другая атмосфера царила за столом, где собирались друзья или объединенные общими интересами люди.

Ни одно собрание друзей не обходилось без застолья.

Ужин........................60 р. — к.
Вино........................55 ,, — к.
3 ф. миндаля............ 3 ,, 75 к.
3 ф. изюму .... 3 ,, — к.
4 десятка бергамот...... 3 ,, 20 к.

Этот счет составлен другом Пушкина, лицейским старостой М. Яковлевым. Деньги были истрачены на дружескую пирушку, состоявшуюся 19 октября 1834 года в его доме. Каждый год, 19 октября, в день открытия Царскосельского Лицея, собирались друзья «за дружеской трапезой и жженкой» то у одного, то у другого лицеиста, чтобы вспомнить годы, пережитые в стенах Лицея.

В начале XIX века, когда литературные интересы поглощали дворянское общество, за обедами и ужинами происходили литературные состязания и поединки.

Об одном из таких литературных состязаний читаем в записках С.П. Жихарева:

«Ужин был человек на сто, очень хороший, но без преступного бородинского излишества. За одним из маленьких столиков, неподалеку от меня, сидели две дамы и трое мужчин, в числе которых был Павел Иванович Кутузов, и довольно горячо рассуждали о литературе, цитируя поочередно любимые стихи свои.

Анна Дорофеевна Урбановская, очень умная и бойкая девица, хотя уже и не первой молодости, прочитала стихотворение Кольчева «Мотылек» и сказала, что оно ей нравится по своей наивности и что Павел Иванович такого не напишет. Поэт вспыхнул. «Да знаете ли, сударыня, что я на всякие заданные рифмы лучше этих стихов напишу?» — «Нет, не напишете». — «Напишу». — «Не напишете». — «Не угодно ли попробовать?»

Урбановская осмотрелась кругом, подумала и, услышав, что кто-то из гостей с жаром толковал о персидской войне и наших пленных, сказала: «Извольте; вот вам четыре рифмы: плен, оковы, безмен, подковы; даю вам сроку до конца ужина».

Павел Иванович с раскрасневшимся лицом и с горящими глазами вытащил бумажник, вынул карандаш и погрузился в думу. Прочие продолжали разговаривать. Чрез несколько минут поэт с торжеством выскочил из-за стола.

«Слушайте, сударыня, а вы, господа, будьте нашими судьями», — и он громко начал читать свои bouts-rimés[1]:

Не бывши на войне, я знаю, что есть плен,
Не быв в полиции, известны мне оковы,
Чтоб свесить прелести, не нужен мне безмен,
Падешь к твоим стопам, хоть были и подковы.

«Браво, браво!» — вскричали судьи и приговорили Урбановскую просить извинения у Павла Ивановича, который так великодушно отомстил своей противнице».

---

[1] Буриме *(фр.)*.

Хозяева заботились, чтобы гости за столом не скучали.

«Князь И.М. Долгорукий, — читаем в воспоминаниях С.Т. Аксакова, — считался в Москве одним из остроумнейших людей своего времени и первым мастером говорить в обществе, особенно на французском языке. Я помню, что на больших обедах или ужинах обыкновенно сажали подле него с обеих сторон по самой бойкой говорунье, известной по уму и дару слова, потому что у одной недостало бы сил на поддержание одушевленного с ним разговора. Я сам слыхал, как эти дамы и девицы жаловались после на усталость головы и языка, как все общество искренне им сочувствовало, признавая, что «проговорить с князем Иваном Михайловичем два часа и не ослабить живости разговора — большой подвиг...»

И у себя дома князь И.М. Долгоруков любил занимать гостей домашними спектаклями и веселыми рассказами: «<...> все его любили; никто не говорил, что он кормит дурно», — вспоминал М. Дмитриев. Оживленный разговор мог вполне компенсировать неудачный ужин. «За веселостию разговора, за тою непринужденностию, которая была тоном его дома, наконец за приятным воспоминанием о спектакле некогда было подумать о посредственном ужине. Шум и хохот оканчивали вечер; когда тут быть недовольным».

Неутомимым рассказчиком во время застолья был и драматург князь А.А. Шаховской. П.А. Смирнов вспоминал: «Как он садился за стол очень поздно, то часто обедал при гостях, завешиваясь салфеткою до самого горла, потому что в пылу своих рассказов он нередко портил платье, обливая себя соусом и супом».

Пышным застольем сопровождались собрания друзей-литераторов. «Вчера был очень приятный обед у Пушкина. <...> После обеда долго болтали, балагурили», — писал А.Я. Булгаков брату (1826 г.). Речь идет о В.Л. Пушкине, дяде великого поэта. Василий Львович был известным хлебосолом и славился своим крепостным поваром Власием. Приглашая друзей на обед или ужин, он рассылал им записочки в стихах:

В среду кума ожидаю
И любезнейших гостей;
К сердцу вас прижать желаю
В скромной хижине моей.
Позабуду все страданья,
И подагру, и беды.
Руку, милый! до свиданья —
До веселой середы!

Интересны письма поэта И.И. Дмитриева, в которых он приглашает к себе на обед друзей-литераторов. «В пятницу располагаю обедать дома. Очень рад буду разделить с вами мою трапезу и насладиться беседою умного и добросердечного поэта...» (*из письма к В.А. Жуковскому*).

«Между тем прошу вас пожаловать ко мне откушать четвертого числа. Не забуду пригласить и Платона Петровича, Тургенева и Жихарева. Этот обед будет не из хвастовства, а для переговоров по части словесности», — писал И.И. Дмитриев П.А. Вяземскому.

Письмо Г.Р. Державина к Н.И. Гнедичу[1] — еще одно убедительное доказательство того, что литературные интересы и потребности желудка вполне уживались в дворянском обществе начала XIX века.

«Не возьмете ли вы, Николай Иванович, в воскресенье труда на себя пожаловать ко мне откушать и прочесть охотникам «Федру» мою. Ежели вам это будет угодно, то, чтоб спознакомиться вам хорошенько с рукою писца, не прикажете ли, чтоб я завтра к вам вечеру ее прислал, дабы вы заблаговременно пробежали сию трагедию».

---

[1] Гнедич Н.И. — поэт, переводчик «Илиады» Гомера, театрал, учил актеров декламации.

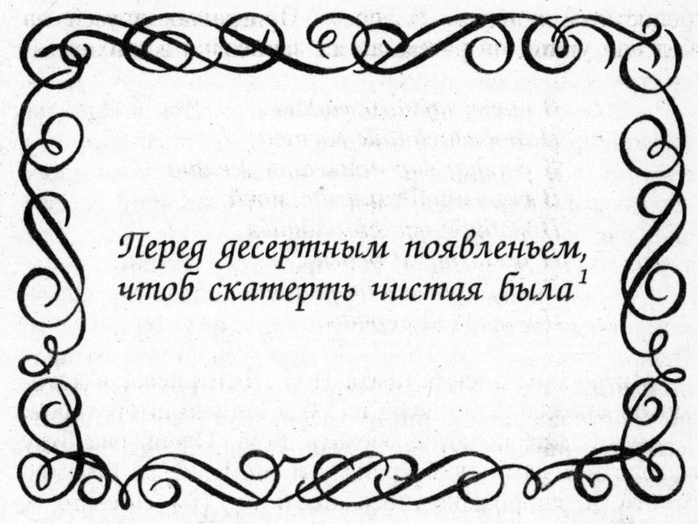

Любопытно, что во второй половине XVIII веке «десерт за обедом не подавали, а приготовляли, как свидетельствует Д. Рунич, в гостиной, где он оставался до разъезда гостей».

В начале следующего столетия появление десерта за обеденным столом свидетельствовало о завершении трапезы. «Десерт: так называется четвертая перемена стола, состоящая из всего того, что называется плодом, хотя в естественном виде или в вареньях в сахаре, мороженых и пр.», — читаем в «Новом совершенном российском поваре и кондитере, или Подробном поваренном словаре».

Известно, что у древних римлян перед десертом столы очищались и «обметались» так, чтобы ни одна крошка не напоминала гостям об обеде. В дворянском

---

[1] Филимонов В.С. Обед. — В книге «Я не в Аркадии — в Москве рожден...». — М., 1988, с. 165.

быту начала XIX века «для сметания перед десертом хлебных крошек со скатерти» использовались кривые щетки, «наподобие серпа».

Любопытное свидетельство содержится в записках английского путешественника о его пребывании в имении А.В. Браницкой: «К счастью, мне показалось, что обед приближался к концу, и вид жаркого из дичи дал мне знать, что скоро появится десерт. <...> Скатерть не сняли со стола, как принято в Англии».

К сожалению, ни в одном из приводимых здесь мемуарных источников нет упоминания о том, как готовили стол к подаче десерта. Мы только можем предположить, что в одних случаях пользовались специальной щеткой для сметания хлебных крошек, в других случаях снимали со стола уже потерявшую свежесть скатерть.

Помимо фруктов, конфет, всевозможных сладостей, неизменной принадлежностью десертного стола было мороженое. Миссис Дисброо, жена английского посла при русском дворе, в одном из писем на родину делится впечатлениями об обеде в доме Зинаиды Ивановны Лебцельтерн, урожденной графини Лаваль: «Мы обедали у нее на днях; угощение было роскошное, мороженое подавалось в вазах изо льда; они казались сделанными из литого стекла и были очень красивой формы. Говорят, будто их нетрудно делать».

М.С. Николева, вспоминая жизнь смоленских дворян начала XIX века, рассказывает об удивительных угощениях в доме А Ф. Герngросса: «Так, на большом серебряном подносе устроен был из золоченой бумаги храм на восьми золоченых колоннах с золотым куполом, кругом которого в золотых кольцах висели чайные и десертные ложки. Внутри этого храма наложен разноцветный плитняк из фисташкового, лимонного и других сортов мороженого. Разбросанные на подносе плитки эти изображали разрушение здания».

«Везувий на Монблане» — так называлось знаменитое в 10-е годы пирожное, без которого не обходилось ни одно пиршество: «содержа в себе ванильное мороженое белого цвета», сверху оно пылало синим пламенем.

В конце десерта подавались полоскательные чашки. «Стаканчики для полоскания рта после обеда из синего или другого цветного стекла вошли почти во всеобщее употребление, и потому сделались необходимостью», — сказано в «Энциклопедии русской опытной городской и сельской хозяйки...»

Обычай полоскать рот после обеда вошел в моду еще в конце XVIII века. Тем не менее ходило немало анекдотов о гостях, которые принимали содержимое стакана за питье.

«Граф Вьельгорский спрашивал провинциала, приехавшего в первый раз в Петербург и обедавшего у одного сановника, как показался ему обед. «Великолепен, — отвечал он, — только в конце обеда поданный пунш был ужасно слаб». Дело в том, что провинциал выпил залпом теплую воду с ломтиком лимона, которую поднесли для полоскания рта» (*из «Старой записной книжки» П.А. Вяземского*).

Подобную историю рассказывает Ф.А. Оом:

«Отличался также прожорливостью своею профессор Н.Ф. Рождественский. Когда в первый раз подали в конце обеда полоскательные чашки, в которых была, как обыкновенно, теплая вода, подправленная лимонною коркою, он вообразил, что это питье и, выпив весь стакан, заметил, что «пуншик хорош, но слабоват».»

Л. М. Жемчужников, описывая в своих воспоминаниях поездку в Качановку, имение Г.С. Тарновского, отмечает: «После обеда <...> подали для рта полосканье; процедура, необходимая в гигиеническом отношении, но весьма некрасивая за столом. Старик Григорий Степанович сказал: «А мы вот как, нам все вымоют и вычистят, сами не работаем», — вынул свои вставные челюсти, положил их на тарелку и, перегнувшись в левую сторону, передал лакею для чистки, потом, склонясь на правую, принял посуду для полосканья от другого и, громко, полоща рот, начал выпускать воду каскадами, а затем вставил почтительно поданные ему зубы. Наконец мы вырвались от этого маэстро...»

Некоторые ревнители хорошего тона выступали против этого обычая. Знаменитый Брилья-Саварен писал: «В домах, где думаешь встретить самое деликатное обращение, в конце десерта, слуги подают гостям чаши с холодной водой, в которых стоят бокалы с теплой. В присутствии всех окунают пальцы в холодную воду, как бы желая вымыть их, берут несколько глотков теплой воды, полоскают рот и выплевывают воду в чаши. Не я один высказывался против этого нововведения, которое настолько же бесполезно, насколько неприлично и неприятно для глаз».

Солидарен с Брилья-Савареном и автор изданной в 1847 году книги «Светский человек...» Д.И. Соколов: «По окончании обеда имеющие привычку мыть руки, обмакивая пальцы в стакан с водою и потом вытирать их салфеткой, могут делать это. В некоторых домах существует обыкновение полоскать рот; мы умолчим об этом случае, потому собственно, что он нам не нравится...»

Вставая из-за стола, гости крестились. «Когда встали из-за стола, каждый, перекрестившись перед образом, пошел благодарить хозяйку дома», — читаем в записках доктора де ля Флиза.

Светский этикет предписывал гостям вставать из-за стола лишь после того, как это сделает наипочетнейший гость. «Затем наипочетнейший гость встает, а за ним и другие, и все отправляются в гостиную и залу пить кофе, а курящие (каких в то время немного еще было) идут в бильярдную <...>. Час спустя (часу в 9) все гости, чинно раскланявшись, разъезжаются...» (*из «Воспоминаний» Ю. Арнольда*).

Чаще всего мужчины направлялись не в бильярд-

ную, а к карточным столам. «Мужчины повели своих дам в гостиную, куда подали кофе и варенья на нескольких тарелочках, — пишет доктор де ля Флиз, — на каждой тарелочке было по одной ложке. Открыли зеленые столы в соседней комнате, и мужчины отправились туда, оставив дам».

В помещичьем быту серебряные ложки были большой редкостью. У Лариных в «Евгении Онегине» «несут на блюдечках варенья с одною ложкою на всех». Эту ложечку воспел и В.С. Филимонов в поэме «Обед»:

Однажды был такой обед,
Где с хреном кушали паштет,
Где пирамида из котлет
Была усыпана корицей,
Где поросенок с чечевицей
Стоял, обвитый в колбасах,
А гусь копченый — весь в цветах,
Где, блюд чудесных в заключенье,
В укору вкуса, как на смех,
С одною ложкою для всех
Носили в баночке варенье.

В доме у А.Л. Нарышкина после обеда «каждому гостю дарили полный прибор со стола; серебряный нож с вилкой, ложку, ложечку, фарфоровые тарелки и остатки фруктов и конфект». Делать такие роскошные подарки могли позволить себе далеко не многие хозяева.

«Вежливость требует пробыть по крайней мере час после сытного обеда», — гласит одно из «правил светского обхождения о вежливости». Гость уходит незаметно, не ставя в известность хозяев об уходе, а признательность свою за хороший обед выражает визитом, который должен быть сделан не ранее 3-х и не позже 7 дней после обеда. «Визит сей имеет две цели: изъявление признательности за сделанную вам честь приглашением вас к обеду, и повод тому, кого вы благодарите, возобновить оное».

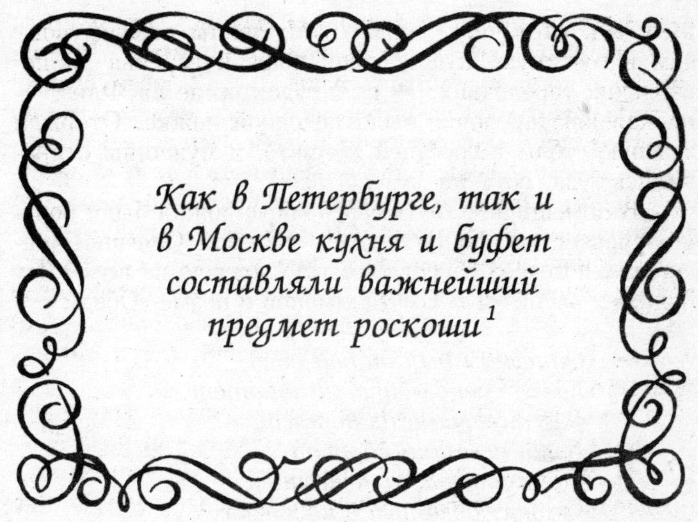

Как в Петербурге, так и в Москве кухня и буфет составляли важнейший предмет роскоши[1]

Нередко гости, побывав на званом обеде в одном доме, спешили попасть на бал в другой дом. Балы в ту пору не обходились без ужина. Г.И. Мешков, описывая балы пензенских дворян в 20-е годы прошлого столетия, отмечает: «Все оканчивалось веселым котильоном, и потом переходили к ужину. За ужином подавалось тогда и горячее, как за обедом: суп и проч. Ужинали за одним столом; обыкновения ужинать за отдельными столиками еще не было».

«Ну, скряга же ваш Куракин! — пишет А.Я. Булгаков своему брату. — В Москве это вещь невиданная, чтобы давать бал без ужина».

После продолжительного, обильного ужина танцы возобновлялись, но бал уже терял свой первоначальный блеск. Поэтому многие хозяева придумывали новые формы угощения на балу.

---

[1] Из записок Д. Рунича. — Русская старина, 1896, ноябрь, с. 289.

«Брат очень расхваливал бал, данный Потемкиным в именины жены. Новое явление: ужину нет. Всякий ужинает, когда ему угодно, начиная с 12 часов до шести утра, дают тебе печатную щегольски карту, и ты по ней требуешь любое кушанье и любое вино, ешь скоро, тихо и с кем хочешь. Бал не прерывается и не убивается ужином, обыкновенно часа два продолжающимся...» (*из письма А.Я. Булгакова П.А. Вяземскому*).

«Танцы не прерывались, ибо ужин был накрыт в других двух залах и двух комнатах», — сообщает в 1825 году А.Я. Булгаков своему брату о бале, устроенном Д.В. Голицыным по случаю приезда в Москву принца Оранского.

Такие обеды и ужины стоили огромных денег. Недаром отец Онегина, который «давал три бала ежегодно», в конце концов промотался. Случаи, когда проедались целые состояния, были далеко не единичны. Московская хлебосолка В.П. Оленина большую часть своего имения, около тысячи душ, промотала на обеды и ужины. «Вся Москва, званая и незваная, ездила к ней покушать».

Другой московский хлебосол граф Ф.А. Толстой также «не жалел ничего на обеды и балы, которые действительно были лучшими в Москве, чему не препятствовала и жена, зато за вседневным ее обедом совершенно нечего было есть, — свидетельствует Ф.П. Толстой. — У ней я в первый раз увидел, как за обедом, вместо жаркого, подавали жареные в масле соленые огурцы».

Легендарный М.И. Кутузов «во всю свою жизнь <...> не кушал один: чем больше бывало за столом его людей, тем более было это для него приятно и он был веселее. Таковое гостеприимство было единственною причиною, что он никогда не имел у себя большого богатства, да он и не заботился об этом».

Кухня московского обер-полицмейстера А.С. Шульгина «славилась беспримерной чистотой, а стол изысканными блюдами, за приготовлением которых он сам любил наблюдать. Под конец жизни Шульгин запутался в долгах и разорился <...>. Последние годы он жил близ Арбата, в небольшом домике в три окна. Шульгин в это время сильно опустился, стал пить, и нередко можно было видеть, как бывший обер-полицмейстер, несмотря на чин генерал-майора, в засаленном халате колол на дворе дрова или рубил капусту».

Тайный советник П.И. Юшков, получив в наследство 10 000 душ крестьян, два дома в Москве, подмосковную дачу, 40 пудов серебра и брильянтов на 200 000, «прожил все свое состояние на угощение и затеи».

Князь Д.Е. Цицианов, известный «своим хлебосольством и расточительностью, да еще привычкой лгать вроде Мюнхгаузена», «проев» огромное состояние, скончался в бедности. «Будучи очень щедрым и гостеприимным человеком, — запишет П.И. Бартенев со слов А.О. Смирновой-Россет, — он весь прожился, и его на старости лет содержала его прислуга. Он преспокойно уверял своих собеседников, что в Грузии очень выгодно иметь суконную фабрику, так как нет надобности красить пряжу: овцы родятся разноцветными, и при захождении солнца стада этих цветных овец представляют собой прелестную картину».

Подобных примеров можно привести множество.

Иностранцев поражала расточительность русских бар. «Один стол буквально пожирает деньги, — пишет в 1803 году из Петербурга граф Жозеф де Местр. — Во всех домах только привозные вина и привозные фрукты. Я ел дыню в шесть рублей, французский паштет за тридцать и английские устрицы по двенадцати рублей сотня. На сих днях, обедая в небольшом обществе, распили бутылку шампанского. «Во сколько оно обошлось вам, княгиня?» — спросил кто-то. «Почти десять франков». Я открыл рот, чтобы сказать: «Дороговатое, однако, питье», — как вдруг моя соседка воскликнула: «Но это же совсем даром!»

Я понял, что чуть было не изобразил из себя савояра, и умолк. А вот и следствие всего этого: среди колоссальных состояний прочие разоряются; никто не платит долги, благо правосудия нет и в помине».

«Несколько месяцев назад в Петербурге некто М. давал парадный обед, — сообщает в письме М. Вильмот. — Этот обед был настолько роскошен, что *** сказал ему: «Обед, должно быть, влетел вам в копеечку?» — «Вовсе нет, — ответил М., — он мне обошелся всего в 10 гиней (100 рублей)». — «Как так?» — «Да, — сказал, улыбаясь, М., — это стоимость гербовой бумаги, на которой я написал векселя».»

Жить роскошно, в первую очередь, означало иметь у себя дома изысканный стол. И.М. Муравьев-Апостол, по словам С.В. Скалон, «жил и роскошно, и вместе с тем просто; роскошь его состояла в изящном столе. Он, как отличный гастроном, ничего не жалел для стола своего, за которым чисто и франтовски одетый, дородный испанец maître d'hôtel[1] ловко подносил блюда, предлагая лучшие куски и объяснял, из чего они состояли».

Изысканные, роскошные обеды назывались в ту пору гастрономическими. Это определение часто встречается в мемуарах прошлого века.

«Дядя С.Н. Бегичев при богатстве своей жены (урожденной Барышниковой) мог бы жить роскошно в Москве, но, так как он, подобно другу своему Грибоедову, не любил светских удовольствий, то всю роскошь в его домашнем обиходе составляли гастрономические обеды и дорогие вина, которые так славились, что привлекали в дом его многих приятных собеседников» (*из воспоминаний Е.П. Соковниной*).

Гастрономические блюда не всегда отличались сложностью приготовления. В поваренных книгах и кулинарных пособиях того времени нередко можно встретить такую характеристику: «Блюдо это простое, но вполне гастрономическое».

---

[1] Метрдотель *(фр.)*.

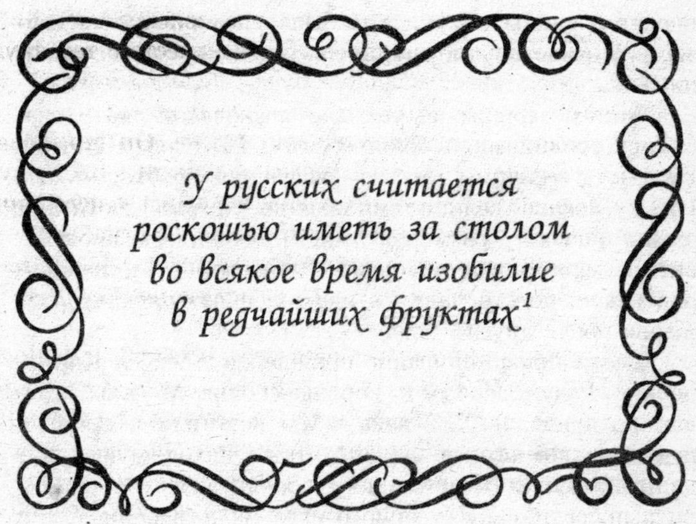

Подаваемые за обедом зимой фрукты и овощи поражали иностранных путешественников не только своим изобилием, но и вкусом.

«Обед продолжался почти четыре часа, — пишет М. Вильмот. — Были спаржа, виноград и все, что можно вообразить, и это зимой, в 26-градусный мороз. Представьте себе, как совершенно должно быть искусство садовника, сумевшего добиться, чтобы природа забыла о временах года и приносила плоды этим любителям роскоши. Виноград буквально с голубиное яйцо...»

В другом письме она сообщает: «Мы ведем рассеянный образ жизни. Бесконечные балы, длящиеся по четыре часа кряду, обеды, на которых подаются всевозможные деликатесы, плоды совместного труда природы и человека: свежий виноград, ананасы, спаржа,

---

[1] Гагерн Ф. Дневник путешествия по России в 1839 году. — В кн.: Россия первой половины XIX века глазами иностранцев. — Л., 1991.

персики, сливы etc. <...> Забыла упомянуть, что сейчас в Москве на тысячах апельсиновых деревьев висят плоды».

Многие городские усадьбы московской знати славились теплицами и оранжереями. По словам Кэтрин Вильмот, «теплицы здесь — насущная необходимость. Их в Москве великое множество, и они достигают очень больших размеров: мне приходилось прогуливаться меж рядов ананасных деревьев — в каждом ряду было по сто пальм в кадках, а на грядках оранжереи росли другие деревья».

Сохранилось описание оранжереи Алексея Кирилловича Разумовского в Горенках близ Москвы, сделанное в начале XIX века: «Мы вступили в оранжерею, под комнатами первого этажа находящуюся и в длину более 200 шагов простирающуюся. Мы очутились посреди искусственного сада из померанцевых и лимонных деревьев, состоящих в трех густых рядах и составляющих длинные аллеи <...>. Все дерева украшались плодами, хотя в нынешнем году снято оных более трех тысяч...»

Вошла в историю и оранжерея Льва Кирилловича Разумовского в имении Петровском-Разумовском. Как пишет М.Г. Назимова, «в Петровском граф потерял даже то, что никакими деньгами восстановить нельзя было, а именно чудную оранжерею. В ней было до 50 редких экземпляров лимонных и апельсинных деревьев. Оранжерею подожгли крестьяне с двух концов, уже после ухода француза, озлившись на садовника, который выговаривал им за их равнодушие и отсутствие желания поспешить на помощь, чтобы удалить следы беспорядков, совершенных французами».

Если в Москве цитрусовые — апельсины и лимоны — можно было увидеть в оранжереях, то в Петербурге они были исключительно привозные, поэтому и стоили там недешево.

П. Свиньин сокрушался: «<...> нынче нельзя никому благопристойно позвать на обед без устриц, фазанов, апельсинов, шампанского и бургонского. А все это чужеземное и стоит звонкой монеты!»

О «заморских апельсинах», доставляемых в Петербург, рассказывает в своих воспоминаниях И.А. Раевский: «Петербург был нам гораздо более сроден, хотя и его мы не любили. Но все же там было менее скучных визитов и почти не было старых родственников, зато были веселые прогулки на Биржу, где мы смотрели на привозимых из-за границы попугаев, канареек и обезьян и где мы лакомились заморскими апельсинами, пряниками и пили инбирный[1] квас».

В Петербург, однако, доставлялись не только «заморские» плоды, но и московские. Изобилием всевозможных плодов славились московские императорские оранжереи.

В одном из «петербургских писем» (от 3 февраля 1809 г.) Жозеф де Местр сообщает: «На дворцовый стол подали семь чудных груш, доставленных из Москвы и стоивших 700 рублей. О них много говорили, история их и вправду занимательна.

В императорских московских теплицах вырастили только десять груш. Обер-гофмейстер, всегда угождающий французскому послу, предложил их для его празднества. В Москве тем временем какой-то мошенник украл все груши; его поймали и отдали в солдаты, но пока суд да дело, груши были проданы и увезены в Санкт-Петербург, а три и вовсе сгнили. Оставшиеся пришлось выкупать по сто рублей за каждую».

Не уступали московским и «обширные» царскосельские оранжереи. По распоряжению Александра I каждое утро садовник Лямин рассылал выращенные в оранжереях фрукты «разным придворным особам и семействам генерал-адъютантов, кои занимали домики китайской деревни».

---

[1] Правильнее — имбирный.

Мода на оранжереи, возникшая во Франции при Людовике XVI, распространилась и в России. Было принято не только подавать к столу фрукты из собственного сада, но и предлагать гостям прогуляться по саду или оранжерее после обеда.

Сады А.В. Браницкой в Белой Церкви вызвали восторг у английского путешественника, к воспоминаниям которого мы неоднократно обращались: «Она принадлежала к людям, полагающим, что каждая страна может и должна себя довольствовать. <...> Я насчитал пятнадцать сортов фруктов. Все они были из садов нашей хозяйки. Персики, дыни и яблоки превосходного вкуса. Маленькая сахарница, полная мелким сахаром, была предложена графине, которая взяла щепотку и посыпала кусок дыни, бывшей у нее в руках, но сейчас же отправила сахарницу, заметив, что дыня сама по себе сладка.

После этого хозяйка дома, бросив вокруг себя взгляд, сопровождаемый любезной улыбкой, встала из-за стола: все встали по ее примеру, и многие из обедавших подошли поцеловать ей руку. Мы перешли в залу, где приготовлено было кофе. Несколько минут спустя графиня предложила мне прогулку по садам. Эти сады оказались достойными своей славы».

У графа Чернышева, пишет Н.Ф. Дубровин, «гости угощались с утра и до вечера; ели фрукты до обеда и после него; каждый, кто хотел, шел в оранжерею или фруктовый сарай и срывал сам с дерев плоды».

Садоводство было любимым развлечением многих дворян. Известный библиофил, директор Публичной библиотеки, сенатор Д.П. Бутурлин был, по воспоминаниям его сына, страстным садоводом:

«В Белкине отец наш предавался вполне любимым своим занятиям по садоводству, в чем он был таким же сведущим охотником, как по библиофильству. На большую площадку, называемую выставкою, выносились на лето из двух больших оранжерей померанцевые и лимонные деревья громадного роста в соответствующих им кадках. От установленной этими деревьями площадки шла такая же в двух рядах аллея. Всех было более 200 <...>. На этой площадке собиралось каждый день в 8-м часу вечера все общество для чаепития. Подобную коллекцию померанцевых деревьев я видал только в Останкине и Кускове».

Нередко в переписке начала XIX века встречаются просьбы выслать или привезти те или иные семена, деревья. А.А. Бороздина пишет сыну из Петербурга в Неаполь в 1801 году: «Писала я к тебе, голубчик, чтоб ты купил эстампов, вазов и транспарантов: если можно, купи и пришли на корабле тоже, как там ничего не значут, — деревья лимонныя, апельсинныя, померанцовыя, персиковыя и лавровыя <...>. Тоже, батюшка, луковиц и разных семен и других каких редких плант и арбрисю: ты знаешь, мой друг, што ето мое удовольствие; у меня к дому пристроена маленькая ранжерейка, — то надобно ее наполнить, а здесь всiо ето дорого; пожалуста, батюшка утешь меня этим, а больше всего тебя прошу — пришли ко мне портрет свой в табакерку».[1]

Высланный осенью 1822 года за шиканье артистке Семеновой П.А. Катенин поселяется в своем имении Шаево Костромской губернии, откуда пишет Н.И. Бахтину 7 сентября 1828 года: «Не забудьте, милый, хоть из Одессы, привезти с собою семян хороших, огородных, то есть капусты разной, тыкв и душистых трав; хочется на нашем севере, где ровно ничего не знали и где я уже кое-что развел, развесть еще получше.

Не думайте, однако, чтобы я в деревне сделался Диоклетианом или Кандидом[2] садовником: нет, я не имею ни особой склонности к мелким сельским работам, ни достаточного досуга, чтобы подробно в них

---

[1] Орфография сохранена.

[2] Диоклетиан — римский император, который правил в 284 — 305 гг. Кандид — герой философской повести Вольтера «Кандид, или Оптимизм».

вникнуть; я уверен, что нет жизни, более исполненной трудов, как жизнь русского деревенского помещика среднего состояния...»

Небывалых размеров ананасы, дыни, персики, арбузы, выращенные в собственных оранжереях и теплицах, хозяева посылали в подарок своим родным и знакомым.

«Жихарев мне прислал преогромный ананас своего воспитания (с лишком три фунта)», — пишет брату К.Я. Булгаков.

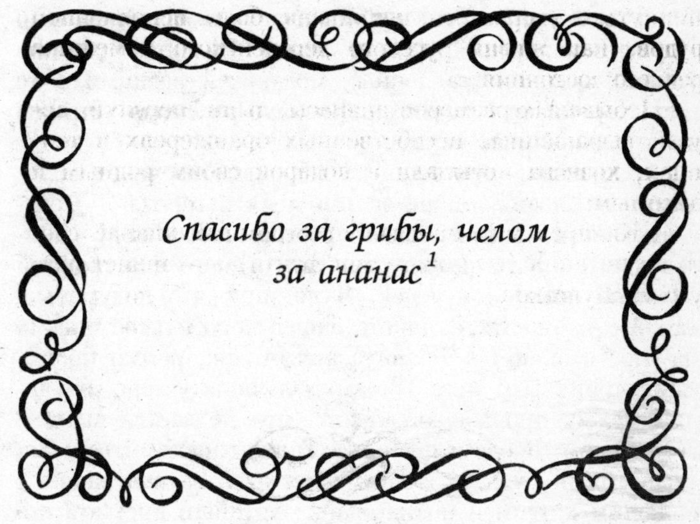

Спасибо за грибы, челом за ананас[1]

«Съестные» подарки были широко распространены в начале XIX века.

«В субботу я тебе послал рыбу, свежего лабардану, привезенного мне из Колы (граф Воронцов — ужасный до нее охотник). Не знаю, тебе понравится ли, ежели сказать тебе, что это то же, что и треска. Впрочем, можешь попотчевать тестя и приятелей. Если спаржу мне прислал Обрезков, то и ему пришлю этой рыбы; а если нет, то нет, дабы не показалось ему, что я вызываюсь на съестной подарок от него» (*из письма К.Я. Булгакова*).

«А.Л. Нарышкин был в ссоре с канцлером Румянцевым. Однажды заметили, что он за ним ухаживает и любезничает с ним. <...> Дело в том, что у Румянцева на даче изготовлялись отличные сыры, которые он дарил своим приятелям» (*из «Старой записной книжки» П.А. Вяземского*).

---

[1] Сочинения М.В. Ломоносова. — СПб., 1893, т. II, с. 289.

Известный московский оригинал князь Александр Порюс-Визапурский («черномазый Визапур») щедро угощал высокопоставленных москвичей редкими в те годы хорошими устрицами. Визапур рассылал устрицы даже незнакомым лицам.

«Однажды, проезжая из любопытства через Володимир в Казань, он не застал меня в городе, — рассказывает в «Капище моего сердца» князь И.М. Долгоруков. — <...> Вдруг получил от него с эстафетой большой пакет и кулечек. Я не знал, что подумать о такой странности. В пакете нашел коротенькое письмо на свое имя, в 4-х французских стихах, коими просит меня принять от него 12 самых лучших устерс, изъявляя между прочим сожаление, что не застал меня в губернском городе и не мог со мною ознакомиться. Устерсы были очень хороши; я их съел за завтраком с большим вкусом и поблагодарил учтивым письмом его сиятельство (ибо он назывался графом) за такую приятную ласковость с его стороны».

Из живности, кроме рыбы и устриц, нередко в подарок присылали птицу.

Индеек, каплунов и уток посылаю;
Ты на здоровье кушай их, —

писал В.Л. Пушкин князю Шаликову.

«Мы здоровы, — просто сказать; а коль не просто, то уж я давно хвораю <...>, однако куликов твоих присылай, ибо вспоминая твою званскую стрельбу, все их мои домашние аппетитно кушать готовятся» (*из письма Г.Р. Державина П.А. Гасвицкому*).

«В день именин А.С. Небольсиной граф Ф.В. Ростопчин, зная, что она любит пастеты, прислал ей с полицмейстером Брокером, за несколько минут до обеда, огромный пастет, который и был поставлен перед хозяйкой. В восхищении от внимания и любезности графа, она после горячего просила Брокера вскрыть великолепный пастет — и вот показалась из него безобразная голова Миши, известного карла князя Х., а потом вышел он и весь с настоящим пастетом в руках и букетом живых незабудок».

По всей видимости, речь идет о знаменитом паштете из трюфелей, подземных грибов, привозимый в Россию из Франции. По тем временам паштет из трюфелей считался роскошным подарком.

Об этом рассказывает французская актриса Луиза Фюзиль в записках о своем пребывании в России с 1806 по 1812 годы: «Жил в то время в Москве некто Релли, человек богатый, пышный и поставивший свой дом на широкую ногу: у него был лучший повар в городе, а потому все вельможи (довольно большие чревоугодники) ездили к нему на обеды. Его принимали за англичанина или итальянца, так как он прекрасно говорил на обоих языках; он был вхож в высший свет и вел большую игру.

Встречая меня часто у моих патронесс, он как-то попросил позволения изготовить маленький из трюфелей паштет для моих «маленьких ужинов», о которых ему не преминули рассказать. Я согласилась, ибо трюфели были большой роскошью в то время, когда способы сообщения не были так быстры и легки, как теперь. Никто не мог догадаться, откуда может появиться такое великолепие.

Начали съезжаться, когда появился пресловутый маленький паштет; он был таких размеров, что его пришлось наклонить, чтобы пронести в дверь; я увидала, что моя столовая не сможет вместить его в себя...»

Достойный «съестной» подарок не стыдно было преподнести самому императору.

«Каменский прислал мне из Сибири стерлядь в 2 аршина и 2 вершка длины и в 1 пуд 4 фунта веса, — сообщает в 1826 году К.Я. Булгаков брату. — У нас не в чем бы и сварить такого урода, а как сегодня кстати постный день, то вспомнил, как прежде посылал иногда рыбу покойному Государю для стола, решился и эту поднесть Императору, но просил своего князя наперед доложить Его Величеству. Государь принял милостиво, приказал меня благодарить, а рыбу отослал к Нарышкину[1], что уже и исполнено».

Император Александр I не оставался в долгу перед своими подданными. Графиня Шуазель-Гуффье в «Исторических мемуарах об императоре Александре и его дворе» писала: «У меня на столе стоял огромный ананас, присланный мне государем, который ежедневно посылал знакомым дамам в Царском Селе корзинки со всякого рода фруктами — с персиками, абрикосами, мускатным виноградом и т.д.».

О том, каким «съестным подарком» можно было порадовать императрицу, рассказывает М. Паткуль:

«С переездом двора возобновились симпатичные вечера в Александровском дворце. <...>

На одном из этих вечеров Императрица вспоминала о kümmelkuchen (булочки с тмином), которые она любила, но ни разу не удалось ей кушать с тех пор, как она была в Пруссии; в Петербурге же таких булочек нигде достать было нельзя.

Вернувшись домой, я приказала повару приготовить все, что нужно к следующему утру. Встав довольно рано, я сама замесила тесто, испекла булочки и, отправив их горячими во дворец, велела передать камердинеру Ее Величества с тем, чтоб он подал их к чаю, а до того ни слова о них не упоминал.

Императрица так обрадовалась, когда ей подали эти булочки, что спросила, откуда он их достал. Узнав, что я их прислала, она на другой день, благодаря меня, спросила, кто у меня умеет их печь. Я отвечала,

---

[1] Повар А.Л. Нарышкина принимал заказы от многих петербургских аристократов и даже от самого императора.

что они собственноручно изготовлены мною, и если я вчера не заявила, что умею их печь, то это из боязни, что они могут не удаться, в случае, если дрожжи попались бы нехорошие. Только Государю она позволила предложить, а остальные велела спрятать».

С начала XVIII века в России существовал обычай звать на какое-то центральное блюдо. Центральным блюдом мог быть и съестной подарок, доставленный с оказией откуда-то издалека, или же какое-нибудь новое блюдо.

«Пушкин звал макароны есть, Потоцкий еще на какое-то новое блюдо. Все они любят покушать», — писал К.Я. Булгаков брату в 1821 году.

В то время макароны привозили из Италии. Особенно славились неаполитанские макароны. В качестве приправы к макаронам чаще всего использовали сыр пармезан. «Варить хорошо макароны — великое искусство! — читаем в журнале «Эконом» за 1841 год. — Надобно примениться к этому».

В наше время, пожалуй, макаронами гостей не удивишь. А в начале прошлого столетия ими угощали в домах столичной знати.

Любил угощать гостей макаронами граф В.А. Мусин-Пушкин. Об этом свидетельствует и письмо К.Я. Булгакова, и следующий анекдот:

«Однажды Крылов был приглашен графом Мусиным-Пушкиным на обед с блюдом макарон, отлично приготовленных каким-то знатоком-итальянцем. Крылов опоздал, но приехал, когда уже подавали третье блюдо — знаменитые макароны.

— А! Виноваты! — сказал весело граф, — так вот вам и наказание.

Он наклал горою глубокую тарелку макарон, так что они уже полезли с ее вершины, и подал виновнику.

Крылов с честью вынес это наказание.

— Ну, — сказал граф, — это не в счет; теперь начинайте обед с супа, по порядку.

Когда подали снова макароны, граф опять наложил Крылову полную тарелку.

В конце обеда сосед Крылова выразил некоторые опасения за его желудок.

— Да что ему сделается? — ответил Крылов. — Я, пожалуй, хоть теперь же готов еще раз провиниться».

По словам современника, в богатом петербургском доме Н.С. Голицыной, дочери знаменитого московского генерал-губернатора С.С. Апраксина, известный баснописец и чревоугодник И.А. Крылов «съедал по три блюда макарон».

И.А. Крылов был не единственным мастером по части обжорства среди литераторов.

Непомерным аппетитом отличался и поэт Ю.А. Нелединский-Мелецкий. «Большой охотник покушать, он не был особенно разборчив в выборе утонченных блюд, но ел много и преимущественно простые русские кушанья, — вспоминал Д. Оболенский. — Удовлетворяя этой слабости, Императрица обыкновенно приказывала готовить для него особые блюда. При дворе до сих пор сохранилось предание о щучине, до которой Юрий Александрович был великий охотник.

Вот как он сам описывает свой недельный menu: «Маша повариха точно по мне! Вот чем она меня кормит, и я всякий день жадно наедаюсь:

1) рубцы,

---

[1] Ростопчин Ф.В. «Ох, французы!» — Русский архив, 1902, т. II, с. 19.

2) голова телячья,
3) язык говяжий,
4) студень из говяжих ног,
5) щи с печенью,
7) гусь с груздями —

вот на всю неделю, а коли съем слишком, то на другой день только два соусника кашицы на крепком бульоне и два хлебца белого».

Любителем «хорошо покушать» был и Г.Р. Державин.

«Отношения между супругами, — отмечает Я. Грот, — были вообще дружелюбные, но у Гаврилы Романовича были две слабости, дававшие иногда повод к размолвкам: это была, во-первых, его слабость к прекрасному полу, возбуждавшая ревность в Дарье Алексеевне, а, во-вторых, его неумеренность в пище. За аппетитом мужа Дарья Алексеевна зорко следила и часто без церемоний конфисковала у него то или другое кушанье.

Однажды она не положила ему рыбы в уху, и раздосадованный этим Гаврила Романович, встав тотчас из-за стола, отправился в кабинет раскладывать пасьянс. В доказательство его добродушия рассказывают, что когда после обеда жена, придя к нему с другими домашними, стала уговаривать его не сердиться, то он, совершенно успокоенный, спросил: «За что?» и прибавил, что давно забыл причину неудовольствия».

От «невоздержанности в пище» приходилось порой страдать и поэту И.И. Дмитриеву. «Я слышал вчера, — пишет А.Я. Булгаков брату, — что боятся за Ив. Ив. Дмитриева: он обедал у Бекетова, объелся икры, попалась хороша, так ложками большими уписывал, сделалось дурно, и вот 9 дней, что не может унять икоту».

Любителей вкусно и плотно поесть было в то время немало.

«Я не придерживаюсь никакой диэты, ем и пью,

что мне нравится, и во всякие часы», — говорил о себе граф Ю.П. Литта. И несмотря на это, до глубокой старости он сохранил бодрость духа и крепкое здоровье.

«Графу Литта было около 70-ти лет, — читаем в записках Ленца, — но в парике он казался не старше 50-ти. Он был исполинского роста и так же толст, как Лаблаш[1], но более подвижен и с головы до ног вельможа...» Литта считался большим оригиналом, и о нем ходило множество анекдотов. Рассказывают, что он очень любил мороженое, «истребляя его неимоверное количество», и уже умирающий приказал подать себе тройную порцию. Последними словами его были: «Сальватор отличился на славу в последний раз».»

Сохранилось много анекдотов и о непомерном аппетите А.И. Тургенева, приятеля А.С. Пушкина. Как говорил В.А. Жуковский, в его желудке помещались «водка, селедка, конфеты, котлеты, клюква, брюква».

«Вместимость желудка его была изумительная, — писал П.А. Вяземский. — Однажды, после сытного и сдобного завтрака у церковного старосты Казанского собора, отправляется он на прогулку пешком. Зная, что вообще не был он охотник до пешеходства, кто-то спрашивает его: «Что это вздумалось тебе идти гулять?» — «Нельзя не пройтись, — отвечал он, — мне нужно проголодаться до обеда».»

По словам А.Д. Блудовой, Тургенев «глотал все, что находилось под рукою — и хлеб с солью, и бисквиты с вином, и пирожки с супом, и конфекты с говядиной, и фрукты с майонезом без всякого разбора, без всякой последовательности, как попадет, было бы съестное; а после обеда поставят перед ним сухие фрукты, пастилу и т.п., и он опять все ест, между прочим, кедровые орехи целою горстью зараз, потом заснет на диване, и спит и даже храпит под шум раз-

---

[1] Лаблаш Луиджи — итальянский певец-бас (1794 — 1858).

говора и веселого смеха друзей <...>. Мы его прозвали по-французски *le gouffre*[1], потому что этою пропастью, или омутом, мгновенно пожиралось все съестное».

«Живот» — так прозвал В.Ф. Одоевский С.А. Соболевского за его «гастрономические наклонности».

Несмотря на то что чревоугодие всегда осуждалось церковью, многие священнослужители, как свидетельствуют современники, страдали этим пороком. Н.С. Маевский приводит в «Семейных воспоминаниях» рассказ буфетчика Фадеича об архиерее Иринее, который был частым гостем в доме деда мемуариста:

«Раз подал он архиерею какое-то скоромное кушанье, но опомнился и думает: «Как же, мол, архиерея-то оскоромить?» Иреней взялся уже за кусок, а Фадеич шепчет ему: «Скоромное, Ваше преосвященство». Гость с сердцем оттолкнул блюдо, крикнув: «Коли скоромное, так зачем, дурак, и подаешь!» <...>

В другой раз он был поумнее: когда принесли ему с кухни блюдо с поросенком, он подал его прямо Иринею без всяких объяснений; за столом никого чужих не было, все свои, интимные. Ириней ласково взглянул на Фадеича, перекрестил блюдо большим крестом, сказав: «Сие порося да обратится в карася», и, не дождавшись превращения, принялся есть с таким аппетитом, что и у других слюнки потекли».

В то время было распространено мнение о пользе обильного питья после сытной еды. «После жестокого объедения для сварения желудка надобно было много пить», — пишет в романе «Семейство Холмских» Д. Бегичев.

Печальные последствия этой «методы» испытал на себе герой романа Е.П. Гуляева «Человек с высшим взглядом, или Как выдти в люди», который, почувствовав недомогание после сытного обеда, позвал доктора:

---

[1] Прорва *(фр.)*.

«Когда ко мне явился Иппократ, я предварил его наперед, чтоб он не мучил меня микстурами. «О, я далек от всех микстур, — отвечал он. — Если вы не любите лекарств, вам лучше всего лечиться по методе Грефенбергского доктора Присница простою водою!.. Испытайте эту методу: она вам верно понравится! Я лечу ею только из славы!»

Я согласился. Эскулап приказал подать несколько графинов воды и уселся подле меня следовать за ходом своего лечения. Он взял мою руку и стал прислушиваться к пульсу. «Начинайте пить! — говорил он, — это очень приятно, очень здорово!»

Я принялся проглатывать воду, один, другой, третий, четвертый стакан... Боже мой! Я потерял им счет. Эскулап заставлял меня — пить без отдыха, без размышления. Я не взвидел света. В голове моей еще бушевало шампанское, а тут должно было пить воду.

— Чувствуете ли вы, — спрашивал меня доктор, — как выступает пот на вашем лице? Вместе с потом выйдут из вас все вредные испарения и вы — спасены. Пейте теперь другой графин!

— Неужели, — вскричал я в отчаянии, — неужели мне должно опорожнить все эти графины?

— Необходимо: это такая метода; она и приятна, и действительна!

Мне предстояло ужасное поприще. Я был самый несчастнейший пациент в ту минуту. Кровь моя стремилась в голову. Дрожь пробегала по всему телу и в то же время я задыхался от жара. Как будто нечистая сила давила мне горло и желудок... Доктор Санградо, лечивший все болезни кровопусканием или теплою водою, мне казался добрее. «Довольно! — сказал мой тиран, когда я осушил второй графин. — Теперь вы ступайте в самом покойном положении гулять, два часа без остановки, куда хотите, только не на Невский проспект; идите прямо, не развлекайтесь ничем, не думайте ни о чем и главное, забудьте, что вы нездоровы!»

— Помилуйте, доктор! Я не в силах раздвигать ноги! — «Тем лучше, отправляйтесь сию же минуту и сделайте пять верст пешком; потом, придя домой, выпейте последний графин!»

— Третий! — проговорил я с ужасом, — вы меня уморите...

— Я вам сказал, что я лечу из славы; значит — вам нечего опасаться!

Приказав кучеру следовать за мною в коляске, на расстоянии десяти шагов, я отправился гулять... Можете представить, какую странную фигуру я разыгрывал, по наставлению гидропата, проходя по Большой Морской! Я был уверен, что вся Морская смотрела на меня, как на морское чудовище: внутри меня бушевало целое море — воды! Ни жив ни мертв, выпучив глаза, как пред лицом смерти, — я медленно подвигался вперед, ничего не видя пред собою, кроме неумолимого моего эскулапа. Наконец, все силы меня оставили... я упал без чувств...»

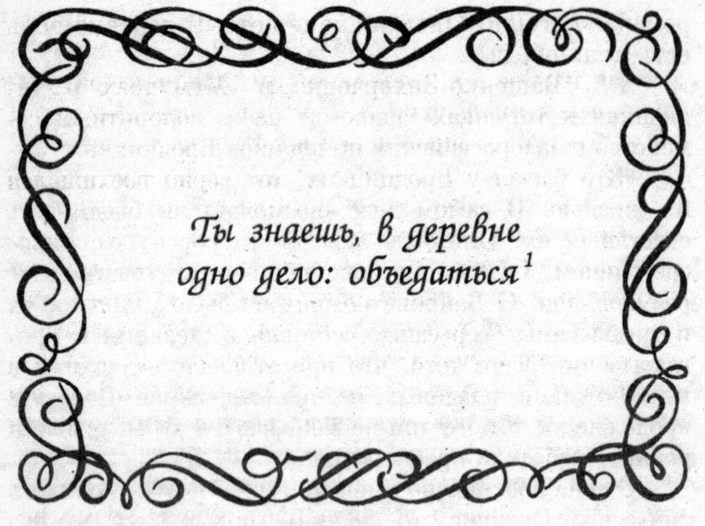

Ты знаешь, в деревне одно дело: объедаться[1]

Жизнь дворян в имении протекала неторопливо и однообразно.

«Наша обыденная жизнь <...> обыкновенно распределялась так: нас будили в 7 часов утра и все собирались вместе пить чай, нам же детям давали иногда ячменный кофе со сливками и далее <*неразб.*> почивать. В 10 часов утра был завтрак, состоящий из какого-нибудь одного мясного блюда, яичницы или яиц всмятку и молока кислого или снятого. В час дня был обед почти всегда из четырех блюд, в 6 часов всегда чай и молоко и в 10 часов вечера ужин из трех блюд», — читаем в неопубликованных, к сожалению, воспоминаниях Д.Д. Неелова, хранящихся в отделе рукописей Российской государственной библиотеки.

Не случайно А.С. Пушкин в черновике к III главе

---

[1] Мир Пушкина. Дневники-письма Н.О. и С.Л. Пушкиных. 1828 — 1835. — СПб., 1993, с. 63.

романа «Евгений Онегин» напишет: «В деревне день есть цепь обеда».

А.Е. Ващенко-Захарченко в «Мемуарах о дядюшках и тетушках» знакомит нас с колоритным семейством малороссийских помещиков Бродницких:

«Кто бывал у Бродницких, тот верно восхищался их жизнью. В самом деле, возможно ли было быть счастливее их? Они были молоды, здоровы, с хорошим состоянием. Головы их никогда ни о чем важном не размышляли. О Байроне помину не было. Занятия их и труды самые серьезные состояли в жевании и проглатывании всего того, что приготовлялось для них в кухне, буфете, кладовых, леднике и пекарне. Рот их в продолжение целого дня не закрывался, зубы, целые и ровные, работали преисправно.

От сна восстав, по умовении лица и рук, молились они с час. Окончив это, желали один другому доброго дня, кушали и пили. Приходил час, нужно было обедать; перед обедом подавалась закуска, за ней следовал продолжительный и сытный обед; после обеда являлись варенья, маковники, орехи; кофе с кренделями и сухариками, при этом дядюшка «спынав ведмедя», т.е. пил кофе со спиртом пополам. <...>

После кофе нужно было полдничать; после полдника пили чай; кушали уварюванку. Перед ужином пидвичирковали. Ужин оканчивал посильные труды. Антракты занятий были хотя коротки, но во время их поедалось множество бубликов, пирожков, орехов и семечек. За обедом, бывало, дядюшка с тетушкой так наедятся, что сопят да покручивают головами.

— Угумм... — заворчит дядюшка, ковыляя во рту огромным куском чего-нибудь вкусного.

— Эхмм... — пробормочет тетушка, встанут оба из-за стола, перекрестятся и, взявшись за руки, поддерживая один другого, входят в спальню и ложатся отдыхать после трудов».

Монотонный сельский день нарушался приездом

гостей в семейные и церковные праздники. Часто гости приезжали без всякого повода, «гостили и кормились по нескольку дней».

О гостеприимстве и хлебосольстве помещиков писали многие мемуаристы. С нескрываемой симпатией автор «Воспоминаний детства», Николай М.[1], рассказывает о помещике Дубинине: «За обедом его можно было назвать истинным счастливцем: как блестели его глаза, когда на столе появлялась какая-нибудь великолепная кулебяка! С какою любовью выбирал он для себя увесистый кусок говядины! Какая доброта разливалась по всему лоснящемуся его лицу, когда он упрашивал нас «кушать, не церемонясь»! Он так был хорош в своем роде за обедом, что после мне уже трудно было и вообразить его в другом положении. Это был истинно обеденный человек».

Делом чести для помещиков было накормить досыта приехавших из Москвы или Петербурга гостей.

«Петербургские родственники в простоте своей думали, что насильственное кормление обедом окончилось, но они жестоко ошиблись, — пишет А.Е. Ващенко-Захарченко в «Мемуарах о дядюшках и тетушках». — Гости, встав из-за стола, отправились с хозяевами в гостиную. Среди гостиной ломился стол под бременем сладостной ноши. Всех лакомств должны были гости отведать хорошенько и объявить о них Ульяне Осиповне свое мнение. Петербургские господа ели, боясь за свое здоровье, и принуждены были еще выпить по чашке кофею с густыми, как сметана, пенками, наложенными собственно Ульяною Осиповною каждому гостю порознь. Такое угощение походило на умысел: уморить гостей индижестией...»

«Как у бедных, так и у богатых число блюд было нескончаемое, — писал Н.Ф. Дубровин. — <...> Как

---

[1] Николай М. — псевдоним П.А. Кулиша.

бы ни был беден помещик, но в ледниках его были засечены бочки мартовского пива, квасу, разных медов, которыми прежде щеголяли хозяева».

Вовсе не значит, что интересы помещичьего дворянства сводились только к поглощению еды. Вспомним слова П. Катенина о том, что «нет жизни, более исполненной трудов, как жизнь русского деревенского помещика среднего состояния». Однако это не мешало помещику быть «истинно обеденным человеком».

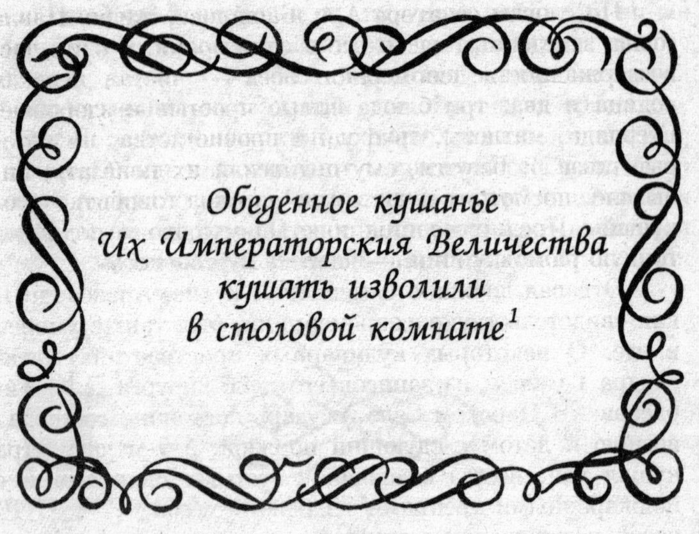

Обеденное кушанье Их Императорския Величества кушать изволили в столовой комнате[1]

В отличие от своих подданных, и Екатерина II, и Павел I, и его сыновья были весьма умеренны в еде.

«Изгоняя роскошь и желая приучить подданных своих к умеренности, император Павел назначил число кушаньев по сословиям, а у служащих — по чинам. Майору определено было иметь за столом три кушанья.

Яков Петрович Кульнев, впоследствии генерал и славный партизан, служил тогда майором в Сумском гусарском полку и не имел почти никакого состояния. Павел, увидя его где-то, спросил: «Господин майор, сколько у вас за обедом подают кушаньев?» — «Три, Ваше императорское величество». — «А позвольте узнать, господин майор, какие?» — «Курица плашмя, курица ребром и курица боком», — отвечал Кульнев. Император расхохотался».

---

[1] Камер-фурьерский церемониальный журнал, 1799, июль — декабрь. — СПб., 1898.

По словам сенатора А.А. Башилова, жизнь Павла «была заведенные часы: все в одно время, в один час, воздержанность непомерная; обед — чистая невская водица и два, три блюда самые простые и здоровые. Стерляди, матлоты, труфели и прочие яства, на которые глаза разбегутся, ему подносили их показать; он, бывало, посмотрит и часто мне изволил говорить: «Сам кушай». После говядины толстый мундшенк подносил тонкую рюмочку вина — кларета бургонского».

Отдавая должное изысканной кухне, Александр I, как свидетельствуют современники, был также умерен в еде. О некоторых кулинарных пристрастиях Александра I узнаем из записок его лейб-хирурга Д.К. Тарасова: «В Царском Селе государь постоянно соблюдал весною и летом следующий порядок: в 7-м часу утра кушал чай, всегда зеленый, с густыми сливками и с поджаренными гренками из белого хлеба <...>. В 10 часов возвращался с прогулки и иногда кушал фрукты, особенно землянику, которую он предпочитал всем прочим фруктам <...>. В 4 часа обедал. После обеда государь прогуливался или в экипаже, или верхом. В 9-м часу вечера кушал чай, после коего занимался работою в своем маленьком кабинете; в 11 часов кушал, иногда простоквашу, иногда чернослив, приготовляемый для него без наружной кожицы».

Графиня Шуазель-Гуффье в своих воспоминаниях приводит слова графа Толстого об императоре Александре I: «Император никогда не хочет брать во время своих путешествий ни поваров, ни провизий; он довольствуется той едой, которая попадается в пути».

Подобным образом вел себя в дороге, как свидетельствуют современники, и Николай I: «В путешествиях своих Государь Николай Павлович удивительно как умерен в своей пище и раз навсегда приказал своему *maître d'hôtel* Миллеру, чтобы за обедом у него никогда не было более трех блюд, что и решительно исполнялось».

Не отличались излишеством и царские обеды во дворце. «Императорская семья проживала в Гатчине совершенно патриархальным образом, — отмечает А.В. Эвальд. — <...> Помню, что обедали всегда за длинным столом. Государь садился посредине, государыня — напротив него. Направо и налево от них садились великие князья и княжны и приглашенные лица. Во время обеда всегда какой-то музыкант играл на рояле. Перемен блюд бывало немного, три или четыре, не больше. Иногда государю отдельно подавали горшочек с гречневой кашей, которую он очень любил».

От Екатерины II Николай Павлович унаследовал любовь к соленым огурцам, а точнее — к огуречному рассолу. «Великий князь был очень воздержан в пище, он никогда не ужинал, но обыкновенно при проносе соленых огурцов пил ложки две огуречного рассола», — писал о будущем императоре камер-паж его супруги.

Из этих же воспоминаний узнаем о том, какие обязанности выполняли камер-пажи во время царского застолья:

«Каждый день за обедом, фамильным или с гостями, камер-пажи служили у стола царской фамилии. Особенное внимание и осторожность нужны были при услужении Марии Федоровне. Камер-паж должен был ловко и в меру придвинуть стул, на который она садилась; потом, с правой стороны, подать золотую тарелку, на которую императрица клала свои перчатки и веер. Не поворачивая головы, она протягивала назад через плечо руку с тремя соединенными пальцами, в которые надо было вложить булавку; этою булавкою императрица прикалывала себе к груди салфетку.

Пред особами императорской фамилии, за которыми служили камер-пажи, стояли всегда золотые тарелки, которые не менялись в продолжение всего обеда. Каждый раз, когда подносилось новое блюдо, камер-паж должен был ловко и без стука поставить на эту тарелку фарфоровую, которую, с оставленным на

ней прибором, он принимал, на золотой тарелке подносил чистый прибор взамен принятого.

По окончании обеда, таким же образом, подносил на золотой тарелке перчатки, веер и прочее, переданное в начале обеда. Тогда были в моде длинные лайковые перчатки и камер-пажи с особенным старанием разглаживали и укладывали их перед тем, чтобы поднести. Камер-пажи служили за обедом без перчаток и потому особенное старание обращали на свои руки. Они холили их, стараясь разными косметическими средствами сохранить мягкость и белизну кожи».

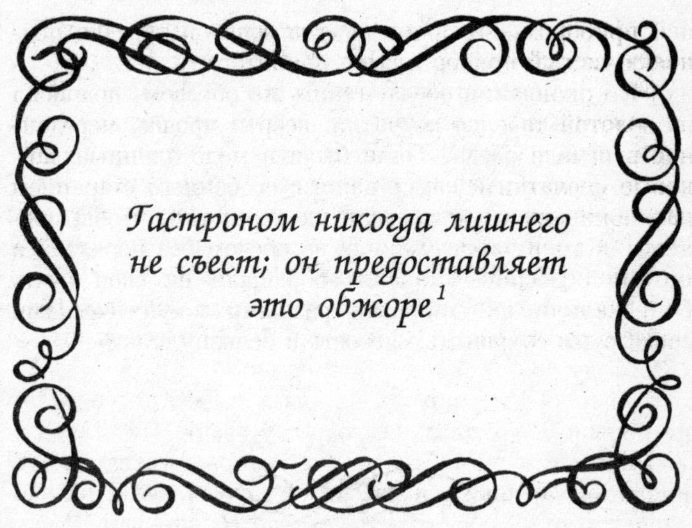

Гастроном никогда лишнего не съест; он предоставляет это обжоре[1]

Изданный в 1845 году «Карманный словарь иностранных слов, вошедших в состав русского языка» содержит следующее толкование слова «гастроном»: «Так называют человека, отличающего все тонкости вкуса в кушаньях и весьма много заботящегося о том, чтобы хорошо поесть».

История сохранила немало имен знаменитых гастрономов пушкинской поры. Многие из них занимали высокие государственные посты. «Первым гастрономом в Петербурге» по праву называли министра финансов графа Д.А. Гурьева. Истинным шедевром кулинарного искусства была гурьевская манная каша, приготовляемая на сливочных пенках с грецкими орехами, персиками, ананасами и другими фруктами, которую граф Гурьев будто бы изобрел в честь победы над Наполеоном.

---

[1] Каншин Д. В. Энциклопедия питания, вып. II. — СПб., 1885, с.186.

Многие блюда XIX века носили имя министра иностранных дел К.В. Нессельроде: суп Нессельроде из репы, пудинг из каштанов, суфле из бекасов и др.

«Из разных сведений, необходимых для хорошего дипломата, — писал Ф.Ф. Вигель, — усовершенствовал он себя только по одной части: познаниями в поваренном искусстве доходил он до изящества. Вот чем умел он тронуть сердце первого гастронома в Петербурге, министра финансов Гурьева».

Первый секретарь французского посольства граф Рейзет рассказывает о встрече с К. Нессельроде в 1852 году:

«6-го (18-го) ноября мы были вместе с генералом на большом официальном обеде у графа Нессельроде. Его приемные комнаты, стены которых увешаны старинными картинами итальянской школы, были великолепны, тонкий обед был прекрасно сервирован. Шесть метрдотелей в коричневых сюртуках французского покроя со стального цвета пуговицами, в белых атласных жилетах и больших жабо, при шпаге, руководили лакеями, одетыми в пунцовых ливреях. В большом красном зале, против среднего окна, стояла огромная фарфоровая ваза, подаренная графу Нессельроде королем прусским.

Канцлер был старичок небольшого роста, очень живой и веселый, в сущности очень эгоистичный и очень походил на Тьера[1]. Он был весьма воздержан, хотя любил хорошо поесть; до обеда, который был всегда весьма изысканный, он ничего не ел, только выпивал поутру и в три часа дня по рюмке малаги с бисквитом. Он сам заказывал обед и знал, из чего делается каждое кушанье.

Однажды на маленьком интимном обеде у датско-

[1] Тьер Луи Адоль (1797 — 1877) — французский политический деятель, историк, автор «Истории Французской революции».

го посланника барона Плессена, на котором я был вместе с графом Нессельроде, он обратил внимание на пюре из дичи и тотчас записал карандашом в свою записную книжку способ его приготовления. Этот рецепт был послан его повару, который хранил, как драгоценность, этот любопытный автограф».

Известными гастрономами были братья Нарышкины. «Александр Львович жил открыто: дом его называли Афинами, — писал Ф. Булгарин. — Тут собиралось все умное и талантливое в столице <...>. Дмитрий Львович, муж первой красавицы в столице, изобиловавшей красавицами, жил также барином, но в другом роде. Балы его и праздники имели более официяльности и менее той благородной свободы, которая составляет всю прелесть общества. Дмитрий Львович приглашал гостей, а у Александра Львовича дом всегда был полон друзей и приверженцев».

«Александр Львович Нарышкин в Москве, — сообщает в письме к П. А. Вяземскому В. Л. Пушкин. — На сих днях я провел у него целый вечер; в доме его раздолье — чего хочешь, того просишь. <...> Шампанское льется рекою — стерлядей ешь как пискарей. Апельсины вместо кедровых орехов, одним словом — *разливанное море*, и хозяин — настоящий боярин русской».

По утверждению А.О. Смирновой-Россет, изысканные обеды в Петербурге давал богач граф С. Потоцкий, который осмелился сказать Николаю I: «Нет, государь, ваши обеды и ужины очень вкусны, но они не изысканны».

«Эпикурейскими обедами» в Петербурге славился дом генерала К.Ф. Левенштерна. «Я часто посещал <...> известного генерала барона Карла Федоровича Левенштерна, человека доброго, знаменитого гастронома, отживавшего свой век на покое в звании члена военного совета, — пишет в своих воспоминаниях А.М. Фадеев. — К нему ездила лакомиться на эпикурейские обеды вся петербургская знать, объедала его и вместе с тем трунила над его слабостями, из коих, после обжорства, преобладающей была непомерное честолюбие.

Он признавал себя вполне государственным человеком и злобился на графа Киселева за то, что тот перебил у него министерство государственных имуществ, на которое он почему-то рассчитывал. Разочаровавшись в своих честолюбивых помыслах, он предался окончательно страсти к еде, что вскоре и свело его в могилу.

Он часто приглашал меня к себе обедать, объявляя притом непременно о каком-нибудь особом кушанье, которым намеревался меня, а главное — себя, угощать, как, например, о вестфальском окороке, сваренном в мадере, или фазане, фаршированном трюфелями, и т.д. <...>. Левенштерн иногда не доверял своим поварам и сам ходил на базар выбирать провизию и проверять цены, причем надевал какую-нибудь старую шинель, принимал меры, чтобы его не узнали.

Но раз с ним случилось приключение, только, кажется, не в Петербурге, а где-то в провинции. Пошел он на рынок, замаскировав по возможности свою генеральскую форму, и купил двух жирных, откормленных живых гусей, взял их обоих себе под руки и понес домой кратчайшим путем, забыв, что на пути гауптвахта. Как только поравнялся он с нею, караульный часовой его узнал и вызвал караул.

Испуганный генерал, желая остановить часового, второпях махнул рукою, и один из гусей в то же мгновение вырвался и побежал. Левенштерн бросился его ловить, а тут и другой гусь выскочил из-под руки и последовал за товарищем. В это же время вызванный караул под ружьем уже отдавал честь генералу от артиллерии барону Левенштерну и безмолвно созерцал, как генерал в смятении кидался от одного гуся к другому, а гуси, махая крыльями, с громким кряканием отбивались от его высокопревосходительства. После такого казуса Левенштерн больше никогда не ходил на рынок покупать гусей».

В начале XIX века модным увлечением петербургской знати было посещение «рынка замороженного мяса».

«Существует обыкновение устраивать на Неве, когда она совсем замерзла, аллеи из елок, втыкая их на небольшом расстоянии одна от другой в лед. Как съестные припасы из южных частей империи прибывают зимою, то они все заморожены и прекрасно сохраняются в продолжение нескольких месяцев.

Так как к этому времени кончается один из русских постов, которых народ свято держится, то и стараются вознаградить себя за скудное питание. Вот в этих-то аллеях, устроенных на льду, и располагаются съестные припасы. Возможные животные размещены в большом порядке; количество быков, свиней, птицы, дичи, баранов, коз весьма значительно. Их ставят в этом своеобразном парке на ноги, и они производят странное зрелище.

Так как это место служит прогулкою, то вереницею тянутся богатые сани с роскошными меховыми полостями и даже в шесть лошадей. Самые знатные сановники любят делать покупки на этом рынке, и довольно часто можно видеть, как они возвращаются, поместив замороженного быка или свинью на запятках саней в виде лакея или на верхушке кареты» (*из «Записок» Л. Фюзиль*).

Петербургские гастрономы отдавали должное кулинарному искусству москвичей. «Великим хлебосолом и мастером выдумывать и готовить кушанье» был князь Д.Е. Цицианов, которого называли «поэтом лжи» и «русским Мюнхаузеном». «Он всех смешил своими рассказами, уверял, что варит прекрасный соус из куриных перьев...» — вспоминала А.О. Смирнова-Россет. По словам С.П. Жихарева, «Александр Львович Нарышкин, первый гастроном своего времени, когда ни приезжает в Москву, ежедневно почти у него обедает...»

Восхищался А.Л. Нарышкин и кухней Я.П. Лабата, бывшего кастеляна Михайловского замка, жившего после отставки в Москве. «Вступив у нас в военную службу, — пишет о нем Ф.Ф. Вигель, — он гасконскою оригинальностию скоро понравился начальникам и сделался наконец любимцем самого князя Потемкина, который, причислив его к своему штату, назначил смотрителем собственных дворца и сада, нынешних Таврических. По смерти Потемкина, они поступили в казну, а его место из партикулярного обратилось в придворное. При Павле Таврический дворец превращен в казармы лейб-гусарского полка, а г. Лабат, который и его смешил, сделан кастеланом строившегося Михайловского замка.

Оставив в отечестве дворянские предрассудки, Лабат в России женился на дочери известного в свое время французского парикмахера, Мармиона. Его супруга хотела играть роль знатной дамы, никогда не теряла важности и строгим взором часто останавливала неприличные, по мнение ее, порывы веселости своего мужа. Она, к счастию, редко показывалась, а гостей принимали дочери ее, добрые, милые, весьма уже зрелые, но еще не пожилые девы...»

Я.П. Лабат «сверх страсти своей к гостеприимству, — отмечает С.П. Жихарев, — имеет еще и другое качество — быть отличным знатоком поваренного искусства. Все кушанья приготовляются у него по его приказаниям, от которых повар не смеет отступить ни на волос. Эти кушанья так просты, но так вкусны, что нельзя не есть, хотя бы и не хотелось...»

«Великим гастрономом и любителем вкусно покушать» называет современник П.А. Кологривова. Он был отчимом В.Ф. Вяземской, жены поэта. Биографы П.А. Вяземского пишут о Кологривове как о человеке недалеком и необразованном. Пора изменить к нему отношение! Ибо, как говорил В.Ф. Одоевский, «тонкий вкус в кухне есть признак тонкого вкуса и в других вещах».

Любил задавать гастрономические обеды и Ф.И. Толстой-Американец, которого Вяземский называл «обжор, властитель, друг и бог».

«Не знаю, есть ли подобный гастроном в Европе <...>, — писал про него Булгарин. — Он не предлагал своим гостям большого числа блюд, но каждое его блюдо было верх поваренного искусства. Столовые припасы он всегда закупал сам. Несколько раз он брал меня с собою, при этом говоря, что первый признак образованности — выбор кухонных припасов и что хорошая пища облагораживает животную оболочку человека, из которой испаряется разум. Например, он покупал только ту рыбу в садке, которая сильно бьется, т.е. в которой больше жизни. Достоинства мяса он узнавал по цвету и т.д.».

Среди друзей и близких знакомых А.С. Пушкина Ф.И. Толстой-Американец был не единственным знатоком поваренного искусства.

Нельзя, мой толстый Аристип,
Хоть я люблю твои беседы,
Твой милый нрав, твой милый хрип,
Твой вкус и мирные обеды,
Но не могу с тобою плыть...

Это стихотворение Пушкин посвятил своему приятелю А.Л. Давыдову. «Ни один историк литературно-общественных течений XIX столетия не обойдет молчанием фигуры этого типичного русского барина, сочетавшего в своем образе жизни размах и ширь вельможи екатерининских времен с либерально-просветительными стремлениями своей эпохи», — читаем о нем в «Сборнике биографий кавалергардов».

Отказываясь от совместной с ним поездки в Крым, Пушкин пишет:

Но льстивых од я не пишу;
Ты не в чахотке, слава Богу;
У неба я тебе прошу
Лишь аппетита на дорогу.

Аппетит у Александра Львовича был, действительно, замечательный. Отличавшийся громадным ростом, непомерной толщиной, необыкновенной физической силой, Александр Львович «очень любил покушать и постоянно изощрялся в придумывании блюд».

Командуя в 1815 году во Франции отдельным отрядом, «он всегда составлял свой маршрут таким образом, чтобы иметь возможность проходить и останавливаться во всех тех местностях, которые славились или приготовлением какого-нибудь особенного кушанья, или производством редких фрукт и овощей, или, наконец, искусным откармливанием птиц». По его словам, он первый составил гастрономическую карту Франции.

Почетным гастрономом в Петербурге слыл М.Ю. Виельгорский, композитор, музыкант, литературно-музыкальный салон которого охотно посещал А.С. Пушкин. По словам современника, его обеды состояли из «блюд самой утонченной гастрономии, в которой граф Виельгорский считался первостепенным знатоком». О нем говорили в обществе: «Нельзя быть любезнее его, но за дурным обедом он становится свирепым».

Взыскательным гастрономом был и Г.А. Римский-Корсаков, с которым А.С. Пушкин часто встречался в московских литературных кругах, а также в доме его матери, знаменитой хлебосолки М.И. Римской-Корсаковой. «В Английском клубе, — вспоминает П.А. Вяземский, — часто раздавался его сильный и повелительный голос. Старшины побаивались его. Взыскательный гастроном, он не спускал им, когда за обедом подавали худо изготовленное блюдо или вино, которое достоинством не отвечало цене, ему назначенной.

Помню забавный случай. Вечером в газетную комнату вбежал с тарелкою в руке один из старшин и представил на суд Ивана Ивановича Дмитриева котлету, которую Корсаков опорочивал. Можно представить себе удивление Дмитриева, когда был призван он на третейский суд по этому вопросу, и общий смех нас, зрителей этой комической сцены».

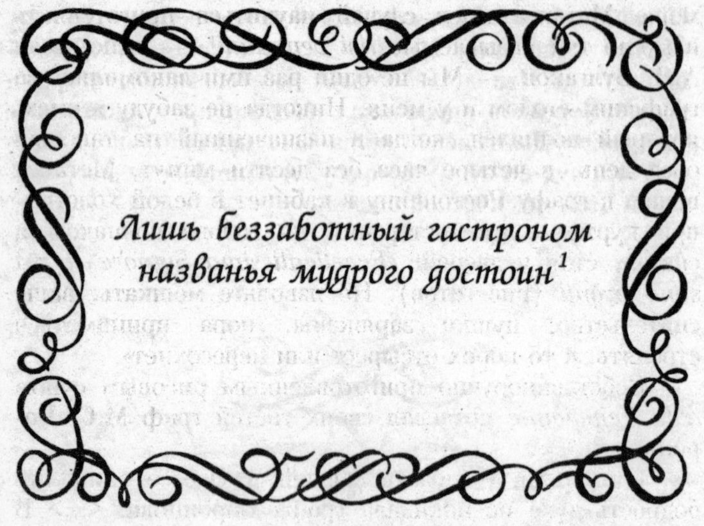

В то время любили и умели веселиться.

На импровизированных завтраках в доме М.И. Римской-Корсаковой, занимавшей «почетное место в преданиях хлебосольной и гостеприимной Москвы», сенатор Башилов «в качестве ресторатора, с колпаком на голове и в фартуке, угощал по карте блюдами, им самим приготовленными, и должно отдать справедливость памяти его, с большим кухонным искусством».

Сенатор П.И. Юшков в имении Чечково закармливал гостей своих, исполняя обязанности повара. Он превосходно варил борщ, жарил особым образом индейку без костей и телятину, в четверти которой было до двух пудов весом.

Подобные сюрпризы любил устраивать и Е.П. Метакса. «В одном из разъездов своих по Средиземному

---

[1] Баратынский Е. Пиры. — В кн.: Стихотворения и поэмы. — Л., 1986, с. 142.

морю Метакса имел случай научиться приготовлять искусно так называемые *risi veneziani*[1], — вспоминал А.Я. Булгаков. — Мы не один раз ими лакомились за графским столом и у меня. Никогда не забуду я смех, который поднялся, когда в назначенный на таковый обед день, в четыре часа без десяти минут, Метакса вошел к графу Ростопчину в кабинет в белой холстинной куртке с кухмистерским на голове колпаком и сказал, стоя у дверей: «*Eccellentissimo Signore, i risi sono pronti* (рис готов). Не извольте мешкать, ваше сиятельство, пушки заряжены, пора приниматься стрелять, а то порох отсыреет или пересохнет».

Собственноручно приготовленным рисовым супом *á la Venetienne* потчевал своих гостей граф М.С. Воронцов.

«Во время господствовавшей в Одессе эпидемии бодрость духа не покидала графа Воронцова. <...> В генерал-губернаторском доме прекращены были приемы, и к обеду собирались лишь члены семейства и самые приближенные люди. <...>

Изыскивая средства разнообразить образ полузатворнической жизни, граф Воронцов, между прочим, предложил, чтобы каждый, поочередно, готовил к обеду блюдо, по своему избранию; сам он взялся изготовить любимый его рисовый суп *á la Venetienne*. Обратясь ко мне, — пишет М.И. Щербинин, — он спросил, чем я намерен угостить наше общество. Я отвечал, что не имею ни малейшего кулинарного знания; но что, прочитав в последнее время очерк Испании, составленный одним английским офицером, служившим в войске Дон Карлоса, я нашел там рецепт испанского кушания, называемого *puchero*, которое, как отзывается сам автор книги, отвратительно. По настоятельному требованию графа Воронцова, я изгото-

---

[1] Рис по-венециански.

вил это кушание; оно ему так понравилось, что неоднократно впоследствии, и даже в Тифлисе, он просил меня накормить его испанским *puchero*[1]».

В письме к брату А.Я. Булгаков рассказывает о розыгрыше, устроенном И.Н. Римским-Корсаковым, на лукулловские обеды к которому съезжалась почти вся Москва:

«Заезжал я к Ив. Николаевичу. Вообрази, какую фарсу он сделал с нами вчера. Привез с собою в горшочке фарфоровом какое-то кушанье.

«Кушайте и отгадайте, что такое». — «Это птицы», — сказал я. — «Да какие? И страус птица, и чижик птица».

Называли всех птиц, как из Бюфона. Тесть говорит, что есть не станет, не зная, что такое.

«Да нет, князь, не хорошо, так отдашь; а птица моя домашняя, дорогая, красавица!» — «А, знаю, знаю! — вскричал тесть, облизывая себе пальцы, — это крошечные *павлины!*» — «Ну, точно так, — отвечал Корсаков, — а ты, верно, отродясь, это не ел». — «Как, я? Сколько раз едал в Киеве; дайте-ка мне еще павлинят!» <...>.

Ну, знаешь ли, что это было вместо павлинят? *Галчонки!..*»

Были и такие гастрономы, которые со всей серьезностью относились к своим кулинарным занятиям. Неутомимым изобретателем-кулинаром был писатель В.Ф. Одоевский. «Ни у кого в мире, — вспоминал И.И. Панаев, — нет таких фантастических обедов, как у Одоевского: у него пулярка начиняется бузиной или ромашкой, соусы перегоняются в химической реторте и составляются из несвязных смешений; у него все варится, жарится, солится и маринуется ученым образом...»

---

[1] Пучéро, традиционное блюдо из турецкого гороха, мяса и овощей.

О химических соусах Одоевского писал в своих воспоминаниях и В. Соллогуб: «<...> он раз в месяц приглашал нас к себе на обед, и мы уже заранее страдали желудком; на этих обедах подавались к кушаньям какие-то придуманные самим хозяином химические соусы, до того отвратительные, что даже теперь, почти сорок лет спустя, у меня скребет на сердце при одном воспоминании о них».

В.Ф. Одоевский был убежден, что «важнейшее приложение химии есть кухонное искусство». Вероятно, на занятия химией Одоевского вдохновил великий французский кухмистр Антонин Карем, в свое время посещавший химические курсы.

О кулинарных изобретениях графа Румфорда (1753 — 1814), английского физика, было известно во всей Европе. Самым главным его изобретением был так называемый Румфордов суп, приготовляемый из костей, крови и других дешевых питательных веществ. В «Похвальном слове графу Румфорду», опубликованном в переводе с французского в «Духе журналов» за 1815 год, читаем: «<...> он не только старался варить кушанье как можно дешевле, но и занимался искусством, как наилучше составлять разные кушанья, и все, конечно, не для себя, ибо сам он употреблял всегда самую простую и умеренную пищу, но единственно для здоровья, пользы и экономии ближних <...>. Г. Румфорд дошел, наконец, до того, что мог за самую малую цену кормить людей; и потому во всех просвещенных странах имя его знаменует то благотворительное вспоможение, которое бедности дает жизнь и силу».

Последователей графа Румфорда в Европе было немало. Их можно было встретить и в России. Немецкий путешественник Оттон фон Гун в своих путевых заметках рассказывает о кулинарных занятиях генерал-майора Гудовича в его имении Ивантенки:

«Господин генерал по болезни своей не выезжал никуда, особливо осенью и зимою, сидит всегда в свосй библиотеке и, как отличный хозяин, беспрестанно занимается предметами полезными и к хозяйству относящимися. У него в особливости хорошо приготовляют разные поваренные травы, засушивая их, соленые и различным образом приготовленные для употребления в зиму. Они так зелены и хороши, что от свежих никак распознать не можно.

Незадолго пред сим занимался он изобретением нового рода Румфордова супа, который он приказывал делать различными образами, имея, однако ж, всегда в виду чрезвычайную его дешевизну, питательность и вкус.

В № 18 «Коммерческих ведомостей» прошедшего 1804 года читал он способ составлять сыр из творогу и картофелей. Он велел его сделать и по вычислении нашел, что пуд такого сыру по здешним ценам обходится не выше пятидесяти копеек, нашед, что он столь дешев, велел взять оного полфунта и, растеревши, сварить на не весьма крепком бульоне с прибавлением малой части зелени, из чего и получил хорошую порцию супу, весьма вкусного и питательного. Я сам отведывал этот суп, отлично приготовленный, и нашел его, действительно, таковым».

Многие господа любили проводить время в кухне: следили за кухонным процессом, а иногда руководили приготовлением того или иного блюда. В часы досуга сочиняли кулинарные руководства и справочники. П.А. Ганнибал, двоюродный дед А.С. Пушкина, будучи хозяином Петровского имения, сочинил для своего дома подобное руководство.

Примечательно, что все вышедшие в то время кулинарные пособия были написаны, составлены или переведены с иностранного языка (чаще всего с французского или немецкого) мужчинами.

Самыми популярными изданиями были книги тульского помещика Василия Левшина: выходивший в 90-е годы XVIII века «Словарь поваренный, приспешничий, кандиторский и дистиллаторский»[1], а также изданная в 1816 году «Русская поварня».

Хороший хозяин в первую очередь думает о том, как ему наилучшим образом обустроить кухню. Высланный в 1822 году из Петербурга в Костромскую губернию П. Катенин обращается в письме к Н.И. Бахтину со следующей просьбой: «<...> для нового дома в городе нужны мне английская кухня: сделайте милость, узнайте на заводе у Берта, что оная будет стоить и сколько выйдет пудов, ибо и провоз надобно в счет поставить; кажется, однако, вес не так огромен выйдет; главное: три плиты, а без чугунной легко и обойтись, она почти бесполезна; вместе уже купите *un gril*[2], на чем Святого Лаврентия жарили, и на чем я хочу жарить котлеты; у меня есть оный, да мал...»

«Английская плита с железным шкафом, вмазанным котлом, с колпаком и русская печь — необходимые принадлежности хорошо устроенной кухни, которая должна быть снабжена кухонными принадлежностями не только в достаточном количестве, но даже в изобилии...» — читаем в «Энциклопедии русской опытной городской и сельской хозяйки...»

---

[1] Орфография сохранена.

[2] Рашпер, решетка для жаренья, жаровня *(фр.)*.

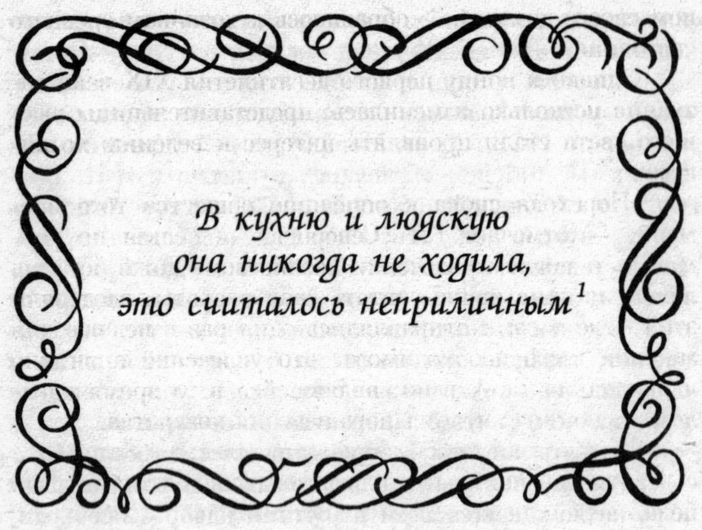

Повседневный быт представительниц высшего света отличался от образа жизни провинциальных дворянок. Нередко жительницы усадеб заправляли всеми делами в имении. Столичные аристократки были далеки от хозяйственных хлопот. В круг ежедневных обязанностей помещицы входило следить за приготовлением еды. Дамы высшего общества избегали заходить в кухню. Это считалось дурным тоном.

Автор «Поваренного календаря», изданного в 1808 году, посвящая свой труд «высокопочтеннейшим российским хозяйкам», адресует его в первую очередь дворянкам «средней руки»: «Хотя я не исключаю от сей обязанности хозяек домов знаменитых и богатых, кои, не знаю, почему, себя лишают своего права и великого удовольствия заниматься внутренним хозяйст-

[1] Полянская А.Г. Семейная хроника. — Русская старина, 1911, март, с. 669.

вом своего дома, <...> обращаюсь к хозяйкам среднего состояния...»

Однако к концу первого десятилетия XIX века ситуация несколько изменилась: представительницы высшего света стали проявлять интерес к ведению хозяйства.

«Переходя снова к описанию общества того времени, — отмечает Г.Т. Северцев, — нельзя не упомянуть о модном увлечении хозяйством. Даже богатые люди, не привыкшие считать свои расходы, следовали этой моде и сами отправлялись один раз в неделю для закупки всего необходимого. Это увлечение проникло к нам также из Англии, являвшейся в то время идеалом экономии и правильного ведения хозяйства.

Обыкновенно днем закупок являлась суббота. Уже с девяти часов утра и вплоть до двенадцати тянулась целая вереница экипажей в Гостиный двор.

Разодетые в дорогие костюмы хозяйки, поддерживаемые сопровождавшими их лакеями, выскакивали на полутемную галерею. Пройти через толпу разряженных, разговаривающих между собою дам, было затруднительно <...>.

В Гостином дворе продавались в то время все товары, исключая мяса, рыбы и зелени. Последнее приобреталось, как и теперь, на Сенном рынке, куда направлялись экипажи хлопотливых хозяек после того, как все необходимое было закуплено в Гостином дворе и в Милютиных рядах, существовавших уже в то время и считавшихся лучшими в столице. На Сенной рынок ездили чаще...»

В расходной книге одной из тогдашних хозяек отмечено следующее:

«Заплатила за убоину по 7 руб. 40 коп. за пуд ассигн.

Солонину предлагали по 6 руб. ассигн. Дорого.

Купила 10 пар рябых, заплатила 70 коп. ассигн. за пару.

К рыбе и не приступись, ах, ты батюшки, за семгу норовят 45 коп. ассигн. за фунт взять.

Свежую икру платила 1 рубль 70 коп. ассигн., а паюсную мартовскую — рубль с гривной.

Сиги отдали бы по 45 коп. ассигн. за штуку, а белугу просили четвертак.

Масло коровье купила 8 $^1/_2$ рублей ассигн. за пуд».

«Мода на экономические закупки и ведение хозяйства продолжалась недолго. Регулярные кортежи на Сенной рынок экипажей высшего круга прекратились, в Гостиный же продолжали ездить, но не только в одну субботу, как раньше. Хозяйством начали снова заведывать различные метрдотели, повара, лакеи, а хозяйки успокоились после чуть ли не полуторогодичного, чуждого им ради моды, занятия».

Впрочем, не только мода заставляла светских львиц вести расходные книги. Интерес некоторых дам высшего общества к ведению домашнего хозяйства объяснялся, по словам мемуаристов, их скупостью.

Э.И. Стогов рассказывает о жене киевского генерал-губернатора Д.Г. Бибикова:

«Бибиков и жена его были очень скупы. Барыня большого света, где не принято заниматься хозяйством, она сама, заказывая обед, назначала точное количество всякой провизии и даже число яиц для всякого кушанья, но этого никто не знал из посторонних, кроме, конечно, меня.

Софья Сергеевна однажды меня удивила, когда, разговаривая наедине со мною, она до самой подробности означила базарную цену всякой безделицы: говядины, крупы, муки, масла, яиц и даже цену соли. Все это было совершенно верно. Когда я изъявил удивление, она много смеялась и говорила, что ее нельзя надуть ни в чем; она ясно и верно означила мне, сколько и чего потребно для каждого кушанья».

Скупость графини А.В. Браницкой, свидетельствует Ф.Ф. Вигель, не мешала ей быть прекрасной хо-

зяйкой и мудрой супругой: «Несмотря на свою скупость, графиня Браницкая нанимала изящнейшего повара-француза и ничего не щадила для стола, дабы сим приятным занятием отвлечь супруга от хозяйственных дел, в которых он ничего не понимал и в кои от скуки он захотел бы, может быть, мешаться».

Знаменитый гастроном, писатель Брилья-Саварен в книге «Физиология вкуса» писал о влиянии гастрономии на супружеское счастье:

«Гастрономия может только в таком случае оказать существенное влияние на супружеское счастие, если она разделяется обеими сторонами. Два супруга-гастронома имеют повод сходиться по крайней мере один раз в день, ибо даже те, которые спят на разных постелях (таких много), едят, по крайней мере, за одним столом; у них общий предмет для разговора, всегда новый; они говорят не только о том, что едят, но и о том, что ели или будут есть; они беседуют о том, что видели у других, о модных блюдах, новых изобретениях; а известно, семейные беседы имеют особую прелесть.

Музыка также доставляет большое наслаждение тем, кто ее любит, однако надо учиться ей, а это трудно. Кроме того, случится насморк, нет нот, инструменты расстроены, или мигрень, или просто лень. Напротив, одна и та же потребность зовет супругов к столу и удерживает их там; они оказывают друг другу ту мелкую предупредительность, в которой заметно удовольствие одного предлагать услуги другому; от того, как проходит обед, многое зависит для супружеского счастия».

Современным читательницам советуем прислушаться к словам автора уже упоминаемого «Поваренного календаря»: «Когда хозяин занимается делами и хозяйством внешним, после трудов своих возвращается он во объятия своей супруги, ее долг тогда — подкрепить его здоровыми и вкусными снедями, и сколько приятна снедь, руками милыми приготовленная! Ибо не количество, но приятность снедей более восстановляет после утомления и поддерживает тело в здоровом состоянии...»

Хорошая еда, утверждает Брилья-Саварен в главе «Гастрономия женщин», способствует не только долголетию, но и сохранению красоты: «Рядом серьезных и точных наблюдений доказано, что питательная, вкусная пища надолго задерживает появление на лице морщин старости. Она придает глазам более блеска, коже — более свежести, укрепляет мускулы; так как морщины, страшные враги красоты, происходят вследствие сокращения мускулов, то смело утверждают, что при одинаковых почти обстоятельствах те, которые умеют хорошо есть, 10 годами моложе тех, которые чужды этой науки...»

Пожалуй, стоит задуматься над этим.

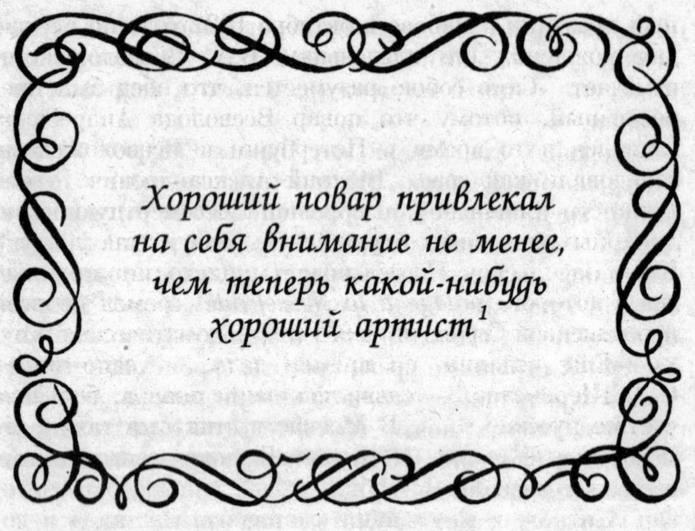

Дамы высшего света не вникали в тонкости кулинарного дела, это, однако, не мешало им восхищаться искусством поваров.

«Увлечение их искусством переходило и на них самих. В декабре 1811 года одна хорошенькая девушка из высшего круга, г-жа Р., сбежала вместе с крепостным поваром своего дяди, замечательно хорошо готовившим расстегаи и стерляжью уху. Хотя сбежавших тотчас же поймали, и барышня была выдана замуж за другое лицо, тем не менее дерзкий повар не был наказан во внимание его искусства и снова занял свое место у плиты на кухне».

Искусным поваром гордились, им дорожили, он составлял репутацию хозяина. К. Касьянов (В. Бурнашев), описывая в книге «Наши чудодеи» «трехднев-

---

[1] Северцев Г.Т. Санкт-Петербург в начале XIX в. — Исторический вестник, 1903, т. 92, с. 625.

ный праздник в Рябове в октябре 1822 года по случаю дня рождения его владельца», В.А. Всеволожского, отмечает: «Само собою разумеется, что обед был превосходный, потому что повар Всеволода Андреевича славился в то время в Петербурге и Всеволожскому завидовали как граф Дмитрий Александрович Гурьев (министр финансов), изобревший бессмертную в кулинарных летописях «гурьевскую кашу», так и граф Карл Васильевич Нессельроде (министр иностранных дел), которого *potage á la Nesselrode*[1] гремел по всей просвещенной Европе не менее его дипломатических нот».

«Еще издавна, со времен деда, — вспоминает С.Д. Шереметев, — славились наши повара, большею частию русские <...>. В Москве у отца был также замечательный повар Щеголев. В доме долгое время держался квасник Загребин, а еще раньше был медовар Житков, и меды наши славились. Застал я и домашнего кондитера — дряхлого старика Пряхина — но это уже была развалина».

Хороший крепостной повар стоил очень дорого. Объявления о продаже поваров помещались в газетах.

«Продается повар, на 17 году, ростом 2 аршина и 2 с половиной вершков, цена 600 рублей. Видеть его можно в доме, где Спасская аптека у г. Алексеева», — печатали «Московские ведомости» за 1790 год.

К повару предъявлялись очень высокие требования. Помимо умения хорошо готовить, «повар должен уметь читать, а по крайней мере то записать мог, что от другого повара увидит или услышит; он должен при трезвости быть, чистоплотен и опрятен <...>. Повар должен уметь посуду лудить и починивать, ибо сия работа для него не трудна, а нужна, особливо там, где нет медчиков...» — читаем в «Поваренных записках» С. Друковцева.

---

[1] Суп Нессельроде *(фр.)*.

Покупка повара не обходилась без пробного стола. «Сегодня положено было обедать дома и пробовать еще повара; вместо того получил приглашение от Гурьева обедать у него...» — пишет А. Я. Булгаков брату.

П.А. Вяземский в «Старой записной книжке» приводит диалог графа М. Виельгорского с хозяином, пригласившим его на обед:

«— Вы меня извините, если обед не совсем удался. Я пробую нового повара.

Граф Михаил Виельгорский (наставительно и несколько гневно):

— Вперед, любезный друг, покорнейше прошу звать меня на непробованные обеды, а не на пробные».

Нередко поварам доставалось от строгих хозяев. За обедом у полтавского помещика, «маршала дворянства», П.И. Полюбаша, «каждое блюдо подавалось прежде всего самому пану-маршалу и, одобренное им, подавалось гостям, но беда, если блюдо почему-либо не приходилось по вкусу хозяину: тогда призывался повар; рассерженный маршал вместо внушения приказывал ему тут же съедать добрую половину его неудачного произведения и затем скакать на одной ножке вокруг обеденного стола. Вид скачущего повара потешал всех нас, и мы просто умирали от смеха...» — вспоминает А.М. Лазаревский.

Случалось, что повар нес наказание не только за плохой обед. По словам А.И. Дельвига, князь Петр Максутов «будучи очень вспыльчив и очень малого роста, <...> найдя счета повара преувеличенными, становился на стул и бил по щекам повара, который подчинялся этим побоям без отговорок, хотя и жил у нас по найму».

Для того чтобы обучить дворовых кулинарному искусству, их отдавали либо в московский Английский клуб, славившийся искусными поварами, либо к знаменитым поварам в дома столичных аристократов.

«Так как наш повар, хотя и хороший, но готовивший на старинный манер, начал стариться, то отец поместил молодого малого из дворни учиться кулинарному искусству в московский Английский клуб, и когда по окончании его ученья он вернулся к нам, наш стол сделался утонченнее, и молодой повар наш пользовался такой хорошей репутацией между соседями, что его часто приглашали готовить именинные обеды и отдавали мальчиков-подростков к нему на выучку», — вспоминает М.С. Николева.

А вот еще один любопытный документ той эпохи — письмо Е. Кологривовой П.Н. Шишкиной от 27 января 1825 года:

«Милостивая Гос. Сестрица Прасковья Николаевна!

Нарочно я к вам матушка прошлой раз сама я приежала и желала я с вами лично об одном переговорить нащет продажи моего повара <...> я надеюсь, что естли вы его у меня купите то вы оным всегда будите давольны: вопервых что он кушанье гатовит в лудьчем виде и в лудьчем вкусе в нонишном как нонче гатовють модные блюды он же у меня училса совершенно оконьчателно поваренной должности у Лунина[1] кухмистра каторой зъдесь был по Москве перъвешей кухмистеръ что и вам я думаю не безъсвестно».[2]

«В доброе старое время, — писал М.И. Пыляев в очерке «Как ели в старину», — почти вся наша знать отдавала своих кухмистеров на кухню Нессельроде, платя за науку баснословные деньги его повару».

Известно, что главным поваром Нессельроде был француз Моиу. Искусных поваров один раз в неделю хозяева отпускали готовить в другие дома.

«Вчера обедали мы у Вяземского на пробном столе, — сообщает брату А.Я. Булгаков. — Хотя кух-

[1] П. Лунин — «коренной» московский хлебосол. Ныне в доме Луниных находится Государственный музей Востока.

[2] Орфография сохранена.

мистр Алекс. Львовича[1], но не показался вообще никому хорошим».

О том, как ценили искусных поваров, свидетельствует рассказ Э.И. Стогова: «После обеда тетка похвалила искусство повара. Бакунина расхваливала его и как человека. Она рассказала, что однажды, когда опоздали оброки из деревень, повар не обеспокоил Михаила Михайловича, содержал весь дом на свои деньги, а после Бакунин заплатил ему 45 тыс. рублей.

— Повар ведь крепостной, откуда он взял столько денег? — спросил я тетку.

— Конечно, нажил от своих господ, — отвечала она, смеясь, и заметила: — Богатые господа живут и дают жить другим».

[1] Нарышкина.

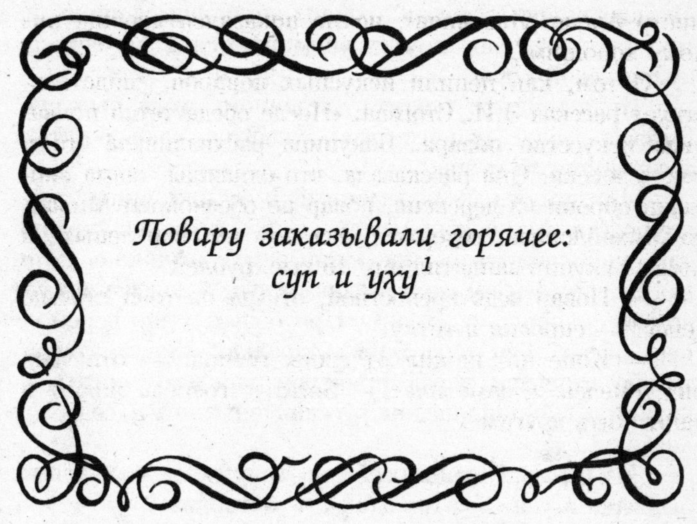

Повару заказывали горячее: суп и уху[1]

Теперь самое время поговорить о репертуаре обеденного стола.

Ф.Ф. Вигель писал: «Французские блюда почитались как бы необходимым церемониалом званых обедов, а русские кушания: пироги, студени, ботвиньи оставались привычною любимою пищей».

Разговор о составе дворянского застолья пушкинской поры начнем с рассказа о блюдах русской национальной кухни. К сожалению, названия многих из них не знакомы современному русскому человеку, а некоторые традиционные продукты русской национальной кухни в наше время считаются изысканными, дорогими и поэтому доступными лишь для состоятельных покупателей.

Невозможно рассказать обо всех русских кушань-

---

[1] Дубровин Н.Ф. Русская жизнь в начале XIX в. — Русская старина, 1899, январь, с. 20.

ях, входивших в меню дворян, остановимся лишь на тех, которые чаще других упоминаются в источниках пушкинской поры.

Непременным блюдом обеденного стола был суп. Русская кухня, как известно, славится очень богатым ассортиментом супов.

«Когда обед не церемонный и за ним присутствуют родственники и приятели, то все глубокие тарелки для супу ставятся обыкновенно перед хозяйкою, которая в таком случае сама разливает суп, а лакей разносит его по сидящим за столом. При больших же церемонных обедах суп в глубоких тарелках уже предварительно ставится перед прибором каждого гостя», — читаем в «Энциклопедии русской опытной и сельской хозяйки...»

Из горячих супов особенно популярны в XIX веке были щи и уха, а из холодных — ботвинья.

Щи занимают особое место в ряду русских национальных супов. Вкусом русских щей восхищались иностранцы, побывавшие в России. А. Дюма даже включил рецепт щей в свою кулинарную книгу.

К щам из свежей капусты обычно подавались пирожки или кулебяка с мясной начинкой, к щам из квашеной капусты — рассыпчатая гречневая каша.

«Вчера я получил письмо от моего Толстого американца, с ним чудо приключилось: он умирал от своей адско-мучительной болезни, и какой-то мужик его вылечил в один час святою водою, так что он, который почти не пил, не ел, через час ел щи с гречневой кашей, разварные грибы и ветчину и продолжает так кушать уже шесть недель, чувствуя себя совершенно здоровым», — сообщает Д. Давыдов в письме к Вяземскому.

Каждую осень в дворянских домах квасили капусту. Рубка капусты, по словам современника, походила на «какое-то языческое празднество».

И.Т. Калашников в «Записках иркутского жителя» пишет: ««Капусткою» назывался сбор девиц и женщин для рубки капусты общими силами или помощью, как говорят в деревнях. Это было в обыкновении в домах и богатых, и бедных, и чиновнических, и купеческих, — словом, у всех жителей Иркутска. Старушки обрубали вилки, мальчишки подхватывали и ели кочни, а девушки и молоденькие женщины рубили капусту, напевая разные песни. Известно, что русская натура и труд, и радость, и горе, — все запивает песнями, от которых и труд облегчается, и радость оживляется, и горе убаюкивается. Бывало, звонкие голоса певиц далеко разливаются по улицам и невольно влекут прохожих в знакомые им дома. По окончании рубки всех гостей угощали обедом, чаем, и потом начиналась пляска».

Квашеную капусту можно было купить и на рынке. «Нам показывали Москву, возили по замечательным окрестностям, — вспоминает А.М. Фадеев. — <...> Между прочим, брат мой возил нас в село Коломенское, где жили удельные крестьяне и показывал нам огромные чаны, в которых обыкновенно крестьяне квасили капусту на продажу в Москву».

Известно, что русские солдаты во время войны 1812 года, не имея возможности приготовить щи из капусты, квасили листья винограда и варили из них щи.

Кислыми щами в ту пору называли довольно распространенный прохладительный напиток типа шипучего кваса.

А.Я. Булгаков сообщает в письме брату: «Нарышкина, урожд. Хрущова, возвратившись на днях из чужих краев, обрадовалась любезному отечеству, кинулась на кислые щи и русское кушанье».

Кислые щи разливали в бутылки и плотно закрывали пробками, которые, случалось, с шумом выскакивали. «Однажды я зашел к Сергею Прокофьеву, — читаем в «Записках» И. Головина. — <...> У него были хорошие кислые щи; раз услышал он шум в комнате возле той, где он погружен был в Малькуса, Науку финансов. Схватил он шлегель (еспадрон), надел шлем и пошел истреблять врагов. «Кто тут?» — Нет ответа! Глядь-поглядь, а это кислые щи ушли из бутылки. Так как он был добрый малый и совсем не трус, то он сам и рассказал это похождение».

Кислые щи использовали также как средство от насморка. В «Журнале общеполезных сведений» за 1835 год (в библиотеке А.С. Пушкина сохранилось свыше двадцати номеров журнала за этот год) приводится следующий рецепт: «Рекомендую испытанное мною простое от насморку средство: дóлжно взять черный глиняный горшок, положить в него хмелю, сколько может в нем вместиться, налить кислыми щами и, замазав крышку, поставить в печь часа на четыре, чтобы все хорошенько укипело. Ложась спать, вынимают из печи горшок, раскупоря, ставят пред собой и, накрыв голову, чтоб пар не расходился во все стороны, сбирают его и окуриваются им по крайней мере с полчаса. За ночь может пройти даже сильный насморк».

Щи в ту пору варили самые разнообразные:

щи серые (из молодой капустной рассады),

щи ленивые (овощи для них резались очень крупно: кочан капусты на четыре части, морковь и лук пополам),

щи сборные («для оных употребляется говядина, свежина, ветчина и баранина, кусками изрезанная, гусь и две курицы целых»).

По словам историка дворянского быта Н.Ф. Дубровина, на Святой неделе зеленые щи и зеленый соус «были так же неизбежны за обедом, как красные яйца и кулич». Зеленые щи готовили из листьев шпината, щавеля или молодой крапивы. К ним всегда подавались сваренные вкрутую яйца.

Приятельница Пушкина фрейлина двора А.О Смирнова-Россет вспоминала: «Хотя летом у нас бывал придворный обед, я все же любила обедать у Пушкиных. У них подавали зеленый суп с крутыми яицами, рубленые большие котлеты со шпинатом или щавелем и на десерт варенье из белого крыжовника».

О том, как варить «двойные щи», узнаем из лекции доктора Пуфа (под этим именем на страницах «Литературной газеты» со своими кулинарными изысканиями выступал писатель В.Ф. Одоевский): «Я рекомендую щи двойные. Для сего накануне сварите щи, как обыкновенно, из сырой или свежей капусты, двух морковей, одной репы и двух луковиц; на ночь поставьте в глиняном горшке на мороз; поутру разогрейте, пропустите сквозь сито жижу, а гущу, т.е. и овощь, и говядину, протрите сквозь частое решето и на этой жиже, а не на простой воде, варите новые щи с новой капустой, кореньями, говядиной, как обыкновенно».

Для того чтобы обеспечить себя на всю дорогу домашней пищей, путешественники очень часто брали с собой замороженные щи.

«Путешествие наше из степной деревни в Москву, — вспоминает современница, — продолжалось от 5-ти до 6-ти суток; но мы, дети, этим не скучали, находя развлечение в каждой безделице.

Если ехали зимой, по санному пути, брали с собой повара, который заранее дома заготовлял всякую дорожную съестную провизию, а главное — замороженные щи, в которых обыкновенно варились кислая капуста, клалась говядина, баранина, гуси, утки, индейки, куры; потом все это вместе замораживалось, а на станциях, т. е. в деревнях, где кормили лошадей днем или где ночевали, отрубали часть замороженной массы, разогревали на крестьянской печи: каждый из нас выбирал себе из щей кусок мяса по вкусу. И как вкусны были эти щи!»

Из холодных супов особо любимым блюдом у русского дворянства была ботвинья. В словаре Даля дается такое определение ботвиньи: «Ботвинья — холодная похлебка на квасу из отварной ботвы, луку, огурцов, рыбы». Ботвинью готовили с варсной рыбой (осетриной, севрюгой, судаком), а к столу подавали с ломтиками балыка. В роли гарнира обычно выступали раки или крабы.

«За ними (щами — *Е. Л.*) следовала ботвинья со льдом, с прозрачным балыком, желтой, как воск, соленой осетриной и чищеными раками...», — так описывает ботвинью в «Семейной хронике» С.Т. Аксаков.

Ботвинью готовили и в доме А.С. Пушкина. 19 апреля 1834 года в письме к жене поэт рассказывает, как он угощал обедом своего брата, Льва Сергеевича: «Третьего дня сыграл я славную шутку со Львом Сергеевичем. Соболевский, будто ненарочно, зовет его ко мне обедать. Лев Сергеевич является. Я перед ним извинился, как перед гастрономом, что не ожидая его, заказал себе ботвинью да *beafsteaks*[1]. Лев Сергеевич тому и рад. Садимся за стол; подают славную ботвинью; Лев Сергеевич хлебает две тарелки, убирает осетрину...»

Ботвинья была одним из любимых блюд Александра I. В журнале «Русский Архив» содержится на эту тему весьма любопытный рассказ:

«Государь Александр Павлович очень был расположен к английскому послу. Раз, говоря с ним о русской кухне, он спросил, имеет ли тот понятие о ботвинье, которую сам Государь очень любил. Узнав, что посол никогда этого кушанья не пробовал, Государь обещался ему прислать.

Посол жил на Дворцовой набережной, недалеко от дворца. Государь, кушая ботвинью, вспомнил о своем обещании, которое тут же и исполнил. Посланник принял это кушанье за суп и велел его разогреть. При свидании Государь не забыл спросить, как понравилась ботвинья. Дипломат несколько замялся и, наконец, объяснил, что, конечно, подогретое кушанье уже не может так быть хорошо, как только что изготовленное».

---

[1] Бифштекс *(англ.)*.

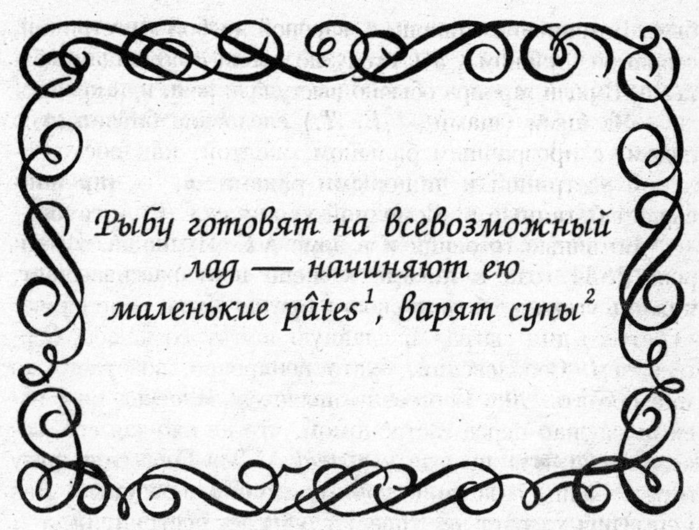

«Если черепаховый суп принадлежит Англии, то уха, суп из рыбы, принадлежит России», — так говорил знаменитый Карем.

Варили уху из разных пород рыб. Благородные породы придавали бульону тонкий, нежный вкус, а так называемая рыбная мелочь (ерши, окуни) делала бульон более наваристым и ароматным.

В *сборную уху* добавляли налимью печень («потроха»).

Когда готовили *барскую уху*, рыбу варили в огуречном рассоле, а основу пьяной ухи составляли кислые «шти»: «Сиги, судаки, налимы, окуни или стерляди варить в кислых штях; когда порядочно укипит, то влей туда белого вина и французской водки, также

---

[1] Пирожки *(фр.)*.

[2] Письма сестер М. и К. Вильмот из России. — М., 1987, с. 251.

лимону и разных кореньев и опять дать вскипеть; при подавании же на стол положить в нее поджаренного сухого хлеба и посыпать солью, перцем и мушкатным орехом» (*«Старинная русская хозяйка, ключница и стряпуха»*).

К ухе чаще всего подавали расстегаи — пирожки с открытой начинкой, которая, как правило, готовилась из рыбы. Кроме того, рыбный бульон заливался непосредственно и в пирожок, что делало его сочным. Отменным вкусом славилась стерляжья уха.

Что за уха! Да как жирна:
Как будто янтарем подернулась она.

Ну как тут ни вспомнить И.А. Крылова и ни рассказать о его страстной любви к стерляжьей ухе.

«На обедах и вечерах Абакумова бывал иногда и баснописец Крылов; раз он зашел вечером и застал несколько человек, приглашенных на ужин. Абакумов и его гости пристали к Крылову, чтобы он непременно с ними отужинал; но он не поддавался, говоря, что дома его ожидает стерляжья уха. Наконец, удалось уговорить его под условием, что ужин будет подан немедленно.

Сели за стол; Крылов съел столько, сколько все остальное общество вместе, и едва успел проглотить последний кусок, как схватился за шапку.

«Помилуйте, Иван Андреевич, да теперь-то куда же вам торопиться? — закричали хозяин и гости в один голос, — ведь вы поужинали».

«Да сколько же раз мне вам говорить, что меня дома стерляжья уха ожидает; я и то боюсь, чтоб она не перекипела», — сердито отвечал Крылов и удалился со всею поспешностью, на которую только был способен», — пишет в «Семейных воспоминаниях» Н.С. Маевский.

Жареная, паровая, соленая, копченая, вяленая

Scènes de Pologne.
143

рыба входила в ежедневное меню русского дворянина. Особо ценились блюда из севрюги, осетрины, лососины, кеты, белужины, стерляди.

Примечательна история, рассказанная А.Я. Булгаковым в письме к брату: «Намедни славный Строганов давал обед Александру Львовичу (недавно приехал и на днях едет); вдруг пожар в доме, прискакала полиция, все встревожились. Ал. Львович *ne perdit pas la tête et se mit à crier*[1]: спасайте стерлядей и белужину!»

Хозяевам нравилось изумлять гостей огромными размерами рыбных блюд. Паровой котел, в котором подавался на одном из обедов у знаменитого богача Всеволожского разварной осетр, несли на «какой-то платформе» четыре дюжих «кухонных мужика».

«Блюдо это, — читаем в книге «Наши чудодеи», — своею гомерическою громадностью, соединенною с великолепною простотою и натуральностью, конечно, всех поразило...»

Опытный гастроном, утверждает автор популярной в XIX веке «Энциклопедии питания» Д. Каншин, безошибочно сумеет определить, за сколько времени перед обедом приготовленная рыба была живой.

«Самая вкусная рыба та, которую убивают и потрошат, когда идут докладывать, что обед готов». Когда гости «кушают суп», рыбу готовят на кухне.

«Помешались на обедах <...>. Тесть мой играет роль гофмаршала на сих обедах. Я от будущего отказался, а вчера надобно было видеть, как князь Вас. Алекс.[2] провожал стерлядь в полтора аршина; два человека несли ее на лотке, а он подводил ее и рекомендовал принцу-регенту, Юсупову, Долгорукову и прочим матадорам, приговаривая: «Каков, мусье? Сам

[1] Не растерялся и принялся кричать *(фр.)*.

[2] Хованский.

покупал, два часа назад была жива, ну теперь ступайте, режьте!»»

Рыбу ели круглый год. Некоторые породы рыб предпочитали все же готовить в определенное время года, как, например, щуку.

«К поваренному употреблению надлежит щук отбирать жирных, крупных и имеющих белое твердое тело. Лучший вкус в щуках бывает с начала весны, когда имеют они голубое перо» (*«Повар королевский, или Новая поварня приспешная и кондитерская»*).

Щуку с голубым пером воспел Г.Р. Державин:

Багряна ветчина, зелены щи с желтком,
Румяно-желт пирог, сыр белый, раки красны,
Что смоль, янтарь-икра, и с голубым пером
Там щука пестрая — прекрасны!

«Щуку варить так, чтобы при подавании на столе казалась голубою, — читаем в книге «Старинная русская хозяйка, ключница и стряпуха». — Сварив оную неочищенную в соленой воде и вынув поспелую из кипятка, попрыскать на нее холодною водою и тотчас после того накрыть, чтобы не выходил пар; ибо если он выйдет, то она не будет казаться голубою».

Нередко в качестве гарнира к рыбным блюдам подавали раков.

«У нас появилась невская лососина, и мы кушаем ботвиньи и ерши с раковыми шейками и саладом, и всегда, когда подают это блюдо, то о тебе вспоминаем» (*из письма братьев Донауровых к Н.Э. Писареву*).

Рыбная икра (зернистая, паюсная и кетовая) ставилась в качестве закусок. Икра — исконно русский продукт, привычное блюдо на дворянском столе, которым вряд ли можно было удивить гостя. А.Я. Булгаков не без иронии пишет брату: «Удивительный нам сделал прием Козодавлев и его Анна Петровна <...>.

Икру красную подавал за столом особенно, как чудо какое, а полынское вино бережет для себя одного».

Иностранцы же смотрели на икру как на экзотический продукт. Первый консул Бонапарт, которому граф Марков послал зернистой икры, получил ее из своей кухни сваренную: русский стол в ту пору был мало известен в чужих краях.

По словам В.Ф. Одоевского, «икра хороша тогда только, когда она холодна, как шампанское у доброго хозяина». Поэтому икру, как и мороженое, нередко подавали к столу в ледяных вазах.

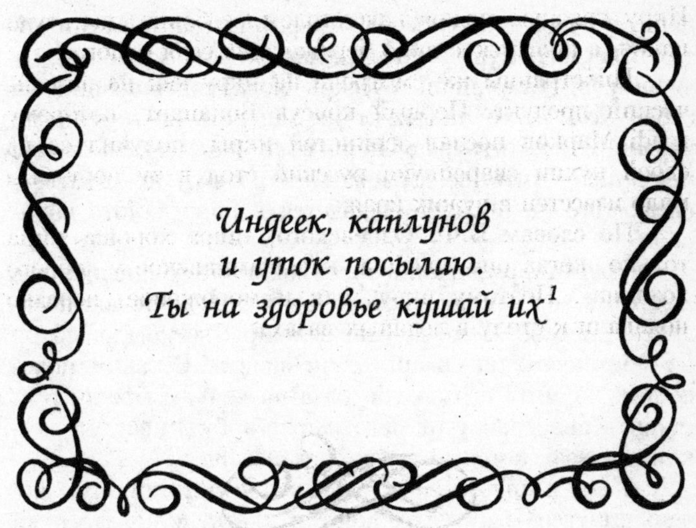

К традиционным блюдам русской кухни относятся и блюда из домашней птицы:

индейка с лимоном;
лапша с курицей;
цыплята в рассольнике;
жареный гусь с яблоками;
утка, обложенная огурцами;
курица в кашице;
жареная курица, налитая яйцами;
потрох гусиный и утиный и др.

Рецепты этих блюд можно найти почти во всех поваренных книгах прошлого столетия.

Размеры птицы, ее вкусовые качества зависели в

---

[1] Записки в стихах Василия Львовича Пушкина. — М., 1834, с 51.

первую очередь от способа откармливания. «Ежели хотят откормить кур скоро и сделать весьма жирными, — читаем в «Старинной русской хозяйке, ключнице и стряпухе», — то надлежит их запереть на неделю на чердак и кормить размоченным в пиве ячменем или пшеницею; пить же им и жидкого корму не давать, а сверх того на 50 куриц кладется в пиво 4 лота шафрана».

«Для откармливания гусей должно его спеленать в холстину, оставя на свободе одну только шею; посадить в темное место и уши залепить воском, чтоб он не мог ничего ни слышать, ни видеть. В таком положении кормить его по три раза на день, а между тем, ставить неподалеку от него какую-нибудь посуду с песком и водою, которую переменять почаще».

А вот и другой способ, «как получать жирную печень от гусей»: «Гуся сажают в клетку столь тесную, чтоб ему едва было в ней место; два раза в день его выпускают для корма, который состоит из одной шестой или пятой части гарнца сырого гороха. После этого принужденного обеда птицу снова запирают в клетку, из которой выпускают только для ужина. Следствие подобного воспитания есть чрезвычайная толщина печени, которая, не изменяя фигуры или устройства, увеличивается нередко в объеме в три и даже четыре раза...»

На этом, однако, страдания бедной птицы не заканчивались. Самым страшным пыткам подвергали гуся перед тем, как отправить его на кухню.

«Гастрономическая мука гуся» — так называется сценка, помещенная на страницах «Московского наблюдателя» за 1837 год:

«*Гость.* Славный пирог!

Хозяин. Спасибо жене.

Гость. Эдакой я только едал у соседа Мушерина. Мастер, нечего сказать, приготовить.

Хозяин. Да это заслуга не его, а повара.

Гость. Вот то-то и нет: он сам приготовляет гуся для начинки.

Хозяин. Что за вздор.

Гость. Да так. Он возьмет гуся, выкалит ему сперва глаза, потом лапки его приколотит гвоздями к полу и начнет его обжигать огнем. Гусь мечется, бьется, пока из сил не выбьется; тут его зарежут, и вот уже печенка — объеденье.

Хозяин. Да, правду сказать, все на службу человека устроено».

В одном из номеров «Журнала общеполезных сведений» за 1835 год В.П. Бурнашев повествует о том, как следует откармливать индейку:

«Избранную сажают в довольно большую клетку, кормят ее сначала одним разваренным в молоке картофелем и спустя день или два, вместе с этим же кормом, дают ей один грецкий орех, целый, с скорлупою, употребляя искусственное убеждение, чтоб она его скушала, то есть, просто вбивая ей его в горло.

На другой день таким образом попотчевать ее двумя орехами, на третий — тремя и продолжать это 12 дней сряду; в последний день, то есть в двенадцатый, когда это животное проглотит вдруг двенадцать орехов, совершится полная мера, которая потом уменьшается опять до одного ореха, а именно: в первый день, после двенадцатого, дают ей 11 орехов, во второй — 10, там — 9, 8 и до одного. С последним орехом оканчивается этот великий труд и для кормимой, и для кормящего.

Я у одной помещицы ел такую индейку. Нет, чистосердечно говорю, я не хочу быть слишком богатым, чтоб не объесться одними такими индейками. Что это? Мясо будто потеряло данное ей природою свойство; это было вовсе не мясо, а какая-то манна, мягкая, нежная, льстящая вкусу».

Жареные лебеди, журавли, павлины, фазаны, украшенные перьями, красовались на столах богатых хозяев.

Один из «московских оригиналов былых времен», некто Петр Иванович, «<...> разъезжал по всем знакомым домам, приглашая их отведать лебедя, приготовленного его Каремом, по образцу, как готовили его для торжественных обедов древних русских царей. И в доказательство истины своих слов он вынимал записки археологической комиссии, прочитывал весьма подробно описание, с чем и как приготовляли наши кухари лебедей, павлинов и журавлей.

Начинка этих птиц, составленная по указанию книги из разных пахучих трав, шафрана и тому подобных, могла быть переварима только прежними желудками, но для Петра Ивановича было немыслимо, чтоб его лебедь, изжаренный целиком, с позолоченным носом и привязанными огромными крыльями, мог кому-нибудь не понравится из присутствовавших.

На него нашла вдруг пассия давать славянские обеды; он вдался, вместе с Яшкой, в изучение кухни допетровской старины, составил из своих дворовых нечто вроде рынд, нарядил Трошку как какого-нибудь боярина в лисью шубу, повытащил из своих шкапов все родовые кубки, закупал дорогою ценою павлинов и журавлей...»

Известно, что еще древние римляне подавали к столу жареных павлинов, украшенных перьями. В XIX веке перья снова вошли в кулинарную моду. В Париже, например, существовали лавки, где давали хвосты и головы фазанов напрокат.

Употребляли в пищу и таких неблагородных птиц как галок и воробьев. Вспомним историю, рассказанную А.Я. Булгаковым в письме брату, о И.Н. Римском-Корсакове, который попотчевал своих друзей блюдом из галчат. А в воспоминаниях А.К. Лелонг (правда, относящихся к 40 — 50 гг.) читаем о том, в каком виде употребляли в пищу воробьев: птички «были очень нежны и вкусны как в пироге, так и маринованные, а так как мы их всегда налавливали очень много, то незначительную часть их, жареных или, лучше сказать, прокипяченных в масле, клали в пирог, а остальные укладывали в банки и мариновали».

Разнообразны были блюда из пернатой дичи. Чаще других на обеденный стол попадали рябчики, бекасы, вальдшнепы, куропатки, перепелки, дупеля, ставшие добычей охотника.

«Я здесь как сыр в масле, — пишет Денис Давыдов из своего имения Ф.И. Толстому. — <...> Посуди: жена и полдюжины детей, соседи весьма отдаленные, занятия литературные, охота псовая и ястребиная — другого завтрака нет, другого жаркова нет, как дупеля, облитые жиром и до того, что я их уж и маринулю, и сушу, и черт знает, что с ними делаю!

Потом свежие осетры и стерляди, потом ужасные величиной и жиром перепелки, которых сам травлю ястребами до двадцати в один час на каждого ястреба».

Жаркое из дупелей столичные гурманы почитали изысканным, гастрономическим блюдом, о чем свидетельствует рассказ Е.П. Янишевского:

«Помню один выдающийся случай из такого времени, случай, показывающий, какое невероятное количество дичи было тогда в наших местах. <...> Дело было в начале августа. Однажды после обеда мы отправились удить рыбу на Ток <...>. С нами был, кроме нашего заводни Евлогия, повар, недавно возвратившийся из Москвы, куда он отдан был учиться поварскому искусству.

Едва въехали мы в наши луга, отстоящие от дома сажен на двести, как из-под ног лошади так и посыпали в разные стороны долгоносые кулики. Повар наш всплеснул руками: «Батюшки, да ведь это дупеля!» — «Ну так что же, что дупеля, их здесь конца-края нет, да видишь, какие они маленькие, их бить-то не стоит», — возразил Евлогий, который, как оказалось, и сам не знал в них толку. Мы, разумеется, были того же мнения, как и Евлогий.

«Да что вы, — говорит повар, — ведь это самая дорогая дичь, я двух уток не возьму за одного дупеля; вы набейте-ка их, какое я вам кушанье изготовлю, пальчики оближете».

Возвратившись домой после уженья, мы, конечно, рассказали наш разговор о дупелях с поваром, по убеждению которого мать позволила Евлогию настрелять этих куликов на пробу. На другой день мы действительно имели отличное жаркое, какого прежде не едали; одно только смущало нас — это то, что дупеля были зажарены непотрошеные: но как повар нас уверил, что дупелей все так едят и в Москве, то мы и успокоились. Только наша прежняя кухарка Хавронья так и осталась убежденной, что поваренок, как она называла ученого повара Петра, на озорство накормил господ птицей с кишками».

Куропатки с трюфелями, фазаны с фисташками, бекасы с устрицами, голубята с раками, жаренные в меду и масле кукушки, рябцы с пармезаном и каштанами — это далеко не полный перечень блюд из дичи, подаваемых к столу русского вельможи-гастронома.

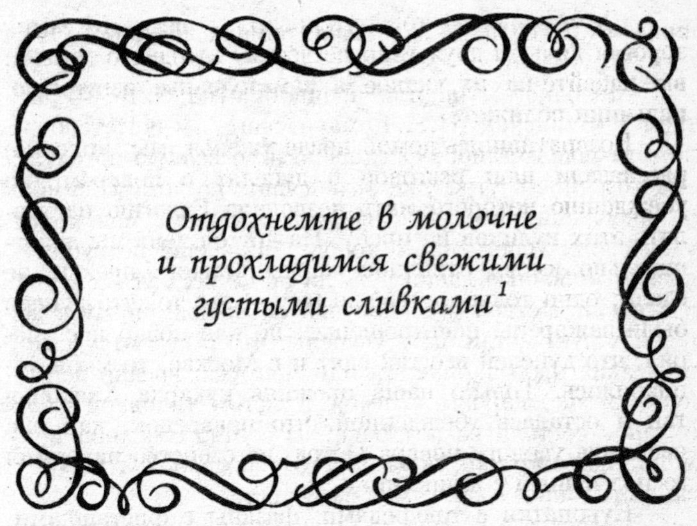

Отдохнемте в молочне и прохладимся свежими густыми сливками[1]

Поэту И.И. Дмитриеву, признавшемуся в своей любви «ко всему молочному», В.Ф. Одоевский однажды сказал: «Это доказательство, что в Вас нет желчи».

Молочные продукты входили в ежедневное меню как деревенского помещика, так и столичного дворянина. Петербуржцев молочными продуктами снабжали жители Охты, пригорода Петербурга.

Окраинный район столицы был населен финами, которые занимались содержанием коров. Охтенка — распространенное в начале XIX века в старом Петербурге название молочниц.

На биржу тянется извозчик,
С кувшином охтенка спешит, —

---

[1] Свиньин П. Поездка в Грузино. — Сын Отечества, 1818, № 40, с. 69.

пишет А.С. Пушкин в I главе романа «Евгений Онегин».

«Молочное хозяйство процветало на Охте, — читаем в «Записках» Н.Е. Комаровского, — и Петербург помнит еще охтянок, ежедневно и во всякую погоду, с самого раннего утра уже разносящих по домам, зимою на небольших салазках, свежие сливки и молоко от удоя своих собственных коров. Тогда еще не существовали молочные лавки чуть ли не на всех углах улиц, и жители Петербурга, получая молочный продукт из первых рук, могли быть уверены, что в нем отсутствует всякая фальсификация или примесь, вредно действующая на здоровье. Зимой и летом головной убор охтянок состоял из платочка, из соответственной времени года материи, завязанного у подбородка и обвязанного вокруг головы при замужестве».

В Москве в начале XIX века у многих помещиков было свое хозяйство. По словам М.Н. Загоскина, «вы найдете в Москве самые верные образчики нашего простого сельского быта, вы отыщете в ней целые усадьбы деревенских помещиков с выгонами для скота, фруктовыми садами, огородами и другими принадлежностями сельского хозяйства».

Москвичка М.С. Бахметева, знакомая графа А.Г. Орлова-Чесменского, с удовольствием сама занималась покупкой коров для своего хозяйства. Другим ее любимым делом было готовить сыры. 20 сентября 1794 года она писала из Москвы своим родителям:

«Что же вы пишите, батюшка, о коровах, то правда, что я похожа на пьяницу. Но, право, симъ радуюсъ, потому что сіе меня очень занимаетъ. И ежели бы случиласъ, чтобы оне все померли, то стараласъ бы какъ можно скорея еще купить. Но старатца буду как можно меньше огорчатца о прежнихъ. Сыръ, которой я для обращика послала с Ываномъ С:, ежели вам понравитца, пришлю записку. Делать его никакого затрудненія нетъ, гораздо лехче нежели я прежнія пакастила. Ежели вы заведете скатоводство, то думаю, сие небесполезно будетъ, и надеюсъ, что вы примыслете ево улутчить. Ежели у вас будетъ только 30 коров дойныхъ, то на каждый день будетъ по меньшей мере выходить пудъ сыру, что немалой даход зделать можитъ. Его здесь очень охотно покупаютъ, хатя сотнями пудовъ. Ежели бы я была с вами, то бы в лета с 30 коровъ дала вам доходу рублiовъ 500»[1].

Чуть ли не в каждом хозяйственном руководстве конца XVIII — начала XIX века подробно описывается способ, как делать сыр из молока. В качестве закваски (или как тогда говорили «лабы») использовали свернувшееся в желудке теленка молоко. Причем брали желудок только теленка-«молошника», который не употреблял в пищу ничего, кроме молока.

«Молоко, согревшись несколько с закваскою, разделяется на сыр и сыворотку, и тогда отнимают его от огня; собирают сыр руками, или отделяют от сыворотки посредством процеживания сквозь холщевой мешок; выгнетают сыворотку положенною на мешок какою-нибудь тяжестию; или кладут в форму и выдавливают помощию нажима. <...>

Для первого сбережения надлежит сыр, вынятый из формы, просушить в плетушках, сделанных из свежих прутьев. Как скоро сыры обсохнут от излишней влаги, то нужно поверхность их посыпать истолченною солью, положить на полках, подостлав длинной соломы, или в плетушках, где, однако ж, они не должны касаться друг друга, и быть часто оборачиваемы. Когда сыры высохнут и затвердеют, надлежит их хорошенько обтереть и положить в сухом, но не в теплом месте».[2]

---

[1] Орфография сохранена.

[2] Круг хозяйственных сведений. Ежемесячное сочинение императорского вольного экономического общества. — 1805, № 10.

Молочня — так называлось место, где хранились молочные продукты (типа подвала или чулана).

Неизгладимое впечатление на П. Свиньина произвела молочня в Грузине, имении графа Аракчеева: «Стены молочни украшены портретами идеальных красот в очаровательных формах и положениях». В аракчеевской молочне гостю подали сливки «в граненом хрустале».

Почетное место на дворянском столе занимали молочные каши. Гречневая, пшеничная, рисовая, пшенная, ржаная, овсяная, ячневая, полбяная, зеленая (из недозрелой ржи), — всех не перечислишь. Таким разнообразным ассортиментом молочных каш славится только русская кухня.

«Из чего только ни делались эти каши, — рассказывает А.К. Лелонг, — были каши из крупы зеленой ржи, эту крупу, очень вкусную и душистую, умела готовить только одна моя кормилица; для этой крупы жали рожь, как только она начинала наливать до половины зерна.

Потом были каши из ячменя, полбы, из цветов роз; эта каша приготовлялась таким образом: брали свежие лепестки от роз, месили тесто из яиц и картофельной муки и в это тесто клали лепестки от роз, все вместе месили и протирали через решето; сушили на солнце. Варили эту кашу на молоке, она имела вид каши из саго, была вкусная, душистая».

Более подробный рецепт каши из роз помещен в журнале «Эконом» за 1841 год: «Оборвите несколько роз и истолките листочки в ступке как можно мельче; выпустите в ступку белок яйца и подбавьте столько картофельного крахмала, сколько нужно, чтоб из массы вышло густое тесто. Потом протрите тесто сквозь сито на сухую доску и высушите на солнце. Таким образом вы получите превосходную крупу. Каша из нее варится на сливках. Можно подбавить в нее немного сахара, если она покажется не довольно сладкою».

В наше время молочную кашу, как правило, едят на завтрак. В прошлом веке это блюдо подавали часто к обеденному столу.

«Тургеневы у нас обедали во вторник. Уж покушал Александр! Была славная молочная каша; подают ему во второй раз <...>, он взял еще, и так полюбилось, что повторил атаку, хотя было по-нашему счету три, а по его две», — сообщает А.Я. Булгаков брату.

Из молочных продуктов на ужин, как правило, ели простоквашу.

«Вчера заехали мы с Боголюбовым к *** после театра, застали ее с какою-то старою девицею гр. Головкиною, ужинают простоквашу», — писал А.Я. Булгаков в Петербург.

По словам лейб-хирурга Александра I, Д.К. Тарасова, в 11 часов вечера император кушал «иногда простоквашу, иногда чернослив, приготовляемый для него без наружной кожицы».

Излюбленной едой русских дворян был творог со сметаною или густыми сливками. «Во все время гащивания нашего у бабушки, — вспоминает В.В. Селиванов, — <...> всякий день Авдотья Петровна в 9 утра приходила в спальню, где мы обыкновенно сиживали и приглашала нас в девичью «фриштыкать» <...>. Там на большом белолиповом столе приготовлялся фриштик, как называла Авдотья Петровна, состоявший из творогу с густыми сливками или сметаною, сдобных полновесных лепешек, пирогов или ватрушек, яичницы или яиц всмятку, молочной каши и тому подобного».

Фрукты со сливками подавали к столу и летом, и зимой. Сливки в ту пору получали путем выпаривания воды из молока. Для этого молоко наливали в широкую кастрюлю и ставили либо на край плиты, либо на вольный дух русской печи, не допуская, чтобы оно кипело.

Загустевшее молоко называлось сливками. «Густые сливки» состояли в основном из пенок. «Кастрюлечки» со сливками были необходимой принадлежностью чайного стола.

П.И. Бартенев, издатель знаменитого исторического журнала «Русский Архив», писал в своих воспоминаниях: «Маменька вставала несколько позднее всех, и мы дожидались ее появления из спальни в узенькую комнату, где ждал ее самовар и две кастрюли со сливками, одна с пенками, а другая, для младших членов семьи, — пожиже».

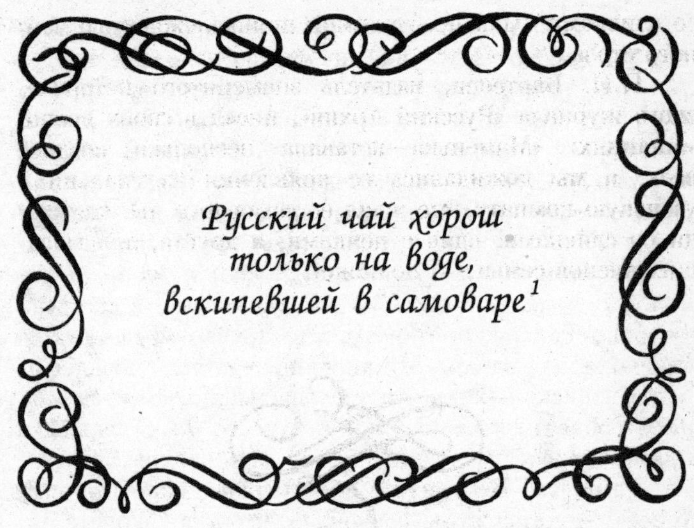

К середине XVIII века чай в России употребляли больше, чем в Европе, а в Москве больше, чем в Петербурге. Петербуржцы начинали день с кофе:

А я, проспавши до полудня,
Курю табак и кофий пью, —

писал Г.Р. Державин.

По словам бытописателя Москвы И.Т. Кокорева, чай был пятой стихией жителей Белокаменной.

В 30-е годы прошлого столетия очень популярным в Москве был чайный магазин Голубкова на Кузнецком мосту. В № 13 «Дамского журнала» за 1831 год помещена его реклама:

---

[1] Смирнова-Россет А.О. Дневник. Воспоминания. — М., 1989, с. 373.

«Не одни только магазины мод и арсеналы красоты заслуживают внимание прекрасного пола: все *прекрасное* принадлежит к его области, и потому дозвольте, Милостивые Государыни, подать вам руку и просить вас последовать за мною... в чайный магазин на Кузнецком мосту, под фирмою Голубкова. Этот магазин в особенности достоин посещения со стороны тех любезных хозяек, которые сами разливают чаи, от чего он становится прямо *китайским нектаром* поэтов. По невысокой чистой лестнице войдете в светлую, довольно большую комнату, где тотчас представится воображению вашему Пекинский храмик, посвященный Китайской Флоре, и где каждый предмет заставляет любоваться собою или *по аналогии* с главным, или по *вкусу,* господствующему как во всех частях, так и в целом. Вы увидите прейскурант, напечатанный со всею типографскою роскошью, и когда захотите видеть по оному различные сорты чая, то вам подадут его на серебряном совке. Европейская вежливость и *хороший тон* хозяина также не останутся без вашего замечания, которых отнюдь не поспешите сократить; ибо спокойно будете все рассматривать и во все входить, сидя на обитом шелковою голубою матерьею канапе из Карельской березы, украшающей, в соединении с золотом, весь *храмик* — это настоящее название сего магазина, доныне единственного на Кузнецком мосту и во всей нашей столице.

Касательно существенных выгод скажем, что вас *не обвесят*; что вы *не заплатите лишнего* и что вам не нужно будет *искусство торговаться*, столь необходимое в наших *рядах*.

Любитель чая»

В начале XIX века москвичи предпочитали пить чай из стаканов и многие, как свидетельствует Д.Н. Свербеев, с недоверием относились к петербургскому обычаю разливать чай в большие чашки.

Благодаря драматургии Островского, отмечает историк русской кухни В.В. Похлебкин, с последней трети XIX века чай стал считаться в русском народе купеческим напитком, «несмотря на то, что в действительности, исторически он был с середины XVII и до середины XIX века, то есть, в течение 200 лет, преимущественно, а иногда и исключительно, дворянским! Но дворянская литература, как ни старалась отразить этот исторический факт, не преуспела в этом отношении».[1]

Художественная литература, может быть, и не преуспела, а вот мемуарная содержит огромное количество описаний чайного стола, который имел очень важное значение в жизни дворянства. Из мемуарных источников мы узнаем о ценности чая в дворянской среде начала XIX века.

П.П. Соколов, сын знаменитого живописца П.Ф. Соколова, вспоминал: «Чай тогда только что начинал входить в употребление, и лишь у очень богатых людей его подавали гостям. Цыбик прекрасного чаю был подарком незаурядным».

Помещицы хранили чай не в кладовой, не на кухне, а у себя в спальне, в комоде. Е.П. Квашнина-Самарина отмечает в своем дневнике: «Рассыпали цыбик чаю, присланный от Якова Ларионова, заплачен 525 р. Вышло из оного 57 фунтов чаю, пришелся фунт по 9 руб. 23 коп. В большой ларец, обитый внутри свинцом, вошло 23 фунта. 1 фунт подарен Иванушке. Около полфунта, бывшего с сором, роздано девушкам. Остальной положен в комоде в спальне» (*1818 г., январь, 21*).

Сахар в помещичьей среде был также большой редкостью. Сама хозяйка ведала выдачей сахара.

«Сахар в доме у нас ценился чуть-чуть не наравне

[1] Похлебкин В. В. Кушать подано! — М., 1993, с. 265.

с золотом, — вспоминает Д.И. Свербеев, — расчетливая тетушка как бы отвешивала каждый кусочек, запирала его за тремя замками, и в ее отсутствие, а иногда и при ней, бывало немыслимо достать себе кусочек этого обыкновенного лакомства, которого через несколько лет после у меня на заводе с грязного пола сушильни сметались рабочими метлами целые кучи».

Продукты, сопровождающие чай, были самые разнообразные: сахар, молоко, сливки, варенье, хлебные и кондитерские изделия. Пить чай по-русски означало пить его с едой и сладостями.

П.А. Смирнов в «Воспоминании о князе Александре Александровиче Шаховском» приводит рассказ драматурга о его знакомстве в 1802 году в мюнхенской гостинице с Гете. Знаменитый немецкий поэт пригласил князя Шаховского «вечером придти к нему на чай».

«Настал вечер, и после размена разных учтивостей, относящихся к обоим лицам, они вскоре познакомились и занялись толкованием о литературе германской, а в особенности русской. Среди разговора им подан был в самом деле чай, но без обычных наших кренделей и булок. Князь, имея обыкновение пить чай с чем-нибудь сдобным, без церемонии позвал человека и велел ему принести несколько бутербродов или чего-нибудь вроде этого. Приказ был исполнен; вечер пролетел и кончился очень приятно, но каково было удивление князя Шаховского, когда утром ему подали счет, в котором было исчислено, с показанием цен, все съеденное им в гостинице, ибо Гете отказался от платежа, отзываясь, что он князя звал на чай, а не на требованные бутерброды».

Особенно любили дворяне пить чай с вареньем. Иностранцы с восторгом отзывались о вкусе русского варенья. Служивший в рядах французской армии голландец генерал Дедем, вспоминая свое пребывание в Смоленске в 1812 году, писал: «Я ел на ужин варенье, которое было превосходно; судя по огромным запасам,

которые мы находили везде, в особенности в Москве, надо полагать, что русские помещики истребляют варенье в огромном количестве».

Варенье было любимым кушаньем русских дворян. На обеде у министра юстиции Д.П. Трощинского «шампанское лилось рекою, венгерское наполняло длинные бокалы, янтарный виноград таял во рту и услаждал вкус; одних вареньев было 30 сортов».

Из воспоминаний А.М. Фадеева узнаем, что даже в буфете петербургского театра среди разных закусок, стоявших на столе, помещалась «огромная ваза, вроде чана, с варением».

Известно, что любимым вареньем А.С. Пушкина было крыжовенное. Н.О. Пушкина, мать поэта, с удовольствием готовила варенье, живя летом в имении Михайловское. «Сегодня я пешком ходила в Михайловское, что делаю довольно часто, единственно чтобы погулять по нашему саду и варить варенье; плодов множество, я уж и не придумаю, что делать с вишнями; в нынешнем году много тоже будет белых слив», — пишет она в августе 1829 года дочери в Петербург.

Наверняка многие хозяйки могли похвастаться вкусом сваренного ими варенья. И не только хозяйки. Князь Д.Е. Цицианов «всегда сам варил варенье за столом в серебряной чаше на серебряной конфорке».

Со времен войны 1812 года широко известен был чай с ромом. Он был особенно любим военными. Е.И. Раевская в своих воспоминаниях приводит историю, услышанную от матери:

«После моего замужества, — рассказывала нам мать, — к нам часто езжали товарищи моего мужа, военные; я считала долгом принимать их любезно и всегда им сама в гостиной чай разливала, но эти господа отучили меня от этого занятия. Однажды приехал один из кавказских сослуживцев вашего отца. Я невзначай спросила его: любит ли он чай? Сколько чашек пьет его?

— Двенадцать стаканов с ромом и двенадцать без рома, — отвечал он.

С этого дня я самовар сослала в буфет».

Чай с ромом упоминается и в романе А.С. Пушкина «Евгений Онегин»:

Оставя чашку чая с ромом,
Парис окружных городков
Подходит к Ольге Петушков...

В «Старой записной книжке» П.А. Вяземского в разделе «Гастрономические и застольные отметки, а также и по части питейной» помещен такой анекдот: «Хозяин дома, подливая себе рому в чашку чая и будто невольным вздрагиванием руки переполнивший меру, вскрикнул: «Ух!» Потом предлагает он гостю подлить ему адвокатца (выражение, употребляемое в среднем кругу и означающее ром или коньяк, то есть, адвокатец, развязывающий язык), но подливает очень осторожно и воздержно. «Нет, — говорит гость, — сделайте милость, ухните уже и мне».»

Однако следующий анекдот (из рукописей Ивана Маслова) позволяет говорить о том, что чай с ромом был известен в России еще в XVIII веке: «Известный Барков, придя к Ивану Ивановичу Шувалову, угащиваем был от него чаем, причем приказал генерал своему майордому подать целую бутылку настоящего ямайского рому, за великие деньги от торговавшего тогда некоторого английского купца купленную. Разбавливая же оным чай и помалу отливая да опять разбавляя, усидел Барков всю бутылку, а потом стакан на блюдце испрокинувши, приносил за чай свое его превосходительству благодарение. Почему, намеряясь над оным сострить, предложил ему сей вельможа еще чаю. На сие Барков: «Извините, ваше превосходительство, ибо я более одного стакана никогда не употребляю».

Чай пили как за большим столом, так и за отдельным чайным столиком. Обычай разливать чай за отдельным столом пришел в Россию из Европы в последнюю четверть XVIII века.

В одном из номеров «Дамского журнала» за 1823 год в разделе «Парижские моды» помещена заметка под названием «Новые чайные столы»: «Посреди и около круга из стекла, без олова, находятся *камеи* — головы, фигуры или что-нибудь другое — в древнем вкусе. Сии камеи рисуются на крепкой шелковой материи, потом вырезываются, и, наконец, подкладываются под стекло, которое составляет доску стола. Прозрачность стекла представляет их наравне с его поверхностью, так что они кажутся нарисованными на самом столе».

«Перед диваном стоял стол заморенного дерева, покрытый чайной пунцовой скатертью ярославского тканья. На столе — чайный прибор, продолговатый, с ручкою наверху, самовар красной меди, большой поднос с низенькими, на китайский образец, чашками, масло в хрустальной граненой маслянице, сухари и тартинки в корзинках, сливки в кастрюлечках», — читаем в повести А. Заволжского «Соседи», опубликованной в «Московском наблюдателе» за 1837 год.

7 сентября 1815 года помещица Е.П. Квашнина-Самарина записывает в дневнике: «Купить в Петербурге: карту Европы, книгу землеописания России; для чайного стола ярославскую салфетку величиною 1 арш. 10 верш., голубую с белым».

Ярославские скатерти или салфетки (в зависимости от размера чайного стола) были очень популярны в пушкинское время. В XVIII веке предпочтение отдавалось голландскому столовому белью. В следующем столетии в России начинают производить превосходное льняное полотно. Новгород и Ярославль становятся центрами льняной промышленности. Любопытно, что салфетки для чайных столов были как белые, так и цветные.

Чайный стол сервировался заранее. Удовольствие разливать чай за столом хозяйка могла уступить только взрослой дочери. Чай у Лариных в «Евгении Онегине» наливает гостям не хозяйка дома, а ее дочь Ольга:

Разлитый Ольгиной рукою,
По чашкам темною струею
Уже душистый чай бежал,
И сливки мальчик подавал.

Хороший тон не рекомендовал гостям дуть на чай, чтобы он остыл и пить чай из блюдечка. Рассказывая о нравах иркутских дворян, И.Т. Калашников отмечает: «Пить чай досыта почиталось невежеством. Старые люди говорили, что гости должны пить одну чашку, три чашки пьют родственники или близкие знакомые, а две — лакеи. Подаваемые сласти брали, но есть их также считалось неучтивостью. Гостья брала их и клала куда-нибудь подле себя».

Трудно сказать, в какое время возник у русских обычай «опрокидывать» на блюдце чашку вверх дном, давая тем самым понять хозяйке, что больше чая предлагать не следует. «Вторую чашку Лука Иванович начал пить с толком и вдыханием аромата, паром поднимавшегося над чашкой, — читаем в воспоминаниях А.Е. Ващенко-Захарченко. — Переворотив чашку на блюдечке, дядюшка поставил ее на стол, но радушная хозяйка молча принесла третью и просила дядюшку еще кушать».

Накрыть чашку блюдцем также означало, что чаепитие завершилось. В Европе существовал другой обычай. Об этом рассказывает в записках А.А. Башилов:

«В Дрездене жил граф Алексей Григорьевич Орлов-Чесменский. Как русскому не явиться к такому человеку? Покойный Александр Алексеевич Чесменский приехал за мною и повез меня к старику. Не могу умолчать вам, друзья мои, что вечер этот чуть не сделался для меня Демьяновой ухой, и вот как это было: расфранченный и затянутый, приехал я к графу; мне тогда было 20 лет, следовательно, и молодо, и зелено. Граф меня очень милостиво принял, и на беду — это случилось в тот час, когда гостям подают чай.

Тогдашний обычай нас, русских вандалов, состоял в том, что, ежели чашку чаю выпьешь и закроешь, то значит: больше не хочу; а у просвещенных немцев был другой обычай: надобно было положить в чашку ложечку, и это значит: больше не хочу.

Вот я выпил чашку и закрыл; минуты через две подали мне другую; боясь отказать человеку, чтоб его не бранили, я выпил и опять закрыл, и уже вспотел, бывши стянут, как я уже выше сказал. О, ужас! Является опять третья чашка; боясь навлечь негодование, как я выше сказал, я и третью выпил.

Наконец, является четвертая; как пот лил с меня градом, я решился сказать: «Я больше не хочу». А он, злодей, желая себя оправдать, весьма громко мне сказал: «Да вы ложечку в чашку не положили». Тут я уже не только что пропотел, но от стыда сгорел и взял себе на ум — вглядываться, что делают другие, а русский обычай оставить».

Европейский обычай класть в чашку ложечку, вместо того, чтобы опрокидывать чашку, ввел в Петербурге П.П. Свиньин. «По крайней мере он уверял в этом всех и каждого, и не только словесно, но даже печатно, именно в предисловии к книге, изданной им в 20-х годах, иллюстрированной видами Петербурга», — свидетельствует В.П. Бурнашев.

С европейскими «застольными» обычаями русских читателей знакомил «Московский курьер»: «Знатные люди, или богатые, совсем не пьют чаю или кофе; но шоколад и другой напиток, сделанный из разных пряных кореньев, уваренный вместе с яйцом и сливками, поутру охотно всеми употребляется с сахарными сухарями, которые служат вместо сахару».

В разделе «Изобретения» находим другое сообщение: «В Швеции продают чай, который не есть чай; в Париже выдумали род сего же напитка и назвали: кофей здоровья, для составления которого употребляют почти все специи, кроме настоящего кофея. Напиток сей в древности был употребляем греками и состоял из сарачинского пшена, простой пшеницы, миндаля и сахару, смешанного и истертого вместе. Кофей сей потому называют кофеем здоровья, что настоящий поистине может носить имя кофея нездоровья. Желательно знать, так ли будет употреблено здоровое, как употребляли нездоровое».

Однако ни горячий шоколад, ни «кофей здоровья», ни другие модные в Европе напитки не пришлись так по сердцу русскому дворянству как крепкий душистый чай.

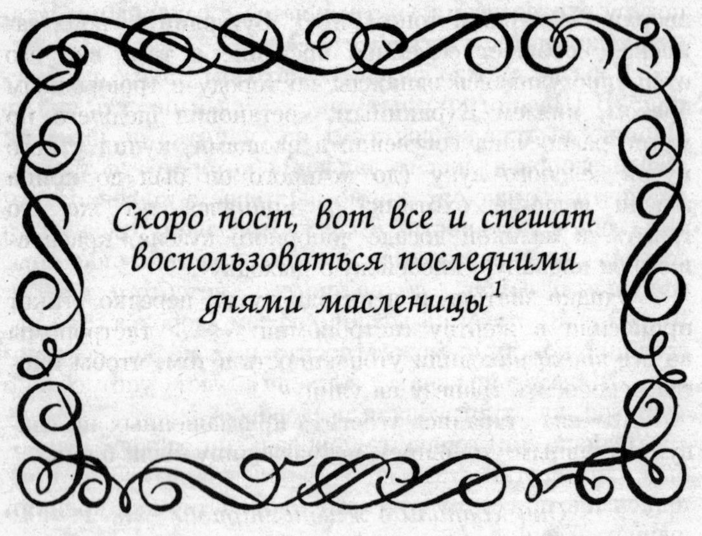

Скоро пост, вот все и спешат воспользоваться последними днями масленицы[1]

Масленица — один из самых любимых праздников русского народа. Праздновалась она шумно и весело. В течение масленичной недели разрешалось «есть до пересыта, упиваться до недвижности». Таких любителей всласть покушать называли маслоглотами.

Приведем стихотворение, опубликованное в «Сатирическом Вестнике» за 1790 год:

Пришла к желудкам всем блаженная их доля,
В лепешках, в пряженцах, в блинах,
в оладьях — воля!..
На рыле маслицо, на лбу и на руках,
Едят по улицам, едят во всех домах...

Между прочим, есть на улице считалось в среде

---

[1] Грибоедовская Москва в письмах М.А. Волковой к В.И. Ланской. — Вестник Европы, 1875, март, с. 232.

дворянства дурным тоном. М.Д. Бутурлин в своих записках сообщает семейное предание о том, как его отец, прогуливаясь однажды по городу с троюродным братом, князем Куракиным, «остановил шедшего по улице разносчика со свежими овощами, купил у него пучок зеленого луку (до которого он был до конца жизни великий охотник) и принялся тут же его грызть, к великой досаде чопорного кузена, красневшего за подобную плебейскую выходку».

Однако знатоки и ценители кухни нередко этикет приносили в жертву гастрономии: «<...> гастрономы во все эпохи находили утонченность в том, чтобы иногда переносить трапезу на улицу».[1]

Хозяева старались угостить приглашенных на славу. И главным угощением на масленицу были блины.

Они хранили в жизни мирной
Привычки милой старины:
У них на масленице жирной
Водились русские блины, —

писал А.С. Пушкин в романе «Евгений Онегин».

Вошли в историю блины, которыми угощались в доме президента Академии художеств А.Н. Оленина. По словам Ф.Г. Солнцева, «на масленице у Олениных приготовлялись блины различных сортов. Между прочим, подавались полугречневые блины, величиною в тарелку и толщиною в палец. Таких блинов, обыкновенно с икрою, Иван Андреевич (Крылов — *Е. Л.*) съедал вприсест до тридцати штук».

А вот что пишет дочь Оленина, Варвара Алексеевна: «Еще другой обычай, почти исчезающий: неделя настоящих русских блинов. Во время оно славились

---

[1] Лотман Ю.М., Погосян Е.А. Великосветские обеды. — СПб., 1996, с. 75.

ими два дома: г-фа Валентина Пушкина и А.Н. Оленина. У батюшки бывало до 17 разных сортов блинов, о которых теперь и понятия не имеют. И точно были превосходные, на которых особенно И.А. Крылов отличался».

«Оленинские блины славились в свое время, — вспоминает Ф.А. Оом. — Иностранцы также усердно ели эти блины; австрийский посол Фикельмон однажды наелся до того, что серьезно занемог».

Сегодня для приготовления блинов чаще всего мы используем пшеничную муку, тогда как настоящие русские блины делали из муки гречишной. Помимо гречневых, пекли пшенные, овсяные, манные, рисовые, картофельные блины.

Очень распространены были в то время блины с припеком. В качестве припека-начинки использовались рубленые яйца, грибы, ливер, рыба.

«Наш повар Петр особенно отличался своими блинами. Он заготовлял опару для блинов всегда с вечера, в нескольких больших кастрюлях. Пек блины не на плите, а всегда в сильно истопленной русской печи <...>. Блины у него всегда выходили румяные, рыхлые и хорошо пропеченные; и с рубленым яйцом, и со снетками, и чистые, и пшеничные, и гречневые, и рисовые, и картофельной муки», — вспоминает Д.Д. Неелов.

Блины не сходили со стола в течение всей масленичной недели. Постные блины, как правило, ели во время Великого поста, который наступал после масленицы.

Англичанка Марта Вильмот сообщает в письме к отцу: «В 12 же часов последнего дня масленицы на веселом балу, где соберется пол-Москвы, мы услышим торжественный звон соборного колокола, который возвестит полночь и начало Великого поста. Звон этот побудит всех отложить ножи и вилки и прервать сытный ужин. В течение 6 недель поста запрещается не только мясо, но также рыба, масло, сливки (даже с чаем или кофе) и почти вся еда, кроме хлеба...»

Во многих дворянских домах пост соблюдался очень строго. Однако немало было и тех, кто постился только в первую и последнюю неделю (были и те, кто вообще игнорировал пост). О разнообразии постного стола писали многие мемуаристы.

«Пост в нашем доме соблюдался строго, — читаем в воспоминаниях В.В. Селиванова, — но по обычаю тогдашнего времени великопостный стол представлял страшное обилие яств. Дело в том, что при заказывании великопостного обеда имелось в виду угождение вкусам, кто чего пожелает; а вследствие этого собранный для обеда стол, кроме обыденных мисок, соусников и блюд, весь устанавливался горшками и горшечками разных величин и видов: чего хочешь, того просишь!

Вот кашица из манных круп с грибами, вот горячее, рекомое оберточки, в виде пирожков, свернутых из капустных листов, начиненных грибами, чтобы не расползлись, сшитых нитками и сваренных в маковом соку. Вот ушки и гороховая лапша, и гороховый суп, и горох просто сваренный, и гороховый кисель, и горох, протертый сквозь решето. Каша гречневая, полбяная и пшенная; щи или борщ с грибами и картофель вареный, жареный, печеный, в винегрете убранном и в винегрете сборном, и в виде котлет под соусом. Масло ореховое, маковое, конопляное, и все свое домашнее и ничего купленного. Всех постных яств и не припомнишь, и не перечтешь».

«После обеда пили кофе с миндальным молоком, в пост не пьют ни молока, ни сливок», — сообщает в одном из писем Марта Вильмот.

Рецепт, как приготовить миндальное молоко, содержится в книге «Старинная русская хозяйка, ключница и стряпуха»: «Возьми два или три фунта миндалю, очисти с него шелуху и положи в холодную воду; потом истолки в иготи с некоторым количеством воды, дабы он не обмаслился; по истолчении налей на него по размерности воды и, перемешавши, процеди сквозь чистую салфетку».

«Кроме жира, — пишет автор «Энциклопедии питания» Д. Каншин, — в миндале находится азотистое вещество, называемое эмульсином, которое производит в соединении с водою прототип всех эмульсий — миндальное молоко».

Аналогичным образом готовили и маковое молоко. Из макового молока умудрялись даже делать творог, о чем рассказывает в своих воспоминаниях А. Лелонг: «К блинам также подавали творог, сделанный из густого макового молока, которое при кипячении с солью и небольшим количеством лука ссаживалось в крутую массу как настоящий творог».

Постный стол невозможно представить без грибных блюд: грибы тушеные, жаренные в сметане, грибы сухие с хреном, грибы соленые. С грибами варили постные щи, готовили рыбу, пекли пироги.

«Смейтесь над грибами, вся Россия объедается грибами в разных видах, и жареных, и вареных, и сушеных. Мужики ими наживаются, и в необразованной Москве рынки завалены сушеными трюфелями. Я смерть люблю грибы, жаренные на сковороде», — пишет в автобиографических записках А.О. Смирнова-Россет.

«Лиодор всегда любил хорошенько покушать, и всякий день постоянно, в 8 часов утра, завтракал. Он любил бифстекс, любил яичницу, любил телячьи котлеты, но всего более любил грибы! Он готов был есть их во всякое время, даже после обеда, даже после ужина». Немудрено, что Лиодор, герой повести П. Яковлева «Ераст Чертополохов», становится жертвой своей необузданной любви к грибам. Бедная участь Лиодора, погибшего от переедания, постигла не одного любителя грибов.

«Да и мой покойник покушать был охотник.

Сморчков в сметане, бывало, по две сковороды вычищал, как и не поппохает. Любил их, страсть! <...>, — приводит печальный рассказ своей тетушки Е. Марков. — Ведь и умер-то он от них, от проклятых! — вдруг грустно вздохнула тетушка».

Способность русских поглощать «в один присест» огромное количество грибов поражала иностранцев.

Примечателен рассказ С. Менгден о ее деде, который, оказавшись со своим поваром Кондратом в плену у французов, вместе с другими пленными был отправлен во Францию: «Мой дед и Кондрат очутились в местечке Дре, в Бретани, где они и пробыли до 1814 г. На продовольствие мой дед и Кондрат получили 25 франков в месяц. Питались они большею частью устрицами и грибами. Женщина, у которой они жили, пришла в ужас при виде жареных грибов и объявила «qu'elle enverrait chercher le commissair de police; les prisonniers russes veuillent s'em — poisonner»[1]. На другой день, увидев les deux prisonniers[2] живыми и невредимыми, она воскликнула: «Il n'y a que les estomacs des sauvages qui supportent un pareil mange»[3]. <...> Вернувшись в костромскую губернию, Кондрат, хотя и был горький пьяница, многие годы прожил поваром у моего деда».

О том, как разводить грибы «в садах, рощах и проч. местах» читаем в книге «О грибах, употребляемых в пищу...», изданной в 1836 году:

«Для размножения их надлежит в грибное время, набравши грибов, каких бы то ни было, и разрывши около гриба всю землю, в которой найдется множество

---

[1] Что она пошлет за комиссаром полиции; русские пленники хотят отравиться *(фр.)*.

[2] Двух пленников *(фр.)*.

[3] Только желудки дикарей могут выдержать подобную пищу *(фр.)*.

белых шариков, которые суть ничто иное, как грибные зародыши. Собрать их в кучу вместе с тою землею. Между тем, на сухом месте сделать парник, который на пол-аршина набить навозом, а сверх оного на четверть жирною землю. Потом опять на пол-аршина навозом, а после того опять на четверть земли.

По изготовлении таким образом парника, накрыть его соломою, или старым камышом, дабы не допустить оный высыхать; в таком положении дать ему постоять дней восемь или десять, дабы он довольно нагрелся. По найдении зародышей должно их держать в сухом месте; ибо чем они суше, тем лучше к парнику пристанут. Такие шарики можно делать и в оранжереях или теплицах близ печей.

Когда парник придет в настоящую для семян теплоту, то отнять с него соломенную покрышку, разравнявши, насыпать на вершок жирною землею, в которую сажать зародыши кучами с их землею, одну кучку от другой вершка на три; потом насыпать на них на полвершка легкой земли и покрыть соломою. Посадя их таким образом, появятся в парнике через месяц грибы и будут продолжаться один за другими во весь год.

Главнейшее при сем попечении состоит в том, чтобы парник содержать всегда в надлежащей сырости и никогда при поливке не перемочивать. Летом можно его раскрывать, а особливо во время небольшого прохладного дождя, а зимою содержать уже гораздо суше и зарывать так, чтоб никак не мог в него пройти холод; причем не худо прикрывать его почаще сверху свежим навозом. Через полгода или месяцев через семь должно парники сии переменять, пересаживая из одного в другой».

«Модная картинка».
30-е гг. XIX в.

*«Модная картинка».
30-е гг. XIX в.*

«Модная картинка». 1832

«Модная картинка». 1840

«Модная картинка». 1832

«Модная картинка». 1840

К. П. Беггров. Арка Главного Штаба (фрагмент). 1822

Ф. П. Толстой. Семейство художника. 1830

К. П. Брюллов. Портрет сестер Шишмаревых. 1839

А. И. Шарлемань. Иллюстрация к роману А. С. Пушкина «Евгений Онегин». Цветная литография. 1862

Татьяна бѣдная горитъ;
Ея постели сонъ бѣжитъ;
Здоровье, жизни цвѣтъ и сладость,
Улыбка, дѣвственный покой,
Пропало все, что звукъ пустой,
И меркнетъ милой Тани младость:
Такъ одѣваетъ бури тѣнь
Едва рождающійся день.

XXIV.

Увы, Татьяна увядаетъ;
Блѣднѣетъ, гаснетъ — и молчитъ!

Е. П. Самокиш-Судковская. Иллюстрация к роману А. С. Пушкина «Евгений Онегин». 1900-е гг.

Е. П. Самокиш-Судковская. Иллюстрация к роману А. С. Пушкина «Евгений Онегин». 1900-е гг.

А. Н. Бенуа. Иллюстрация к повести А. С. Пушкина «Пиковая дама». 1910

С. Эрбер. Невский проспект в эпоху Пушкина. 1897

Д. Н. Кардовский. Иллюстрация к комедии А. С. Грибоедова «Горе от ума». 1912

Д. Н. Кардовский. Иллюстрация к комедии А. С. Грибоедова «Горе от ума». 1912

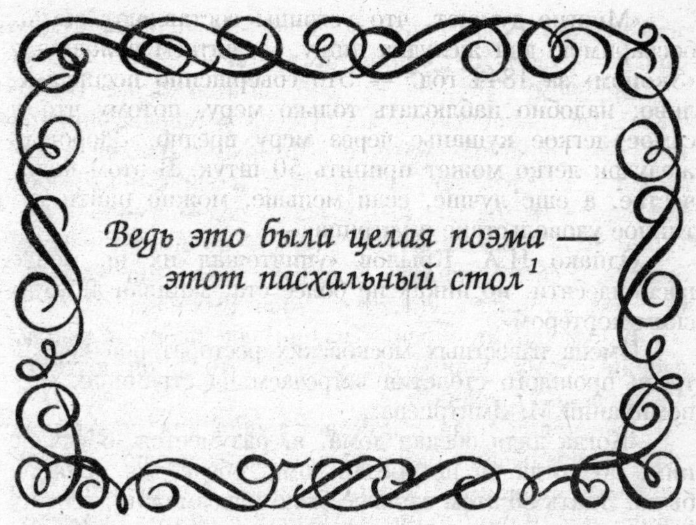

Ведь это была целая поэма — этот пасхальный стол[1]

О пасхальном столе и о том, как готовились к Пасхе в дворянских домах, рассказывают современники:

«Итак, все наше семейство на страстной неделе говело. С нами вместе говела вся дворня и даже часть крестьян всех возрастов, не говевших в продолжение великого поста. При отправлении заутрень, часов и вечерень, столовая, где совершалось самое служение, лакейская и коридор наполнялись народом; а когда ехали мы в церковь к обедням, то за нашим господским поездом тянулась целая вереница саней или телег, смотря по погоде.

В великую субботу с 8 часов утра занимались крашением яиц. Эта фабрикация производилась на мезонине в комнате у батюшки. Туда несли яйца в решетах; разводился в камине огонь, и Софья Ивановна,

---

[1] Волховский Ф. Отрывки одной человеческой жизни. — Современник. — 1911, №.4, с. 267.

сидя перед ним на полу, красила в большой кастрюле яйца, погружая их в кипящий сандал.

Впрочем, и мы, дети, не были только праздными зрителями, не сидели сложа руки. Мы усердно щипали лоскутки шелковых материй, которыми снабжала нас тетушка, завертывали в них яйца и варили в особой кастрюле. Это называлось красить под мрамор. С любовию и с неменьшим вниманием принимал в этом участие и сам батюшка. В такие минуты он жил нашею радостию и увлекался сам, как ребенок.

В сумерки приносили из погреба пасху и выкладывали ее из формы на блюдо, что производилось обыкновенно в девичьей.

Вот кулич господский, вот кулич для народа; их тоже выкладывают на блюда и обкладывают кругом красными яичками. Все это повезется в церковь для освящения. Какой приятный запах сдобным разносится от них и щекочет наше детское обоняние: так и текут слюнки, так бы и съесть — да еще грех; а между тем, как радостно бьется сердце в ожидании разговения» (*из воспоминаний В.В. Селиванова*).

«Эта старосветская приветливость, сытая и вкусная, проявлялась с особою широтой, блеском и разнообразием в торжественных случаях, из которых едва ли не самым ярким была Пасха. Еще задолго до праздников дом приходил в лихорадочное состояние. Осматривались и выбирались пришедшие из Почепа окорока, делались на кухне разнообразные колбасы и сальцесоны, сажался на удвоенную и утонченную диэту поросенок, имевший отдать душу пасхальному гастрономическому богу; вытаскивались из хранилищ старые испытанные рецепты «баб» (папошников), «мазурков» (род сладких печений), куличей и приобретались новые; приготовлялись формы для папошников в виде сшитых нитками бумажных цилиндров, для чего привлекался к ответственности архив почтовой конторы. <...>

Чем ближе к празднику, тем более шел в доме дым коромыслом. Толклись и проссивались на всевозможные сита: сахар, корица, кардамон, мушкатный орех, настаивался на спирте шафран, промывалось в десяти водах свежее масло, крошился сладкий и горький миндаль и т.д., и т.д. Затем шло самое изготовление печений и «баб»: «ржаная баба», «тюлевая баба», «Франина баба», и пр., и пр., и пр.! Тесто иных из этих нежных и изнеженных «баб» требовало взбивания здоровой деревянной ложкой, либо лопаткой немногим поменьше тогдашнего моего роста, в течение 3, 4, 5-ти часов непрерывно. Ермолу заставляли мыть руки и «бить», пока с него не покатится пот градом.

В помощь своей прислуге принанималась «хорошая женщина» со стороны. Но так как и при всем не хватало человеческих сил «бить» непрерывно в течение нужного времени, а прервать «битье» хоть на пять минут значило чуть не погубить весь мир, то всеми овладевала лихорадка с примесью праздничного возбуждения: и на кухне, и в доме постоянно слышались прерывистые голоса: «Дай, теперь я немножко побью!»... «Теперь ты, Вивдя, ты уже отдохнула!», и т.д. Разговоры за обеденным и чайным столом то и дело сводились на трудности, опасения и надежды, связанные с «бабами», «мазурками» и куличами. Кавалеры из числа хороших знакомых, дядя Иван, если они заходили, брались девицами нередко в плен, повязывались салфетками и тоже «били». Но самое тревожное время наставало, когда тесто «всходило», а затем «сидело в печи». Дамы и девицы не доедали, не досыпали и находились в постоянных переходах от страха к надежде и от упований к новым страхам...

<...> Иногда затруднения происходили от того, что действительность превосходила самые радужные ожидания. Иная «баба» вырастала в печи до самого печного свода и возникал вопрос, как ее, голубушку, вынуть, не погнув, не сломав ее нежного, как пух, стройного тела.

Перед печью собирался целый ареопаг; возбужденные голоса перебивали друг друга; иногда они разнообразились почтительным замечанием того или иного из домочадцев, и, наконец, все приходили к заключению, что нет иного выхода, как выломать чело печи. Ермола принимался за дело: осторожно расшатывал он верхние кирпичи печного устья, вытаскивал их, искрошенная глина тщательно выметалась, превзошедшая себя самое «баба», с помощью кочерги и ухватов, со всевозможными предосторожностями вынималась и клалась боком на подушку, а чело опять заделывалось.

Но вот, наконец, и канун праздника. К ночи все каторжные труды окончены, тревоги улеглись, и их место заняло чувство удовлетворения и тихой радости, смешанной с торжественностью. Во всю внешнюю стену поместительной столовой, под ее большим двойным окном, протянулся пасхальный стол в добрых полтора аршина ширины и более сажени длины. Он накрыт белоснежной скатертью, а на нем... Боже мой, чего только на нем не было!...

По самой середине, стоймя, прислоненный к стене (вот, как ставят картины) помещался «пляцек» — четырехугольное сдобное печенье в руку толщиною, около аршина длины и соответствующей ширины. На нем при помощи нарезанного продолговатыми стружками белого миндаля была очень искусно изображена фигурная корзинка, а из нее, в виде правильного полукруга, простирались изюмные, миндальные, мармеладные и иные, восхитительные в своей съедобности, цветы. К пляцку справа и слева теснились, словно нежные и стройные одалиски к своему султану, с полдюжины «баб» разного сорта и консистенции (еще несколько имелось в резерве — в кладовой!). Верхи их были покрыты белою или розовою сахарною глазурью с инкрустациями из вареных в сахаре фруктов и изящнейшими (так, по крайней мере, мне тогда казалось!) разводами из разноцветного сахарного «мака».

Громадный окорок с роскошной бумажной оборочкой и с отвороченной наполовину толстой коричневой кожей, пришпиленной двумя чистенькими деревянными шпильками, открывал свое нежно-розовое мясо и белоснежное сало и словно давал понять, что будет очень рад, если хороший человек его отведает. Откормленный на молоке жареный поросенок, державший в оскаленных зубах кусок расщепленного на концах хрена, в виде кисточек, казалось, весело смеялся, прищурив глаза. Из сливочного масла был сделан барашек, весь в кудряшках, державший «на плечо!» красную хоругвь с золотым на ней крестом.

Яйца — красные, розовые, желтые, черно-фиолетовые, «мраморные», украинские «писанки» — веселили сердце своим пестрым платьем. Индейка и гусь соперничали между собою не только белизною своего мяса, но и таким фаршем, который всегда заставлял местного судью говорить: «В вашем доме, Виктория Ивановна, всегда отдыхаешь душою!» Две сырных пасхи — одна соленая, другая сладкая — составляли гордость хозяев, но сущее наказание для гостей со вкусом, ибо, попробовавши одну, хотелось отведать и другой, а ознакомившись со второю, тянуло обратно к первой, и так без конца...

Но я чувствую, что должен остановиться. Ибо где же описать все эти колбасы — и с чесноком, и без него, и кровяные, и ливерные, и копченые, и вареные, лежавшие то грациозными колечками, то прямо и солидно, — поражавшие серьезностью размеров и содержания сальцесоны, все таявшие во рту мазурки, и множество других превосходных вещей, которые боюсь даже назвать, ибо, если описывать этот «стол», как он того заслуживает, «то и всему миру не вместити пишемых книг!» Заметьте, я не упомянул вовсе о батарее бутылок, окруженных светлым роем чистеньких, искрящихся рюмок!... А в этих бутылках...

Да нет, нечего и думать! Ведь это была целая поэма — этот пасхальный стол! Но поэма, созданная не для слова, а для совсем иной отрасли человеческой деятельности. Правда, симфония, разыгравшаяся на этом столе, имела не одно кулинарное значение: из нежной ткани «баб», из приготовленной с таким трудом и старанием начинки, из каждого кусочка сала и мяса, стоявшего на столе, истекали широкой волной радушие и доброжелательство, и мягко, светло, ласкающе охватывали и окутывали каждого посетителя. Но все же, чтобы вполне, как следует, всем существом испытать и ощутить это радушие, надо было подойти к столу, взять чистую тарелку, ножик и вилку, отрезать здесь, отковырнуть там, принять любезно подкладываемое одной из хозяек, все это прожевать и запить... Разве есть возможность все заменить описанием?! Нет, лучше уж я просто поставлю точку и проведу черту» (*из воспоминаний Ф. Волховского*).

«Наступало чудное весеннее утро, и грустное чувство, навеянное погребением Христа, заменялось ожиданием чего-то радостного, веселого, полного света и жизни, как вся ликующая весенняя природа. По возвращении домой все, кроме матери, садились пить чай, который казался особенно вкусным после голодной пятницы. После начинались приготовления к Пасхе, хлопотали с куличами, мать, помню, всегда страшно волновалась с их приготовлением. Нам также давали теста, и мы в маленьких кастрюлях делали себе куличики.

Пасхи приготовлялись разных сортов. Делали одну пасху из сливок, сливочного творогу, свежих яиц и сливочного масла; прибавляли большое количество толченой просеянной корицы и сахару, это выходило что-то вроде жирного крема. Это была любимая пасха матери. Вторая пасха приготовлялась из равного количества сливок, сметаны, которые вместе варили в вольном духу, в эту смесь прибавляли небольшое количество творогу, ставили под пресс, после клали в эту массу сахар, ваниль и цедру. Это была любимая пасха нас, детей, тети и наших гувернанток. Отец же этих пасох никогда не ел, а ему приготовляли людскую, сделанную для дворни, из творога, сметаны, яиц и соли.

Часов в одиннадцать утра мать уезжала к обедне, а мы с тетей начинали красить яйца. Няня затапливала печку в доме, приносили огромные корзины, полные яиц, большие горшки с сандалом и красками, кипятили в печке, и мы непременно требовали, чтобы нам поставили кастрюли с кипятком для наших яиц, обернутых в пестрые шелковые лоскутки, луковые перья и синюю сахарную бумагу. Суете и веселью не было конца, матери не было дома, и нам была своя воля. Мы страшно мешали няне и тете, но их воркотня мало на нас действовала. Наконец, вынимают первый горшок с тетиными красными яйцами из сандала. Вторые черно-красные из Коломенской краски и наши хорошенькие пестренькие из лоскутков и бумаги. Наполняются целые корзины крашеных яиц.

Приносят из кухни громадные, чудные куличи, которые так вкусно заманчиво пахнут, на верху которых торчат целые миндалины, румяные, поджаренные.

Приносят много и других вкусных вещей из кухни — в виде окороков, телятины, фаршированного поросенка, баранчика, сделанного Тихоном из сливочного масла.

Мы забирали свои маленькие куличики, яйца и отправлялись в свои комнаты устраивать пасхальные столы нашим куклам. Помню, бывало, Тихон повар, который очень любил побаловать и подразнить нас, когда спросишь у него: «А что же наши куличики. Где они?», скажет: «Ну, с вашими куличами вышла беда — все сгорели». Мы притворяемся, что верим ему, а сами знаем, что он обманывает нас.

Потом он вынимает блюдо, на котором стоят наши куличи и непременно какой-нибудь сюрприз, лично им приготовленный для нас в виде безе или маленьких бисквитов и т. д. Часа в два приезжает мать от обедни, пьет чай, и мы садимся за обед, последний постный стол. После вкусных запахов скоромных блюд нам постное противно, мы почти ничего не едим, и нас за это бранят» *(Воспоминания А.К. Лелонг)*.

«Существует обычай делать в Пасху визиты по всем начальствующим лицам (autoritis), причем и здесь говорят друг другу: «Христос воскресе!» и целуются без различий ранга и звания. За этим следуют визиты к друзьям и простым знакомым. В каждом доме с утра стоит накрытый стол, уставленный разными яствами, и всегда нужно есть и пить под страхом обидеть хозяина дома; так как при этом не бывает недостатка и в крепких напитках, то легко вообразить, каковы становятся головы поздравляющих к концу дня. К пьянству, которое во Франции, Италии, Испании презирается и осуждается общественным мнением, в России относятся совсем иначе; по отношению к охмелевшему человеку здесь всячески проявляется забота: его оберегают от опасностей и, если нужно, вносят в ближайший дом, где он и остается спокойно до вытрезвления. По случаю Пасхи в столице организуются общественные увеселения, в которых главную роль играют горы, качели и другие изобретенные русскими игры. Восемь дней кряду народ толпами ходит по площади, где помещаются эти игры, а дворяне объезжают ее в экипажах...» (*из мемуаров де Серанга)*.

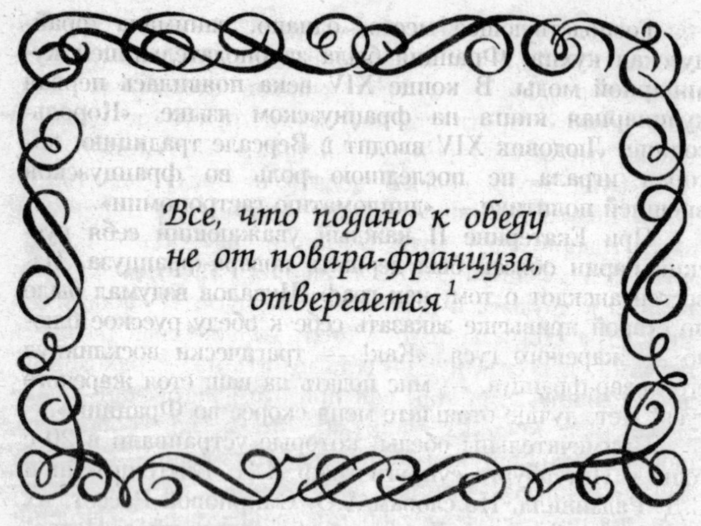

С XVIII века в кулинарный обиход русского дворянства входят блюда французской, английской, немецкой, итальянской кухни. Русские вельможи проявляют живой интерес к чужеземным экзотическим блюдам.

Об этом свидетельствует, например, письмо графа А.Г. Орлова-Чесменского, написанное в Лейпциге в 1797 году и адресованное его московской знакомой М.С. Бахметевой: «Я ныпче стал загадка. Зделалса учеником старого астронома <...>. Он у меня учитьса по-руски <...>. Он тринатцать езыков говорит и спешит еще два выучитьса. Между протчим по гишпански говорит и долго там был. Расказывал, что у них любимое кушанье олла пордрига и что оно весьма дорого; что в евтом кушанье все жаркия, какия можно вздумать, и все соусы, и что оно походит на пирамиду...»[2]

---

[1] Письма сестер М. и К. Вильмот из России. — М., 1987, с. 303.

[2] Орфография сохранена.

Господствующее место, однако, занимала французская кухня. Франция была законодательницей кулинарной моды. В конце XIV века появилась первая кулинарная книга на французском языке. «Король-солнце» Людовик XIV вводит в Версале традицию, которая играла не последнюю роль во французской внешней политике — «дипломатию гастрономии».

При Екатерине II каждый уважающий себя русский барин обязан был держать повара-француза. Известен анекдот о том, как граф Шувалов вздумал было по старой привычке заказать себе к обеду русское блюдо — жареного гуся. «Как! — трагически воскликнул его повар-француз, — мне подать на ваш стол жареного гуся! Нет, лучше отошлите меня скорее во Францию».

Примечательны обеды, которые устраивали в 20-е годы в Петербурге супруги граф Л.П. Виттенштейн и С.Д. Радзивилл. По словам А.О. Смирновой-Россет, их французский повар Лаллеман «был лучший в Петербурге». На эти обеды съезжался «дипломатический корпус, падкий на хороший обед». Сама же хозяйка предпочитала исключительно русские блюда. «Когда ели суп, ей подавали щи с кашей, она пила брусничную воду с водой и льдом; вареники, колдуны, кулебяка, картофель жареный с луком составляли ее обед, а французской кухни она не касалась. M-r Lallemand огорчался, учился русской кухне; но она ему не давалась, и на княгиню готовила какая-то кухарка, которой она сама заказывала любимые блюда».

Даже московские дворяне, которые были преданы русской национальной кухне, отдавали должное французским блюдам, рецепты которых чаще всего привозились из Петербурга.

«В Москве до 1812 года не был еще известен обычай разносить перед ужином в чашках бульон, который с французского слова называли *consommé*, — рассказывает в своей «Записной книжке» П.А. Вяземский. — На вечере у Василия Львовича Пушкина, который любил всегда хвастаться нововведениями, разносили гостям такой бульон, по обычаю, который он вероятно вывез из Петербурга или из Парижа».

Деревенские помещики, в свою очередь, привозили кулинарные рецепты из Москвы. Отведать какое-нибудь модное блюдо они могли также в гостях у соседей, приехавших на лето из столицы в свое имение.

«Другой зелени на кухнях не употребляли, кроме капусты, крапивы и огурцов; салат, щавель, шпинат, спаржа и прочие овощи на русской кухне не употреблялись. Лет за 10-ть до кончины Екатерины, один московский житель, помещик ближайшей губернии, приехав на лето в свое поместье, во время пребывания своего в нем был посещаем соседями. Имея при себе хорошего повара, он пригласил один раз к обеду нескольких соседей. Между прочим за столом подавали соус из шпината с яйцами, любимое блюдо хозяина, хорошо приготовленное и которым он исключительно потчевал гостей своих.

Некоторое время спустя и он был приглашен к одному из обедавших у него соседей. Обед состоял из русских кушаний. Между ними, по подражанию московского гостя, явилась и зелень с яйцами, которую хозяин, потчуя посетителей, сказал, что приказал нарочно приготовить сие блюдо, заметя у него за обедом, что он любит зелень. Наружный цвет соуса и самый запах предвещали что-то непохожее ни на щавель, ни на шпинат, но делать было нечего, надобно было уступить добродушному потчеванию, и гость положил несколько зелени на свою тарелку, но едва мог проглотить первый глоток. Зелень, употребленная для соуса, была: калуфер[1], заря[2] и Божье дерево[3] с моло-

---

[1] Tanaretum Balsamica *(лат.)*, многолетнее лечебное растение со вкусом полыни.

[2] Любисток.

[3] Aotemisia Abrotanum *(лат.)*, многолетнее лечебное растение с неприятным резким вкусом.

ком — вероятно, как единственная зелень, которая росла в огороде», — читаем в записках Д. Рунича.

Интересно, что соусом в XIX веке называли не только приправу, но и блюда из мяса, рыбы, птицы, овощей, которые подавались с подливкой, образовавшейся в результате их тушения.

Соусом из индейки, вспоминает И.А. Арсеньев, угощал своих гостей М.М. Сонцов, московский родственник А.С. Пушкина: «Напыщенный и чванный, Сонцов был сверх того очень скуп. Однажды он пригласил к себе обедать князя Волконского, случайно завтракавшего у него накануне. Во время обеда подали какой-то соус из индейки. Волконский встал и начал кланяться блюду, говоря: «Ах, старая вчерашняя знакомая, мое почтение».

Соусы, как пишет в «Кулинарном словаре» В.В. Похлебкин, относятся к разряду приправ, назначение которых — придать блюду определенный вкус. Любопытно, что приправами в прошлом столетии называли то, что сейчас мы именуем пряностями. Соусы и пряности в России были известны как французские изобретения, хотя пряности употребляли в пищу еще древние греки.

В октябре 1822 года В.Я. Ломиковский, рассказывая на страницах своего дневника об именинах одного малороссийского вельможи, отмечает следующее: «<...> ибо ныне уже и пища не в пищу, если не будет приправлена многими иноземными произведениями, как то: перцем, имбирем, лимоном, померанцевым цветом, ванилью, миндалями, амброй, лавром, капорцем, коринками, изюмами, и прочее, и прочее».

Широкой известностью пользовалась книга «Повар королевский, или Новая поварня приспешная и кондитерская для всех состояний с показанием сервирования стола от 20 до 60-ти и больше блюд», переведенная с французского языка В. Левшиным и вышедшая в Москве в 1816 году.

Как сказано в книге, все блюда, входящие в меню

французского стола, делятся на 3 вида: антре, антреме и ордевры.

Антре — так называются главные блюда.

Ордевры — это «те блюда, которые подают особливо, не в числе главных подач».

Так называемые *антреме* — это нейтральные по запаху и вкусу промежуточные блюда. Их назначение — отбить запах одной из подач, например, мясной при переходе к рыбной. Обычно это мучные, овощные, грибные блюда. Часто в качестве антреме подавались каши.

В очередной раз обратимся к воспоминаниям доктора-англичанина о его пребывании в имении А.В. Браницкой: «После мяса подали в соуснике гречневую кашу с холодным маслом. Я решился пропустить это блюдо. Потом следовала рыба — коропа с соусом, и я отведал кусочек». Роль антреме на этом обеде играла гречневая каша.

В книге «Повар королевский...» содержатся не только рецепты французских блюд, но и предлагается набор вариантов обеденного меню, в зависимости от количества кувертов, а также от характера стола (постного или скоромного).

Из французских кулинарных сочинений, переведенных на русский язык, очень популярна в начале прошлого столетия была книга «Прихотник, или Календарь объядения, указующий легчайшие способы иметь наилучший стол, с приложением сытного дорожника и с полным описанием лакомых блюд каждого месяца, также всех животных, птиц, рыб и растений, приготовляемых в последнем вкусе».

«Хорошая поваренная книга есть драгоценное приобретение в ученом свете», — писал автор хвалебной рецензии на «Календарь объядения»[1].

---

[1] Эта рецензия была опубликована в книге Е. Лаврентьевой «Культура застолья XIX века (пушкинская пора)» — М., 1999.

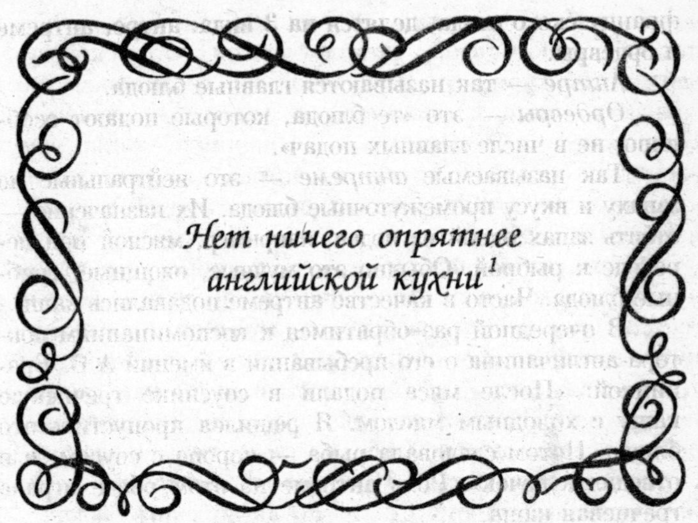

Нет ничего опрятнее английской кухни[1]

Вольтер называл Англию страной обедов, а англичан обедающим народом. В России также сложилось представление об англичанах как о «кушающей нации». Причем в глазах русских англичане выглядели не просто любителями вкусно поесть, а тонкими ценителями кулинарного искусства и ярыми сторонниками «умеренности в еде».

«Особенность английского характера, — пишет «Московский наблюдатель», — состоит не в одном том, чтоб только самому есть; нет, истинный британец должен почти с таким же удовольствием смотреть и на то, как другие едят».

С начала XIX века в России было немало поклонников английского уклада жизни. Входят в моду «английские завтраки». В числе их первых почитате-

[1] Англичане — кушающая нация. — Московский наблюдатель. — 1835, кн. 1, с. 461.

лей был М. Сперанский. «К счастию его, был он женат на девице Стивенс, дочери бывшей английской гувернантки в доме гр. Шуваловой; он ее лишился, но сохранил много из навыков ее земли, — читаем в «Записках» Ф.Ф. Вигеля. — Например, тогда уже завтракал он в 11 часов, и завтрак его состоял из крепкого чая, хлеба с маслом, тонких ломтей ветчины и вареных яиц».

Обеды на английский манер, которые устраивали русские англоманы, отличались немногочисленностью гостей. Они не сопровождались музыкой: «наслаждения, доставляемые посредством слуха, препятствуют тем наслаждениям, которые доставили бы нам гастрономические действия желудка». И самое главное: обеды эти были не обременены «множеством кушаний». Никакого излишества! Простота и изящество вкуса почитались «главными стихиями» английского обеда[1].

Возможно, в пику широко распространенному представлению об умеренных в еде англичанах появлялись в журналах того времени подобные сообщения: «Какая-то г-жа Бирч в Англии потчевала в прошедшие святки своих гостей пастетом, заключавшим в себе четыре гуся, четыре индейки, два кролика, восемь фазанов, шестнадцать рябчиков, две четверти теленка, пятьдесят шесть фунтов свежей ветчины и семьдесят фунтов масла. Гости, числом четверо, уничтожили его до последнего кусочка: дай Бог сохранить им такой аппетит до следующих святок».

Рассказывая о своем пребывании в Англии, Ф.И. Иордан отмечает «английский обычай обедать без супа». Национальное английское блюдо суп тортю (суп из черепахи) могли позволить себе только очень богатые люди, «ибо стоимость одной ложки тортю

---

[1] Об «устройстве» английских обедов читайте помещенный в конце книги очерк «Искусство давать обеды».

равняется денным издержкам целого семейства низшего достатка».

«Черепаха, из которой готовится это блюдо, продукт не такой высокой уж ценности, а поднимают цену этого супа главным образом многочисленные составные его части», — читаем в первом номере журнала «Кулинар» за 1910 год. Суп тортю варили 6 — 7 часов, заправляли вином, а также ароматическими травами и специями (розмарином, тимьяном, тмином, сельдереем, майораном, гвоздикой и др.).

В 1804 году Франсуа Аппер изобрел консервы, появилась возможность доставлять в консервированном виде черепаший суп из Англии в страны Европы.

В 1821 году К.Я. Булгаков сообщал брату о том, что граф Воронцов прислал ему из Лондона «черепаховый суп, изготовленный в Ост-Индии».

Консервированный суп получали в России только богатые представители высшей аристократии. В их числе был и петербургский богач, граф Гельти. «Излишне описывать изысканность обеда; достаточно сказать, что подавали и черепаховый суп прямо из Англии, и какие-то гаврские рыбы, и артишоки, неслыханной величины», — писал в своем дневнике Ф. Толстой.

Блюдо, которое имитировало черепаший суп, приготовлялось из телятины и также называлось суп тортю. Требовалось особое умение и терпение, чтобы приготовить это блюдо.

Известен анекдот о деревенском поваре, «накормившем» гостей супом тортю: «Попал он в Питер с молодым барином, который, уезжая, поручил и его, и квартиру свою, и пр. надзору приятеля; последний всегда ценил кулинарные способности повара относительно коренных русских кушаний. Как-то приятель похвалился этими его способностями перед знакомыми и пригласил их обедать, заказав повару кислые щи с кишками, начиненными кашею, и бараний желудок, упрашивая повара отличиться, так как у него будут обедать важные господа.

Перед обедом он спросил повара, все ли у него будет хорошо. «Будьте спокойны, не ударим лицом в грязь» — был ответ. Садятся за стол, и вдруг подают какую-то бурую похлебку; недоумевая, в чем дело, посылают за поваром для объяснений, и он важно отвечает: «Просили, чтобы было все хорошо и что гости будут важные, я и понял и лицом в грязь не ударил, вместо щей изготовил суп тортю, а вместо желудка — молодых цыплят с зелеными стручками под белым соусом, как будто не знаю, что вы изволили смеяться насчет желудка, станут господа такую дрянь кушать!!!»»

Русско-английский «характер» носили обеды в доме Михаила Семеновича Воронцова. Сын известного дипломата С.Р. Воронцова, бывшего в течение многих лет русским послом в Англии, Михаил Семенович с 1823 по 1844 годы был новороссийским генерал-губернатором. «До двадцатилетнего возраста воспитанный в Лондоне, граф Воронцов имеет все английские навыки, — писал о нем Ф.Ф. Вигель, — в частной жизни, как и в общественной, являет себя более лордом, чем боярином...» Его любимый обед, вспоминал А.И. Дондуков-Корсаков, состоял из русских щей и английского ростбифа, «всегда подаваемого с рассыпчатым картофелем».

Ростбиф представляет собой бычью вырезку, приготовленную так, что середина остается полусырой, сохраняя ярко-розовый цвет свежего мяса. Типично английский ростбиф едят в холодном виде.

«К ростбифу жарится особо картофель, а сок изпод говядины бережно сливается в подливник и подается особо, к ростбифу».

«Обыкновенное и вечное блюдо англичан составляет порция отличного ростбифа с чудным картофелем, поданная с большою опрятностью, и кусок честерского сыра, к ним $^1/_2$ пайнта[1] портера с Элем», — пишет в своих воспоминаниях Ф.И. Иордан.

---

[1] От *англ.* Pint (пинта, мера емкости, в Англии равная 0,57 л.).

«Английский сыр из Шешира» был известен во всей Европе. Шеширом в прошлом столетии называли графство Чешир. Вероятно, корень «чеши» резал слух: бытовой язык света отличался «необыкновенной осторожностью и приличием в словах и выражениях». «Шеширский» сыр чаще всего называли честерским (от названия административного центра графства).

О кулинарных и «питейных» пристрастиях англичан ходило немало анекдотов. В «Московском вестнике» за 1828 год помещен, к примеру, один из них: «Едва ли кто выразил свое желание так явственно, так сильно, как это удалось сделать одному англичанину. Ему обещались исполнить три желания.

«Чего ты хочешь?»

«Портеру на всю мою жизнь столько, сколько я выпить могу».

«Будешь иметь его. Второе желание какое?»

«Бифстексу столько, сколько съесть могу».

«Хорошо. В чем же состоит третье?»

«Черт возьми, — отвечал англичанин, подумав, в умилении, — я желал бы еще немножко портеру».»

Бифштекс — нарезанное крупными «кубиками» филе говядины, прожаренное на сильном огне без добавления соли и приправ. Обильно посыпанное зеленью (петрушкой, укропом, сельдереем) подается к столу с куском холодного сливочного масла. Это английское национальное блюдо с XVIII века входило в меню русских дворян.

Однако многие считали английскую мясную кухню излишне грубой. «Рост-биф, бифстекс есть их (англичан — *Е. Л.*) обыкновенная пища, — отмечает в «Письмах русского путешественника» Н.М. Карамзин. — От того густеет в них кровь; от того делаются они флегматиками, меланхоликами, несносными для самих себя, и нередко самоубийцами».

«Французский обед, как поэзия, веселит вас, и вы с улыбкой и с каким-то удовольствием встаете из-за стола, — пишет Ф.И. Иордан, — английский же обед, в виде тяжелой прозы, возбуждает в вас материальную грубую силу: вы хладнокровно смотрите на окружающее, ничто вас не веселит...»

Склонность англичан к задумчивости во многом объяснялась современниками употреблением в пищу грубых мясных блюд.

Ф. Булгарин в одном из очерков так определяет характер англичан: «Холодность в обращении, самонадеянность, гордый и угрюмый вид, пренебрежение ко всему, молчаливость — вот что составляет основание характера сынов Альбиона! Не только шумную радость, громкий смех, но даже снисходительную улыбку англичанин почитает неприличным, без важных побудительных причин. Восхищение и увлечение англичанин причисляет к признакам глупости <...>. Есть очень много англичан умных, ученых, необыкновенно честных, благородных и великодушных, невзирая на все странности, но едва ли есть англичане любезники, дамские угодники и прислужники!»

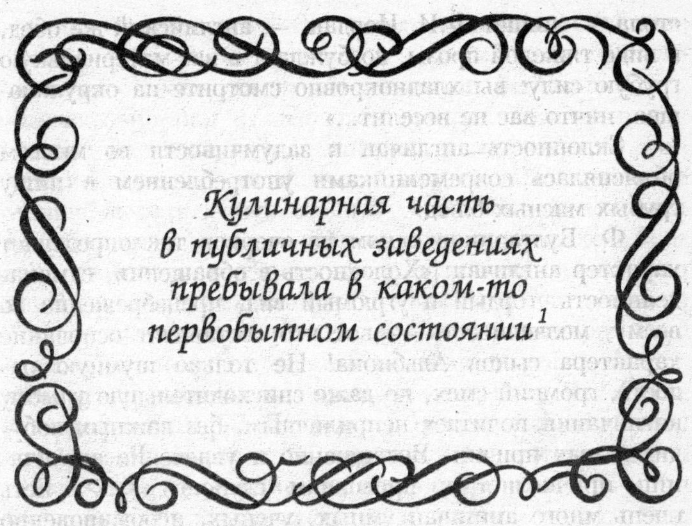

Кулинарная часть в публичных заведениях пребывала в каком-то первобытном состоянии[1]

«Трактирные заведения разделяются на пять родов:

1. Гостиницы.
2. Ресторации.
3. Кофейные домы.
4. Трактиры.
5. Харчевни», —

гласит первый параграф «высочайше утвержденного в 6-й день февраля» 1835 года «Положения о трактирных заведениях и местах для продажи напитков в С. Петербурге».

В каждом городе полагалось иметь строго определенное количество трактирных заведений. В Петербурге, например, в 1835 году предписывалось иметь: «ресто-

[1] Пржецлавский О.А. Воспоминания. Помещичья Россия по запискам современников. — М., 1911, с. 68.

раций 35, кофейных домов 46, трактиров 40, харчевен 50».

Названный документ содержал также указания, какая публика должна посещать то или иное заведение: в рестораны и кофейные дома вход для простолюдинов был закрыт; трактиры предназначались, главным образом, для среднего купечества; женщины могли входить только в гостиницы к общему столу, в рестораны и трактиры представительниц слабого пола полиция не впускала. Пристанищем простолюдинов были харчевни.

Первые рестораны появились в Париже в 70-х годах XVIII столетия. Лучшим рестораном на рубеже веков считался ресторан Вери. «Г. Вери по справедливости заслуживает название Патриарха Рестораторов. Его имя приобрело европейскую известность, а искусство угощать и готовить обеды прославляется от одного полюса до другого».

После революции количество ресторанов в Париже возросло в несколько раз. «Гастрономическая прогулка в Пале-Рояле» — так называется очерк, опубликованный в журнале «Молва» за 1831 год. Он знакомит читателя с лучшими ресторанами и кофейными домами Парижа первых десятилетий XIX века.

В России первое заведение, окрестившее себя ресторасьоном, отмечено в 1805 году: «Ресторасьон, состоящий в Офицерской улице в Отель дю Нор, который по причине некоторых необходимо нужных переправок и для устроения его наподобие ресторасьонов парижских был на несколько дней заперт, так как сии переправки уже кончены, будет открыт 23 числа февраля, где можно иметь хороший обеденный стол, карточные столы для позволенных игр, лучшие вина, мороженое и прохладительные напитки всякого рода. Тут же можно иметь по заказу обеденный стол для 100 особ».

«Ресторация» или «ресторасьон» писали на вывес-

ках до конца 30-х годов XIX века, и только с 1840 года было приказано изменить «ресторасьон» на ресторан.

Ресторанные вывески, густо усеянные орфографическими ошибками, их содержание и художественное оформление вызывали усмешку современников.

«Против овощных лавок, перейдя улицу, возвышается трехэтажный каменный дом над бельетажем, на синей прибитой доске крупными желтыми буквами написано: «Горот Матрит расторацыя с нумерами для приезжающих, и обеденным столом». На дверях с улицы на одной стороне прикреплена синяя же доска с намалеванным биллиардом <...>. На противоположной стороне дверей намалеваны желтой краской огромный самовар, черный поднос, на подносе плоские чашки и белый с цветком чайник; в перспективе столик с полными бутылками, из которых перпендикулярно хлещет белый фонтан; над самой же дверью надпись: «В хот в Матрит»».

«Вход в Мадрид» — так называется ресторан, описанный в повести А. Заволжского «Соседи», изданной в «Московском наблюдателе» за 1837 год.

В первое десятилетие прошлого века в Петербурге было значительно больше ресторанов, чем в Москве. Особым почетом пользовались французские рестораторы. «Обедал в ресторации с Крыжановским, — читаем в записках А.М. Грибовского. — Гостей было много по поводу извещения от ресторатора, что сегодня будет блюдо кислой капусты. Вот что значит француз! Что за редкость кислая капуста? Приготовление ее ничем не было лучше обыкновенного; но если бы он объявил блюдо из толокна или пареной репы, то и тогда явилось бы множество охотников и осыпали бы похвалами такие кушанья, на которые дома не удостоили бы и посмотреть».

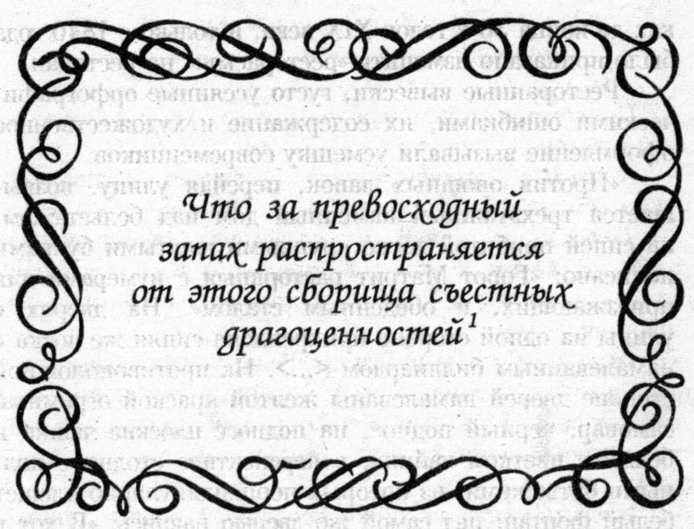

Что за превосходный запах распространяется от этого сборища съестных драгоценностей[1]

К числу первоклассных петербургских ресторанов первого десятилетия XIX века принадлежал ресторан Талона на Невском проспекте. О фирменных блюдах этого ресторана сообщает А.С. Пушкин в романе «Евгений Онегин»:

К Talon помчался: он уверен,
Что там уж ждет его Каверин.
Вошел: и пробка в потолок,
Вина кометы брызнул ток,
Пред ним roast-beef окровавленный,
И трюфли, роскошь юных лет,
Французской кухни лучший цвет,
И Страсбурга пирог нетленный

---

[1] Гастрономическая прогулка в Пале-Рояле. — Молва, 1831, № 5, с. 5.

Меж сыром Лимбургским живым
И ананасом золотым.

Прокомментируем каждое блюдо, упоминаемое в этом отрывке.

Roast-beef окровавленный — блюдо английской кухни (см. предыдущую главу).

Трюфли — трюфели, подземные клубневидные грибы. В конце 20-х годов прошлого века трюфели стали «добывать» в России, до этого их привозили из Франции.

«Для того чтобы найти труфель, употребляют свиней, которые начинают рыть мордою в том месте, где есть труфель. Есть еще и собаки, дрессированные для того, чтобы начинать рыть землю там, где есть труфель».

Известно, что какой-то особенный рецепт приготовления грибов был у Талейрана, но «это была одна из тех дипломатических тайн, которую Талейран унес с собою в могилу».

Вошли в историю и трюфели «а ля Россини». Блюдо названо в честь его создателя — композитора Россини. «Это просто салат из трюфелей. Их очищают и, сбив хорошенько лучшего прованского масла с уксусом, лимонным соком, перцем, горчицею и солью, обливают и подают <...>. Можно к подливке прибавить и два растертых яичных желтка».

Бриллиантом кухни называл трюфель знаменитый французский кулинар А. Брилья-Саварен.

И Стразбурга пирог нетленный — жирный, наполненный паштетом из гусиной печени, слоеный пирог.

Это гастрономическое изобретение приписывают Жан-Пьеру Клозу, знаменитому страстбургскому кондитеру. В то время он служил у маршала де Контада. В его честь («а-ля Контад») назван великолепный паштет из гусиный печени и телячьего фарша, которым был набит пирог. Другой знаменитый кулинар

Николя-Франсуа Дуайен усовершенствовал паштет «а-ля Контад», добавив в него трюфелей из Периге (город в департаменте Дордонь на юго-западе Франции).

В Россию страсбургский пирог привозили в консервированном виде, отсюда и определение «нетленный».

По свидетельству современницы, помощник главного повара в Английском клубе, Федосеич, «глубоко презирал страсбургские пироги, которые приходили к нам из-за границы в консервах. «Это только военным в поход брать, а для барского стола нужно поработать», — негодовал он...»

Основными компонентами паштета, которым наполнялся пирог, были трюфели и гусиная печень.

«Для торговли» изготовлением страсбургского паштета занимались с конца сентября до начала декабря. Однако лучшим считался паштет, приготовленный ближе к Новому году, т. к. «весь аромат трюфеля развивается только после мороза; ранее мороза он далеко не так хорош...»

Лимбургский сыр — привозимый из Бельгии острый сыр с сильным запахом («лимбургский вонючий сыр»). Название получил от провинции Лимбург. Относится к разряду мягких сыров, при разрезании растекается, вот почему в романе «Евгений Онегин» назван живым.

Из-за резкого запаха лимбургский сыр опасались есть перед выходом в свет, о чем свидетельствует рассказ Е.Ю. Хвощинской, дочери знаменитого «Юрки» Голицына:

«Смешно, что остался у меня в памяти один только пустой, но смешной рассказ его о шалостях отца. Конечно тогда нам, детям, этот рассказ был передан дедушкой совершенно просто, не так, как я его передаю и как впоследствии слышала, бывши взрослой — конечно, об ухаживании, любви и успехе в то время с детьми не говорили. Вот этот рассказ: отец и дедушка как-то раз проводили зиму вместе в Петербурге; круг знакомых конечно был тот же; оба они любили поухаживать за дамами, но дедушка, зная успех отца в дамском обществе и любовь отбивать у него симпатию дам, старался скрыть, которая из них пользуется его вниманием, боясь, чтобы сын не разбил все его воздушные замки. Но трудно было маскироваться от опытного взгляда сына — и мечты дедушкины разбивались вдребезги...

Однажды он собрался делать визиты, принарядился, раздушился и перед выездом велел подать закусить на скорую руку. Подали к закуске и лимбургский сыр, который дедушка велел отнести, говоря, что когда собираешься с визитами, лимбургский сыр нельзя есть. Отец, бывши в комнате, остановил человека, сказав: «Так как я, папа́, сегодня не еду, желая вам дать полную свободу действий, позвольте оставить сыр — я им займусь», — и принялся кушать. Между тем, у него в уме было другое! Когда дедушка нагнулся к столу, выбирая закуску, он потихоньку вложил в его карман кусо́к сыра, который дедушка опасался даже кушать. Надушив себя еще раз, боясь захватить с собою дурной запах от близкого соседства сыра и не подозревая, что он в его кармане, дедушка уехал. Его ужасу и удивлению не было границ, когда он, посещая элегантные салоны великосветских красавиц, был преследуем невозможным запахом... В каждой швейцарской он приказывал оглядывать свой туалет, не понимая, откуда подобный запах, но все было на нем чисто и элегантно. Он был в отчаянии, когда некоторые дамы при его появлении, не стесняясь, держали носовые платки у носа... Не кончив визитов, раздосадованный, вернулся он домой, и там дело разъяснилось: в кармане камердинер нашел кусок лимбургского сыра. «Всегда этот проказник Юрка везде мне насолит!» — воскликнул дедушка...»

Из горячих ресторанных блюд упоминаются *жир-*

ные котлеты и *бифштекс*. Любопытно, что англичанин Томас Роби, содержавший обеденный стол на Малой Морской, первым в Петербурге объявил в 1807 году, что «бифстекс можно получать во всякое время, как в Лондоне».

Список фирменных блюд ресторана можно продолжить, если обратиться к черновикам I главы романа «Евгений Онегин»:

Пред ним roast-beef окровавленный,
Двойной бекас и винегрет,
И трюфли, роскошь юных лет.

Вторая строка зачеркнута и сверху рукой Пушкина написано: *«Французской кухни лучший свет»*, и затем изменен порядок 2-й и 3-й строк (как в печати). *«Двойной бекас и винегрет»* — очевидно, эти блюда входили в меню ресторана Талона.

«Но никоторая птица не может равняться с бекасом, первенствующим между пернатою дичью — по праву болотного князька; отменный, волшебный его душок, летучая его сущность и сочное его мясо вскружили голову всем лакомкам. <...> Зато бекасом, на вертеле изжаренным, можно потчевать первейших вельмож и, исключая фазана, ничем лучше нельзя их угостить», — читаем в «Прихотнике, или Календаре объядения».

Поваренные руководства конца XVIII — начала XIX века сообщают лишь два способа приготовления бекасов: в первом случае бекасы жарятся на вертеле вместе с внутренностями, во втором — начиняются фаршем, приготовленным из внутренностей.

Определение «двойной» (бекас) в поваренных книгах, увы, не встречается.

Но, может быть, «двойным» называли начиненный фаршем бекас? Мало вероятно. О каком же тогда «двойном бекасе» идет речь в романе «Евгений Онегин»?

Ответ на этот вопрос находим в лекции доктора Пуфа (В.Ф. Одоевского) «О бекасах вообще и о дупельшнепах в особенности»:

«Все эти названия: бекасы, дупель, дупельшнепы, вальдшнепы и кроншнепы — вообще довольно смешанны и неопределенны; все эти чудные птицы принадлежат к породе бекасов и отличаются длинными носами; часто, в просторечии, бекасами называют совсем других птиц. Во французской кухне различаются породы: *bécasse*, *bécassine*, *moyenne bécassine*, *bécasseau* и другие; по словам охотников, наши дупельшнепы суть то, что французы называют *double bécassine*; эти замечания для тех, которые справляются с французскими кухонными книгами...»

Таким образом, *double bécassine*, если дословно перевести с французского, и означает «двойной бекас».

Своей хорошей кухней славился ресторан грека Отона в Одессе. Из романа «Евгений Онегин» узнаем, что фирменным блюдом этого ресторана были устрицы.

Известно большое количество способов приготовления устриц: «приготовляют их рублеными, фаршированными, жареными, печеными, превращают их даже в рагу для постных дней, кладут в суп и паштеты».

Русские гастрономы прошлого столетия предпочитали их есть сырыми: «едят оных обыкновенно сырых с лимонным соком и перцем».

Богатые жители Одессы и Петербурга имели возможность прямо у рыбаков покупать свежие устрицы. Удовольствие это было не из дешевых: платили «по 50-ти, а иногда по 100-ту рублей за сотню устриц».

«В лавках за накрытыми столиками пресыщались гастрономы устрицами, только что привезенными с отмелей в десять дней известным в то время голландским рыбаком, на маленьком ботике, в сообществе одного юнги и большой собаки», — пишет М. Пыляев в книге «Старый Петербург».

Московские гурманы вынуждены были довольствоваться солеными устрицами. «В немецкой слободке, против самой аптеки, жил, хотя и московский купец, но носивший не московское имя, — некий Георгий Флинт, и к нему-то направлялись московские гастрономы. В больших бочонках Георгий Флинт получал и из Петербурга, и из Ревеля устрицы, конечно, соленые, но и ими наслаждались кулинарные знатоки второй половины XVIII века».

Любовь к устрицам считалась признаком светскости. Примечателен диалог двух приятелей из романа Е.П. Гуляева «Человек с высшим взглядом, или Как выдти в люди»:

«Приятели спросили устриц и шампанского. <...>

— По правам друга — я обязан передать тебе все мои наблюдения над женитьбою... Наука находить невесту раскрыта предо мною, как эта устрица... Я проглотил ее... Да что же ты не принимаешься?

— Я не люблю устриц.

— Полно, милый друг! Стыдись говорить! Как можно светскому человеку — не есть устриц? На что это похоже?

— Я не могу.

— Ну, для меня, начни же!

— Я чувствую к ним отвращение.

— Вздор! Надобно только привыкнуть. Вот тебе лимон... На первый раз вспрысни соком.

— Хорошо, только не смотри на меня!..<...>

Арсений поднес ко рту устрицу. Запах, в роде испорченной осетрины, заставил беднягу сморщиться, как будто он принимал самую отвратительную микстуру; наконец, он отправил устрицу в известную экспедицию: из дружбы к Вихревскому!

— Ну, вот и прекрасно! — произнес приятель, принимаясь разливать шампанское... — Виноват! — два стакана были уже налиты тотчас после выстрела пробки, еще в начале беседы. — Пей! За свое здоровье! Теперь ты можешь называться светским малым!..»

«Многие думают, что устрицы составляют неудобоваримую для желудка пищу, — читаем в журнале «Эконом» за 1844 год. — Это совершенно несправедливо; надобно наблюдать только меру, потому что и самое легкое кушанье через меру вредно. Здоровый желудок легко может принять 50 штук. В этом количестве, а еще лучше, если меньше, можно найти истинное удовольствие в устрицах».

Однако И.А. Крылов «уничтожал их не менее восьмидесяти, но никак не более ста, запивая английским портером».

Имена известных московских рестораторов первой трети прошлого столетия встречаем на страницах воспоминаний М. Дмитриева:

«Когда дядя обедал дома, я, разумеется, обедал с ним, но когда он не обедал дома, обеда для меня не было. Знать об этом заранее было невозможно, потому что я рано утром уходил в университет, когда еще неизвестно было его намерение. И потому очень часто случалось, что, возвратясь в час пополудни с лекций, я должен был отправляться пешком обратно, или на Тверскую, или на Кузнецкой мост обедать у ресторатора.

Когда бывали свободные деньги, я обедал за пять рублей ассигнациями на Тверской у Ледюка. У него за эту цену был обед почти роскошный: отличный вкусом суп с прекрасными пирожками; рыба — иногда судак *sauce á la tartare*[1], иногда даже угри; соус — какое-нибудь филе из маленьких птичек; спаржа или другая зелень; жареное — рябчики, куропатки или чирок (*une sarcelle*); пирожное или желе из апельсинов или ананасов — и все это за пять рублей. Вино за особую цену: я иногда требовал стакан медоку *St. Julien*[2], что стоило рубль ассигнациями; половину выпивал чистого, а половину с водою.

---

[1] Соус тартар *(фр.)*.

[2] Сен-Жюльен *(фр.)*.

После, когда я познакомился с Курбатовым, мы иногда обедали у Ледюка двое или трое вместе; никогда более. Нам, как обычным посетителям, верили и в кредит, чем, однако, я не любил пользоваться и, в случае некоторого уменьшения финансов, обедал на Кузнецком мосту, у Кантю, за общим столом. Это стоило два рубля ассигнациями. Тут была уже не французская, тонкая и избранная кухня, а сытные щи или густой суп; ветчина и говядина и тому подобное. Но при большом недостатке денег я отправлялся к Оберу, где собирались по большей части иностранцы и обедали за одним столом с хозяином. У него стол был поделикатнее, чем у Кантю, но беднее, а стоил обед всего рубль ассигнациями».

Было бы несправедливо обойти молчанием «французскую ресторацию» Яра в Москве, помещенную на Кузнецком мосту. Пушкин много раз обедал в ресторане Яра, упоминает его в «Дорожных жалобах»:

Долго ль мне в тоске голодной
Пост невольный соблюдать
И телятиной холодной
Трюфли Яра поминать?

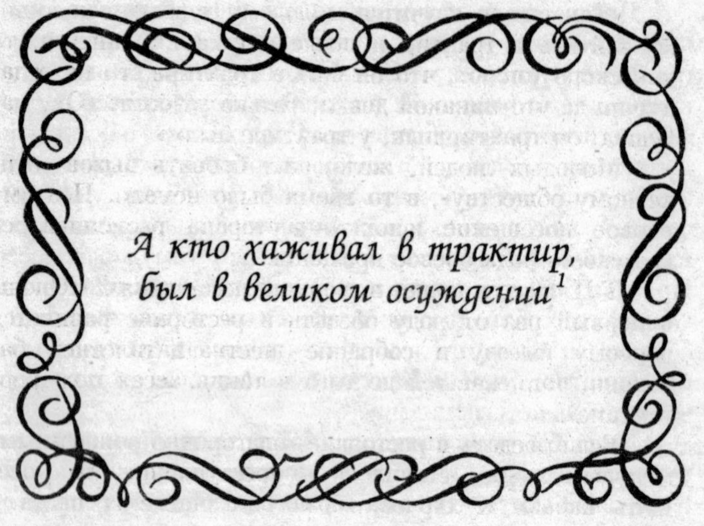

А кто хаживал в трактир, был в великом осуждении[1]

Рестораны в начале прошлого столетия были местом сбора холостой молодежи, хотя обедать в ресторации считалось в дворянской среде прегрешением против хорошего тона.

Ф.Ф. Вигель писал: «Все еще гнушались площадною, уличною, трактирною жизнию; особенно молодым людям благородно рожденным и воспитанным она ставилась в преступление. Обедать за свои деньги в ресторациях едва ли не почиталось развратом; а обедать даром у дядюшек, у тетушек, даже у приятелей родительских или коротко-знакомых было обязанностию».

В провинции, как и в столице, к любителям посещать трактиры относились с предубеждением. Об этом читаем в записках орловского старожила:

---

[1] Орловская старина. Из записок тамошнего старожила. — Северное обозрение, 1849, декабрь, с. 779.

«Так ежели случится молодому человеку холостому зайтить в трахтир и после вздумает жениться, то как скоро узнают, что он был в трахтире, то не отдадут ни за что никакой девки; только говорят: «Ох, матушка, он трахтиршык, у трактире был»[1]».

Молодых людей, желающих бросить вызов «этикетному обществу», в то время было немало. Поэтому первое посещение юношей ресторана расценивалось как своего рода боевое крещение.

Т.П. Пассек пишет в своих воспоминаниях: «Юноше в первый раз от роду обедать в ресторане равняется первому выезду в собрание шестнадцатилетней барышни, танцевавшей до того в танцклассах под фортепиано».

Если обедать в ресторане «благородно рожденным» молодым людям ставилось в преступление, то посещать кабаки и харчевни означало навсегда пасть в глазах светского общества. Однако находились и такие смельчаки.

«В Петербурге, в Толмачевом переулке, от Гостиного двора к нынешнему Александринскому театру, переулке, бывшем, кажется, глухим, был кабак вроде харчевни. Пушкин с Дельвигом и еще с кем-то в компании человек по пяти иногда ходили, переодевшись в дурные платья, в этот кабак кутить, наблюдать нравы таких харчевен и кабаков и испытывать самим тамошние удовольствия».

В 20 — 30 годы ситуация несколько меняется. Почтенные отцы семейств, важные господа уже не стыдятся обедать в ресторациях.

В опубликованном в «Северной Пчеле» очерке «Петербург летом» Ф. Булгарин писал: «У нас так называемые порядочные, т. е. достаточные люди, только по особенным случаям обедают зимою в трактирах. У

[1] Орфография сохранена.

нас и богатый, и достаточный, и бедный человек живет своим домом или домком. Даже большая часть холостяков имеют повара или кухарку, или велят носить кушанье из трактира на квартиру, чтоб, возвратясь из канцелярии или со службы, пообедать и отдохнуть, как говорится, разоблачась.

Летом семейные, богатые и даже значительные люди, проведя утро в городе, за делами, не стыдятся обедать в трактирах. В эту пору встречаются между собою люди, которые, хотя знают друг друга, но не встречаются в течение девяти месяцев, имея особый круг знакомства и отдельные занятия. У нас, в Петербурге, не много таких трактиров, где порядочный человек может пообедать».

Хорошей кухней славились столичные Английские клубы. Возникший 1 марта 1770 года Английский клуб в Петербурге принято считать первым в России клубом.

Однако существует свидетельство, «которое точно устанавливает год открытия первого клуба в России. Оно принадлежит графу Владимиру Григорьевичу Орлову, который 27 января 1769 года пишет из Петербурга своим братьям Алексею и Федору Григорьевичам: «Новый род собрания называется клоб, похож на кафе-гаус, уже более 130 человек вписались; платит каждый по 30 рублей в год; всякого сорта люди есть в нем: большие господа все почти, средние, ученые, художники и купцы. Можно в оное ехать во всякое время, поутру и после обеда». Трудно сказать, где находился этот клуб. Известно, что возникший 1 марта 1770 года Английский клуб помещался на Галерной улице.

В начале XIX века клуб насчитывал до трехсот членов, в числе которых были высшие государственные сановники.

«Кухня клуба пользовалась большой репутацией <...>. В первую субботу после 1-го марта бывал большой, роскошный годовой обед с ухою и со всеми гастрономическими редкостями, какие только являлись в это время года; за стерлядями нарочно посылали в Москву».

Одиннадцатая статья Устава клуба гласила: «Вина, ликеры, разные напитки и проч. отпускаются членам из буфета Собрания по таксе, утвержденной старшинами. За все платится тотчас же наличными деньгами, равно как и за битую посуду и за всякую изломанную вещь».

В первые годы обед из трех блюд стоил 25 коп., со временем цена возросла: в 1801 году члены клуба за обед платили один рубль, в 1815 году — 1 руб. 50 коп., в 1818 году — 2 руб. 50 коп., а в 1845 году — 5 руб. ассигнациями.

Вопрос о ценах за обед дебатировался в славившемся лукулловскими обедами московском Английском клубе в марте 1827 года.

О «странной ссоре, бывшей в клобе», сообщает брату А.Я. Булгаков: спор шел о том, можно ли «не платить за целый ужин, а требовать одного только такого-то блюда и платить за одну только порцию...»

«Этот вздорный спор вооружает одну часть Английского клоба против другой, как важное какое-нибудь дело, и вчера еще был большой шум, а в субботу станут баллотировать вздор этот <...>. Два профессора, бывшие друзьями, поссорились за порцию кушанья».

Без трапезы не обходились и собрания «ученых мужей», например, заседания Российской Академии. Она была основана Екатериной II с целью составления «грамматики, русского словаря, риторики и правил стихотворства». С 1813 по 1841 годы президентом Академии был А.С. Шишков. По его предложению 7 января 1833 года Пушкин был единогласно избран в члены Академии и первое время усердно посещал ее заседания.

«Пушкин был на днях в Академии и рассказывает уморительные вещи о бесчинстве заседания, — сообщает в письме к В.А. Жуковскому П.А. Вяземский. — Катенин выбран в члены и загорланил там. Они помышляют о новом издании Словаря. Пушкин более всего не доволен завтраком, состоящим из дурного винегрета для закуски и разных водок. Он хочет первым предложением своим подать голос, чтобы наняли хорошего повара и покупали хорошее вино французское...»

Как совместить этот факт со свидетельством Вяземского о том, что Пушкин «не ценил и не хорошо постигал тайны поваренного искусства»?

Друг поэта противоречит сам себе: если бы Пушкин не ценил поваренное искусство, вряд ли он стал бы выступать с подобным предложением на заседании Российской Академии. Интерес Пушкина к гастрономии был искренним и далеко не поверхностным. Об этом говорят и многочисленные кулинарные подробности на страницах его произведений, и поваренные руководства в его библиотеке, и выписываемые поэтом из разных книг «гастрономические сентенции», среди которых изречение А. Брилья-Саварена: «Желудок просвещенного человека имеет лучшие качества доброго сердца: чувствительность и благодарность».

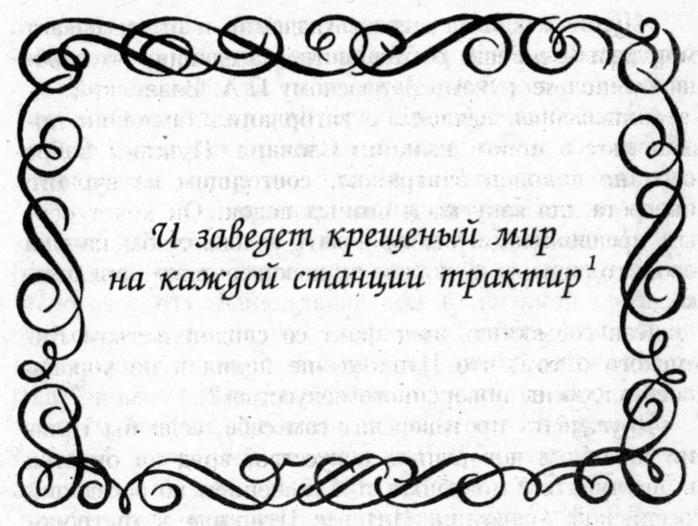

И заведет крещеный мир на каждой станции трактир[1]

Кроме Москвы, Петербурга и Одессы только в считанных городах России имелись приличные трактиры и ресторации.

«Полторацкого таверна» — так современники называли знаменитую ресторацию, построенную в Курске Федором Марковичем Полторацким. О предприимчивости Полторацкого рассказывает его внучка, В.И. Анненкова:

«Житейское свое поприще начал он, подобно другим, службою в блестящем гвардейском полку, но вскоре, убедившись, что даже при удаче поприще это слишком узко для его способностей и аппетитов, он вышел в отставку, поехал учиться в Берлинский университет и, вернувшись оттуда с дипломом того самого короля, которого Великая Екатерина называла Иродом, принялся за аферы.

---

[1] Пушкин А.С. Евгений Онегин, гл. VII, XXXIII.

Какие именно, осталось отчасти тайною; но зато результаты их вскоре проявились так явно, что оставалось только руками развести от изумления.

Земельная собственность Федора Марковича увеличивалась не по дням, а по часам; его дома, фабрики, заводы, лавки вырастали как грибы всюду, куда бы он ни являлся со своими проектами.

Появились, благодаря ему, в наших захолустьях такие товары, о существовании которых до него никто не имел понятия, а под наблюдением его изготовлялись такие сукна, экипажи, мебели, и в домах его устроивались такие хитроумные приспособления для топки, освещения и провода воды, такие зимние сады и оранжереи, что издалека стекались любоваться этими диковинками. В Чернянке, имении его в Курской губернии, была зала со стеной из цельного стекла в зимний сад, отапливаемый посредством труб, проведенных в стенах.

У него был дорожный дормёз, вмещавший в себе, рядом с сидением для барина и для его слуги, с важами для вещей, сундуками для провизии и прочих дорожных принадлежностей, такое множество потайных ящиков, искусно скрытых, что он провозил в этом дормёзе на много тысяч контрабанды из чужих краев, и контрабанда эта наивыгоднейшим образом продавалась на лавках его в Москве и в других городах.

Всех диковинок, какие он изобрел, не перечесть, и все это производилось в его имениях, руками его крепостных, под наблюдением заграничных мастеров, которых он отсылал обратно на родину после того, как русские люди заимствовали от них необходимые сведения; потому что, как он часто говаривал: «Смышленнее русского мужика нет существа на свете; надо только уметь им пользоваться». Замечу здесь кстати, что, невзирая на строгость, граничащую с жестокостью и на полнейшее отсутствие сердечности, Федор Маркович был не только ценим, но и любим своими

крепостными: так много доставлял он им выгод возможностью выучиться заграничным мудростям и стольких вывел он в люди и сделал богатыми, заставляя на себя работать.

Окончившим при нем науку людям цены не было в глазах пытавшихся ему подражать помещиков, и многие из этих доморощенных мастеров, откупившись на волю при его наследниках, открыли свои заводы и мастерские. Впрочем, он и при жизни многих отпустил на волю за хорошую плату, и это служило одним из крупнейших источников его богатства».

Модным рестораном славилась гостиница Гальяни в Твери. «Ее владелец, обрусевший итальянец П.Д. Гальяни, на протяжении трех десятилетий расширял свое «дело». В конце XVIII века он построил трактир, потом завел при нем гостиницу с модным рестораном и «залом для увеселений» — с ломберными столами, биллиардом, мягкой мебелью, располагающей к уютному отдыху <...>. Изобретательный кулинар и весельчак, Гальяни, очевидно, показался Пушкину плутоватым малым, недаром в стихотворении появилось приложение к фамилии — «иль Кальони», что означает плут, пройдоха»[1]. Речь идет о стихотворном послании А.С. Пушкина к Соболевскому:

У Гальяни, иль Кальони,
Закажи себе в Твери
С пармазаном макарони
Да яишницу свари...

В этом же стихотворении Пушкин упоминает знаменитый трактир Пожарского в Торжке:

---

[1] Кашкова В.Ф. Пушкинский путеводитель. — Тверь, 1994, с. 60—61.

На досуге отобедай
У Пожарского в Торжке.
Жареных котлет отведай
И отправься налегке.

В конце XVIII века ямщик Дмитрий Пожарский построил в Торжке постоялый двор, со временем преобразовав его в гостиницу с трактиром.

В 1811 году, после смерти Дмитрия Пожарского, владельцем гостиницы становится его сын — Евдоким Дмитриевич Пожарский, а в 1834 году дело отца унаследовала Дарья Евдокимовна Пожарская.

«Главную славу» трактира составляли знаменитые пожарские котлеты. «Быть в Торжке и не съесть Пожарской котлетки, кажется, делом невозможным для многих путешественников, — отмечает А. Ишимова, описывая поездку в Москву в 1844 году. — <...> Ты знаешь, что я небольшая охотница до редкостей в кушаньях, но мне любопытно было попробовать эти котлетки, потому что происхождение их было интересно: один раз в проезд через Торжок Императора Александра, дочь содержателя гостиницы Пожарского видела, как повар приготовлял эти котлетки для Государя, и тотчас же научилась приготовлять такие же. С того времени они приобрели известность по всей московской дороге, и как их умели приготовлять только в гостинице Пожарского, то и назвали Пожарскими. Мы все нашли, что они достойно пользуются славою: вкус их прекрасный. Они делаются из самых вкусных куриц...»

Подобную легенду о происхождении пожарских котлет приводит автор «Путеводителя от Москвы до Санкт-Петербурга и обратно», И. Дмитриев:

«По приезде в Торжок путешественнику представляются две заботы: удовлетворить требованию желудка и насытить жажду любопытства. В первом случае две (новая и обновленная) гостиница купца Климушина или Вараксина и купца Пожарского <...>, у него вы найдете славные котлеты и превосходный обед, который приготовляет дочь хозяина. Видевши однажды, как повар Императора Александра готовил Царский обед, она выучилась поваренному искусству в несколько часов и потчевает приезжающих вкусным обедом».

Вкусом знаменитых пожарских котлет восхищались иностранные путешественники. Немец Гагерн, сопровождавший принца Александра Оранского во время путешествия его в Россию в 1839 году, писал: «Позавтракали в городе Торжке, производящем приятное впечатление, у одной хозяйки, славящейся своими котлетами; репутация ее вполне заслуженная».

Упоминает о знаменитых пожарских котлетах и английский писатель Лич Ричи в «Живописном альманахе за 1836 год»: «В Торжке я имел удовольствие есть телячьи котлеты, вкуснейшие в Европе. Всем известны торжокские телячьи котлеты и француженка, которая их готовит, и все знают, какую выгоду она извлекает из славы, распространившейся о ней по всему миру. Эта слава была столь громкой и широкой, что даже сама императрица сгорала от любопытства их попробовать, и мадам имела честь быть привезенной в Петербург, чтобы сготовить котлеты для Ее Величества».

Вероятно, речь идет о какой-то разновидности пожарских котлет, приготовляемых не из куриного, а из телячьего мяса. Данное свидетельство некоторым образом перекликается с другой легендой о происхождении пожарских котлет.

Легенда гласит, что однажды Александр I из-за поломки кареты вынужден был остановиться в гостинице Пожарского. В числе заказанных для царя блюд значились котлеты из телятины, которой на беду у хозяина трактира в тот момент не было. По совету дочери трактирщик пошел на обман: сделал котлеты из куриного мяса, придав им сходство с телячьими. Блюдо так понравилось Императору, что он велел включить его в меню своей кухни. А трактирщика и его дочь царь не только простил за обман, но и щедро вознаградил за кулинарное изобретение. Дарья Евдокимовна, как свидетельствуют современники, сумела снискать расположение императора Николая Павловича и была вхожа в дома петербургской аристократии.

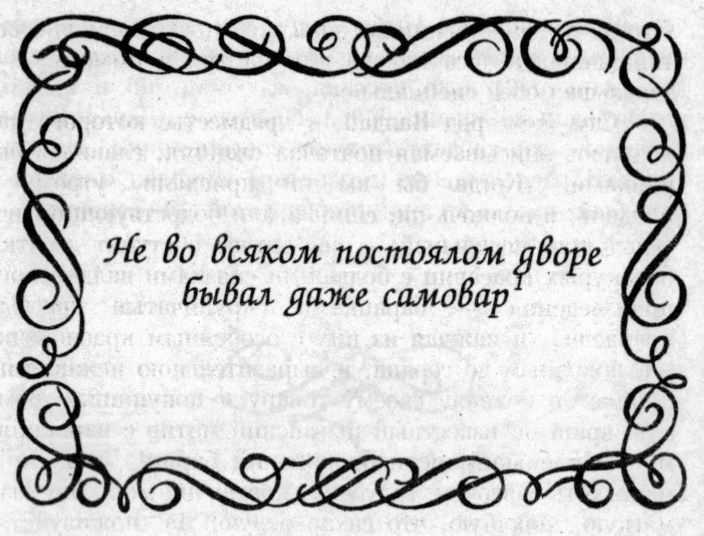

Не во всяком постоялом дворе бывал даже самовар[1]

Дорога из Москвы в Петербург была, пожалуй, единственной в России дорогой, где располагались приличные трактиры. Причем многие трактиры имели свою кулинарную «специализацию».

В.А. Панаев писал в своих воспоминаниях: «Соберемся, бывало, все в Кузнецове и покатим на четырех тройках, гуртом. Доедем до Зимогорья (почтовая станция на шоссе в предместье Валдая) и остановимся на ночлег. Зимогорская почтовая станция славилась между путешествующими не какою-либо специальностью, как Померания — вафлями, Яжелбица — форелью, Едрово — рябчиками, Торжок — пожарскими котлетами (место их рождения), а вообще возможностью отлично поесть, вследствие случайно приобретенного хозяином гостиницы великолепного, тонкого повара.

---

[1] Селиванов В.В. Предания и воспоминания. — СПб., 1881, с. 146.

Кто из путешественников знал это, тот непременно останавливался часа на два или на три в Зимогорье и заказывал обед специально».

Сам же город Валдай, в предместье которого находилась описываемая почтовая станция, славился баранками. «Когда бы вы ни приехали, утром, в полдень, в полночь ли, сонный или бодрствующий, веселый или печальный — вас тотчас обступят десятки белокурых красавиц с большими связками валдайского произведения — баранками (крупичатые круглые крендели), и каждая из них с особенным красноречием, доходным до сердца, и выразительною нежностию пропоет в похвалу своему товару и покупщику громкую арию на известный цыганский мотив с вариациями: «Миленький, чернобровинький барин! Да купи у меня хоть связочку, голубчик, красавчик мой! Вот эту, мягкую, хорошую, что сахар белую! Да, пожалуйста, купи, я тебя первая встретила с хлебом-солью, и проч., и проч.».

Никакое красноречие ваше не устоит против сладких убеждений продавицы, никакие отговорки ваши не помогут вам спастись от покупки: вас будут преследовать по селу, ежели вы пойдете; за вами побегут в комнаты постоялого двора; вас разбудят, ежели вы покоитесь в экипаже — и до тех пор, пока вы не уедете или не убежите опрометью из Зимогорья, вас ничто не избавит от покупки предлагаемого товара <...>.

Но как бы ни были скупы, или скучны, вы смягчитесь, растаете и не будете в состоянии грубо презреть расточаемые вам ласки белокурою красавицею, у которой нередко на чистеньких щечках цветут живые розы, не коснувшиеся хищного мороза, и непременно купите хоть связку кренделей, весьма вкусных, впрочем, и для чаю и для кофе, и удобных для дороги.

Говорят, что лет за сорок, Валдайскими кренделями торговали преимущественно отборные красавицы, и проезжающие тем охотнее покупали баранки, что за каждую связку молодому покупщику в придачу наградою был поцелуй, мягкий, пышний, жгучий поцелуй; но ныне эту щедрость пресекли корыстолюбивые ревнивцы, торгаши-мужчины, возами развозящие во все стороны православной Руси знаменитое произведение города Валдая», — читаем в «Путешествии от Москвы до Санкт-Петербурга и обратно».

Почтовые станции в Центральной России располагались примерно на расстоянии от 18 до 25 верст.

В основном гостиницы и трактиры имели почтовые станции первого и второго разрядов. Станции первого разряда строились в губернских городах, второго — в уездных. Небольшие населенные пункты имели станции третьего и четвертого разрядов. Путешественники вынуждены были при себе иметь запасы провизии, «так как на почтовых станциях нельзя было бы найти ничего, кроме помятого и нечищенного самовара».

О тяжелом быте путешественников писал А.С. Пушкин в романе «Евгений Онегин»:

Теперь у нас дороги плохи,
Мосты забытые гниют,
На станциях клопы да блохи
Заснуть минуты не дают;
Трактиров нет. В избе холодной
Высокопарный, но голодный
Для виду прейскурант висит
И тщетный дразнит аппетит...

Да и самому Пушкину, много путешествовавшему по России, приходилось не раз голодать в дороге, о чем свидетельствует рассказ пензенского помещика К.И. Савостьянова:

«В заключение всего передам Вам о замечательной встрече с Пушкиным отца моего, который рассказал мне все подробности ее.

Когда он вошел в станционную избу на станции Шатки, то тотчас обратил внимание на ходившего там из угла в угол господина (это был Пушкин); ходил он задумчиво, наконец позвал хозяйку и спросил у нее чего-нибудь пообедать, вероятно, ожидая найти порядочные кушанья по примеру некоторых станционных домов на больших трактах.

Хозяйка, простая крестьянская баба, с хладнокровием отвечала ему: «У нас ничего не готовили сегодня, барин». Пушкин, все-таки имея лучшее мнение о станционном дворе, спросил подать хоть щей да каши.

«Батюшка, и этого нет, ныне постный день, я ничего не стряпала, кроме холодной похлебки».

Пушкин, раздосадованный вторичным отказом бабы, остановился у окна и ворчал сам с собою: «Вот я всегда бываю так наказан, черт возьми! Сколько раз я давал себе слово запасаться в дорогу какой-нибудь провизией и вечно забывал и часто голодал, как собака».

В это время отец мой приказал принести из кареты свой дорожный завтрак и вина и предложил Пушкину разделить с ним дорожный завтрак. Пушкин с радостью, по внушению сильным аппетитом, тотчас воспользовался предложением отца и скоро удовлетворил своему голоду, и когда, в заключение, запивал вином соленые кушанья, то просил моего отца хоть сказать ему, кого он обязан поблагодарить за такой вкусный завтрак, чтобы выпить за его здоровье дорожною флягою вина.

Когда отец сказал ему свою фамилию, то он тотчас спросил, не родня ли я ему, назвавши меня по имени, то с эти словом послано было за мною, — и мог ли я не удивиться встретить Пушкина в грязной избе на станции?!»

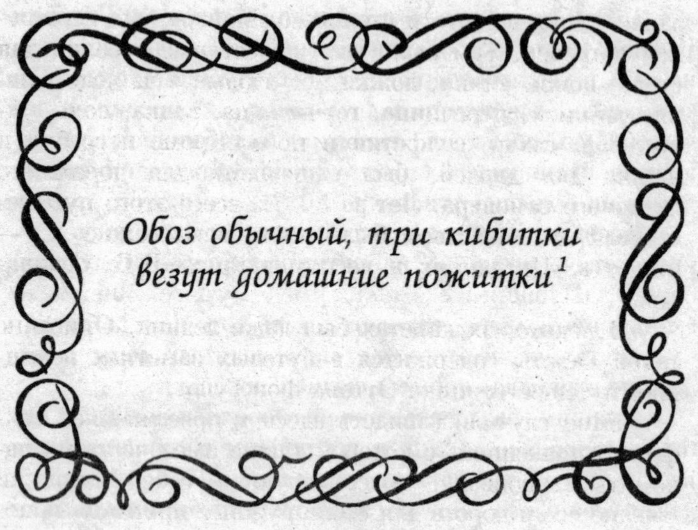

Многие помещики предпочитали способ езды «на своих» или «на долгих», т. е. лошадей не нанимали, а пользовались своими. При езде «на своих» снаряжали целый обоз, состоящий из множества вещей, продуктов, корма для лошадей. В громоздких дорожных каретах были предусмотрены самые разнообразные приспособления для перевозки провизии и кухонной утвари.

«Наконец, день выезда наступил. Это было после Крещенья. На дорогу нажарили телятины, гуся, индейку, утку, испекли пирог с курицею, пирожков с фаршем и вареных лепешек, сдобных калачиков, в которые были запечены яйца цельными совсем с скорлупою. Стоило разломать тесто, вынуть яичко и кушай его с калачиком на здоровье.

Особый большой ящик назначался для харчевого

[1] Пушкин А.С. Евгений Онегин, гл. VII, XXXI.

запаса. Для чайного и столового прибора был изготовлен погребец. Там было все: и жестяные тарелки для стола, ножи, вилки, ложки и столовые и чайные чашки, чайники, перечница, горчичница, водка, соль, уксус, чай, сахар, салфетки и проч. Кроме погребца и ящика для харчей, был еще ящик для дорожного складного самовара. Лет за 50 без всего этого путешествовать с семейством было почти невозможно...», — пишет в «Преданиях и воспоминаниях» В.В. Селиванов.

В некоторых каретах был даже ледник. Описание такой кареты содержится в путевых заметках немецкого путешественника Оттона фон Гуна:

«Мне случилось видеть здесь у проезжавшей графини Апраксиной, с которой также имел честь познакомиться, повозку, содержащую в себе ледник и вообще все в дороге для стола нужные припасы. Я полюбопытствовал рассмотреть ее во всех частях, и нашел в самом деле вещью весьма полезною для богатых людей: ибо имея такую повозку, можно с собою возить на несколько дней всякого запасу.

Повозка сия состоит в обыкновенном каретном ходе, меньшего токмо размера. Вместо корпуса каретного или колясочного висит на рессорах ящик кубического вида, обитый листовым железом. Отворя крышку, в самом верху лежат два складные столика, величиною с обыкновенные карточные, и ящик с чайным и кофейным прибором.

Под сими в средине сундук с столовым сервизом на двенадцать персон, по сторонам коего поделаны вынимающиеся места для стаканов и рюмок, а под сими для карафинов, штофов и бутылок. В самой же средине под ящиком, что с сервизом, находится довольно пространное место, жестью выбитое для льда, в котором можно весьма удобно возить вещи или припасы, порче подверженные. Из ледника выходит трубка в самый низ, для стока воды от тающего льда.

Под самым корпусом есть еще выдвижной ящик, для кухонных железных вещей, как то: таган, рашпора, вертеля и прочего. Под козлами привязывается сундук с кухонною медною посудою, а на запятках с бельем. Таковая повозка действительно весьма полезна, как я уже и сказал выше, для богатых людей, кои в состоянии платить для своих прихотей прогоны за четыре лишние лошади: ибо вся повозка вообще, когда нагружена, довольно тяжела».

М. Вильмот подробно описывает выезд другой аристократки, графини Е. Дашковой:

«Вам интересно узнать состав нашего каравана. Он не менялся со времени выезда из Троицкого. Сразу после молебна тронулась повозка, на которой ехали дворецкий с двумя поварами и были нагружены кухонная утварь, провизия и стол. Кухню отправили на час раньше, чтобы повара успели найти место, развести огонь и приготовить обед. <...>

Обед был очень хорош. Его подавали на серебряной посуде: тарелки, ложки, стаканы для вина etc. — все из серебра. Я не могла представить, что в дороге возможна такая великолепная сервировка — посуды, уложенной в небольшой сундук, хватило, чтобы 6—7 человек обедали, как на изысканном пиршестве: со сменой тарелок, салфеток etc.».

Выезд в Москву на зимнее житье был главным событием года в жизни помещиков, которые запасались таким количеством еды, что ее вполне хватало на весь срок их пребывания в Белокаменной.

Об этом читаем в воспоминаниях барона фон Гольди:

«Большая часть повозок шла с барскою провизией, потому что не покупать же на Москве, в самом деле, на всю орду продовольствие и весь вообще харч. Так, три отдельные воза шли с одними замороженными щами. Щи эти, сваривши дома в больших котлах, разливали обыкновенно в деревянные двух или трехведерные кадки и замораживали, и в таком лишь виде подвергали путешествию. На станциях и вообще на ночлегах, где господа останавливались, если надо людям варить горячее, отколют, сколько потребуется кусков мороженых щей, в кастрюлю на огонь, и через полчаса жирные превкусные щи из домашней капусты, с бараниной или говядиной, к вашим услугам.

Таким же манером шла одна или две подводы с мороженными сливками. Две подводы с гусиными и утиными потрохами, да столько же с гусями и другой домашней провизией, гречневые крупы возились четвертями и кулями. По этому экономному расписанию видно, что господа и слуги на Москве не голодали, а напротив, лакомились, вспоминая свою родную сторонушку».

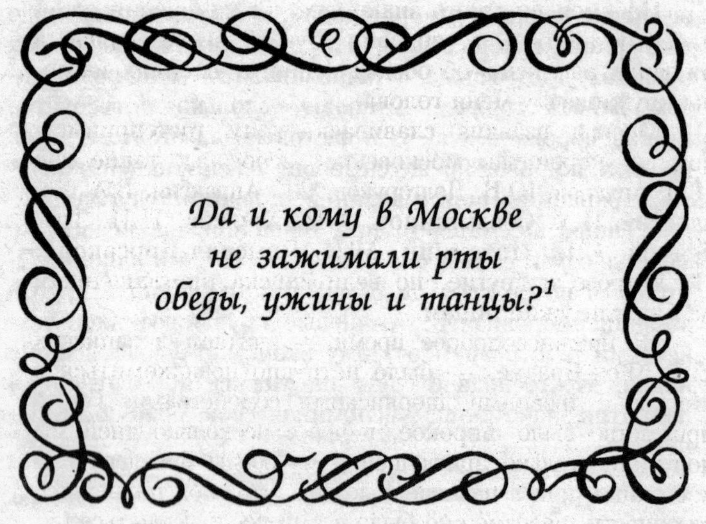

Русская национальная кухня в первую очередь культивировалась в деревне и в среде московского дворянства. В своих кулинарных пристрастиях московское дворянство было сродни помещичьему. Не случайно Москву в ту пору называли «столицей провинции».

Современники сравнивали московскую жизнь с вихрем. «Москва стала каким-то вихрем, увлекающим и меня, хочешь не хочешь, — писал в 1813 году приехавший из Петербурга в старую столицу Фердинанд Кристин. — Веселия я не испытываю никакого, но не нахожу отговорок, чтоб не идти вслед за другими...»

«Что сказать мне о тогдашней Москве? Трудно изобразить вихорь, — вспоминает Ф.Ф. Вигель. — С самого вступления на престол императора Александра, каждая зима походила в ней на шумную неделю масленицы <...>.

---

[1] Грибоедов А.С. Горе от ума. — СПб., 1994, с. 50.

Не имея ни много знакомых, ни намерения долго в ней оставаться, я, подобно другим, не веселился, а от одних рассказов об обедах и приготовлениях на балы кружилась у меня голова».

Москва издавна славилась своим гостеприимством, и «коренные» московские хлебосолы, такие как И.П. Архаров, Ю.В. Долгоруков, С.С. Апраксин, В.А. Хованский, П.Х. Обольянинов, А.П. Хрущев, Н.И. Трубецкой, С.П. Потемкин, М.И. Римская-Корсакова, Н. Хитрово и другие, не вели списка приглашенным на бал или ужин лицам.

«В прежнее доброе время, — читаем в записках Е.Ф. Фон-Брадке, — было нетрудно познакомиться в Москве с древними дворянскими семействами. Гостеприимство было широкое, и через несколько дней мы получили столько приглашений на обеды и вечера или постоянно, или в назначенные дни, что, при полнейшей готовности, невозможно было всеми воспользоваться...»

В первую очередь старая столица славилась стерляжьей ухой, калачами и кулебяками.

Москва Онегина встречает
Своей спесивой суетой,
Своими девами прельщает,
Стерляжьей потчует ухой.

Вошли в историю и московские кулебяки. Н.И. Ковалев в книге «Рассказы о русской кухне» считает, что в «Мертвых душах» Н.В. Гоголя речь идет о старинной московской кулебяке. «Фарш в нее клали разный, располагая его клиньями, разделяя каждый вид блинчиками («на четыре угла»), делали ее из пресного сдобного рассыпчатого теста («чтобы рассыпалась»). Особое искусство было в том, чтобы хорошо пропечь кулебяку с сочным фаршем»[1].

---

[1] Ковалев Н.И. Рассказы о русской кухне. — М., 1984, с. 144.

А вот и описание кулебяки, которую заказал Петр Петрович Петух: «Да кулебяку сделай на четыре угла. В один угол положи ты мне щеки осетра да вязигу, в другой запусти гречневой кашицы, да грибочков с луком, да молок сладких, да мозгов, да еще чего знаешь там этакого <...>. Да чтоб с одного боку она, понимаешь — зарумянилась бы, а с другого пусти ее полегче. Да исподку-то, исподку-то, понимаешь, пропеки ее так, чтобы рассыпалась, чтобы всю ее проняло, знаешь, соком, чтобы и не услышал ее во рту — как снег бы растаяла».

Примечательно письмо П.А. Вяземского А.И. Тургеневу: «Разве я тебе не сказывал, разве ты не знал от Карамзиных, что поеду в Москву за женою, покупаюсь в ухах, покатаюсь в колебяках, а там приеду с женою к вам на месяц, а там — в Варшаву...»

Московские кулебяки не могли оставить равнодушным и А.И. Тургенева: «Тургенев со страхом Божиим и верою приступает к отъезду в Петербург, — сообщает Вяземскому А.Я. Булгаков. — Он без памяти от Москвы, от здешних кулебяк и от Марьи Алексеевны Толстой...»

Калачи также входили в число «знаменитых специально московских снедей».

Московские калачи воспевали поэты:

В Москве же русские прямые,
Все хлебосолы записные!
Какие же там калачи!
Уж немцам так не испечи! —

читаем в послании А.Е. Измайлова «На отъезд приятеля в Москву».

Князь Д.Е. Цицианов рассказывал о том, как Потемкин отправил его из Москвы в Петергоф доставить Екатерине II к завтраку столь любимые ею московские горячие калачи: «<...> он ехал так скоро, что шпага

его беспрестанно стукала о верстовые столбы, и в Петергофе к завтраку Ее Величества подали калачи. В знак благодарности она дала Потемкину соболью шубу», — передает рассказ Цицианова А.О. Смирнова-Россет.

Снискали себе славу и московские пряники, которые упоминаются в романе А.С. Пушкина «Евгений Онегин». «Ах, милый друг, зачем ты не с нами! — пишет из Москвы А.Я. Булгаков А.И. Тургеневу. — Какие обеды, какие стерляди, спаржа, яблоки, пряники, балы, красавицы, спектакли».

«Сарептский магазин был где-то далеко, за Покровкой и за Богоявлением: вот на первой неделе, бывало, туда все и потянутся покупать медовые коврижки и пряники, каких теперь не делают. Целая нить карет едет по Покровке за пряниками», — рассказывает Е.П. Янькова.

Какие еще блюда можно назвать «специфически московскими»?

В дневниковых записях Ю.Н. Бартенева упоминается «московское блюдо карасей в сметане». Караси, жаренные вместе с чешуей в сметане с луком, — известное с IX века классическое русское национальное рыбное блюдо.

Из мясных блюд отменным вкусом славились телячьи котлеты[1]. Воспоминание о них сохранил И.А. Крылов: «Телячьи отбивные котлеты были громадных размеров, — еле на тарелке умещались, и половины не осилишь. Крылов взял одну, затем другую, приостановился и, окинув взором обедающих, быстро произвел математический подсчет и решительно потянулся за третьей. «Ишь, белоснежные какие! Точно в Белокаменной».»

---

[1] В начале XIX века «котлетой» называли натуральный кусок мяса, отрезанный вместе с реберной костью.

Телячьи котлеты упоминает и баронесса Е. Менгден, рассказывая об обедах в московском доме своей бабушки, Е.А. Бибиковой: «Несмотря на свою большую семью, бабушка жила совершенно одна в собственном большом доме на Пречистенке. <...> Но все-таки родственников было так много, что по большим праздникам садилось за стол у бабушки человек двадцать и более.

Кушанья подавались на тяжелых серебряных блюдах, и первое блюдо непременно телячьи рубленые котлеты с ломтиком лимона на каждой котлете...»

Минует столетие, и в начале нынешнего века бытописатель Москвы с горечью отметит: «Особенности Москвы в настоящее время сгладились, почти исчезли; уже нет особого московского мировоззрения, специальной московской литературы, а тем более науки; даже калачи и сайки и прочие, некогда знаменитые, специально московские снеди выродились; нет, наконец, старого говора и настоящего «москвича».»

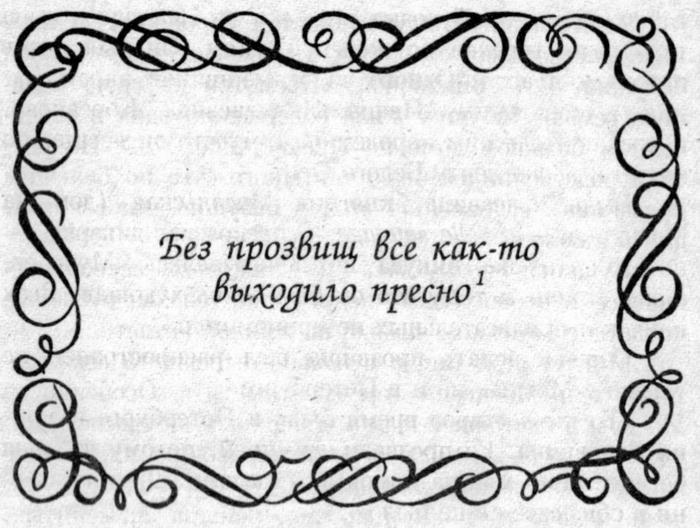

Без прозвищ все как-то выходило пресно[1]

Речь в этой главе пойдет о гастрономических прозвищах. Известно, что представители дворянского общества начала XIX века щедро награждали друг друга прозвищами и кличками.

По словам П.А. Вяземского, «Москва всегда славилась прозвищами и кличками своими. Впрочем, кажется, этот обычай встречался и в древней Руси. В новейшее время он обыкновенно выражается насмешкою, что также совершенно в русском духе.

Помню в Москве одного Раевского, лет уже довольно пожилых, которого не звали иначе как *Зефир* Раевский, потому что он вечно порхал из дома в дом. Порхал он и в разговоре своем, ни на чем серьезно не останавливаясь. Одного Василия Петровича звали Василисой Петровной. Был король Неапольский, генерал

---

[1] Гоголь Н.В. Мертвые души. Т. 2. Собрание сочинений в 4-х т. — М., 1968, с. 297.

Бороздин, который ходил с войском в Неаполь и имел там много успехов по женской части. Он был очень строен и красив. Одного из временщиков царствования императрицы, Ивана Николаевича Корсакова, прозвали Польским королем, потому что он всегда, по жилету, носил ленту Белого Орла. <...>

Была красавица, княгиня Масальская (дом на Мясницкой), *la belle sauvage* — прекрасная дикарка, — потому что она никуда не показывалась. Муж ее, *князь мощи*, потому что он был очень худощав. Всех кличек и прилагательных не припомнишь».

Обычай давать прозвища был распространен не только в Москве, но и в Петербурге.

«То же в старое время была в Петербурге графиня Головкина. Ее прозвали *мигушей*, потому что она беспрестанно мигала и моргала глазами. Другого имени в обществе ей не было».

Разнообразны были прозвища однофамильцев.

«Так как князей Голицыных в России очень много, то они различаются по прозвищам, данным им в обществе, — читаем в записках Ипполита Оже. — Я знал княгиню Голицыну, которую звали *princesse Moustache*[1], потому что у ней верхняя губа была покрыта легким пушком; другая была известна под именем *princesse Nocturne*[2], потому что она всегда засыпала только на рассвете. Мой же новый знакомый прозывался *le prince cheval*[3], потому что у него было очень длинное лицо».

«Да Голицыных <...> столько на свете, что можно ими вымостить Невский проспект», — писал брату А.Я. Булгаков.

Известен был Голицын, прозванный Рябчиком,

---

[1] Усатая княгиня *(фр.)*.

[2] Ночная княгиня *(фр.)*.

[3] Князь-конь *(фр.)*.

был Голицын-кулик, Голицын-ложка, Голицын-иезуит, «Фирс», «Юрка», был Голицын по прозвищу Рыжий.

Не забыли и князей Трубецких. В Москве «на Покровке дом князя Трубецкого, по странной архитектуре своей слыл *дом-комод*. А по дому и семейство князя называли: *Трубецкие-комод*. А другой князь Трубецкой известен был в обществе и по полицейским спискам под именем *князь-тарара*, потому что это была любимая и обыкновенная прибаутка его». Князь Н.И. Трубецкой за свой малый рост был прозван «желтым карликом».

Прозвища, указывающие на какой-нибудь физический недостаток, были далеко не безобидны. В этом отношении не повезло князьям Долгоруким. Одного прозвали кривоногим, другого глухим. И.М. Долгорукого за его большую нижнюю губу называли «балконом».

Особого внимания заслуживают прозвища, которые условно можно назвать гастрономическими.

«В кавалергардском полку, — вспоминает П.А. Вяземский, — <...> одного офицера прозвали *Суп*. Он был большой хлебосол и встречного и поперечного приглашал *de venir manger la soupe chez lui*, то есть по-русски щей похлебать. Между тем он был очень щекотлив, взыскателен, раздражителен. Бедовый он человек, с приглашениями своими, говаривал Денис Давыдов; так и слышишь в приглашении его: покорнейше прошу вас пожаловать ко мне отобедать, а не то извольте драться со мною на шести шагах расстояния. Этот оригинал и пригласитель с пистолетом, приставленным к горлу, был, впрочем, образованный человек и пользовавшийся уважением».

«Дядюшкой Лимбургским Сыром» называл С.А. Соболевский М.М. Сонцова, мужа родной тетки А.С. Пушкина.

«Ваш яблочный пирог» — так А.С. Пушкин подписывал свои письма к П.А. Осиповой-Вульф.

Еще одно забавное гастрономическое прозвище находим в дневнике А.А. Олениной: «Вчера же получила я пакет от Алексея Петровича Чечурина. В нем был один браслет, другого он не успел кончить. Письмецо было в сих словах: «Я дожидал проволоки до 4-х часов. Видно, мне должно кончить браслеты после войны. Слуга Ваш «Груши моченые». 22 сентября». («Груши моченые» — это имя, которое Елена Ефимовна Василевская дала Львову и справедливо)».

Нередко название того или иного блюда употреблялось в качестве сравнения. Ф. Булгарин в одном из кулинарных очерков отмечает: «Общество было самое приятное и самое разнообразное, нечто вроде хорошего винегрета. Тут были и сановники, и чиновники, и ученые, и литераторы, и негоциянцы, и французы».

Примечательно, что уже в начале XIX века слово «винегрет» употреблялось в переносном значении. А.А. Бестужев, сообщив в письме к Я.Н. Толстому подробности литературной и театральной жизни Петербурга, политические новости, заканчивает свое послание следующими словами: «За мой винегрет прошу заплатить в свой черед политикой и словесностью. Эти два пункта меня очень занимают».

Чаще всего названия блюд и продуктов употреблялись для выражения негативной оценки.

«Император Николай I любил фронт. После смотра он выражал каким-либо острым словечком свое удовольствие или неудовольствие. Так, после неудачного смотра сводного батальона военно-учебных заведений он назвал батальон — блан манже»[1] (*«Из прежнего острословия». Русская старина*).

В словаре В.С. Елистратова «Язык старой Москвы» некоторые названия блюд и продуктов сопровождаются пометой «бранное». Например, «сиг копченый», «яичница из костей с творогом», «куриный потрох», «курятина».

---

[1] Бланманже (правильнее), желе из сливок или миндального молока.

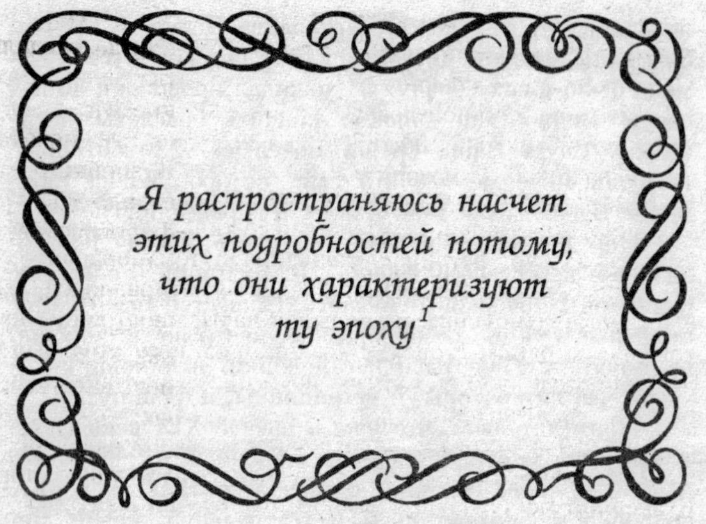

«Обнакавенно на придворных театрах вместо лафита актеры пьют подслащенную и малиновым вареньем окрашенную воду, а вместо шампанского вина лимонад.

Касательно же кушаньев, никогда не бывает никаких натуральных, а все лишь картонные, из папье маше, или восковыя с нарочитою приличною раскраскою под натуральность. Сей обман зрения неприятен для актеров, каковые хотели бы выпить на сцене настоящаго вина и покушать настоящих кушаньев.

По сему совет мой следующий для придворных театров, чтоб удовольствовать господ актеров: давать не картонныя кушанья, а заправския. Может сумление быть на счет того, что на сцене во время представления труд неудобный с жарким гуся, тетерева, теляти-

---

[1] Сабанеева Е.А. Воспоминания о былом. Из семейной хроники. — СПб., 1914, с. 111.

ны, даже рябчиков и цыплят, потому что резать не ловко, да крылышки, ножки, хлупики обгладывать.

Раков же, конечно, совсем на сцену пущать не следует, хотя в одной драмме Августа Федоровича Коцебу, волею автора, целое блюдо с варенными, красными раками на позорище выносится. Ну, таковой казус требует уже раков искусственных; но во всех случайностях, когда кушанья от произволения режиссера, как в сей драме изображено, зависят, то надобно пренепременно учинить тот порядок, чтобы подаваемы были блюда такия, какия тотчас можно есть, и для сего самого я полезным нахожу указать здесь списочек таких кушаньев, какия на домашнем театре моем в собственном доме, где мой сад, подаваемы были, при игрании моими приятелями и милыми дамами сей драммы: «Слабомыслов». Итак, вот списочек тех удобных блюд, каковыми в сей пиесе (действие IV явление I) уставляли стол и какия лакейство усердно разносило по гостям:

a) «Бульон в фарфоровых раззолоченных и живописных чашках. Какия чашки налиты на половину были, чтоб не разлиться».

b) «Язык ломтиками на зеленом горошке».

c) «Плав, облитый дичинным соусом, с печенкою».

d) «Рыбный майонез с желеем».

e) «Фарш, очень вкусный, в форме каплуна».

f) «Желе весьма крепкое и светящееся».

g) «Миндальный пирог самаго красиваго вида с битыми сливками».

Все сие было мягко и удобно для яствия на сцене. А потому вместо ненатуральных и не съедобных картонных и других блюд, по моему мнению, можно бы держатся сего указателя».[1]

Эти замечания принадлежат перу известного ори-

---

[1] Орфография сохранена.

гинала прошлого столетия Егора Федоровича Ганина, которые он собирался представить дирекции придворного Его Величества театра.

«Однако ж, — читаем в книге «Наши чудодеи», — такое благонамеренное старание Ганина на пользу актерских желудков и вкусов не имело гласности благодаря замечаниям цензора, надворного советника Соца, написавшего на рукописи красными чернилами, какими весь меню был похерен: «Неприличное указание дирекции придворного Его Величества театра»».

Театральные нравы с тех пор коренным образом изменились, и современные актеры довольствуются на сцене не картонными блюдами, а самыми что ни на есть настоящими, возбуждая аппетит сидящих в зале. Однако из театра благодарные зрители выходят с мыслью о том, что «интересы изящного должны преобладать над интересами желудка».

Научить актеров, играющих классику, правильно пользоваться ножом и вилкой на сцене — это еще не значит создать атмосферу дворянского застолья. Конечно же, нет необходимости воспроизводить на сцене или в кино все тонкости и детали давно ушедшего быта, но и пренебрегать ими не следует. В прошлом веке актеры, игравшие представителей высшего дворянства, боялись критики зрителей-аристократов и поэтому обращались к ним, желая обучиться тонкостям светского этикета.

К сожалению, современные актеры нередко игнорируют не только тонкости, но и достаточно известные факты. Екатерина II, к примеру, «всегда левою рукой брала и нюхала табак, а правую подавала для поцелуев». Об этом писали многие мемуаристы. Досадно, что современные исполнительницы роли Екатерины II грешат против «исторической правды». А ведь это не просто деталь, это характер. И таких примеров можно привести немало.

Получить консультацию из уст живых аристократов проблематично. Остается читать мемуары, дневники, переписку.

«Семейственные воспоминания дворянства должны быть историческими воспоминаниями народа», — писал А.С. Пушкин.

Осознать роль дворянства в развитии русской национальной культуры нельзя, не имея представления об этикетных нормах, которые способствовали «высоким проявлениям ума и сердца».

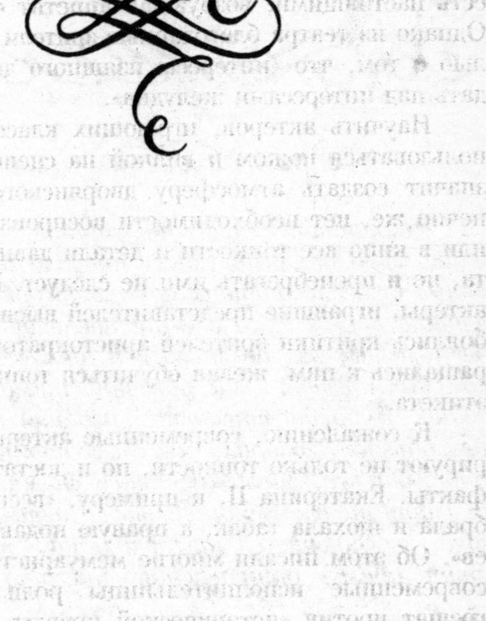

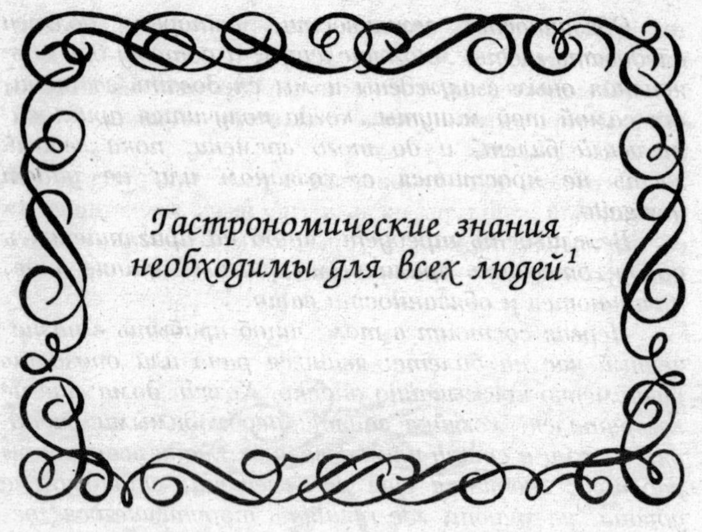

Гастрономические знания необходимы для всех людей[1]

Теория об обедах в гостях[2]

Не ошибитесь и не подумайте, чтоб намерение наше было открыть здесь правила искусства объедалы. Ремесло ищущих чужих обедов так бесславно в наше время, что все наставления наши были бы бесполезны; мы не займемся также и механизмом стола, и взаимными обязанностями гостей и хозяина. В предшествующем издании нашем правила для объедал, говорили мы о важном предмете сем и открыли все, заслуживающее внимание: цель наша указать только множество мелочных тех важностей, требующихся пустяков, которые необходимо знать прежде отправления вашего на званый обед.

---

[1] Брилья-Саварен А. Физиология вкуса. — М., 1867, с. 59.

[2] Правила светского обхождения о вежливости. — М., 1829, с. 166 — 176.

Обязанности вежливости, которым должен следовать гость, многочисленны, и потому для объяснения оных вынуждены и мы следовать за ними, от самой той минуты, когда получится пригласительный билет, и до того времени, пока званый гость не простится с хозяином или не уйдет incognito.

Вежливость требует, чтоб на приглашение к обеду, отвечать приличным образом; приняв оное, начинаются и обязанности ваши.

Первая состоит в том, чтоб прибыть в назначенный час на билете: явиться рано или опоздать равномерно чрезвычайно опасно. Хозяин дома еще не возвратился, хозяйка занята необходимыми распоряжениями к столу или одевается; люди все заняты работой; гостиная еще не освещена; столовая не убрана; не знают, где принять торопившегося гостя; ежели кто-нибудь из семейства и выйдет занять его, то разговор бывает томителен, двадцать раз прерывают оный, приходя за приказанием. Опаздывающие гости еще могут быть несносней, все собравшиеся проголодались. Наконец, когда тщетно ожидая их, хозяин решится приказать подавать кушать, сославшись на пословицу «семеро одного не ждут», какое беспокойство причинит приезд их? Все уселись уже по местам, горячее роздано, надобно некоторых потревожить, на пустые извинения отвечать холодными учтивостями. Чтоб не быть причиною неприятностям сим, равномерно досадным, одно только средство. Заметя, что вы прибыли рано, следует под предлогом, что вам нужно сделать посещение по соседству, прогуляться где-нибудь на ближайшем бульваре или заняться с час чтением журналов и выпить рюмку полынного вина.

Опоздавшим не очень долго думать. Самое приличное — поспешно отретироваться и уте-

шить себя лучше в какой-нибудь хорошей ресторации, нежели принять участие в обеде, причиняя всем беспокойство.

Когда собравшихся гостей в гостиной хозяин дома познакомит между собой, и доложено ему будет, что кушанья на столе, то встает он и, приглася посетивших в столовую, провожая их, идя сам впереди.

Прежде хозяина не подымается никто со своих мест, по приглашении же, кавалеры предлагают руку дамам и провожают их к приборам, на которых написаны имя каждой особо; когда сядут все по местам, то хозяин разливает суп в тарелки, поставленные у него кучею с левой руки. Сидящим по правую его сторону подает он сам прежде, потом тем, которые с левой; тарелки передаются таким образом от одних к другим до последнего. Люди переменят потом пустые тарелки, на которые каждый кладет свою ложку.

Благопристойность требует, чтоб кавалер услуживал сидящей возле него даме, наблюдая за ее тарелкой и стаканом.

Хозяйское место за столом посередине; он занимается гостьми, разрезывает также сам приготовленное на важнейших блюдах или поручает кому-нибудь из друзей, отличающихся мастерством сим, потом угощает каждого из своих рук, от чего отказаться никто не может, все церемонии причтутся к грубой неловкости.

Хозяева дома, пристрастные иногда ко всему им принадлежащему, расхваливают все, что ни подается на стол, потчуют живностию с напряжением голоса, откупоривают каждую бутылку, распространяя похвалы о доброте вина. Ничто так не противно вежливости; одним гостям предоставляются похвалы такого рода. Другие, впадая в противную крайность, запутываются извине-

Un Souvenir — 1838 — Pâques — Dimanche

ниями, что вы дурно угощены, что вы будете голодны, и по ложной скромности насильно выпрашивают у вас похвалы. Те, кажется мне, сноснее, которые молчат, предоставя заботу расхваливать обед какому-нибудь услужливому другу, доброхотному весельчаку, охотнику к лакомым блюдам.

При первом блюде пьет каждый по желанию, при втором же, когда разносятся вина высшего сорта, и хозяин отнесется прямо к вам с просьбою налить рюмку, неучтиво отказать: другую не всегда обязаны вы взять.

При появлении десерта, права хозяина и обязанности к нему теряют свою силу: ему остается только старание, чтоб завести разговор, занимательный для каждого.

Он подает также сигнал вставать из-за стола. Все гости тогда встают и переходят из столовой в гостиную, где ожидает их кофе: хозяин идет в случае сем позади всех.

Время, в которое подают кофе, в гостиной приятный беспорядок. Частные разговоры начались; на всех лицах написано удовольствие, все в хорошем расположении духа; каждый, вооруженный чашкою, прикушивает горячий Мокский кофе; кружок скоро составляется; разговор делается общим, ломберные столы поставлены: вежливость требует пробыть по крайней мере час после сытного обеда. Когда вы можете располагать вечером, то приличнее всего посвятить его угостившему вас хозяину.

Обедающие по чужим домам разделяются на несколько родов; самый многочисленнейший — холостые. Должно бы удивиться, с каким старанием преимущественно приглашаются те неважные (sans consequence) гости, потому что право холостого освобождает их от всех взаимных угощений, они обязаны одною только благодарностию. Но когда рассудит, что почтенное сословие холостых составлено по большей части из артистов, ученых, докторов, вообще людей благовоспитанных и благоразумных, то согласится, что приглашающая вежливость вознаграждается хорошим вкусом принявшего оную; потому что любезные гости прибавляют ту степень достоинства к столу, которую и все поварское искусство придать не могут.

С окончанием обеда не оканчиваются все обязанности гостя. Он обязан еще угощавшему его хозяину последним знаком признательности, визитом, который называют несколько неблагопристойно Visite de digestion. Визит сей имеет две цели: изъявление признательности за сделанную вам честь приглашением вас к обеду и повод тому, кого вы благодарите, возобновить оное. Мы не можем ничем приличнее заключить теорию нашу обедать в гостях, как советом читателям нашим, не пропускать никогда визита de digestion.

О благопристойности за столом в большом собрании[1]

Дух почтительный есть, так сказать, душа обществ: человек, имеющий сию добродетель, каждому воздает должное и так соразмеряет свои все действия, что никто оскорбляться на оные не может.

Правила же учтивости по многоразличию особ, к коим оную соблюдать должно, весьма многообразны. Пол, возраст, звание, умоначертании, время и место различные возлагают на нас обязательст-

---

[1] Наука общежития нынешних времян в пользу благородного юношества. — М., 1793, с. 38 — 44.

ва. Все сии различии знать во всей точности и исполнять их самым делом есть непременный долг обращающегося в свете. Быть за столом с почтенными особами для молодого человека есть дело, достойное его примечания. Для сего особенные надобно знать правила, и так, что если от них отступишь, то признан будешь за грубого и не знающего обхождения с благовоспитанными людьми человека.

За столом сидеть должно скромно и благопристойно, не смотреть жадными глазами на кушаньи, брать оные по порядку, не выбирая лучших, и не протягивать рук к отстоящим далеко от тебя блюдам, а особливо, когда сидят возле тебя отличные достоинствами своими люди. Если случится сидеть подле женщин, надобно тебе или самому их потчевать, или просить о том своих соседей: но как хозяину предоставляется наблюдать распоряжение в угощении, то не прежде должно начинать тем и другим просить гостей, как будет сие от него позволено; все ж то должно делать с великою осторожностию и наблюдением порядка.

Правда, с тех времен, как начали у нас нравы образоваться просвещением, менее видно людей, с излишеством употребляющих напитки; однако мимоходом я скажу здесь, что сия невоздержность есть пренесносный и непростительный порок в благородном обществе: ибо человек, приведший рассудок свой в замешательство напитками, забывает все благочиние, говорит нелепости, делает наглости, беспокоен, гнусен и похож более на сумасшедшего... Коль постыдное дело человечества! Известно из Истории, что Лакедемоняне при воспитании старалися всегда внушать своим питомцам отвращение к пьянству; они приводили пред глаза их невольников, упоенных винами: на самом опыте показывали им те гнусности и бесчинства, которым людей подвергает сия невоздержность, и большею частию хороший в том имели успех. Так равно и мы должны надеяться, что распространяющееся ныне повсюду благовоспитание наконец вовсе искоренит болезнь сию в счастливой Европе. Но обратимся паки к правилам, кои учтивость за столом наблюдать заставляет.

Чрезвычайно хвалить поставленные на столе кушаньи, говорить много о приправах, искусстве повара и чистоте приборов есть погрешность, означающая худое воспитание. Тот же, кто дает стол, вовсе ничего не должен упоминать о хорошем своем угощении. Иначе он окажет в себе неблагопристойное тщеславие: впрочем, находится и другая крайность, коей мы также за чужим столом избегать должны: то есть не должно ничего охуждать в оном и тщеславиться тем, что для них там-то и там великолепное было приготовлено кушанье и отличные поданы напитки. Сие будет значить явное за угощение презрение хозяину.

Когда сидим за столом, то сколь можно, беречься должно от таких разговоров, которые могут в других произвести отвращение от пищи. Весьма много погрешит против благопристойности тот, кто в продолжение оного будет рассуждать о крови, болезнях, лекарствах, трупах, сечении оных и протч.: все таковые предметы нечувствительно рождают понятии, производяшие в душе некоторое беспокойствие и отвращение от пищи. Не должно также упоминать за столом о гнусных насекомых и зверях, как то: мышах, лягушках, пауках и пр.: ибо многие нежные люди их виду не терпят и боятся.

Нет никакого законного обязательства делать у себя пиршества и столы. Если кто оные дает, то дает по своей доброй воле. Итак, берегись, чтобы во время угощения не показать неудовольствия и печали, что ты понес чрез сие великий убыток. С огорчением выходят гости из того дому, где с угощением была скупость. Бережливость, употребленная не ко времени, делает бесчестие хозяину и стесняет веселие гостей. Надежнейшее средство соделать себе их благодарными есть дать им всю свободу, какая между друзьями и благовоспитанными людьми быть позволена.

Обед[1]

Куда как чудно создан свет!
Пофилософствуй — ум вскружится;
То бережешься, то обед:
Ешь три часа, а в три дня не сварится!

Грибоедов. «Горе от ума»[2]

Философ вы или просто умный человек, действительный ли вы важный человек или только титулярный, бедный или богатый, разумный или чужеумный — все равно, вы должны непременно есть, но обедают только избранные.

Все другое вы можете заставить людей делать за себя, и за чужой труд и ум получать всевозможные выгоды, но есть вы должны непременно сами за себя и поплачиваться своею особою за последствия вашей еды.

Следовательно, это дело самое важное в жизни, то же самое, что заведение пружин в часах. Мне кажется, что человека ни с чем нельзя так удачно сравнить, как с часами.

Часы идут, и люди идут;
часы бьют, и люди бьют;

---

[1] Ф.В. Булгарин. Обед. — Северная пчела. — 1840, № 7.

[2] Автор неточно цитирует монолог Фамусова.

часы разбивают, и людей разбивают;
часы портятся, и люди портятся;
часы врут, и люди врут;
часы заводят, и людей приводят и заводят;
часы указывают течение планет и решают важнейшую математическую задачу, не имея ни мыслей, ни идей, и большая часть людей исполняют весьма важные дела точно таким же образом.

Не заводите часов — часы остановятся; не кормите человека, человек остановится.

От неуменья заводить часы механизм часов расстроится, а от неуменья есть расстроится здоровье человека, т. е. весь его механизм, и тогда человек гораздо бесполезнее часов.

Мы имеем на земном шаре множество ученых людей, великих писателей, философов и поэтов, имеем великих художников и умных администраторов, но людей, умеющих обедать, имеем весьма мало. Их надобно искать с фонарем, среди бела дня, как Диоген искал честного мудреца.

Искусство обедать есть наука, которая потому только не преподается, что для нее нет профессора; но эта наука гораздо важнее медицины, потому что предшествует ей и есть, так сказать, ее мать. Нет сомнения, что суп варили прежде микстуры, и прежде объедались, а потом уже начали лечиться. Во всяком случае, медицина занимет место после обеда, и от обеда вполне зависит подчиниться медицине, между тем как медицина всегда зависит от обеда.

Важнейшим доказательством, что медицина гораздо ниже обеда, служит то, что искусных докторов гораздо более, нежели людей, умеющих обедать, а если б, напротив, людей, умеющих обедать было более, нежели искусных докторов, то самые искусные доктора принуждены были бы оставаться без обеда!

Мне скажут: что за важность хорошо пообедать! Был бы аппетит да деньги, так и все тут!

Извините! Этого недостаточно. Тут надобны великие познания и глубокие соображения, без которых аппетит и деньги погубят вас скорее, чем голод и бедность.

Ars longa, vita brevis (т. е. наука длинна, а жизнь коротка), и искусство обедать есть настоящая энциклопедия. В искусство обедать входят все науки, от астрономии и математики, химии и минералогии, до грамматики и правописания включительно.

Я вам открою главные таинства науки, любезные читатели «Северной пчелы», только с условием, чтоб вы хранили это за тайну и не объявляли читателям других журналов. За познания в этой важной науке заплатил я весьма дорого, а именно расстройством желудка, и если теперь сообщаю вам мои сведения даром, то это только из благодарности за то, что вы иногда побраниваете «Северную пчелу». Я не смею бранить ее, хотя она меня жестоко мучит, заставляя смеяться, когда мне хочется плакать, писать, когда меня клонит в сон, читать пуды вздору, чтоб выбрать золотник дельного и забавного, и, наконец, принуждает меня быть аистом и очищать литературное болото от лягушек, чтоб они не надоедали вам своим кваканьем. Итак, любезные читатели, браните «Северную пчелу», браните ее порядком, но только читайте, а если вам некогда читать, тем лучше! Употребляйте ее на папильоты и только иногда заглядывайте в нее.

Если «Северная пчела» не умеет выдумывать любопытных и страшных событий в мире политическом, не пугает вас ужасами неистовой литературы, не усыпляет вас, приятно, высоко-трансцендентальною философиею, то по крайней мере говорит с вами чисто и правильно по-русски и су-

дит по совести о друге и недруге. А в нынешнем веке рококо, когда у нас стали писать резным и точеным языком, и эта капля стоит жемчужины!

Итак, милости просим прислушать!

Искусство обедать основано на разрещении трех важных вопросов:

1) где и как обедать,

2) с кем обедать, и

3) что есть.

Это, как говорят немцы, Lebensfragen, т.е. вопросы жизни и смерти!

Разберем каждый вопрос отдельно.

1) Где и как обедать?

Всегда в большой, высокой, светлой комнате.

Если обед при свечах, то при блистательном освещении. Человек с изящным вкусом никогда не станет обедать не при лампах, ни при стеариновых свечах, потому что взгляд на них припоминает две отвратительные для вкуса вещи: ламповое масло и сало.

Восковая свеча, напротив, припоминает мед, сладкий и душистый, и пчелу с лугами и цветниками.

В светлой или ярко освещенной комнате душа располагается к принятию приятных ощущений.

В соседних комнатах не должно быть шума и беготни, чтоб все внимание сосредоточено было в обеденном столе.

В столовой не должно быть много слуг. Переменив тарелки и подав блюда, прислуга потихоньку удаляется, и остается только два человека. Во Франции, даже в трактирах, прислуга в башмаках и в белых перчатках. Ничего нет несноснее, как топот лакейской и вид руки, рожденной для топора и заступа! Лакеи так же должны быть выучены переменять легко и ловко тарелки, как музыканты выучены не фальшивить в оркестре. Хорошая прислуга — камертон обеда.

Насчет убранства стола мнения различны.

Я предпочитаю серебро днем, а хрусталь вечером, при свечах.

Цветы должны быть во всякое время — это старая мода, но ее должно непременно удержать и поддержать всеми средствами.

Хрусталь, цветы и позолота вечером, хрусталь, серебро и цветы днем, а фарфор во всякое время должны быть принадлежностью хорошего стола.

Подайте мне пастет Периге в черепке, лучший трюфельный соус в деревянной чаше, и заставьте меня есть при сальных свечах, в грязной, мрачной комнате, на столе непокрытом — я откажусь от вкусных блюд и соглашусь лучше съесть кусок черного хлеба с водою, в светлой комнате, за столом блистательным. Ведь результат один — насыщение, и если я буду сыт от одного хлеба, то чрез час и не вспомню о соусах! Я видел красавиц в Эстляндии, разметавших позем руками, по полю, и при все моем уважении к красоте и юности, жмурил глаза и отворачивался. Наряд составляет три четверти важности в красоте и даже в значении человека.

Французы весьма умно говорят о человеке, украшенном орденами: il est decore[1]*. Декорации — великое дело! В обеде половина его достоинства составляют место, прислуга и убранство стола.*

Не каждый может исполнить предложенные здесь условия. О бедных людях мы умалчиваем: они могут насыщаться только дома или в трактире, а обедают всегда в гостях. Но люди среднего состояния могут прекрасно обедать без золота, серебра и драгоценного фарфора и хрусталя, заме-

[1] Он украшен, декорирован *(фр.)*.

няя все это чистотою, но чистотою изысканною, педантскою.

Вот один только случай, в котором позволено педантство! Я с величайшим наслаждением обедывал у немецких биргеров, у которых за столом служила одна миловидная служаночка, а обед состоял из трех или четырех вкусных блюд и был подан на простой, но красивой посуде и превосходном белье.

Вот уж у кого нет хорошего столового белья, тот истинно беден! А что проку в куче тусклого серебра, которым побрякивает неуклюжая прислуга, в кованых сапогах!..

Брр, брр, брр! Ужасно вспомнить о провинциальном барстве!!!

В хороших трактирах также можно обедать. Но за общим столом или в общей зале только едят, на скорую руку, по нужде, а не обедают.

Обедать должно в особой комнате, и тогда, за свои деньги, можно требовать исполнения всех условий обеда. В Петербурге можно обедать, по всем правилам искусства, только у Г. Веделя, в Павловском воксале, и у г. Леграна, в доме Жако, на углу Морской и Кирпичного переулка. В других местах можно поесть хорошо и плотно — но не обедать!

2) С кем обедать?

Это важнейшая часть науки.

Только здесь хозяин может показать свой ум, свое умение жить в свете (savoir vivre[1]), свой такт и свое значение в обществе. Хорошее кушанье есть принадлежность метрдотеля или повара, но вино и гости — дело самого хозяина.

Не говорю здесь об обедах деловых, диплома-

---

[1] Обходительность *(фр.)*

тических и парадных, или почетных, на которые гостей запрашивают по их отношению к хозяину, по званию или значению в свете. В этом случае справляются не с умом, а с адрес-календарем.

Я говорю об обеде приятном, о котором самое воспоминание доставляет наслаждение и который составляет репутацию, славу хозяина.

Обеды бывают двоякие: дамские и мужские, но, во всяком случае, на настоящем эпикурейском обеде не может и не должно быть более двенадцати человек мужчин. Дам может быть вдвое более, так, чтобы каждый мужчина сидел между двумя дамами; однако ж, гораздо лучше, если дам и мужчин равное или почти равное число.

Каждый гость должен твердо помнить, что он обедает не даром, потому что даром ничего в мире не достается, но что он должен заплатить за обед умом своим и любезностью, если таковые имеются, или приятным молчанием, кстати, и ловким поддакиванием хозяину, если другого чего не спрашивается.

Подобрать гостей гораздо труднее, нежели написать книгу или решить важное дело. Надобно, чтоб в беседе не было ни соперников, ни совместников, ни противоположных характеров, ни неравенства образования, а более всего должно стараться, чтоб не было людей мнительных, подозрительных, сплетников, вестовщиков, хвастунов и щекотливых, обижающихся каждым словом и намеком.

Педанты за столом — хуже горького масла и гнилого яйца! Педанты бывают по части учености и по службе: оба рода несносны. Педантов можно кормить, но никогда не должно с ними обедать.

В старину, в образованной Европе, когда рекомендовали в доме нового человека, хозяин спрашивал прежде всего: понимает ли гость шутку? Не каждого наделила природа даром шутить остро, умно и приятно, но каждый образованный человек обязан понимать шутку.

Первая приправа обеда, эссенция его и лучший рецепт к пищеварению — приятное общество. Приятный застольный собеседник в обществе выше лорда Бейрона и Христофора Коломба!

Но обеденные законы не те, что законы вечерних собраний. На вечерах умным людям позволено рассказывать, спорить и рассуждать о каком-либо предмете; обязанность каждого гостя на вечере состоит в том, чтоб разговаривать. За столом, напротив, не должно рассказывать, спорить, рассуждать, не должно даже вести длинных разговоров. За обедом надобно уметь перестреливаться короткими фразами, и эти фразы должны быть похожи на пирожки (petits pates) или крепкие, пряные соусы, т. е. должны заключать в себе столько ума и остроты, чтоб какой-нибудь журналист, на одной подобной фразе, мог развесть несколько своих толстых книжек.

Пошлая лесть, вялый комплимент изгоняются из беседы, так же как колкая эпиграмма и едкая сатира.

Ни лизать, ни кусать, ни щипать, ни колоть словами не позволяется за столом, а можно только щекотать словами.

Не должно никогда заводить речи за столом, о важном и сериозном. Политики — то же, что кислый соус в нелуженой кастрюле; дела — то же, что иссушенное жаркое; ученость хуже пережаренного ростбифа!

Вообще, беседа начинается в конце обеда, приближаясь к жаркому, в виду пирожного и десерта.

Везде дамы дают законы в обществе, и с дамами должно говорить о том, что им угодно и что им приятно, а в обществе умных и любезных дам беседа всегда будет приятна, потому что они уме-

ют управлять разговором с удивительным искусством.

Но на мужском обеде финал каждой беседы — разговор о женщинах. Иногда веселие снимает уздечку с языка, но в таком случае говорится уже о женском поле, т. е. когда уже женщина не имеет ни звания, ни имени.

Говорите о любви, пейте за здоровье вашей возлюбленной, но да прильнет язык к гортани вашей, если вы дерзнете, хотя намеком, указать на лицо!

В разговоре о литературе, художествах и вообще об изящном позволяется за столом только выражать свои чувствования и впечатления, но строго запрещается произносить суждения и приговоры, потому что от разности мнений может завязаться скучный спор. Если что вам не нравится, говорите, что вы того не читали или не видали, или читали рассеянно, видели бегло.

Главное правило застольной беседы состоит в том, чтоб собеседники соблюдали равенство в тоне разговора, чтоб никто не отличался преимуществами ума, а всяк жертвовал умом своим для общего удовольствия.

В XVIII веке вельможи так заботились об украшении своих обедов умными литераторами и артистами, как и о хорошем вине. В XVIII веке забавлялись и наслаждались жизнью и умом, и все нынешнее общежитие составлено из развалин прошлого века.

Нынешний век промышленный и сериозный.

Ныне жизнь и ум продают и покупают, как товар, о красоте и любезности наводят справки в ломбарде, а за столом рассуждают о стеарине, асфальте и железной дороге.

К литераторам прибегают только по делам, когда нужно пустить в свет бумагу, правильно написанную.

Souvenir de 13 Avril 1838

Теперь едят и пьют так же вкусно и много, как и в прежнее время, но ныне обедают весьма редко.

Какие же от того последствия?

Вспомните, что богачи, вельможи и эпикурейцы XVIII века, невзирая на то, что ели и пили так же хорошо, как ныне, и так же превращали ночь в день и наоборот, как и мы, — жили, однако ж, долго и в глубокой старости были свежи и веселы.

А теперь эпикурейцы, на сороковом году от рождения, уже старцы немощные! Это объясняется немецкою пословицею: guter Muth macht gutes Blut, т. е. веселое расположение духа дает здоровье. Хохот и веселие за столом лучше всех желудочных капель, дижестивных лепешек и микстур. Человек, который всегда обедает сам-друг, непременно кончит свое поприще чахоткою или затвердением печени, разлитием желчи и сплином.

Прежде за обеды поплачивались одною подагрою, а ныне за еду платят жизнью.

3) Что есть?

О вкусах не спорят.

Каждый ест то, что ему нравится, но если кто желает себе блага и долголетия на земле, тот должен избегать всех национальных обедов. Каждый народ имеет свои народные кушанья, выдуманные, разумеется, в древности, в веках варварства и народного младенчества, когда люди работали более телом, нежели умом.

Ныне хотя ум и не в работе, но тело почти всегда без движения. Пища тяжелая, которая в наше время пригодна только пильщикам, плотникам и дровосекам, в старину была безвредною. Например, наши кулебяки, подовые пироги, блины для желудка человека, ведущего сидячую жизнь, то же, что картечь!

Мы хотим ускорить пищеварение горячительными средствами, и расстраиваем его.

Советую вам отказываться всегда, когда вас зовут на какой бы то ни было национальный обед!

Хозяевам обеда нечего сетовать. Они знают, что обед тогда только великолепен, когда состоит из вещей далеких, привозных или не по времени года.

Лучший обед — смешанный, т. е. состоящий из блюд всех народов и из припасов всех земель.

Званые, великолепные обеды даются только средь зимы, для того, чтоб щеголять тепличною зеленью и оранжерейными плодами. Но это уже роскошь, а хороший обед может быть и не роскошный.

Лучший обед тот, после которого вы не чувствуете сильной жажды и по прошествии шести часов можете снова покушать с аппетитом.

Это барометр обеда и здоровья!

Выбор вина есть доказательство образованности хозяина.

Умный человек может довольствоваться одним блюдом, если оно хорошо изготовлено, но только дикарь может пить дурное вино!

За сим желаю вам хорошего аппетита и приятного существенного обеда! Они ныне так же редки, как хорошие произведения в литературе.

Извините, если «Обед» мой покажется вам длинен!

Отдохните на других журналах: нечего сказать, есть на чем развлечься и есть что подложить под голову! Это также новое изобретение нашего промышленного века, в котором спекуляции и проекты распространили бессонницу и истребили веселые обеды. Уснуть есть от чего, а пробудиться не для чего!

Искусство давать обеды[1]

«Держите хороший стол и ласкайте женщин».

Вот единственные наставления, которые Бонапарте дал своему посланнику де Прадту. Кто держит хороший стол и ласкает женщин, тот никогда не упадет.

Я знаю одного дипломата запоздалого, старого, изношенного, дипломата, над которым все смеются и который поддерживает себя только обедом.

О ничтожности и чванстве этого дипломата говорили как-то при одном из его собраний и получили в ответ: «Оно так, бедный Адонис смешон, даже очень смешон, да у него можно славно пообедать».

Но и лучший обед может быть несносен; не на одну роскошь блюд должны обращать внимание те, кто по своей воле хочет двигать таким могучим политическим рычагом.

Более всего и прежде всего советую хозяину быть ласковым, дружелюбным, простодушным.

Иногда обед очень скромный месяца на два запасет гостей ваших счастьем и благоздравием; они забудут черепаху, устриц, стерлядь, но не забудут слова от души сказанного, улыбки чистосердечной.

В Англии в последнее время члены партии Тори обедают очень плохо: этой плохостью обеда объясняется и их политическая плохость.

Увы! Зачем умер Каннинг? Какой бы он был чудесный хозяин! Какое множество членов потеряла бы партия реформы, если б Каннинг взял на себя труд сделать стол свой центром общества! А он был так простодушен и так остроумен, так способен ко всем увлечениям, так влюблен в остроты и

[1] Московский наблюдатель. — 1836, кн. 7, с. 375 — 394.

красноречие; нам случалось видеть, что даже в последнее время жизни своей, в те минуты, когда лекаря предписывали ему диету, запрещали говорить, он увлекался мало-помалу прелестью хорошего обеда, упоением отборного общества, одушевлялся постепенно, вскипал жизнью, и бросив весь эгоизм в сторону, разделял наслаждения друзей своих, разливал вокруг себя веселость, — и очарованный ум и восторженную душу собеседников уносил в вихре прелестных шуток и счастливых острот! Но увы! Его нет! Радикалы торжествуют со стаканом в руке. Не истощаясь в бесполезных сожалениях, приведем здесь несколько полезных наставлений.

Кто хочет давать обеды, то есть, хочет иметь влияние на ум и душу людей, на их действия, кто хочет будоражить партии, изменять жребий мира, — тот с величайшим вниманием должен читать статью нашу.

Правило первое, неизменное для всех стран и для всех народов: во время обеда, ни хозяин, ни гости, ни под каким предлогом, не должны быть тревожны.

Во все время, пока органы пищеварения совершают благородный труд свой, старайтесь, чтобы такому важному и священному действию не помешало ни малейшее душевное движение, ни крошечки страха или беспокойства.

Почитайте обед за точку отдохновения на пути жизни: он то же что оазис в пустыне забот человеческих. Итак, во время обеда заприте дверь вашу, заприте герметически, закупорьте.

Лучший относительно этого анекдот есть тот, в котором главным лицом был господин Сюфрен. Вот он: в Пондишери, во время обеда, господину Сюфрену доложили, что к нему пришла с важным поручением депутация от туземцев. «Скажите им, — отвечает французский губерна-

тор, — что правило религии моей, от которого я ни под каким предлогом не могу уклониться, запрещает мне заниматься во время обеда делами». Индейская депутация удалилась, исполненная чувством глубочайшего уважения к губернатору, которого благочестие поразило ее удивлением.

Второе общее правило состоит в том, чтобы хозяин совершенно изгнал во время обеда весь этикет, предоставил каждому полную свободу.

Гости ходят к нам не для церемоний, не для того, чтобы смотреть на длинных лакеев, не за тем, чтобы подчиняться строгой дисциплине. Они прежде всего хотят обедать без помехи, на свободе, весело. Вот тайна, которую Граф М. очень хорошо осмыслил. Путешествуя, он всегда требует, чтобы камердинер его садился так же, как и он сам, за общий стол, обходился с ним запанибрата, брал лучшие кушанья.

Сбросьте с себя так же, как этот граф все аристократическое чванство. Этикет всегда должен быть принесен в жертву гастрономии, которая сама по себе ничто без внутреннего глубокого, полного самоудовлетворения, при помощи которого человек умеет ценить наслаждения, и они для него удваиваются.

Сколько есть хозяев, которые не понимая важности двух этих аксиом, делают невольников из гостей своих, оковывают их цепями бесчисленных приличий, не допускают свободы ни малейшему излиянию души. Тогда обед становится пыткой, а такую пытку должно выносить вежливо, с благодарностью. На вас налагают удовольствия, которыми томят вас; вы не можете есть когда хотите, как хотите, желудок ваш то слишком обременен кушаньями непредвиденными, то изнывает в мучениях тягостного ожидания.

Не говорю об обеде одиночном; он естественно

и необходимо обед несчастный. Человек, сосредоточившийся в себе самом, и не знает, как употребить избыток жизни, почерпаемый во вкусном обеде. В уединении человек невольно предается размышлению, а размышление вредит пищеварению. И так одиночный обед вместе и не согласен с гражданственностью, и вреден для здоровья.

Для пособия, в таком случае, есть одно только средство, и то очень опасное, именно: должно прибегнуть к собеседничеству с бутылкой.

Сир Геркулес Лангрим обедал однажды один, и после обеда нашли его растянутого, еле дышащего, в креслах; он смотрел мутными глазами на трупы трех убитых им бутылок бордосского вина. «Как, — спросили у него, — вы одни выпили все это?» — «О нет, — отвечает он, не один, при помощи бутылки мадеры».

Обедать одному позволительно только тогда, когда человек содержится под строгим арестом или лишился жены: никакое другое оправдание допущено быть не может.

Теперь станем говорить об обедах вообще.

Они разделяются на обеды в малой беседе и обеды парадные; я предпочитаю первые, по той причине, что с ними соединено более счастья, организация их стройнее-проворнее, живее идет дело.

Для парадного обеда самое лучшее число гостей двенадцать. Но ограничьтесь только шестью, если хотите дать полный разгул удовольствиям каждого.

Более всего старайтесь быть предусмотрительны, предупреждайте желания каждого. Чтобы никто ни минуты не ждал, чтобы все, чего кто желает, было у каждого под рукой, чтобы не было ничего подано поздно.

Не только должно заранее размыслить о всех нужных принадлежностях, но надобно даже изобретать их, и притом так, чтобы они согласова-

лись, гармонировали с кушаньями, которые должны сопровождаться ими.

Откинем к варварам тех расчетливых обедальщиков, которые ставят перед вами мяса в больших кусках; давно уже решено, что полезное без прикрас есть вещь самая грустная и самая бесплодная в мире.

Итак, льстите всем чувствам, но берегитесь развлекать деятельность желудка.

У немцев есть обычай, который, по моему мнению, чрезвычайно предосудителен, именно: у них бывает во время обеда музыка: наслаждения, доставляемые посредством слуха, препятствуют тем наслаждениям, которые доставляли бы нам гастрономические действия желудка.

Пусть столовая будет освещена со вкусом, но не с излишеством.

Внушение слугам, чтобы они как можно остерегались, ставя свечи, капать на гостей; потому что это пугает, приводит в смущение дух и препятствует спасительному пищеварению.

Вальтер Скотт вместо свеч употреблял газ, горевший у него в столовой медленно, неярко, беспрерывно ночь и день; как скоро нужно было при гостях осветить столовую несколько живее, то, одним поворотом крана, свет увеличивали по произволу; у него газовые лампы стояли перед картинами Тициана и Караша, и свет их достигал к гостям, только отразившись от бессмертных произведений великих артистов.

Вообще, я не одобряю ни золота, ни серебра, никаких блестящих, ярких красок; в храме обеда должны быть только цвета нежные, незаметно один с другим сливающиеся, драпировка, хорошо расположенная, украшения простые и красивые; допускаю цветы, но в маленьком количестве, притом такие, в запахе которых нет ничего упоительного.

Особенно обратите внимание на ковры: они

должны быть самые изящные; также не следует забывать о креслах или стульях, у которых спинка должна быть несколько опрокинута, чтобы они были как можно более покойны, не жестки, также чтобы гость не вяз в них, как в перине, и свободно мог вставать, не делая никому помешательства.

С недавнего времени, в некоторых знатных домах, вошел обычай ставить перед каждым гостем маленький круглый столик, за которым он может распоряжаться, как хочет сам, не мешая никому другому. Такая утонченность обнаруживает в хозяине дома истинно поэта гастрономического.

Не так, к сожалению, думает большая часть хозяев домов; они постоянно содержат целую армию лакеев, одетых в галун, для общественного разорения и для того, чтобы скучать гостям.

Можно бы почесть их за восточных деспотов, которые влачат за собою толпу, бесполезную в битве, разорительную и тягостную во время мира. Они ставят позади вас что-то вроде часового, который не только не содействует вам посылать куски в желудок, но еще задерживает их на дороге, приводя вас в нетерпение. Это существо несносное, которое точно караулит каждый кусок; это жестокий свидетель великого и благородного жертвоприношения, которое должно бы было совершаться в такой тишине, с таким достоинством, так безмятежно, так величественно.

В лучших домах лакеи заставляют вас ждать по три минуты за соусом, который необходим к спарже, а между тем спаржа стынет и теряет вкус свой. Случается часто, что обнося кушанье, они задевают вас рукавами по лицу. Но что сказать о частом похищении тарелок с кушаньем, еще не докушанным, о необходимости тянуться со стаканом к слуге, который между тем глядит в потолок или на сидящую против вас даму. Все это нестерпимо досадно, все предписывается смешным этикетом, недостойным нации просвещенной, все это следы времен варварских, и им давно бы уж пора совсем изгладиться.

Подумайте, что есть несвободно значит быть самым несчастным существом в мире.

Предоставим гостям нашим полную свободу: они более будут благодарны за такую внимательность, чем тогда, когда бы выставили перед ними всю дичь лесов сибирских, все запасы икры, существующей в России; сколько мне случалось терпеть от таких обедов, и какие сладостные воспоминания, сколько благодарности осталось во мне от некоторых очень скромных обедов!

Представьте себе восемь любезных собеседников, стол, покрытый всевозможными лучшими блюдами, представьте себе, что каждый член этого гастрономического Парламента всеми силами старался услуживать и помогать соседу своему; необходимые принадлежности были поставлены заранее на стол; для общего наблюдения находилось только трое слуг, каждое блюдо стояло в двух экземплярах на столе, для того, чтобы гость не был вынужден далеко тянуться за кушаньем, или прибегать к пособию слуги.

Как этот ход обеда быстр и прекрасен, какая тактика удивительная при всей ее простоте!

Если бы у вас было только две стерляди, только две бараньи ноги, только шестнадцать котлет, только десерт и несколько бутылок бордосского вина, и тогда можно быть сытым, и такой обед привел бы в зависть самих богов.

«Ты не смог сделать свою Венеру красавицей и сделал ее богатой», — говаривал греческий живописец своему сопернику. Этот упрек можно сказать почти всем распорядителям пиршеств: не щадя издержек, они забывают о нашем удовольствии.

Но когда амфитрион не столько богат, чтобы держать много слуг, а между тем хочет тянуться за миллионщиками, то обед его идет еще хуже, тогда вы видите двух или трех оборванных жалких лакеев, сующихся, бегающих вокруг стола, при котором надобно бы их было человек десять: горе вам, если вы попадаетесь на такой обед! Это привидение этикета, эта пародия блеска внушает вам глубочайшее презрение.

Если даже у вас и один только слуга, вы можете давать все-таки еще прекрасные обеды: расставляйте кушанье благоразумно, искусно, предусмотрительно, помогайте усердно гостям, содержите все в порядке; пусть каждый кладет себе, что ему угодно, сам; предоставьте слуге только необходимую обязанность, снимать тарелки, подавать чистые, обменивать бутылки, откупоривать их.

Хозяин не должен думать только о личном тщеславии: он обязан заботиться единственно о том, чтобы гости его наслаждались существенно, без помехи; я видал, что на некоторых великолепных обедах бедность проглядывала сквозь камчатные скатерти, светилась из-под серебряных приборов. Вот что ужасно и грустно! — кушая пудинг, который вам подали, вам кажется, будто вы едите мясо вашего амфитриона, пьете его кровь.

Моралисты, эпикурейцы, соединитесь, составьте общий союз против таких отвратительных злоупотреблений!

Много говорили о необходимости сажать рядом только знакомых: все это правда, но недовольно того, чтобы только знали друг друга: между людьми вообще существуют некоторые общности и самый искусный хозяин был бы тот, который заранее угадал бы тайные симпатии гостей, которые видятся еще в первый раз.

Сидеть за обедом рядом с человеком, который вам нравится, значит вдвойне наслаждаться.

Хорошенькие женщины очень полезны во время обеда, только надобно, чтобы ни ум, ни красота их не блестели тем живым ненасытимым кокетством, которое приводит в смущение дух.

Женщина, охотница поесть, есть существо совершенно особое, достойное всякого уважения, существо драгоценное и очень редкое; это почти всегда женщина полная, с чудесным цветом лица, глазами живыми, черными, прекрасными зубами, вечной улыбкой.

Но я предпочитаю ей женщину лакомку; в этом классе женщин бывает много изобретательных гениев, с которыми каждый гастроном должен советоваться.

Держитесь тщательно национальных привычек той страны, в которой находитесь, стараясь только изменять их, смотря по званию и нравам тех, кому даете обед. Если бы у меня, например, обедали купчихи, то я не отказал бы им даже в удовольствии спеть песенку во время десерта.

Старое британское обыкновение побуждать друг друга к пьянству, также должно быть уважено; не станем уничтожать такого невинного остатка дикой жизни наших праотцев; не дивитесь, что дамы уходят, когда батальоны мужчин принимаются толковать о политике или торговле, горячатся, споря о билле, и воспламеняют красноречие свое посредством беспрерывных возлияний.

Пусть иностранцы смеются над нами, ведь смеются же жители Востока над нами: что мы носим помочи, а мы смеемся же над ними, что они ходят в туфлях.

Есть ли другой какой-либо вопрос более очаровательный, более угодный для женщин, более способный ко всем изменениям голоса, как следующий:

«Сударыня, не позволите ли предложить вам рюмку вина?»

Взаимность взгляда, параллелизм двух рюмок, наполненных одной и той же влагой, взаимный поклон, сопровождаемый улыбкой, все это производит неодолимую симпатию.

Именно с такого же важного обстоятельства, с минуты, когда молния двух взглядов зажглась в пространстве, начались достопримечательнейшие успехи одного из приятелей моих, который всю жизнь питался только сердцами женщин.

Между тем как длинные лакеи, вооружась салфеткой и бутылкой, грозят уничтожить этот древний обычай, на защиту его восстают остроумнейшие люди Великобритании.

Кстати, говоря о вине и способе, каким его подают, не могу удержаться, чтоб не заметить, что чрезвычайно необходимо ставить этот нектар так, чтобы он был под рукою у каждого и гость не зависел бы в этом случае от капризов слуги. Прекрасная выдумка эти графины, нет надобности нисколько придерживаться закупоренных бутылок, это просто педантизм; пусть только будет вино хорошо, графин емок и руке легко достать его.

Что касается до обычая рассаживать гостей по местам, заранее для них определенным, то я никогда не допустил бы его в моих обедах. Обедам истинно веселым даже приличны некоторый беспорядок и суматоха. Кто знает, не имеет ли дама, возле которой вы посадили этого молодого красавчика, важных причин быть на него в неудовольствии? Лорд Байрон чувствовал достоинство этого изящного беспорядка:

Aupres de beaute? Choisissez votre place;
Ou si de plus heureux vous avaient devance,
Postez-vous vis-a vis et lorgnez avec grace:

Pas de frais d`eloquence, — on est embarasse
Quand il faut discourir d`une facon galante
Avec une inconnue. Ici, tout est sauve;
L`air naif et reveur, l`oeillade languissante,
Quelque leger soupir, le ton fort reserve...
Votre conquete est faite!..[1]

Так говорил Лорд Байрон, который был бы очень великий мастер давать обеды и волочиться, если бы не принимался иногда за то и другое с прихотями истинно варварскими, доказательством чего служит черепа, куда он ставил свечи, которыми освещал свою столовую.

Берегитесь перенимать у него, если хотите, чтобы ваши гости упали в обморок. Не держитесь также диеты, какую соблюдал этот благородный вельможа и удивительный поэт.

Единственным правилом его была разительная беспорядица в жизни. После осьмидневного поста, он принимался есть как прожора, глотать без жалости и неудобоваримого морского рака, и холодные пироги, и всякое мясо. После того наступала неделя, посвящаемая возбудительным жидкостям: тогда он затоплял желудок свой содовой водою и другими напитками; короче, его диета очень была похожа на его поэму Дон Жуан, где строфу красно-

---

[1] Возле красавицы? Выбираете свое место,
А если более счастливый вас опередил,
То садитесь напротив и изящно смотрите в лорнет:
Никакого красноречия. Об этом заботятся,
Когда надо вести галантную беседу
С незнакомкой. Но здесь — все спасено;
Наивный мечтательный вид,
Легкий вздох, сдержанный тон, —
И вы — победитель!
(Прозаический *перевод с фр.* Т. Чесноковой.)

речивую или патетическую сменяет строфа ироническая и шуточная.

Те, напротив, кто дорожит благосостоянием гостей своих, должны более всего стараться, чтобы в наслаждениях была правильность, нега, гармония; чтобы ничто не бросалось ярко в глаза.

Если можно, обойдитесь без слуг, которые часто бывают несносны; это было бы великое благо.

Какое счастье, чтобы вам служили невидимки, какое счастье быть недоступным для шпионства, вкушать с друзьями в хорошо затворенной комнате, плоды великого хотя очень скромного искусства!

Этой цели достигли Людовик XV, Бомарше и Вальполь посредством выдвижных столов, которые выходили из-под полу, украшенные всеми блюдами и принадлежностями, необходимыми для хорошего обеда, а по условленному знаку, опять спускались в глубину кухни и являлись снова с следующими блюдами.

Чудесное изобретение! В зале, обращенной в кухню, под ногами обедавших собраны были слуги: у них всегда заранее было готово все для перемены, и веселый обед оканчивался решительно без появлений слуг.

Но этим средством могут пользоваться только богатые, и потому возвратимся к обеду среднего класса, гораздо занимательнейшему для всякого.

Приглашайте гастрономов, но не прожор: гастроном — артист, прожора унижает искусство, один делает честь кушаньям, другой только глотает их. Не горестно ли всем гостям видеть, как лучшие куски исчезают в одной и той же пропасти, не произведя в прожоре ни малейшего благодарного ощущения?

Этого одного достаточно, чтобы среди самого прекрасного обеда омрачить скорбью и досадой лица гостей, поразить дух глубочайшим унынием.

Я знаю одного члена Парламента, сира Роберта Инглиса, человека умного, острого, которого, однако ж, несмотря на то, никогда не допущу к столу моему: пусть он знает это и пусть даже не пытается. Он так деятельно кушает, что в один обед истребил бы у меня материалу за четверых обыкновенных гостей.

Стол, удостоенный присутствием такого человека, уже становится жертвенником, посвященным божеству прожорства. Он так быстро опустошал все блюда за общим столом в одной знаменитой гостинице, что хозяин ее, приведенный в отчаяние таким враждебным нашествием, предлагал ему наконец по золотой монете за всякий раз, когда он будет обедать не у него.

Сверх того, в числе тех, которые не должны у вас обедать, отметьте красными чернилами альдерменов и шерифов, которые, основываясь на каком-то старинном английском законе, уверяют, будто по должности своей обязаны два раза в день обедать.

Во время Ольд-Байлейских следствий, Лондонские шерифы имели привычку кормить судей альдерменов и стряпчих двумя обедами в день, одним в три часа, другим в пять. Судьи, сменяясь, не могли присутствовать при обоих обедах, но альдермены не упускали ни того, ни другого.

Капеллан, обязанный по должности благословлять обеды, сделался таким превосходным обьедалой, что при моих глазах проглотил, как ничего, целую дюжину котлет, не говоря о других уже кушаньях, и это сделал он не позже, как через два часа после первого своего обеда. Однако ж такие жертвы наконец превозмогли его физическую крепость. Он сделался болен, пищеварительные органы его потеряли свою деятельность, и альдермены, приняв в соображение долговременные и усердные труды его желудка, позволили ему выйти в отставку и наградили двойною пенсиею.

Не принимая прожору, я с удовольствием приму отличного и остроумного лакомку, разборчивого винопийцу.

Хочу, чтоб все знания гастрономов были смешаны, чтобы характеры имели между собою общие точки соприкосновения.

Сажайте вместе юриста, военного, литератора, перемешайте, так сказать, все племена разговорщиков.

Обеды и завтраки холостых людей имеют большое удобство, доставляемое свободою. Холостяки могут обойтись без всякого этикета, у них все просто, а потому помните, что главные усилия ваши должны быть направлены к упрощению обедов.

Уничтожьте даже наружность принужденности, не сопровождайте каждого блюда вашего огромной ораторской речью.

Не упоминайте в ваших пригласительных письмах, что есть у вас стерлядь, единственное рыбное блюдо, которым вы можете похвастаться.

Если обед ваш дурен, приправьте его остроумием и приятностью обращения; если хорош, зачем ему помогать? — пусть сам производит свое действие.

Приготовления и оправдания часто бывают источником печальных ошибок.

Актер Поп получил пригласительную записку такого содержания: «Приходи, дружище, обедать с нами, но не будь слишком взыскателен, у нас только и есть, что семга да говядина».

Поп явился — семга и говядина показались ему очень хороши, и вскоре он так набил себе живот, что не мог больше ничего есть.

Но каковы же были его ужас и удивление, когда внесли блюдо с превосходной дичиной, и он напрасно силился проглотить ее хоть один кусок; наконец, после нескольких бесполезных усилий, он положил вилку и ножик, устремил к хозяину взоры, залитые слезами, и сказал, рыдая: «Вот чего я никак не мог ожидать от человека, которого двадцать лет называю другом моим!»

Итак, будьте просты, прямодушны и искусны в вашем обеденном поведении, точно так же, как в поведении житейском, не обещайте того, чего сдержать не можете, не ройте ямы желудку гостя вашего, он — особа священная.

Всегда при обеде старайтесь удивить друзей наших чем-нибудь неожиданным, если можно, новоизобретенным. В таких случаях позволительно небольшое шарлатанство, старайтесь быть оригинальны.

У меня есть друзья, которые составили себе громкую гастрономическую славу средствами очень дешевыми; советуйтесь со знаменитейшими артистами, пробуйте жарить то, что обыкновенно варится, и варить то, что у всех добрых людей жарится.

Это совсем не мистификация, это невинное средство усиливать наслаждения гостя, возбуждать деятельность его желудка.

Один кардинал нашел способ жарить на вертеле и чухонское масло. Это делалось вот как: большой кусок масла надевали на вертел, который вертелся над огнем, сперва очень слабым и усиливаемым только впоследствии; по мере того как масло начинало таять, на него насыпали тертую корку белого хлеба, мелко толченый миндаль и мускатный орех и корицу, и таким образом составлялась жирная, очень вкусная масса.

Вот маленькие пособия, которые придают обедам необыкновенную цену.

Часто одного новоизобретенного мороженого достаточно, чтобы прославить человека навсегда.

Новость, простота, изящество вкуса, вот главные стихии хорошего обеда. Новость зависит от гениальности человека дающего обед, но до простоты всякий может достигнуть; непозволительно однако ж пренебрегать изяществом вкуса.

Я называю дурным вкусом возбуждать желания, когда гость не может их удовлетворить. Что это, например, за страсть, подавать прекрасную дичину третьим блюдом, в то время как все уж наелись досыта?

Умеренность и хороший выбор, вот две аксиомы, от которых никогда не должно удаляться. Что прибыли, если вы подадите и тысячу превосходнейших блюд, когда желудок у гостей полон: они ни к чему не послужат, и вы или заставите гостей ваших скрипеть зубами с досады, или расстроите их здоровье.

Я желал бы, чтоб на всех хороших столах была разная зелень, не в большом количестве, однако ж, и отборного качества, приготовленная разнообразно, тщательно, но просто.

Для чего не заимствовать у других наций их гастрономических особенностей, у французов — оливок и анчоусов, у итальянцев — макароны, у немцев — редьки и хрену? Все эти принадлежности, когда употреблены со вкусом и соответственно, приносят обеду большую пользу.

Всякий, кто дает обеды, должен вести деятельную переписку и иметь многочисленных друзей, которые часто могут присылать ему вещи самые драгоценные; а такие присылки из далеких стран часто бывают для гостей источником необыкновенных наслаждений.

Каким специальным колером отличаются обеды, на которых красуется страстбургский пирог, приехавший из-за морей, гампширская устрица, сусекский каплун, шварцвальдский кабан!

Разумеется, что нет надобности собирать все эти богатства за один и тот же обед.

Столовая должна быть удобная, гости не многочисленны, кушанья изящны, кухня как можно ближе к столовой, чтоб не стыло, пока несут.

Вот условия достопримечательнейших обедов, при которых я присутствовал.

Я помню два обеда, которые составили эпоху в моей жизни: души гостей изливались вполне, умы сияли всем их блеском, кровь свободнее текла в жилах.

Один из этих обедов, столько же достопримечательный малым числом блюд, как разнообразием очаровательных принадлежностей, прекрасными плодами, редкими винами, чудесным десертом, был дан мною: это одна из достопамятностей моей жизни.

Столовая была не велика, расположена окнами в прекрасный сад, пора была летняя, погода чудесная, окна стояли настежь. В этой столовой собрались господа Ричард, Бель, Джордж-Лем, Лорд Абингер, Сир Джордж Джонстон, господин Юнг, секретарь Лорда Мельбурна: благородное собрание; был в ней также один из ученых законоведцев, променявший уложение Фемиды на уложение кухни, стаст-секретарь, который, сбросив с себя бремя политических исследований, предается исследованиям о доброте соусов, судья благоразумный, посвятивший свою опытность и прозорливость на изобретение новых гастрономических наслаждений. Я гордился, председательствуя в этом благородном и величественном ареопаге. На меня было возложено попечение об их благе, я исполнял великий долг мой с таким успехом, которого никогда не забуду.

Увы, если бы Парламент был столько благоразумен, что дал бы мне в год двести пятьдесят тысяч для обучения человечества бесценному и редкому искусству давать обеды, то нет сомнения, что это принесло бы великую пользу для всего государ-

ства, развило бы торговлю, очистило вкус, умножило наслаждения, водворило бы в жителях вечную веселость и более содействовало бы ходу цивилизации, чем все эти бесполезные меры, которые освящаются большинством голосов в Парламенте!

Москва за столом[1]

Москва издревле слыла хлебосольною, искони любила и покушать сама, и попотчевать других; издавна славилась и калачами и сайками, и пирогами и жирными кулебяками, и барскими обедами и обжорным рядом, и ныне, в чем другом, а в гастрономии она не отстала от века, усвоила вкусы всех стран и наций, а между тем, сохранила в благородном искусстве кушать и свой народный тип.

Было время, когда она служила тихим убежищем государственным людям России, после треволнений их политической жизни. Старинные баре времен Елизаветы и Екатерины, отслужив с честью, а часто и со славой, отечеству и государю, удалялись из кипучего жизнью Петербурга на покой в Москву.

Около этих старых вельмож, еще не совершенно утративших свое значение при дворе, толпились их друзья, сослуживцы и люди, искавшие их покровительства. Эти баре походили на римских патрициев-патронов: их дом был всегда открыт для их приятелей и клиентов; за их стол всегда собиралось многочисленное общество; у некоторых даже, как-то: у графов Разумовского, Шереметева, Чернышева, Салтыкова и других, были в неделю раз открыты столы для званых и незваных... Да, именно и

[1] Москвитянин. — 1856, т. 2, с. 417 – 421.

для незваных; ибо всякий имел право, будучи одет в униформу, т.е. в мундир, приходить к ним и садиться кушать за один стол с гостеприимным хозяином. Обыкновенно эти непрошеные, очень часто незнакомые посетители собирались в одной из передних зал вельможи за час до его обеда, т. е. часа в два пополудни (тогда рано садились за стол).

Хозяин с своими приятелями выходил к этим своим гостям из внутренних покоев, нередко многих из них удостаивал своей беседы, и очень был доволен, если его дорогие посетители не чинились, и приемная его комната оглашалась веселым, оживленным говором.

В урочный час столовый дворецкий докладывал, что кушанье готово, и хозяин с толпою своих гостей отправлялся в столовую. Кто был с ним в более близких отношениях, или кто был почетнее, те и садились к нему ближе, а прочие размещались, кто как хотел, однако, по возможности соблюдая чинопочитание. Но кушанья и напитки подавались как хозяину, так и последнему из гостей его — одинакие.

Столы эти не отличались ни утонченностью французской кухни, ни грудами мяса пиров плотоядного Альбиона. Они были просты и сыты, как русское гостеприимство. Обыкновенно, после водки, которая в разных графинах, графинчиках и бутылках, стояла на особенном столике с приличными закусками из балыка, семги, паюсной икры, жареной печенки, круто сваренных яиц, подавали горячее, преимущественно состоящее из кислых, ленивых или зеленых щей, или из телячьей похлебки, или из рассольника с курицей, или из малороссийского борща (последнее кушанье очень часто являлось на столе графа Разумовского, урожденного малоросса).

За этим следовали два или три блюда холодных, как-то: ветчина, гусь под капустой, буженина под луком, свиная голова под хреном, судак под галантином, щука под яйцами, разварная осетрина, сборный винегрет из домашней птицы, капусты, огурцов, оливок, каперсов и яиц; иногда подавалась говяжья студень с квасом, сметаной и хреном, или разварной поросенок и ботвинья преимущественно с белугой.

После холодного непременно являлись два соуса; в этом отделе употребительнейшие блюда были — утка под рыжиками, телячья печенка под рубленым легким, телячья голова с черносливом и изюмом, баранина с чесноком, облитая красным сладковатым соусом; малороссийские вареники, пельмени, мозги под зеленым горошком, фрикасе из пулярды под грибами и белым соусом, или разварная сайка, облитая горячим клюковным киселем с сахаром.

Четвертая перемена состояла из жареных индеек, уток, гусей, поросят, телятины, тетеревов, рябчиков, куропаток, осетрины с снятками, или бараньего бока с гречневой кашей. Вместо салата подавались соленые огурцы, оливки, маслины, соленые лимоны и яблоки.

Обед оканчивался двумя пирожными — мокрым и сухим. К мокрым пирожным принадлежали: бланманже, компоты, разные холодные кисели со сливками, яблочные и ягодные пироги (нечто вроде нынешних суфле), бисквиты под битыми сливками, яичницы в плошечках с вареньем (то же, что современные повара называют омлетом или французской яичницей), мороженое и кремы. Эти блюда назывались мокрыми пирожными, потому что они кушались ложками; сухие пирожные брали руками. Любимейшие кушанья этого сорта были: слоеные пироги, франшипаны, левашники, дрочены, зефиры, подовые пирожки с вареньем, обварные оладьи и миндальное печенье. Сверх того к горячему всегда подавались или кулебяки, или сочни, или ватрушки, или пироги и пирожки. Кулебяка до сих пор сохранила свой первобытный характер: она и тогда была огромным пирогом с разнообразнейшею начинкою, из сухих белых грибов, телячьего фарша, визиги, манных круп, сарачинскаго пшена, семги, угрей, налимных малок, и проч. и проч.

Пироги и пирожки по большей части имели жирную мясную начинку с луком, либо с капустой, яйцами, морковью и очень редко с репой.

Все это орошалось винами и напитками, приличными обеду. На столе ставили квасы: простой, красный, яблочный, малиновый и кислые щи. Подле квасов помещали пива, бархатное, миндальное, розовое с корицей и черное (вроде портера).

Официянты беспрестанно наливали гостям в широкие бокалы вина: мадеру, портвейн, кипрское, лиссабонское, венгерское, и в рюмки: лакрима, кристи, малагу, люнель. Но более всего выпивалось наливок и ратафий разных сортов. После полуторачасового обеда хозяин и гости вставали из-за стола.

Желающие кушали кофе; но большинство предпочитало выпить стакан или два пуншу, и потом все откланивались вельможному хлебосолу, зная, что для него и для них, по русскому обычаю, необходим послеобеденный отдых.

Вот как жили в старину
Наши деды и отцы!...

Но и мы, современные Москвичи, достойные сыны своих предков, не утратили ни чувства гостеприимства, ни способности много и хорошо кушать. Еще покойный Грибоедов в своей бессмертной комедии говорит о Москве:

Да это ли одно!.. Возьмите вы хлеб-соль:
Кто хочет к нам пожаловать, изволь, —

Дверь отперта для званых и незваных,
Особенно из иностранных,
Хоть честный человек, хоть нет,
Для нас равнехонько; — про всех готов обед.

Там же говорит Фамусов, истинный отпечаток Москвича:

Куда как чуден создан свет!
Пофилосовствуй — ум вскружится!
То бережешься, то обед;
Ешь три часа, а в три дня не сварится!

Да, кто любит хорошо покушать, тот верно полюбит Москву, привольно ему будет в Белокаменной, и расставшись с нею, он часто вспомнит стихи Баратынского:

Как не любить родной Москвы!
Но в ней не град первопрестольный,
Не золоченые главы,
Не гул потехи колокольной,
Не сплетни вестницы — Москвы
Мой ум пленили своевольной,
Я в ней люблю весельчаков,
Люблю роскошное довольство
Их продолжительных пиров,
Богатой знати хлебосольство
И дарованье поваров.
Там прямо веселы беседы,
Вполне уважен хлебосол;
Вполне торжественны обеды;
Вполне богат и лаком стол.

Правда, мало осталось великолепных и богатых хлебосолов в Москве, мало осталось прежних вельмож, но не совсем еще они перевелися в древней столице нашей. <...>

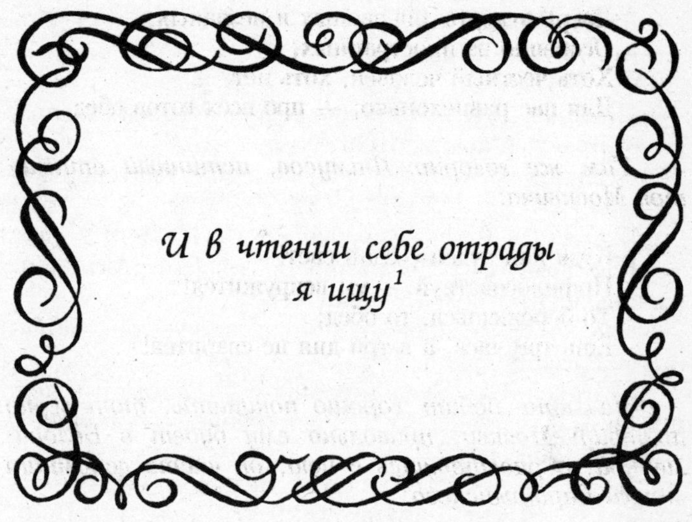

И в чтении себе отрады я ищу[1]

Аксаков С.Т. Воспоминания. — Собрание сочинений. Т. 3. — М., 1966.

[Алтуфьев В.И.] Памятные записки В.И. Алтуфьева. — Щукинский сб. Вып. 8, 1909.

[Анненкова В.И.] Люди былого времени. Из рассказов В.И. Анненковой и других старожилов. — Русский архив, 1906, кн. 1.

[Арнольд Ю.К.] Воспоминания Ю. Арнольда. — М., 1892.

Арсеньев И.А. Слово живое о неживых (Из моих воспоминаний). — Исторический вестник, 1886, № 12; 1887, № 1 — 4.

---

[1] Записки в стихах Василия Львовича Пушкина. — М., 1834, с. 46.

В этом разделе помещен список основных документальных источников XIX века (воспоминания, письма, дневники, записки), используемых в книге.

Архив Раевских. Т. 1 — 5. — Спб., 1908 — 1915.

Архив села Михайловского. Т. 1 — 2. — Спб., 1898 — 1912.

[Бакарев В.А.] Из записок архитектора Бакарева. — Красный архив, 1936, № 5.

Башилов А.А. Записки о временах Екатерины II и Павла I. — Заря, 1871, № 12.

Благово Д. Рассказы бабушки. — Л., 1989.

[Блудова А.Д.] Воспоминания графини Антонины Дмитриевны Блудовой. — М., 1888.

Брадке Е.Ф., фон. Автобиографические записки. — Русский архив, 1875, № 3.

Булгаков А.Я. Воспоминания о 1812 годе и вечерних беседах у графа Ф.В. Ростопчина. — Старина и новизна, 1904, кн. 7.

[Булгаков А.Я.] Письма А.Я. Булгакова к К.Я. Булгакову. — Русский Архив, 1899, № 1 — 12; 1900, № 1 — 12; 1901, № 1 — 12; 1902, № 1 — 4.

[Булгаков К.Я] Письма К.Я. Булгакова к А.Я. Булгакову. — Русский Архив, 1902, № 5 — 12; 1903, № 1 — 12; 1904, № 1 — 12.

[Булгаков Я.И.] Письма Я.И. Булгакова к сыновьям. — Русский Архив, 1898 № 1 — 6.

Булгарин Ф.В. Воспоминания. Отрывки из виденного, слышанного и испытанного в жизни. — Спб., 1846 — 1849.

Булгарин Ф.В. Очерки русских нравов. — Спб., 1843.

[Бутурлин М.Д.] Записки графа Михаила Дмитриевича Бутурлина. — Русский архив, 1897, № 1 — 12.

Ващенко-Захарченко А.Е. Мемуары о дядюшках и тетушках. — М., 1860.

Вигель Ф.Ф. Записки. — М., 1891 — 1893.

[Виже-Лебрен Э.] Воспоминания госпожи Виже-Лебрен. — Наше наследие, 1992, № 25.

[Вильмот М. и К.] Письма сестер М. и К. Вильмот из России. — М., 1987.

[Волкова М.А.] Грибоедовская Москва в письмах М.А. Волковой к В.И. Ланской. — Вестник Европы, 1874, т. 4 — 6; 1875, т. 1 — 3.

Волховский Ф.В. Отрывки одной человеческой жизни. — Современник, 1911, № 4; 1912, № 3.

[Вяземский П.А.] Заметка из воспоминаний кн. П.А. Вяземского. (О М.И. Римской-Корсаковой). — Русский архив, 1867, № 7.

Вяземский П.А. Записные книжки (1813 — 1848). — М., 1963.

Вяземский П.А. Очерки и воспоминания. Московское семейство старого быта. — Русский архив, 1877, № 3.

[Вяземский П.А.] Переписка князя П.А. Вяземского с А.И. Тургеневым. 1824 — 1836. Остафьевский архив князей Вяземских. Т. III. — Спб., 1908.

Вяземский П.А. Письма к жене 1830 г. — Звенья, 1936, кн. 6.

Вяземский П.А. Старая записная книжка. Полное собрание сочинений князя П.А. Вяземского. Т. VIII. — Спб., 1883.

[Головин И.] Записки Ивана Головина. — Лейпциг, 1859.

[Головина В.Н.] Записки графини Варвары Николаевны Головиной. (1766 — 1819). — Спб., 1900.

Гагерн Ф.Б. Дневник путешествия по России в 1839 г. — Русская старина, 1886, № 7; 1890, № 2.

Гагерн Ф.Б. Россия и русский двор в 1839 г. — Русская старина, 1891, № 1.

Гершензон М.О. Грибоедовская Москва. — П.Я. Чаадаев. — Очерки прошлого. — М., 1989.

Глушковский А.П. Воспоминания балетмейстера. — Л. — М., 1941.

[Гольди, фон] Барон фон Гольди. Рассказы про старину. — Всемирный труд, 1872, № 2.

Гун О. Поверхностные замечания по дороге от

Москвы в Малороссию в осени 1805 года. — М., 1806.

[Давыдов Д.В.] Письма. Т. 3. Сочинения Д.В. Давыдова. — Спб., 1893.

Дараган П.М. Воспоминания первого камер-пажа вел. кн. Александры Феодоровны. 1817 — 1819. — Русская старина, 1875, № 4 — 6.

Дельвиг А.И. Мои воспоминания. Т. 1 — 4. — М., 1912 — 1913.

[Державин Г.Р.] Жизнь Державина по его сочинениям и письмам и по историческим документам, описанная Я. Гротом. Т. 1 — 2. — Спб., 1880 — 1883.

[Дмитриев И.И.] Письма И.И. Дмитриева к кн. П.А. Вяземскому. — Спб, 1898.

Дмитриев И. Путеводитель от Москвы до Санкт-Петербурга и обратно. — М., 1839.

Дмитриев М. Главы из воспоминаний моей жизни. — М., 1998.

Дмитриев М.А. Князь Иван Михайлович Долгорукий и его сочинения. Его жизнь и характер, мои воспоминания. — Москвитянин, 1851, т. 26, № 3.

Долгоруков И.М. Капище моего сердца. — М., 1997.

[Дондуков-Корсаков А.М.] Воспоминания князя А.М. Дондукова-Корсакова. — Старина и новизна, 1905, V.

[Дюмон Э.] Дневник Этьена Дюмона об его приезде в Россию в 1803 г. — Голос минувшего, 1913, № 2 — 4.

Жемчужников Л.М. Мои воспоминания из прошлого. — Л., 1970.

Жихарев С.П. Записки современника. — Л., 1989.

Завалишин Д.И. Воспоминание о графе А.И. Остерман-Толстом. (1770 — 1851). — Исторический вестник, 1880, № 5.

Загоскин М.Н. Москва и москвичи. — М., 1988.

Измайлов А.Е. Анекдоты. Полное собрание сочинений. Т. II. — М., 1890.

[Иордан Ф.И.] Записки ректора и профессора Академии художеств Федора Ивановича Иордан. — М., 1918.

Ишимова А.О. Каникулы 1844 года, или Поездка в Москву. — Спб., 1846.

Калашников И.Т. Записки иркутского жителя. — Русская старина, 1905, № 7.

Каменская М. Воспоминания. — М., 1991.

Карпов В. Н. Харьковская старина. — Харьков, 1900.

[Катенин П.А.] Письма П.А. Катенина к Н.И. Бахтину. — Спб., 1911.

Квашнина-Самарина Е.П. Дневник. — Новгород, 1928.

Керн А.П. Воспоминания. — Дневники. — Переписка. — М., 1989.

Комаровский Н.Е. Записки. — М., 1912.

Корнилова О.И. Быль из времен крепостничества. (Воспоминания о моей матери и ее окружающем). — Спб., 1890.

Кочубей А.В. Семейная хроника. Записки. 1790 — 1873. — Спб., 1890.

[Крылов И.А.] И.А. Крылов в воспоминаниях современников. — М., 1982.

[Кузьмин А.К.] Из подлинных записок А.К. Кузьмина. — Атеней, № 9 — 17, 1858.

Кюстин А. де. Россия в 1839 году. — М., 1996.

Лазаревский А.М. Из прошедшей жизни малорусского дворянства. — Киевская старина, 1888, № 10.

Лелонг А.К. Воспоминания. — Русский архив, 1913, № 6 — 7; 1914, № 6 — 8.

Ломиковский В.Я. Отрывок из дневника (окт. 1822 г.). — Киевская старина, 1895, № 11.

Маевский Н.С. Семейные воспоминания. — Исторический вестник, 1881, т. 6, № 10.

Макаров Н.П. Мои семидесятилетние воспоминания и с тем вместе моя предсмертная исповедь. — Спб., 1881 — 1882.

[Маслов И.] Из рукописей Ивана Маслова. — Искра, 1867, № 45.

Менгден Е. Из дневника внучки. — Русская старина, 1913, № 1.

Местр Ж. де. Петербургские письма (1803 — 1817). — Спб., 1995.

[Мешков Г.И.] Из воспоминаний Г.И. Мешкова. — Русская старина, 1903, № 6.

Мещерский А.В. Из моей старины. Воспоминания. — М., 1901.

Назимов М. В провинции и в Москве с 1812 по 1828 г. — Русский вестник, 1876, т. 124.

Назимова М.Г. Бабушка графиня М.Г. Разумовская. — Исторический вестник, 1899, № 3.

Николева М.С. Черты старинного дворянского быта. Воспоминания. — Русский архив, 1893, № 9 — 10.

Оболенский Д. Хроника недавней старины. Из архива Оболенского-Нелединского-Мелецкого. — Спб., 1876.

[Оже И.] Из записок Ипполита Оже. 1814 — 1817. — Русский архив, 1877, № 1 — 3, 5.

Оленина А.А. Дневник. — М., 1994.

Оом Ф.А. Воспоминания (1826 — 1865). — М., 1896.

Орловская старина. Из записок тамошнего старожила. — Северное обозрение, 1849, декабрь.

[Павлищева О.С.] Письма О.С. Павлищевой к мужу и к отцу. — В кн.: Мир Пушкина. Т. 2. Спб., 1994.

Павлова К.К. Мои воспоминания. — Собрание сочинений. Т. 2. — М., 1915.

Панаев И.И. Литературные воспоминания. — М., 1950.

Пассек Т.П. Из дальних лет. Воспоминания. — М., 1963.

[Паткуль М.А.] Воспоминания Марии Александровны Паткуль, рожденной маркизы де Траверсе, за три четверти столетия. — Спб., 1903.

Письмо к другу в Германию. Петербургское общество сто лет назад. — Русская старина, 1902, № 12.

Погожев В.Н. Воспоминания. — Исторический вестник, 1893, № 6 — 10.

Пржецлавский О.А. Воспоминания. — Русская старина, 1874, № 11 — 12; 1875, № 7, 9, 12.

[Пушкин А.С.] Дневник А.С. Пушкина (1833 — 1835). — М., 1997.

Пушкин А.С. Письма. Полное собрание сочинений в 10-ти томах. — М., 1966.

[Пушкин В.Л.] Письма В.Л. Пушкина к П.А. Вяземскому. — Пушкин. Исследования и материалы. Т. XI. — Л., 1983.

[Пушкины] Письма С.Л. и Н.О. Пушкиных к их дочери О.С. Павлищевой. — В кн.: Мир Пушкина. Т 1. — Спб., 1993.

Раевская Е.И. (Старушка из степи) — Русский архив, 1883, № 1, 3 — 4.

Раевский И.А. Из воспоминаний. — Исторический вестник, 1905, № 8.

[Райнбек Г.] Заметки о поездке в Германию из Санкт-Петербурга через Москву, Гродно, Варшаву, Бреслау в 1805 году, в письмах, Г. Райнбека. Часть Первая. Лейпциг, 1806 (отрывки). — В кн.: Волович Н.М. Пушкин и Москва. — М., 1994.

Рибас. А. де. Старая Одесса. Исторический очерк и воспоминания. — Одесса, 1913.

Ричи Л. Путешествие в Петербург и Москву через Курляндию и Ливонию. Лондон, 1836 (отрывки). — В кн.: Волович Н.М. Пушкин и Москва. — М., 1994.

[Рошешуар Л.-В.-Л. де.] Мемуары графа де Рошешуара, адъютанта императора Александра I. (Революция, Реставрация и Империя). — М., 1914.

Рунич Д.П. Из записок. — Русская старина, 1896, т. 88, № 11, т. 105, 106.

Сабанеева Е.А. Воспоминания о былом. Из семейной хроники 1770 — 1838 гг. — Спб., 1914.

Саблуков Н.А. Записки о времени императора Павла и его кончине. — Исторический вестник, 1906, № 1 — 3.

Салов И.А. Умчавшиеся годы. (Из моих воспоминаний.) — Русская мысль, 1897, кн. 7 — 9.

Санглен Я.И. де. Записки. 1776 — 1831гг. — Русская старина, 1882, № 12; 1883, № 1 — 3, 10.

Сафонович В.И. Воспоминания. — Русский архив, 1903, № 1 — 5.

Свербеев Д.Н. Записки (1799 — 1826). В 2-х т. — М., 1899.

Свиньин П.П. Поездка в Грузино. — Сын Отечества, 1818, № 39.

[Сегюр Ф.П.] Из записок графа Сегюра. — Русский архив, 1908, № 1 — 5.

Селиванов В.В. Предания и воспоминания. — Владимир, 1901.

Скалон С.В. Воспоминания. — Исторический вестник, 1891, № 5 — 7.

Смирнов П.А. Воспоминания о князе Александре Александровиче Шаховском. — Репертуар и пантеон театров, 1847, № 1.

Смирнова-Россет А.О. Дневник. Воспоминания. — М., 1989.

Соковнина Е.П. Воспоминания о Д.Н. Бегичеве. — Исторический вестник, 1889, № 3.

Соколов П.П. Воспоминания. — Л., 1930.

Соколова А.И. Встречи и знакомства. — Исторический вестник, 1911, № 1 — 4.

[Соллогуб В.А.] Воспоминания графа В.А. Соллогуба., Спб., 1887.

Солнцев Ф.Г. Моя жизнь и археологические труды. — Русская старина, 1876, т. 15.

Стогов Э.И. Записки. — Русская старина, 1903, № 1 — 5, 7 — 8.

Сушков Н.В. Картина русского быта в старину. Из записок. — В кн.: Раут. Исторический и литературный сборник. — М., 1852, кн. 2.

[Сушкова Е.] Записки Екатерины Сушковой. — Л., 1928.

Тарасов Д.К. Император Александр I. Последние годы царствования, кончина и погребение. По личным воспоминаниям. — Пг., 1915.

[Толстой Ф.П.] Записки графа Ф.П. Толстого. — Русская старина, 1873, № 1 — 2.

Тютчева А.Ф. При дворе двух императоров. Воспоминания-дневник. — М., 1928 — 1929.

Фадеев А.М. Воспоминания. 1790 — 1867. — Одесса, 1897.

[Фосс] Из дневника обер-гофмейстрины Прусского двора. — Русский архив, 1885, № 4.

[Фюзиль Л.] Записки актрисы Луизы Фюзиль — Русский архив, 1910, № 2.

[Хвощинская Е.Ю.] Воспоминания Е.Ю. Хвощинской. — Спб., 1898.

[Чарторыйский А.] Мемуары князя Адама Чарторыйского и его переписка с императором Александром I. — М., 1912 — 1913.

[Чужбинский А.] Очерки прошлого. Город Смуров. — Заря, 1871, № 6.

Шереметев С.Д. Домашняя старина. — М., 1900.

[Шереметева В.П.] Дневник В.П. Шереметевой, урожденной Алмазовой. 1825 — 1826 гг. — М., 1916.

Шуазель-Гуффье С. де. Исторические мемуары об императоре Александре и его дворе. — М., 1912.

Шумигорский Е.С. Графиня А.В. Браницкая. — Исторический вестник, 1900, № 1.

[Щербинин М.И.] Воспоминания М.И. Щербинина. — Спб.,1877.

Юнге Е.Ф. Воспоминания. (1843 — 1860 гг.) — М., 1914.

Яковлев П.Л. Записки москвича. — М., 1828.

Янишевский Е.П. Из моих воспоминаний. — Казань, 1897.

Содержание

Л 13 **Лаврентьева Е.В.** Светский этикет пушкинской поры. — М.: ОЛМА-ПРЕСС, 1999. — 640 с.

Книга знакомит читателей с правилами дворянского этикета пушкинского времени, повествует о культуре застолья первой трети XIX века, о гастрономических пристрастиях русской аристократии.

В книгу включены документальные источники и материалы из периодических изданий и руководств по этикету прошлого века.

IBSN 5-224-00412-8

УДК 17
ББК 87.717.7

Елена Владимировна Лаврентьева

СВЕТСКИЙ ЭТИКЕТ ПУШКИНСКОЙ ПОРЫ

Редактор
Н. Будур

Художественный редактор
Т. Хрычева

Корректор
Е. Выборнова

Компьютерная верстка
Т. Диановой

Лицензия ЛР № 070099 от 03.09.96
Подписано в печать 20.04.99. Формат 84×108/32.
Гарнитура «Bodoni». Печать офсетная.
Усл. печ. л. 20+1,0 вкл. Уч.-изд. л. 28,5.
Тираж 7000 экз. Заказ № 722

Издательство «ОЛМА-ПРЕСС»
129075, Москва, Звездный бульвар, дом 23, строение 12

Отпечатано в полном соответствии
с качеством предоставленных диапозитивов
в ОАО «Можайский полиграфический комбинат»
143200, г. Можайск, ул. Мира, 93